Hobbes
et la toute-puissance
de Dieu

Luc Foisneau

Hobbes et la toute-puissance de Dieu

CNRS ÉDITIONS
15, rue Malebranche – 75005 Paris

ISBN : 978-2-271-13460-8

ISSN : 2103-4451

À Lise,
À mes parents

« Toute puissance vient de Dieu, je l'avoue ; mais toute maladie en vient aussi. Est-ce à dire qu'il soit défendu d'appeler le médecin ? »

Jean-Jacques Rousseau,
Du contrat social.

Introduction

Été 416 avant Jésus-Christ, archipel des Cyclades. Une flotte de trente-huit navires, emportant à leur bord deux mille sept cents hoplites, trois cents archers à pied et vingt archers à cheval, fait route vers Mélos qui a refusé de payer tribut à Athènes. Cette expédition met la petite cité insulaire face à un dilemme aussi clair que brutal : s'acquitter du tribut ou subir un assaut militaire. Sitôt leurs troupes débarquées, les Athéniens adressent un ultimatum aux Méliens et justifient leur attitude en déclarant que « si le droit intervient dans les appréciations humaines pour inspirer un jugement lorsque les pressions s'équivalent, le possible règle, en revanche, l'action des plus forts et l'acceptation des faibles »[1]. À cette manière de voir[2], les négociateurs méliens tentent d'opposer la puissance des dieux de l'Olympe : ceux-ci favoriseraient leur cause, car ils feraient pencher la fortune du côté des hommes justes. Argument théologique qui échoue toutefois à convaincre les Athéniens, lesquels estiment pour leur part que les dieux sont toujours du côté des plus forts[3].

À la question cruciale de savoir si la puissance divine favorise les plus justes ou les plus forts, les monothéismes n'apportèrent pas de

1. Thucydide, *De la guerre du Péloponnèse*, trad. fr. J. de Romilly, Paris, Robert Laffont, 1990, p. 477.

2. Une même logique régit la pensée de Calliclès, auquel Platon fait dire qu'il est juste que « le meilleur ait plus que le moins bon et le plus fort plus que le moins fort » (Platon, *Gorgias*, 483 *c*, trad. fr. M. Canto, Paris, Garnier-Flammarion, 1987, p. 213).

3. Thucydide, *De la guerre du Péloponnèse*, *op. cit.*, p. 480 : « Nous estimons, en effet, que du côté divin comme aussi du côté humain [...], une loi de nature fait que toujours, si l'on est le plus fort, on commande. »

réponse univoque. Certains éléments incitent certes à penser que la rupture avec le paganisme antique est sur ce point décisive. Ainsi la fidélité de Yahvé aux Hébreux, de la destruction de Samarie à la captivité à Babylone, semble-t-elle constituer une entorse majeure à la théologie païenne de la puissance[1]. Cette fidélité n'est-elle pas la preuve que le Tout-Puissant peut parfois suivre le parti des vaincus ? À tout le moins, il est permis de considérer que c'est en ce sens qu'elle fut comprise par Jésus, dont le message, promettant le ciel aux faibles et aux persécutés, semble mettre la puissance de Dieu au service de ceux qui ne disposent d'aucun pouvoir et sceller du même coup l'alliance de la toute-puissance divine et des victimes de l'injustice humaine[2]. Une lecture plus attentive de la Bible montre, cependant, qu'il serait imprudent de conclure de ce qui précède que judaïsme et christianisme aient réussi, chacun à sa manière, à ruiner les fondements de la théologie du plus fort. On constate, en effet, que le Dieu de l'Ancien Testament n'hésite pas à invoquer l'argument de la toute-puissance[3] pour faire plier Job, homme juste et pieux s'il en fut[4]. La force terrifiante des monstres bibliques, Béhémoth et Léviathan, joue dans cet épisode fameux un rôle comparable à la menace directe de l'armée athénienne dans le récit de Thucydide[5], et c'est un argument analogue à celui par lequel les Athéniens entendaient faire plier les Méliens[6] qui conduit Job à s'incliner devant le Tout-Puissant[7]. Quant au christianisme, en dépit du renversement des valeurs proclamé dans le Sermon sur la montagne, il n'a renoncé totalement ni à la rhétorique de l'omnipotence, ni à

1. Pour une lecture anthropologique et politique de la naissance du judaïsme, voir M. Gauchet, *Le désenchantement du monde. Une histoire politique de la religion*, Paris, Gallimard, 1985, p. 141-155.

2. Voir Matthieu, V, 1-12.

3. Pour une analyse historique des récits bibliques de la genèse, voir Jean Bottéro, *Naissance de Dieu. La Bible et l'historien*, Paris, Gallimard, 1992, p. 204 sq.

4. Job, XXXVIII, 1-XLI, 26, trad. fr. J. Bottéro, *in* Id., *Naissance de Dieu, op. cit.*, p. 225-229.

5. À propos de Léviathan : « Il n'a pas son pareil sur la terre : il a été créé sans peur. C'est lui que les plus fiers redoutent, C'est lui le roi de tous les animaux féroces ! » (Job, XLI, 25-26, trad. fr. J. Bottéro, *in* Id., *Naissance de Dieu, op. cit.*, p. 229).

6. Thucydide, *De la guerre du Péloponnèse, op. cit.*, p. 483.

7. « Je sais que tu es tout-puissant, Que pour Toi nul dessein n'est irréalisable ! » (Job, XLII, 2, trad. fr. J. Bottéro, *in* Id., *Naissance de Dieu, op. cit.*, p. 229).

l'argumentaire qui la sous-tend. En effet, si l'Évangile du Christ vise manifestement à subvertir l'antique droit du plus fort, le christianisme politique de saint Paul se refuse pour sa part à remettre en question la toute-puissance du Père. Toute puissance ne vient-elle pas de Dieu[1] ? Et la maxime paulinienne, vite apprise, sera sans peine retenue par les puissants de la Terre. Quant à l'Église catholique, héritière à la fois de l'Empire romain et du message des Évangiles, elle réussit le tour de force de réconcilier ces tendances contradictoires du christianisme en faisant tenir ensemble la forme politique impériale et la toute-puissance divine par la médiation du Christ. Défaire cette alliance ne fut pas chose facile, car la réforme religieuse du christianisme romain impliquait une réforme politique, laquelle n'advint que tardivement à l'aube de la modernité.

L'étude que l'on va lire prend pour objet le retournement conceptuel qui s'opère, à propos de la toute-puissance, dans la pensée de Hobbes. L'auteur du *Léviathan* met en effet l'affirmation théologique de la *potentia Dei* au service d'une pensée radicale de l'égalité naturelle entre les hommes, pensée qui, du même coup, et contrairement à ce que l'on croit souvent, anticipe de manière fulgurante sur la célèbre critique rousseauiste du droit du plus fort[2], car l'absurdité que dénonce Rousseau d'une force qui fait le droit pour autant qu'elle l'impose est en parfait accord avec le jugement de Hobbes sur l'égalité. De fait, si l'on peut lire dans les *Elements of Law* qu'« une puissance irrésistible fait droit »[3], on y lit également, tout de suite après, « que nul n'a assez de pouvoir pour assurer par là sur une longue durée sa propre préservation »[4]. La conversion de la puissance en droit ne valant que pour Dieu, le droit du plus fort demeure à l'horizon de la condition humaine, mais

1. Voir Romains, XIII, 1.

2. Voir J.-J. Rousseau, *Du contrat social*, I, III, Paris, Gallimard, coll. « Bibliothèque de la Pléiade », 1964, p. 354-355.

3. « Out of which may also be collected, that irresistible might in the state of nature is right » (Thomas Hobbes, *The Elements of Law Natural and Politic*, I, XIV, 13, F. Tönnies (éd.), Londres, Simpkin, Marshall & Co., 1889, réimpression, Londres, F. Cass, 1969, p. 74 ; nous abrégeons ce titre en *Elements of Law* ; la traduction citée, inédite, est de M. Triomphe).

4. *Elements of Law*, I, XIV, 14, p. 74.

cet horizon est par définition inatteignable. Le projet d'une domination naturelle de l'homme sur l'homme étant ainsi voué à l'échec, Hobbes nous met en demeure de penser autrement la constitution du politique, la toute-puissance qu'il invoque ne requérant par ailleurs ni la médiation du Christ, ni la constitution d'un Empire universel, fût-il de nature spirituelle. De fait, l'État souverain qu'il promeut n'affirme sa toute-puissance que pour protéger les hommes de la peur qu'ils s'inspirent mutuellement.

Le choix de Thomas Hobbes (1588-1679) pour étudier un fragment de l'histoire moderne des pensées de la toute-puissance n'est donc pas aussi paradoxal qu'il pourrait le sembler à ceux qui ne veulent voir en lui qu'un savant matérialiste et athée. Revendiquant pour sa philosophie politique l'honneur de figurer aux côtés des œuvres de Copernic, Galilée, Harvey et Kepler, le philosophe de Malmesbury a indéniablement contribué au développement d'une science politique fondée davantage sur le droit des individus que sur le droit de Dieu [1]. Sa contribution au droit naturel moderne – et, en particulier, son affirmation de l'égalité des hommes par nature – n'en repose pas moins sur une réappropriation décisive de la détermination de Dieu comme être tout-puissant. Non seulement ses thèses mécanistes, morales et politiques ne sont pas apparues tout d'un coup, dégagées comme par miracle de la gangue des représentations théologiques[2], mais encore la conceptualité théologique continue de jouer un rôle à part entière dans l'orientation de sa pensée. Parmi les conditions qui ont pu orienter sa philosophie en profondeur – crise de la métaphysique[3], développement de la science naturelle[4], crise sceptique[5], crise politique[6],

1. Sur le droit divin des rois, voir J. N. Figgis, *The Theory of the Divine Right of Kings*, Cambridge, Cambridge University Press, 1896.

2. Pour une lecture continuiste de la naissance de la science moderne, voir A. Funkenstein, *Théologie et imagination scientifique du Moyen Âge au XVIIe siècle*, trad. fr. J.-P. Rothschild, Paris, PUF, 1995.

3. Y. C. Zarka, *La décision métaphysique de Hobbes*, Paris, Vrin, 1987, 1999².

4. T. Sorell, *Hobbes*, Londres, Routledge & Kegan Paul, 1986, 1994².

5. R. Tuck, *Philosophy and Government 1572-1651*, Cambridge, Cambridge University Press, 1993.

6. J.-P. Sommerville, *Thomas Hobbes : Political Ideas in Historical Context*, Londres, Macmillan, 1992.

théories de la raison d'État[1], influence de la rhétorique[2] –, il convient donc d'accorder un rôle déterminant à sa théologie de la toute-puissance[3].

HOBBES ET L'HISTOIRE DE LA THÉOLOGIE DE LA TOUTE-PUISSANCE

Remarquons, tout d'abord, que la théologie de Hobbes prolonge et, sur certains points, radicalise tout un pan de la réflexion chrétienne sur l'omnipotence divine. Elle la prolonge, en effet, dans la mesure où elle reprend à son compte des thèses qui furent avancées sur la question par des théologiens chrétiens du Moyen Âge[4]. Comme ces auteurs, Hobbes accorde une place déterminante à l'attribut divin de la toute-puissance, et, comme eux, il s'appuie sur les lieux scripturaires où elle est affirmée[5]. Bien qu'il n'aborde qu'indirectement le com-

1. G. Borrelli, *Ragion di Stato e Leviatano*, Bologne, Il Mulino, 1993.

2. Q. Skinner, *Reason and Rhetoric in the Philosophy of Hobbes*, Cambridge, Cambridge University Press, 1996.

3. Sur ce point, voir A. Pacchi, « Hobbes e la potenza di Dio », *in* M. Fumagalli (éd.), *Sopra la volta del mondo. Onnipotenza e potenza assoluta di Dio tra Medioevo e Età Moderna*, Bergame, Pierluigi Lubrina Editore, 1986, p. 79-91 ; trad. fr. F. Matheron, « Hobbes et la puissance de Dieu », *Philosophie*, 23 (1989), p. 80-92.

4. On peut faire commencer l'histoire de la théologie de la toute-puissance avec le livre de Pierre Damien (1007-1072), *Lettre sur la toute-puissance divine* (1067), introd., texte critique, notes, trad. fr. A. Cantin, Paris, Cerf, coll. « Sources chrétiennes », 1972. Sur le choix de ce point de départ, voir W. J. Courtenay, *Capacity and Volition. A History of the Distinction of Absolute and Ordained Power*, Bergame, Pierluigi Lubrina Editore, 1990, p. 28.

5. Dans le *De Cive* (XV, 2, p. 220 ; XV, 6, p. 222) et dans le *Léviathan* (XXXI, 2, p. 379 ; 6, p. 381-382), les références bibliques citées sont identiques. Ce sont les suivantes : Psaumes, XCVI, 1 ; Psaumes, XCVIII, 1 ; Psaumes, LXXII, 1-3 ; Job, XXXVIII, 4. Pour le *De Cive*, nous avons consulté la traduction non publiée de I. Agier, et nous renvoyons à la pagination de *De Cive, The Latin Version*, H. Warrender (éd.), Oxford, Clarendon Press, 1983. Pour le *Léviathan*, dont nous abrégeons le titre en *Lév.*, la pagination renvoie à la traduction française de F. Tricaud (Paris, Sirey, 1971). Quand le texte original est cité, la pagination est celle, pour l'anglais, de *Leviathan*, C. B. Macpherson (éd.), Harmondsworth, Penguin Books, 1968, en abrégé *Lev.*, et, pour le latin, de *Leviathan*, W. Molesworth (éd.), in *Opera Latina*, vol. 3, Londres, 1839-1845, abrégé en *Lev., OL III*. Les trois chapitres de l'*Appendix ad Leviathan*, traduits à la suite du *Léviathan* par F. Tricaud, sont cités dans cette traduction, et désignés par l'abréviation *Lév., Ap.*, suivie d'un chiffre romain pour indiquer le numéro du chapitre.

mentaire du « Je crois en un seul Dieu, le Père tout-puissant »[1], il fournit toutefois, dans son interprétation du mystère de l'Incarnation[2], un indice décisif pour comprendre le sens rigoureux qu'il donne à cet attribut divin : « [...] quoique Dieu soit tout-puissant en tout lieu, *faisant en tout lieu tout ce qu'il veut à l'égard de toute créature, il ne fait pas en tout lieu, néanmoins, tout ce qu'il peut.*[3] »[4] Comprenons : si Dieu n'a pas fait en sorte que toutes les femmes puissent engendrer un Christ, à savoir un homme-Dieu, ce n'est pas en raison d'un manque de puissance, mais parce que son omnipotence ne réside pas dans le fait de réaliser tout ce qu'il peut faire, mais dans le fait de réaliser tout ce qu'il veut faire[5]. En adoptant cette définition, Hobbes s'inscrit dans la postérité de l'une des thèses formulées, en 1067, par Didier, abbé du Mont Cassin, l'un des deux protagonistes, avec Pierre Damien, de la *Lettre sur la toute-puissance divine.* Contre Pierre Damien, qui soutient qu'il faut distinguer entre la toute-puissance prise en elle-même et l'ordre dans lequel elle se manifeste[6], Didier affirme en effet, comme Hobbes le fera encore six siècles plus tard, que la puissance divine

1. *Symbole de Nicée* (325), in *Enchiridion symbolorum*, Denzinger (éd.), § 125, p. 52. Hobbes se sert de la proposition « Dieu est tout-puissant » pour expliciter, par comparaison, la signification logique et sémantique de la proposition « Dieu est », dont on ignore, contrairement à la première, quel prédicat elle attribue à son sujet (*Lév.*, *Ap. I*, p. 725).

2. La difficulté est la suivante : si, dans le mystère de l'Incarnation, « l'action du Dieu tout-puissant » est liée à la présence de la substance de Dieu en toute chair, ne faut-il pas dire que tous les hommes possèdent « les deux natures, l'humaine et la divine, comme le Christ » ? (*Lév.*, *Ap. I*, p. 741).

3. Cette affirmation est reprise dans la polémique de Hobbes avec Bramhall : « [...] l'omnipotence ne signifie rien de plus que la puissance de faire toutes les choses qu'il [*i.e.*, Dieu] veut faire [...] » (Thomas Hobbes, *Les questions concernant la liberté, la nécessité et le hasard*, XXXV, introd., notes, index, glossaires et concordances par L. Foisneau, trad. fr. L. Foisneau et F. Perronin, Paris, Vrin, 1999, p. 396 ; nous abrégeons ce titre en *Questions*).

4. *Lév.*, *Ap. I*, p. 741 ; nous mettons en italiques.

5. Hobbes complète ainsi son analyse : « Dans l'opération qui, à partir d'un homme, engendre un homme, il [*i.e.*, Dieu] a voulu de toute éternité que fût produit seulement un homme, qui ne pourrait pas faire tout ce qu'il voudrait ; mais seulement dans la génération surnaturelle d'un homme opérée par l'Esprit-Saint, il a voulu de toute éternité produire un homme qui pût faire tout ce qu'il voudrait, c'est-à-dire un homme-Dieu » (*Lév.*, *Ap. I*, p. 741).

6. Sur ce point, voir l'introduction d'O. Boulnois à Id. (éd.), *La puissance et son ombre. De Pierre Lombard à Luther*, Paris, Aubier, 1994, p. 53 sq.

s'étend seulement à ce que Dieu veut[1]. Cette reprise troublante d'une thèse du XIe siècle par un philosophe matérialiste de l'âge classique constitue un indice convaincant[2] de la permanence des arguments sur la toute-puissance, par-delà les ruptures intervenues avec la Réforme et la science galiléenne. En outre, si certains théologiens du XVIIe siècle ne veulent voir dans le recours répété à de tels arguments qu'un abus de langage[3], une enquête approfondie montre que Hobbes n'était pas le seul parmi les laïcs de son temps à faire de l'attribut de la toute-puissance un usage théorique significatif. Ainsi, par exemple, le physicien Robert Boyle, qui n'hésitait pas à écrire qu'« étant donné que la physique conduit les hommes à reconnaître un Dieu, il n'est pas contraire à la raison, que, s'il plaît à Dieu d'interposer sa puissance, il puisse [...] faire flotter du fer »[4].

S'il témoigne indéniablement de la persistance et de l'importance théorique de la notion de toute-puissance au XVIIe siècle, l'usage qu'en fait Hobbes l'éloigne toutefois fortement de la manière dont on l'utilise le plus couramment dans l'Angleterre de son époque. Alors que ses contemporains, à l'instar de Boyle, insistent sur la différence qu'il y a entre la puissance divine prise absolument et l'ordre du monde voulu par Dieu, Hobbes tend pour sa part à rattacher la toute-puissance à la seule volonté divine[5]. Au lieu de souligner l'écart entre ce que Dieu peut faire selon sa puissance lorsque l'on fait abstraction de l'ordre des choses *(de potentia absoluta)* et ce que Dieu a décidé de faire selon son

1. Pour expliquer l'impossibilité de restituer sa virginité à une vierge déflorée, Didier déclare : « Dieu ne le peut pas, pour cette seule raison qu'il ne le veut pas » (Pierre Damien, *Lettre sur la toute puissance divine*, 597 A, *op. cit.*, p. 388).

2. Sur la permanence des arguments *de potentia ordinata / de potentia absoluta Dei* jusqu'au XVIIe siècle, voir F. Oakley, « Christian Theology and the Newtonian Science : the Rise of the Concept of the Laws of Nature », *Church History*, 30 (1961), p. 447-448.

3. Voir Bramhall, in *Questions*, XII, p. 157-158 : « De nos jours, d'aucuns ont pris l'habitude d'attribuer à Dieu la paternité de leurs propres imaginations, et lorsqu'ils ne peuvent justifier celles-ci par la raison, d'implorer l'omnipotence de Dieu, ou de s'écrier, *O altitudo*, que les voies de Dieu sont impénétrables. »

4. R. Boyle, *Some Considerations about the Reconcileableness of Reason and Religion* (1675), in *The Works*, Londres, 1772, réimpression, Hildesheim, Georg Olms Verlagsbuchhandlung, 1966, p. 163.

5. « Mais pour la production de toute chose qui est produite, la volonté de Dieu est autant requise que le reste de sa puissance et de sa suffisance » (*Questions*, XXXV, p. 396).

décret éternel *(de potentia ordinata)*, il considère la volonté de Dieu comme l'unique expression de sa toute-puissance. À cette thèse singulière, il confère une signification tant en théologie naturelle qu'en théologie morale, la fonction habituellement dévolue à la puissance ordonnée – penser l'ordre voulu par Dieu – étant attribuée par lui à la puissance absolue, qu'il invoque aussi bien pour rendre compte de la nécessité de toutes choses que pour rendre raison de la justice divine. Dans les deux cas, cette thèse affecte des points fondamentaux de la doctrine chrétienne. D'une part, affirmer que la puissance absolue de Dieu est au principe de la nécessité de l'enchaînement des causes[1] ébranle l'idée selon laquelle cette même puissance serait le fondement ultime de la contingence du monde. D'autre part, affirmer que la puissance absolue sert de fondement à la souveraineté divine[2] contredit l'opinion commune selon laquelle l'absolutisme divin dérogerait aux lois de la justice éternelle.

Pour mieux se convaincre de la singularité de Hobbes en son temps, on peut encore se référer à la polémique qui l'opposa à l'évêque John Bramhall[3]. Confronté à des arguments qu'il juge paradoxaux, Bramhall se fait un devoir de rappeler l'opinion théologique commune au sein de l'Église anglicane. Concernant l'ordre de la nature, cette opinion est « que Dieu ne fait pas en dehors de lui-même toutes les choses qu'il peut faire ou qu'il a la puissance de faire »[4], à savoir que sa volonté ne suffit pas à rendre compte de sa toute-puissance ; concernant l'ordre de la justice, l'opinion commune est que la « justice divine ne se

1. « Or, il est évident que la cause première est une cause nécessaire de tous les effets qui en résultent immédiatement, d'où il suit, d'après la raison avancée par lui [*i.e.*, Bramhall], que tous les effets sont nécessaires » (*Questions*, XVIII, p. 246). Sur le nécessitarisme de Hobbes, voir, plus bas, notre chapitre III.

2. La puissance absolue « place celui qui la possède au-dessus de toute loi, de sorte que rien de ce qu'il fait ne peut être injuste » (*Questions*, XII, p. 171).

3. Sur l'importance théologique de la polémique entre Hobbes et John Bramhall (1594-1663), qui fut évêque de Derry, en Irlande, voir notre introduction aux *Questions*, p. 19-33 ; pour une présentation de l'histoire de la controverse, voir l'introduction de F. Lessay, à Thomas Hobbes, *De la liberté et de la nécessité*, introd., notes, glossaires, index et trad. fr. F. Lessay, Paris, Vrin, 1993, p. 9-19, p. 31-40, nous abrégeons ce titre en *Liberté et nécessité*.

4. *Questions*, XVIII, p. 248.

mesure pas à l'omnipotence ou au caractère irrésistible de la puissance, mais à la volonté de Dieu [qui] peut faire de nombreuses choses en fonction de sa puissance absolue, qu'il ne fait pas »[1]. Ces deux opinions portent la marque de ce courant majeur de la théologie de la toute-puissance, illustré notamment par Guillaume d'Ockham[2], qui défend l'idée selon laquelle Dieu peut faire, dans l'absolu, plus de choses qu'il n'a la volonté d'en faire réellement exister. La *potentia absoluta Dei*, limitée par le seul principe de non-contradiction, excède absolument le champ du réel, que suffit à définir la *potentia ordinata Dei*. Bien que Bramhall n'hérite pas d'Ockham un goût immodéré pour les variations eidétiques permises par la *potentia absoluta*[3], il reste toutefois fidèle à la distinction de la puissance ordonnée et de la puissance absolue. Or, si l'adjectif « absolu » désigne pour l'évêque de Derry une puissance du possible indépendante de la volonté divine, il est clair qu'il n'en va pas de même pour Hobbes, pour lequel, ainsi que le note fort justement son contradicteur, « toutes les choses sont nécessaires de toute éternité », car « rien n'est possible à Dieu [...] qui ne soit absolument nécessaire »[4].

Bien que ses contemporains aient pu la juger dangereusement novatrice, la définition par Hobbes de la puissance divine puise toutefois ses racines dans un courant fort ancien, qui fut très tôt jugé hétérodoxe. À l'origine de ce courant se trouve, comme nous l'avons indiqué plus haut, l'opposition de Didier, abbé du Mont Cassin, à la thèse de Pierre Damien sur la *potentia Dei*. Quant à son hétérodoxie, Leibniz en indique le motif lorsqu'il remarque que la thèse hobbe-

1. *Questions*, XII, p. 159.

2. Concernant les textes d'Ockham (v. 1285-1347/9) sur la puissance de Dieu, voir, en particulier, *Opus nonaginta dierum*, chap. 95, in *Opera politica*, II, 718 ff ; *Tractatus contra Benedictum*, liv. III, chap. 3, in *Opera Politica*, III, p. 230-234 et *Quaestiones in IV libros Sententiarum*, Prologus, qu. 1.

3. Sur le lien entre la théorie ockhamiste des expériences de pensée et la variation eidétique husserlienne, voir A. de Muralt, *La métaphysique et le phénomène. Les origines médiévales et l'élaboration de la pensée phénoménologique*, Paris, Vrin, 1985.

4. J. Bramhall (1657), *Castigations of Mr. Hobbes his last Animadversions in the Case concerning Liberty and Universal Necessity ; wherein all his Expectations about the Controversy are fully Satisfied*, in *The Works of John Bramhall*, Oxford, John Henry Parker, 1844, vol. 4, p. 267 ; nous abrégeons ce titre en *Castigations*.

sienne trouve chez Wyclif[1] et chez Abélard[2] des devanciers fort habiles, que leur habileté même avait détournés de la vérité[3]. Déclarée hérétique au concile de Sens en juin 1140, la thèse abélardienne selon laquelle Dieu ne peut faire que ce qu'il fait, et rejeter que ce qu'il rejette[4], joue de fait un rôle essentiel dans la détermination de l'orthodoxie théologique sur la question de la toute-puissance. Du fait de sa condamnation, cette thèse dut être considérée par les premiers critiques d'Abélard, par Pierre Lombard[5] notamment, comme une position hétérodoxe[6]. Ainsi deux courants, nullement homogènes mais néanmoins cohérents, peuvent-ils être distingués chez les théologiens médiévaux qui ont réfléchi à la question de la toute-puissance : l'un, qui part de Pierre Damien et passe par Ockham, pose qu'il y a une différence en Dieu entre la puissance du possible et la volonté de faire advenir le réel ; l'autre, qui part de saint Augustin et passe par Abélard et Wyclif, affirme que la puissance de Dieu est soumise à l'empire de sa volonté. Dans le premier cas, la toute-puissance peut être définie par la formule, « Dieu peut, mais il ne veut pas » ; dans le second cas, par la formule, « il peut, s'il le veut »[7]. À côté d'un courant, qui fait figure de courant majeur parce qu'il se situe le plus souvent du côté de l'orthodoxie, la réflexion sur la toute-puissance fait donc place à un courant

1. John Wyclif, réformateur anglais mort en 1384, fut condamné au concile de Blackfriars en 1382.

2. Pierre Abélard (1079-1142), philosophe et théologien célèbre, fut condamné au concile de Soissons, en 1121, et au concile de Sens, en 1140.

3. Leibniz, *Essais de théodicée*, II, art. 171-172, Paris, GF, 1969, p. 217-218.

4. « Deus non potest facere nisi quod facit, nec dimittere nisi quod dimittit. » En ce qui concerne les modalités de l'attribution de cette thèse à Abélard, voir W. J. Courtenay, *Capacity and Volition*, *op. cit.*, p. 55, n. 1.

5. Pierre Lombard (v. 1100-1160) rédige son œuvre majeure, les *Sentences*, entre 1148 et 1152. Cet ouvrage, qui présente les positions *(sententiae)* théologiques de l'Église de façon argumentée, fera l'objet de très nombreux commentaires pendant plus de trois siècles. En ce qui concerne les positions de Pierre Lombard sur la question de la toute-puissance, voir O. Boulnois, introd. et trad. des Distinctions 42, 43, 44 des *Sentences*, *in* Id. (éd.), *La puissance et son ombre*, *op. cit.*, p. 71-95.

6. Voir W. J. Courtenay, *Capacity and Volition*, *op. cit.*, p. 54-55.

7. Cette thèse, exposée par saint Augustin dans l'*Enchiridion ad Laurentium (sive De fide, spe et charitate Liber unus)*, c. XCVI, in *PL* 276, est reprise par Hobbes dans les *Questions* : « Il est vrai que Dieu ne fait pas toutes les choses qu'il peut faire *s'il le veut* [...] » (p. 250 ; nous mettons en italiques).

mineur, qui fut, depuis le milieu du XIe siècle, en butte aux critiques et aux condamnations pour hérésie.

Les critiques adressées à la théologie de Hobbes s'expliquent ainsi pour partie par la relation que le philosophe entretient avec ces deux courants antagonistes. Lorsque Leibniz affirme à propos d'Abélard que « cet auteur avait un peu trop de penchant à parler et à penser autrement que les autres »[1], il situe bien la frontière entre le permis et le défendu dans la réflexion sur l'omnipotence. Peut-on dire pour autant, comme il le fait, que l'affirmation abélardienne selon laquelle « Dieu ne peut faire que ce qu'il veut »[2] procède d'une confusion verbale de la puissance et de la volonté ? La reprise de cette dernière thèse par Hobbes traduit en effet, n'en déplaise à Leibniz[3], davantage qu'une erreur doctrinale : l'illustration en plein XVIIe siècle de la persistance et de la pertinence d'une détermination hétérodoxe de la notion de toute-puissance divine.

La réédition, au début de l'âge classique, de textes médiévaux et la reprise de thèses médiévales dans des textes modernes permet, en outre, de rendre compte matériellement de cette continuité d'inspiration. Hobbes a fort bien pu trouver l'idée d'une articulation entre sa théorie de la nécessité et sa théologie de la toute-puissance dans le *De Causa Dei* de Thomas Bradwardine, réédité à Londres en 1618[4]. Bien qu'il prenne ses distances par rapport à Abélard, Bradwardine infléchit en effet la conception ockhamiste de la toute-puissance en direction d'un plus grand nécessitarisme[5]. Rien n'empêche, par conséquent, de penser

1. Leibniz, *Essais de théodicée*, II, art. 171, *op. cit.*, p. 217.
2. *Ibid.*
3. Concernant les positions divergentes de Hobbes et de Leibniz, voir Y. C. Zarka, « Leibniz lecteur de Hobbes : toute-puissance divine et perfection du monde », in A. Heinekamp, A. Robinet (éd.), *Leibniz : le meilleur des mondes*, Stuttgart, Franz Steiner Verlag, 1992, p. 113-128 ; repris *in* Id., *Philosophie et politique à l'âge classique*, Paris, PUF, 1998, p. 85-106.
4. Thomas Bradwardine, *De Causa Dei*, H. Saville (éd.), Londres, 1618, III, p. 637. Né aux alentours de 1300, Bradwardine devint, après des études à Oxford, chancelier de Saint Paul, puis chapelain d'Édouard III. Élu archevêque de Cantorbéry en juin 1349, il mourut en août de la même année. Voir J.-F. Genest, *Prédétermination et liberté créée à Oxford au XIVe siècle, Buckingham contre Bradwardine*, avec le texte latin de la *Determinatio de contingentia futurorum*, de Thomas Buckingham, Paris, Vrin, 1992, p. 13-16.
5. J. Jolivet propose ainsi de comparer Bradwardine « à Ockham, pour observer la façon dont un même principe – celui de la puissance absolue de Dieu – se développe en des conclusions fort éloignées. » (« La philosophie médiévale en Occident », in *Histoire de la philosophie*, Paris, Gallimard, coll. « Encyclopédie de la Pléiade », t. 1, p. 1524).

que Hobbes ait pu lire le *De Causa Dei* d'une façon qui en aurait rapproché les thèses sur la nécessité de la thèse d'Abélard. Leibniz, qui cite Hobbes, Bradwardine et Wyclif dans une commune condamnation, ne semble pas voir d'obstacle à pareil rapprochement[1]. Quant à l'analogie entre la puissance absolue de Dieu et la puissance du souverain[2], Hobbes en a très certainement trouvé l'idée dans la théologie politique du début du XVIIe siècle. Plus récente que l'argument qui unit puissance divine et nécessité, cette analogie, qui a pour origine la comparaison de la *plenitudo potestatis* du pape avec la *potentia absoluta* de Dieu[3], est en effet présente dans les écrits politiques de Jacques I[er][4]. Si Hobbes ne reprend de la distinction jacobite entre puissance ordonnée et puissance absolue du roi que le second terme, il n'en reste pas moins fidèle à l'esprit qui avait conduit le roi Stuart à transposer les concepts théologiques de *potentia ordinata* et de *potentia absoluta Dei* dans le champ de la politique.

Cette double réappropriation n'implique pas, loin s'en faut, un quelconque retour de la pensée philosophique à des problématiques qui ne sont manifestement plus les siennes, en Angleterre et en France, dans la première moitié du XVIIe siècle. La résurgence de thèses théologiques médiévales dans la pensée de Hobbes va incontestablement de pair avec une modification profonde de leurs implications. Ainsi, alors que les discussions entre Pierre Damien et l'abbé Didier avaient un

1. « Je suis très éloigné des sentiments de Bradwardine, de Wiclef, de Hobbes et de Spinoza, qui enseignent, ce semble, cette nécessité toute mathématique que je crois avoir suffisamment réfutée, et peut-être plus clairement qu'on n'a coutume de faire. » (Leibniz, *Essais de théodicée*, I, art. 67, *op. cit.*, p. 141). Si Leibniz a raison de rapprocher les trois premiers auteurs, auxquels il adjoint ailleurs Abélard (*ibid.*, II, art. 172, *op. cit.*, p. 218), le rapprochement qu'il opère avec la « nécessité toute mathématique » de Spinoza peut paraître moins pertinent. Sur ce point, voir plus bas la fin de notre chapitre V, p. 207-213.

2. Voir *De Cive*, XV et *Lev.*, XXXI.

3. La comparaison de la puissance divine et de la puissance papale est formulée, de manière explicite, par Gilles de Rome (v. 1243/7-1316), *De ecclesiastica potestate*, liv. IV, chap. 7, R. Scholz (éd.), Weimar, 1929, p. 181-182. Pour une analyse de ce passage, voir F. Oakley, « Jacobean Political Theology : the Absolute and Ordinary Powers of the King », *Journal of the History of Ideas*, 29-1 (1968), p. 332. La doctrine de la *plenitudo potestatis* du pape se met en place entre le XIe et le XIIIe siècle, notamment sous les pontificats de Grégoire VII et d'Innocent III.

4. Voir C. H. McIlwain (éd.), *The Political Works of James I*, Cambridge, Mass., 1918, p. 307-310, 333.

enjeu exclusivement théologique, les réflexions de Hobbes sur la toute-puissance divine ne prennent tout leur sens que si on les rapporte aux enjeux de sa pensée philosophique.

LA TOUTE-PUISSANCE ET LE SYSTÈME DE LA PHILOSOPHIE

La notion de toute-puissance de Dieu possède, nous venons d'en donner quelques indices, une histoire riche, avec laquelle la pensée théologique de Hobbes entretient des relations complexes. Notre hypothèse est toutefois que cette notion importe également, et cela de façon essentielle, à la compréhension de la philosophie de notre auteur, en tant que la puissance divine constitue le principe à partir duquel il est possible de penser à la fois l'unité de son système[1] et l'hétérogénéité relative de ses parties.

La détermination de Dieu comme puissance absolue possède, tout d'abord, une signification pour la philosophie de la nature, car, point de départ de toutes les séries causales, elle permet de faire l'économie d'un principe d'ordre spécifique. Nul besoin donc de supposer, comme le faisaient nombre de théologiens médiévaux, que l'ordre du monde reposerait sur une libre obligation de Dieu envers lui-même[2]. Si la nature dépend, certes, de la puissance du Créateur, puisque toutes les séries causales trouvent en lui leur source, elle n'en est pas pour autant suspendue à sa libre promesse. En tranchant ainsi le nœud gordien de la finalité naturelle, Hobbes rompt de fait – nous chercherons à le prouver dans la première partie de ce livre – le lien qui unissait jusqu'alors l'ordre de la nature à la finalité divine. Comme l'univers sans finalité que décrit sa philosophie naturelle présuppose

1. Le caractère systématique de la pensée de Hobbes s'exprime, notamment, dans l'articulation en trois parties de ses *Elementa philosophiae*, qui comportent un *De Corpore*, un *De Homine* et un *De Cive*.

2. Sur ce point, voir F. Oakley, *Omnipotence, Covenant, and Order*, Ithaca et Londres, Cornell University Press, 1984, p. 62-64.

que l'on renonce à l'idée d'un ordre fondé sur la promesse, l'affirmation de la puissance absolue au fondement de la nature permet de comprendre l'horizon dans lequel se déploie sa philosophie mécaniste dès le début des années 1630[1]. La notion de toute-puissance marque néanmoins tout autant, sinon davantage encore, sa philosophie morale et politique.

En interprétant l'attribut de l'omnipotence comme souveraineté absolue de Dieu sur l'humanité, Hobbes se donne le principe anhypothétique – nous chercherons à le montrer dans notre deuxième partie – à partir duquel se découvrent à lui les hypothèses fondamentales de son anthropologie politique. Par-delà leur preuve rationnelle spécifique, ces hypothèses – celle de l'égalité des hommes par nature, notamment – procèdent en effet de l'idée d'une différence absolue de puissance entre Dieu et les hommes. Compris comme le principe transcendant de la mortalité humaine, ce rapport de force théologique éclaire tout à la fois l'argument en faveur de l'égalité des hommes par nature et la dynamique politique qui en procède. Derrière la mort violente qui étend sa menace sur tout un chacun dans l'état de nature, se profile en effet l'ombre de la mort tout court, voulue par Dieu comme l'expression de sa souveraineté sur les hommes. Réfuter Hobbes parce qu'il « suppose tous les hommes méchants, ou qu'il leur donne sujet de l'être »[2] revient de fait à ignorer les racines du mal et la nature de son remède politique. La méchanceté des hommes n'est en effet que le revers de leur mortalité, dont ils sont fondés à voir en autrui la cause prochaine aussi longtemps que l'État ne leur garantit pas une protection suffisante. Par conséquent, loin d'orienter notre réflexion vers les mystères insondables de la divinité, l'étude de la réappropriation philosophique de l'attribut de la toute-puissance nous conduit à penser les conséquences politiques de notre mortalité.

De fait, l'autorité de la puissance publique repose sur la seule force d'un contrat passé entre des hommes, sans qu'il soit besoin que ces

1. Voir Thomas Hobbes, *Court traité des premiers principes. Le « Short Tract on First Principles » de 1630-1631*, texte, trad. et commentaire par J. Bernhardt, Paris, PUF, 1988 ; nous abrégeons ce titre en *Short Tract.*

2. Descartes, *À un père jésuite*, 1643 ?, AT, IV, p. 67.

derniers fassent alliance avec Dieu. Autrement dit, le pacte d'où procède la société n'a pas pour fonction de tisser le lien humain à partir de la promesse divine, la parole des hommes, gagée sur leur mortalité, suffisant à instaurer la paix civile. Conscient du danger représenté par la théologie calviniste de l'Alliance, dont les presbytériens écossais surent faire un usage extrêmement efficace[1], Hobbes estime toutefois nécessaire de montrer – nous y insisterons dans notre troisième et dernière partie – que nul ne saurait arguer d'un engagement individuel envers Dieu pour se soustraire à ses obligations envers l'État. Puisque Dieu n'est plus déterminé par une capacité à s'engager librement envers lui-même, il ne saurait non plus être l'auteur de ces conventions qu'on lui prête pour mieux s'exempter parfois de nos obligations terrestres. Ainsi la pensée de la toute-puissance, qui commande en profondeur la théorie hobbesienne de l'État, ne repose-t-elle ni sur une obligation de Dieu envers lui-même, ni sur une Alliance des hommes avec Dieu, mais seulement sur l'obligation naturelle qui procède de la souveraineté absolue de Dieu sur la vie des hommes. Dans de telles conditions, nulle interprétation de la Bible ne saurait délier les hommes des obligations où ils sont tenus en tant que citoyens mortels.

La notion de toute-puissance permet en outre de comprendre pourquoi, malgré les limites rencontrées par sa méthode mécaniste en philosophie morale et politique, Hobbes a pu vouloir donner à sa pensée un tour résolument systématique. C'est qu'une même intuition gouverne sa philosophie, l'assomption de la toute-puissance impliquant à la fois la disparition de la promesse divine à l'horizon de la nature, son effacement à l'horizon de la politique et son interprétation restrictive dans le champ de l'herméneutique biblique.

1. Sur ce point, voir S. A. Burrell, « The Covenant Idea as a Revolutionary Symbol : Scotland, 1596-1637 », *Church History*, 27 (1958), p. 338-350.

LE CONFLIT DES INTERPRÉTATIONS ET LA PLACE DES TEXTES THÉOLOGIQUES DANS L'ŒUVRE

Bien qu'elle repose sur des hypothèses nouvelles, l'interprétation que nous proposons dans ce livre s'inscrit également dans le prolongement d'analyses qui ont marqué le débat historiographique de ces dernières années. Aussi, afin de permettre au lecteur de mieux situer notre intervention, allons-nous, dans les remarques qui suivent, indiquer à grands traits les principales sources de la discussion.

Il convient, tout d'abord, de souligner que la signification théologique de l'œuvre de Hobbes a longtemps été occultée par une persistante et lointaine réputation d'athéisme[1]. Cette réputation, ainsi que la très forte réprobation qu'elle suscita, ne doivent pourtant pas faire illusion : à quelques exceptions près, les premiers détracteurs du *De Cive* et du *Léviathan* se soucièrent assez peu d'analyser pour elles-mêmes les thèses théologiques de ces ouvrages, et lorsqu'ils prétendirent le faire, ce fut trop souvent pour les caricaturer. De toute évidence, leurs accusations étaient fondées sur d'autres motifs, plus politiques que théologiques. L'éloignement dans le temps, qui a certes contribué à estomper la vigueur de ces condamnations initiales, n'a cependant pas permis d'en dissiper totalement les effets. Toutefois, l'opinion majoritaire ayant changé, l'on est passé d'une critique qui fustigeait l'athéisme supposé de Hobbes à une critique qui tend à faire de cet athéisme le présupposé obligé de l'interprétation de son œuvre. La position la plus orthodoxe parmi les commentateurs contemporains veut que l'on fasse une lecture « séculière » de l'œuvre de Hobbes[2]. Or, comme souvent dans pareil cas, le radicalisme supposé d'une telle interprétation n'a fait que reconduire une thèse ancienne, celle de l'athéisme de notre auteur, dorénavant connotée positivement. Quant aux enjeux théologiques

1. Concernant l'histoire de cette accusation d'athéisme, nous renvoyons à S. I. Mintz, *The Hunting of Leviathan. Seventeenth-Century Reactions to the Materialist and Moral Philosophy of Thomas Hobbes*, Cambridge, Cambridge University Press, 1962, p. 39-62.

2. Parmi les représentants actuels de ce courant interprétatif, on peut citer Edwin Curley, David Gauthier et Quentin Skinner.

explicites de l'œuvre, ils ont été de nouveau escamotés. Ce n'est donc pas sans audace que Alfred Taylor affirma, dans un article paru en 1938, la nécessité de prendre en compte le théisme de Hobbes pour comprendre sa théorie de l'obligation[1]. Cette thèse, qui fut reprise et développée par Howard Warrender[2], a suscité ces dernières années un regain d'intérêt chez les commentateurs. À titre d'exemple, on peut citer le travail d'Aloysius Martinich, qui reconnaît explicitement sa dette à l'égard de la thèse de Taylor et de Warrender, tout en précisant que cette dernière exige un certain nombre de corrections[3], notamment, la prise en compte du fait que l'intention de Hobbes aurait été de concilier la science nouvelle de son temps avec le message religieux du christianisme[4]. Faire ainsi de Hobbes, à partir d'une détermination de ses positions religieuses, le saint Thomas du monde moderne, indépendamment des réserves historiques qu'une telle interprétation ne manque pas d'appeler, suscite en outre une objection de principe quant à la méthode adoptée. Il est, en effet, contestable de considérer la détermination des positions religieuses de notre philosophe comme un préalable obligé à l'étude de sa théologie. Si de nombreux indices permettent certes de penser que la sensibilité religieuse de Hobbes était proche de celle des *High Calvinists*[5], partisans tout à la fois de la monarchie, du système ecclésiastique épiscopal et de la théologie de Calvin, d'autres indices, non moins convaincants, peuvent laisser penser que ses positions religieuses, plus hétérodoxes, participaient d'un certain syncrétisme[6]. De fait, il ne suffit pas de donner à Hobbes un

1. Voir A. E. Taylor, « The Ethical Doctrine of Hobbes », *Philosophy*, 13 (1938), p. 406-424.

2. H. Warrender, *The Political Philosophy of Hobbes. His Theory of Obligation*, Oxford, Clarendon Press, 1957.

3. « Bien que je comprenne le point de vue de Taylor et de Warrender, je m'écarte d'eux sur plusieurs points importants » (A. P. Martinich, *The Two Gods of Leviathan. Thomas Hobbes on Religion and Politics*, Cambridge, Cambridge University Press, 1992, p. 13).

4. A. P. Martinich, *The Two Gods of Leviathan*, *op. cit.*, p. 5.

5. Pour une explication détaillée de cette expression, voir H. Trevor-Roper, *Catholics, Anglicans and Puritans*, Londres, Fontana, 1989, p. 44.

6. Concernant cette thèse et, plus particulièrement, l'influence du socinianisme sur la pensée religieuse de Hobbes, voir la présentation de F. Lessay à *Réponse à La Capture de Léviathan*, *in* Thomas Hobbes, *Liberté et nécessité*, p. 132-150.

brevet d'orthodoxie religieuse ou de lui prêter un dessein pieux pour échapper aux présupposés méthodologiques qui sous-tendent l'hypothèse selon laquelle sa pensée serait une pensée exclusivement séculière[1]. Quelles que soient les preuves rassemblées pour établir que le philosophe de Malmesbury se comportait comme un véritable chrétien, il demeure en effet toujours possible de supposer, ou bien que son conformisme religieux n'était que pure hypocrisie[2], ou bien que, chrétien sincère, sa pensée ne portait pas la marque de ses convictions intimes[3]. L'impossibilité de clore le débat à partir de tels arguments indique à l'évidence que la question est ainsi mal posée. En privilégiant le problème de la pratique ou des intentions religieuses du philosophe, on s'interdit *a priori* de traiter pour elles-mêmes ses thèses de théologie.

Contre l'évidence trompeuse de ce préalable interprétatif, il convient donc de partir de la lettre des écrits théologiques, qui, loin de ne représenter qu'une contribution négligeable, constituent au contraire une partie importante de l'œuvre. Outre la troisième partie du *De Cive* et les troisième et quatrième parties du *Léviathan*, dont on a justement souligné la longueur, il faut encore tenir compte de nombreux textes, dont l'importance pour la connaissance de la pensée de Hobbes a été jusqu'à présent très largement sous-estimée. Parmi ceux-ci, il importe de faire une place à part à l'examen du troisième livre du *De*

1. Pour la thèse selon laquelle Dieu n'a pas sa place dans le système de Hobbes, voir R. Polin, *Hobbes, Dieu et les hommes*, Paris, PUF, 1981, p. 13-25.

2. Le représentant majeur de cette tendance interprétative est Leo Strauss, qui a exposé les principes généraux de sa lecture dans *La persécution et l'art d'écrire*, trad. fr. O. Seyden, Paris, Presses Pocket, 1989. Sur cet aspect de son interprétation de Hobbes, voir *Droit naturel et histoire*, trad. fr. M. Nathan et É. de Dampierre, Paris, Flammarion, 1986, p. 156.

3. P. J. Johnson offre une parfaite illustration de cette conclusion paradoxale, car, après avoir montré à l'aide de rapprochements souvent convaincants que la doctrine du salut professée par Hobbes est proche de la théologie anglicane des membres du cercle de Great Tew, Hales et Chillingworth, il déclare que le christianisme simplifié de Hobbes, et la séparation qu'il opère entre foi et raison, laissait ce dernier « complètement libre d'élaborer une métaphysique, une psychologie, et une politique dans lesquelles l'idée de Dieu ne jouait aucun rôle fonctionnel et dans lequel les problèmes religieux traditionnels pouvaient être soumis à la critique la plus sévère, avant d'être livrés à la discrétion du chef séculier » (« Hobbes's Anglican Doctrine of Salvation », *in* R. Ross, H. Schneider et T. Waldman (éd.), *Thomas Hobbes in his Time*, Minneapolis, University of Minnesota Press, 1974, p. 125).

Mundo de Thomas White[1] et à la polémique entre Hobbes et l'évêque Bramhall sur les questions de la liberté, de la nécessité et du hasard[2]. En confrontant sa pensée avec celle de théologiens confirmés comme Thomas White (1593-1676) et John Bramhall, Hobbes donne en effet la pleine mesure de sa réflexion sur la toute-puissance. D'autres écrits, moins volumineux ou plus disséminés, mais non moins éclairants, viennent en outre compléter ces réflexions[3]. Dans la mesure où ils ne constituent pas des professions de foi, mais la mise en œuvre d'une réflexion théologique effective, ces textes, hétérogènes quant à leur forme mais relativement homogènes quant à leur contenu, permettent d'éviter de se perdre en supputations oiseuses sur les convictions intimes de leur auteur. La détermination des thèses que ces textes contiennent, ainsi que leur mise en perspective historique et philosophique, ouvre de fait la possibilité d'une détermination rigoureuse des conditions théologiques de la philosophie de Hobbes.

ÉTABLISSEMENT DES TEXTES, TRADUCTIONS ET CONVENTIONS

Les références aux œuvres de Hobbes sont données dans les notes. Elles comportent l'indication du titre de l'ouvrage en abrégé, du cha-

1. Voir Thomas Hobbes, *Critique du « De Mundo » de Thomas White*, intro., texte critique et notes par J. Jacquot et H. W. Jones, Paris, Vrin, 1973 ; nous abrégeons ce titre en *Critique du De Mundo*.

2. Voir Thomas Hobbes, *Liberté et nécessité* et *Questions*.

3. Parmi ces écrits, il faut citer : *Historia ecclesiastica carmine elegiaco concinnata*, *OL V*, p. 341-408 ; *An Answer to a Book published by Dr. Bramhall, called « The Catching of Leviathan »*, *EW IV*, p. 279-384 ; trad. fr. de F. Lessay : *Réponse à un livre publié par le Docteur Bramhall, feu l'Évêque de Derry, intitulé « La Capture de Léviathan »*, in *De la liberté et de la nécessité*, *op. cit.*, p. 155-261, nous abrégeons ce titre en *Réponse à La Capture de Léviathan* ; *An Historical Narration concerning Heresy and the Punishment thereof*, *EW IV*, p. 385-408 ; trad. fr. de F. Lessay : *Relation historique touchant l'hérésie et son châtiment*, in *Hérésie et histoire*, introd., notes, glossaires et index par F. Lessay, Paris, Vrin, 1993, p. 29-55, nous abrégeons ce titre en *Relation historique* ; *Objectiones ad Cartesii Meditationes*, *OL V*, p. 249-274 ; trad. fr. de Clerselier : *Troisièmes Objections faites par un célèbre philosophe anglais, avec les réponses de l'auteur*, AT, IX, p. 133-152, nous abrégeons ce titre en *Troisièmes Objections* ; *Appendix ad Leviathan*, *OL III*, p. 511-569 ; trad. fr. de F. Tricaud : *Appendice au Léviathan*, in *Léviathan*, *op. cit.*, p. 725-780.

pitre ou de la section en chiffre romain, de l'article ou du paragraphe en chiffre arabe, et de la page de l'édition utilisée. Nous avons parfois indiqué par un premier chiffre romain le numéro de la partie de l'ouvrage – c'est le cas pour les *Elements of Law* –, ou omis la mention du paragraphe, notamment dans le cas des polémiques – c'est le cas pour *Les questions concernant la liberté, la nécessité et le hasard*. Nous avons eu recours à l'édition de William Molesworth[1], lorsque aucune édition plus récente n'existait, mais chaque fois que cela a été possible nous lui avons préféré une édition plus rigoureuse. Nous avons donné, presque toujours, des traductions pour les citations en langue étrangère. Lorsque nous avons utilisé une traduction publiée, le numéro de page indiqué dans la référence est celui de la traduction. Lorsque nous traduisons nous-mêmes ou lorsque les traductions utilisées ne sont pas encore parues *(Elements of Law ; De Cive)*, nous donnons le numéro de page dans l'édition de référence en langue originale. Les abréviations utilisées sont indiquées lors de la première occurrence du titre.

Ce livre reprend, en la remaniant, une thèse de doctorat soutenue le 11 février 1996 à l'université de Paris I. Mes remerciements chaleureux vont à Paulette Carrive, qui l'a dirigée avec une disponibilité et une générosité intellectuelle dont je lui suis très reconnaissant, ainsi qu'aux autres membres du jury – Didier Deleule, Franck Lessay et Yves Charles Zarka – pour leurs suggestions éclairantes et leurs remarques avisées. Que les collègues et amis du Centre Thomas Hobbes – Martine Pécharman et Luc Borot, tout particulièrement – trouvent ici l'expression de ma gratitude pour m'avoir fait partager, pendant ces dix dernières années, leur savoir et leur passion de la discussion philosophique. Mes remerciements vont également à François Vert, qui m'a fait l'amitié de relire attentivement la dernière version de ce livre, et à

1. Thomas Hobbes, *The English Works*, W. Molesworth (éd.), 10 vol. et 1 vol. d'index, Londres, John Bohn, 1839-1845, reprint Bristol, Routledge/Thoemmes Press, 1992, nous abrégeons ce titre en *EW*, que nous faisons suivre d'un chiffre romain pour indiquer le volume ; Thomas Hobbes, *Opera Philosophica quæ Latine Scripsit*, W. Molesworth (éd.), 5 vol., Londres, J. Bohn, 1839-1845, reprint Bristol, Thoemmes Press, 1999, nous abrégeons ce titre en *OL*, pour *Opera Latina*, que nous faisons suivre d'un chiffre romain pour indiquer le volume.

Yves Charles Zarka, qui a bien voulu m'associer à la dynamique intellectuelle et éditoriale qu'il a su créer autour de la traduction des œuvres de Hobbes en français. Au moment de terminer ce travail, dont il avait suivi avec bienveillance les étapes successives, je tiens à saluer la mémoire de François Tricaud, maître attentif et généreux, qui vient de nous quitter.

Première partie

NATURE, CONTRAT ET NÉCESSITÉ

Il serait assurément facile de se débarrasser de la notion de la toute-puissance divine en se contentant de la considérer comme un produit de l'imagination et des passions humaines. Il pourrait même être tentant de lui appliquer ce que Hobbes dit de la genèse des pouvoirs invisibles de la religion des païens[1]. Il suffirait pour cela de suivre les indications données par Feuerbach dans sa *Geschichte der neueren Philosophie von Bacon bis Benedict Spinoza*[2]. Commentant dans une note de cet ouvrage un court texte dans lequel Hobbes déclare que les attributs divins ne sont que des signes d'honneur[3], le philosophe allemand fait la remarque suivante : « Très juste : les prédicats de Dieu ne sont que des prédicats de l'affectivité humaine, de l'émotion humaine. De façon générale, on trouve chez Hobbes quelques remarques excellentes sur la religion et sa genèse, qu'il limite volontairement à la religion des païens. »[4] Le sens de la remarque est clair : il ne faudrait retenir de la théologie de Hobbes que l'anthropomorphisme de ses catégories et, conformément aux principes de *L'Essence du christianisme*, la reconduire à l'anthropologie qui l'explique. S'il ne considère pas l'auteur du *Lévia-*

1. Voir *Lév.*, XII, 6, p. 105.
2. L. Feuerbach, *Geschichte der neueren Philosophie von Bacon von Verulam bis Benedict Spinoza* (1847), in *Sämmtliche Werke*, t. 3, W. Bolin et F. Jodl (éd.), Stuttgart, Frommann Verlag, 1906.
3. *Lév.*, XXXI, 28, p. 387-388.
4. L. Feuerbach, *Geschichte der neueren Philosophie von Bacon bis Spinoza*, *op. cit.*, p. 110.

than comme un athée *stricto sensu*, puisqu'il déclare que « Hobbes n'est nullement un négateur de Dieu »[1], Feuerbach considère néanmoins le théisme de Hobbes comme purement formel, car « il est, en ce qui concerne l'essence, le contenu, comme l'est en général le théisme du monde moderne, un athéisme »[2].

Ces remarques, qui ont le mérite de la clarté, ne nous éclairent guère toutefois sur la nature du « théisme » de Hobbes, car elles laissent de côté ce qui constitue le ressort conceptuel principal de sa théologie, à savoir la théorie de la toute-puissance. Feuerbach méconnaît notamment le travail essentiel accompli par le philosophe anglais sur la distinction classique de la *potentia ordinata* et de la *potentia absoluta Dei*. Cette méconnaissance ne porterait sans doute pas à conséquence s'il ne s'agissait là que d'une analyse sectorielle sans incidence sur la compréhension d'ensemble de l'œuvre. Or, la critique que Hobbes formule à l'encontre de cette distinction est rien moins qu'une argutie théologique, puisqu'elle permet de repenser le partage, à tous égards essentiel pour la philosophie politique, entre l'ordre de la nature et l'ordre de la politique. Loin de n'être qu'un ornement superflu, le concept de toute-puissance joue ainsi, nous le montrerons dans le chapitre I, un rôle central dans la redéfinition du rapport que Dieu entretient avec la nature. L'affirmation de la puissance absolue, découplée de la puissance ordonnée de Dieu, entretient de fait un lien direct avec la détermination logique et politique de la science moderne. Dans la mesure où la critique hobbesienne de la puissance ordonnée signifie que l'ordre de la nature n'est plus régi par la promesse divine, la science peut désormais être interprétée, ce sera l'objet du chapitre II, comme le produit d'un ordre symbolique purement humain, d'un système de règles fondées sur le rapport entre les conventions du langage et les phénomènes. Les mots qui ordonnent notre connaissance de la nature imposant à celle-ci la marque de leur première institution, la science moderne se déploiera logiquement dans l'espace défini par le respect des normes instituées par la raison. Résultant de cette transformation méthodologique, l'ex-

1. *Ibid.*
2. *Ibid.*

clusion de la théologie hors du champ de la science n'implique pas pour autant que tout argumentaire théologique ait disparu des débats scientifiques qui ont opposé Hobbes aux savants de son temps. Que ce soit Thomas White ou Robert Boyle, les interlocuteurs de Hobbes ont bien perçu les conséquences de l'assomption d'une nouvelle figure de la toute-puissance dans le champ de la philosophie de la nature. Pour autant, c'est l'analyse interne de la théorie qui permet de comprendre au plus près l'apport des arguments *de potentia Dei* au système de la nécessité. Pour parvenir à ce résultat, il aura toutefois fallu surmonter, ce que nous tenterons de faire dans notre chapitre III, le paradoxe contenu dans la théorie hobbesienne de la cause entière, ainsi que les apories théologiques qui lui sont liées.

CHAPITRE I

La rupture du contrat naturel

Dans son interprétation du thème biblique de la royauté divine, Hobbes s'appuie sur deux textes des Psaumes proclamant que « Dieu est roi »[1] pour affirmer que « les hommes sont *nécessairement* assujettis à tout moment à la *puissance* divine »[2]. Cette affirmation, qui suggère une corrélation forte entre la toute-puissance et la nécessité, inscrit le monde humain dans l'horizon de la nécessité de la nature. Qu'ils le veuillent ou non – on serait presque tenté de dire, qu'ils le croient ou non –, les hommes dépendent directement de la puissance divine, car ils appartiennent à un système de la nécessité dont elle constitue le premier maillon. Bien qu'il ne soit pas parfaitement explicité dans ce commentaire des Psaumes, il est clair que le lien entre puissance et nécessité existe, et qu'il ne saurait reposer sur la seule croyance des individus. Rejeter la providence, voire l'existence de Dieu, ne saurait donc suffire à dissiper, comme on dissipe un mauvais rêve, l'idée de la nécessité de la nature[3]. La nécessité qui régit l'action et commande la volonté des hommes s'étend de fait bien au-delà, puisqu'elle vaut aussi bien pour les bêtes, les plantes et les corps inanimés. De ce point de vue, l'homme

1. « Dieu est roi, que la terre se réjouisse, dit le psalmiste. Et il dit aussi : Dieu est roi, les nations dussent-elles s'en irriter ; lui qui siège au-dessus des chérubins, la terre dût-elle en être ébranlée » (*Lév.*, XXXI, 2, p. 379 ; voir *De Cive*, XV, 2, p. 220).

2. *Lév.*, XXXI, 2, p. 379 ; nous mettons en italiques.

3. « En niant l'existence ou la providence de Dieu, les hommes peuvent bien rejeter leur tranquillité, mais non pas leur joug » (*Lév.*, XXXI, 2, p. 379).

ne fait pas exception à l'ordre commun de la nature : ce qu'il fait quand il agit, il le fait aussi nécessairement que n'importe quel fragment de la matière. L'interprétation hobbesienne des Psaumes est ainsi en parfait accord avec la conception galiléenne d'un univers homogène, ignorant les gradations de la nécessité[1], c'est-à-dire la différence aristotélicienne entre la rigueur astrale et l'incertitude des affaires sublunaires. Bien interprétés, les Psaumes confirment donc à leur manière la théorie du mécanisme universel, dont le nécessitarisme procède dès lors que l'on postule une détermination certaine des conditions initiales du système. La forme du commentaire biblique n'est-elle pas toutefois rendue désuète, et la prétention du théologien en matière de théologie naturelle ridicule, dès lors que l'univers fonctionne comme un mécanisme d'horlogerie ? Hobbes, qui n'ignore pas ces difficultés, ne les considère pas pour autant comme insurmontables. De fait, la toute-puissance de Dieu est pour lui, comme pour la plupart des théologiens qui l'ont précédé, l'autre nom de l'ordre qui règne dans la nature. À condition de procéder à une juste réévaluation de ce concept, il est donc légitime de vouloir décrire l'ordre de la nature en tenant compte de la notion de *potentia Dei*. Réévaluer la toute-puissance, cela signifie à la fois libérer ce concept des présupposés qui le rattachaient à l'ancien système de la nature et lui donner une fonction, sinon dans le développement du système nouveau, du moins à son principe, au niveau fondamental de la détermination des conditions initiales qui le régissent.

Pour apprécier les déplacements opérés par Hobbes dans le champ des arguments *de potentia Dei*, il convient de prendre en compte le point de vue des théologiens auxquels il s'opposa, et notamment celui de l'évêque John Bramhall qui défendait des positions conformes à l'opinion commune. L'une des principales critiques de l'évêque est que, à trop s'éloigner des thèses de la scolastique, Hobbes risque fort de transformer la puissance royale de Dieu en une puissance tyrannique. De cette critique, les lecteurs n'ont généralement retenu que le débat

1. La doctrine des degrés de nécessité est critiquée par Hobbes dès le *Short Tract* : « La nécessité n'a pas de degré. Car il est impossible que ce qui est nécessaire soit autrement » (*Short Tract*, sect. 1, 14, p. 23). Cette doctrine est défendue par différents auteurs aristotéliciens, et notamment par I. Combach, *Metaphysicorum Libri Duo*, Oxford, 1633[3], p. 189.

quelque peu sophistique qu'elle a suscité autour de la signification du mot « tyran », Hobbes soutenant que ce mot signifie la même chose que le mot « roi », mais qu'il est utilisé par ceux qui entendent critiquer un monarque, alors que Bramhall affirme qu'il y a une différence de nature entre royauté et tyrannie[1]. Dans le présent chapitre[2], il s'agira au contraire de montrer que le thème de la tyrannie de Dieu va bien au-delà d'une simple querelle de mots. Éclairant le statut de la puissance divine au XVIIe siècle, ce thème nous fournira de précieux points de repère pour nous guider dans le labyrinthe des distinctions *de potentia Dei*.

Nous chercherons d'abord à mettre en évidence le lien existant, dans la pensée de Bramhall, entre la tyrannie du Dieu de Hobbes et le thème de la destruction des attributs divins. Nous montrerons ensuite en quoi cette critique permet d'interpréter la théorie hobbesienne de la toute-puissance divine comme une remise en cause radicale de l'opposition traditionnelle entre *potentia ordinata* et *potentia absoluta Dei*. Enfin, nous chercherons à montrer en quoi cette critique d'une distinction reçue libère la nature, et les savants qui cherchent à la connaître, de l'emprise du schème théologique d'un contrat passé par Dieu avec la nature.

I. LA TYRANNIE DE DIEU ET LA NÉCESSITÉ ABSOLUE DE TOUTES CHOSES

Pour comprendre l'accusation de tyrannie que Bramhall porte à l'encontre du Dieu de Hobbes, il convient de partir de l'argument dont se sert ce dernier pour détruire la notion d'agent libre. Appliquant à

1. Bramhall : « Voilà bien des objections triviales et grammaticales à opposer à l'usage universel des théologiens et des philosophes. *"Verborum ut nummorum"*, "il en est des mots comme de l'argent". L'usage fixe leur [valeur] propre et leur cours. *Tyran* a d'abord désigné un prince légitime et juste. Aujourd'hui, l'usage en a entièrement changé le sens pour lui faire signifier soit un usurpateur, soit un oppresseur » (*Questions*, XX, p. 277-278).

2. Certains thèmes développés dans ce chapitre ont été abordés une première fois dans notre article, « Le Dieu tout-puissant de Hobbes est-il un tyran ? », in *Potentia Dei*, G. Canziani, M. Granada, Y. C. Zarka (éd.), Milan, Franco Angeli, 2000, p. 287-307.

une action quelconque le principe, qu'il a précédemment démontré, de l'identité de la cause nécessaire et de la cause suffisante, Hobbes formule l'argument suivant : « Si [...] l'on a affaire à un agent, il peut agir ; et, s'il peut agir, il ne manque rien de ce qui est indispensable pour produire l'action ; par conséquent, la cause de l'action est suffisante, et, si elle est suffisante, elle est aussi nécessaire. »[1] Cet argument démontre que les causes suffisantes d'une action quelconque sont en fait des causes nécessaires, puisqu'une « cause suffisante [étant] ce à quoi rien ne manque qui soit indispensable à la production de l'effet », « s'il est impossible qu'une cause suffisante ne produise pas l'effet, alors une cause suffisante est une cause nécessaire ; puisque, par définition, produit un effet nécessairement ce qui ne peut que le produire »[2]. De cette démonstration, Bramhall tire très judicieusement les conséquences théologiques : « Le dernier maillon de son argumentation est le suivant : "Et, si elle est suffisante, elle est aussi nécessaire". Arrêtez-vous là. Ne lui en déplaise, il n'y a pas de lien nécessaire entre suffisance et efficience, sinon Dieu lui-même ne serait pas tout suffisant. »[3] L'argument de Hobbes valant pour un agent en général, rien n'interdit en effet de l'appliquer à Dieu, qui est le premier de tous les agents. Or pareille application implique, ainsi que le fait remarquer Bramhall, que le principe en fonction duquel Dieu procède au choix du créable – qui deviendra, chez Leibniz, le principe de raison suffisante – ne soit rien d'autre qu'un principe de causalité, et qui plus est, un principe de causalité nécessaire. On aurait pu s'attendre de la part de Hobbes à une protestation véhémente, assortie d'une apologie de la liberté divine. La prudence n'eût-elle pas dû lui conseiller de dissocier le cas de Dieu du cas ordinaire ? Or, non seulement il ne voit pas d'objection là où Bramhall en voit une, mais encore il accepte d'interpréter la suffisance de Dieu à partir du principe de l'identité de la cause nécessaire et de la cause suffisante : « La toute-suffisance ne signifie rien de plus, quand elle est attribuée à Dieu, que l'omnipotence ; et l'omnipotence ne

1. *Questions*, XXXV, p. 394.
2. *Questions*, XXXI, p. 358. Pour une analyse plus approfondie de cet argument, voir, plus bas, notre chapitre III, p. 106-110.
3. *Questions*, XXXV, p. 394-395.

signifie rien de plus que la puissance de faire toutes les choses qu'il veut faire. Mais pour la production de toute chose qui est produite, la volonté de Dieu est autant requise que le reste de sa puissance et de sa suffisance. Et, par conséquent, sa toute-suffisance ne signifie pas une suffisance ou une puissance de faire les choses qu'il ne veut pas faire. »[1] Ce texte procède à une triple réduction. La première phrase réduit le principe de raison suffisante à la toute-puissance de Dieu ; la seconde phrase soumet la toute-puissance à la volonté de Dieu et la troisième phrase met sur le même plan, au point de les confondre presque, la volonté et la puissance. La phrase conclusive est sans appel : il n'y a pas lieu d'accorder à Dieu la puissance de faire les choses qu'il ne veut pas faire.

L'enjeu de cette réduction est lié, en l'occurrence, au débat sur la nécessité. Malgré les injonctions répétées de Bramhall, Hobbes refuse en effet de reconnaître que la nécessité qu'il a démontrée, dans *De la liberté et de la nécessité*, n'est qu'une nécessité hypothétique. Or, dire que la nécessité n'est qu'une nécessité hypothétique, c'est dire qu'elle est subordonnée à une condition – « Si telle cause est présente, alors nécessairement tel effet est produit » – et, en dernière instance, à la condition du choix divin au moment de la création. Refusant l'interprétation de Bramhall, Hobbes refuse également de considérer la nécessité comme subordonnée à la condition du bon vouloir divin. Il en résulte que l'ordre nécessaire des choses ne procède de la volonté divine que pour autant qu'il dérive de la toute-puissance de Dieu. Les commentateurs s'accordent généralement avec Bramhall, qui sera suivi sur ce point par Leibniz[2], pour invalider la prétention de Hobbes. Ce dernier ne serait parvenu en définitive qu'à prouver une nécessité hypothétique, et nullement, comme il le prétend, une nécessité absolue. Parfaitement

1. *Questions*, XXXV, p. 396.

2. « Au lieu que l'évêque de Derry [John Bramhall] a fort bien remarqué dans sa réponse à l'article 35, p. 327 [la pagination est donnée par Leibniz dans l'édition originale des *Questions* (Londres, 1656)], qu'il ne s'ensuit qu'une nécessité hypothétique, telle que nous accordons tous aux événements par rapport à la prescience de Dieu ; pendant que M. Hobbes veut que même la prescience divine seule suffirait pour établir une nécessité absolue des événements [...] » (*Essais de théodicée*, « Réflexions sur l'ouvrage que M. Hobbes a publié en anglais, De la liberté, de la nécessité et du hasard », *op. cit.*, p. 376).

conforme à l'esprit de la théologie chrétienne, cette critique n'a en elle-même rien de surprenant. Ce qui surprend, en revanche, c'est la position de Hobbes qui pense pouvoir concilier volonté divine, toute-puissance et nécessité absolue de toutes choses. Pour mesurer l'étrangeté de cette thèse, il suffit de rappeler ce que dit saint Anselme, dans son *Cur Deus Homo*, de la subordination de la puissance à la volonté : « Toute puissance suit la volonté. En effet, lorsque je dis que je peux parler ou que je peux marcher, je sous-entends : si je le veux. Si en effet la volonté n'est pas sous-entendue, il n'est pas question de puissance, mais de nécessité. »[1] Manifestement, Hobbes ne suit pas saint Anselme sur ce point, puisqu'il affirme que l'acte divin de volonté est compatible avec la nécessité absolue de toutes choses. Il considère, de fait, que la puissance divine informant la volonté de Dieu et cette volonté étant le principe de tout ce qui est, tout ce qui est procède absolument de la puissance de Dieu. Entre ce que Dieu veut et ce qu'il fait, il n'y a pas le moindre écart. La toute-puissance signifie, par conséquent, que Dieu veut ce qu'il a la puissance de faire. Et si tel est le cas, il faut dire avec Hobbes que ce qui existe est autant l'expression de la puissance que de la volonté de Dieu. D'un point de vue anthropologique, ce principe implique que « rien n'est fait, dit ou pensé [par l'homme] qui soit contraire à la volonté de Dieu »[2]. Pour comprendre cette affirmation, il convient toutefois de souligner clairement la différence qu'il y a entre le fait de déclarer, comme saint Anselme, que la « volonté de l'homme est bonne, juste et droite lorsqu'il veut ce que Dieu voudrait qu'il veuille »[3] et le fait de déclarer, comme Bramhall le fait dire à Hobbes, que « chaque homme veut toujours ce que Dieu voudrait qu'il veuille »[4]. De fait, Bramhall considère que le nécessita-

1. « Omnis potestas sequitur voluntatem. Cum enim dico quia possum loqui vel ambulare, buauditur : si volo. Si enim non sub intelligitur voluntas, non est potestas sed necessitas » (*Cur Deus Homo*, II, 10, cité *in* W. J. Courtenay, *Capacity and Volition*, *op. cit.*, p. 40, n. 32).

2. *Questions*, XII, p. 163.

3. La citation suivante exprime la même idée : « [...] si autem vultis cognoscere quae vestra voluntas sit recta : illo pro certo est recta, quae subiacet voluntati Dei » (saint Anselme, *Epistola 414*, in *Opera omnia*, vol. 5, F.-S. Schmitt (éd.), Édimbourg, Thomas Nelson & fils, 1961, p. 360).

4. *Questions*, XII, p. 163.

risme hobbesien rend caduc le « Notre Père », et, plus généralement, toute forme de prière : à quoi bon demander à Dieu que sa volonté soit faite sur la terre comme au ciel, si l'on pense que cette volonté se réalise parfaitement à travers la volonté des hommes. Non sans ironie, l'évêque peut ainsi faire remarquer que Thomas Hobbes « a inventé une nouvelle sorte de ciel sur la terre », mais que ce ciel est « un ciel sans justice »[1].

Une double difficulté procède, selon Bramhall, de l'identification de la puissance et de la volonté divines. Tout d'abord, cette identification conduit à une réduction de l'ensemble des attributs divins à la seule puissance : dès lors que l'on définit, comme Hobbes le fait, la bonté comme « le pouvoir de se faire aimer »[2] et la justice en Dieu comme « la puissance qu'il a et qu'il exerce en distribuant bienfaits et afflictions »[3], on est amené à considérer que bonté et justice se déduisent logiquement de la seule omnipotence. Cette déduction réductrice, dont on trouve une préfiguration dans les *Stromates* de Clément d'Alexandrie[4], n'est pas toutefois aussi scandaleuse qu'il peut le paraître de prime abord. La difficulté, en l'occurrence, tient moins à la thèse de Hobbes qu'au corollaire que Bramhall prétend en déduire. En faisant des différents attributs divins des modalités de la toute-puissance, Hobbes procéderait à une destruction radicale du sens de ces attributs, ce qui aurait pour effet de transformer la royauté de Dieu en une véritable tyrannie. Parce qu'il ne gouvernerait plus les hommes eu égard à sa véracité, à sa bonté et à sa justice, mais eu égard à une volonté que rien ne saurait limiter sinon sa propre puissance, Dieu aurait été changé en tyran. Les deux arguments sont donc identiques : dire que Hobbes procède – comme l'indique sans ambiguïté la répétition du verbe « détruire » dans la critique de Bramhall[5] – à une destruction systématique de la théologie des attributs divins équivaut à dire qu'il fait de Dieu un tyran.

1. *Ibid.*
2. *Questions*, XV, p. 221.
3. *Ibid.*
4. Voir Michel Spanneut, *Le Stoïcisme des Pères de l'Église de Clément de Rome à Clément d'Alexandrie*, Paris, Seuil, 1957, p. 272.
5. J. Bramhall, *Castigations*, *op. cit.*, p. 352-358.

L'identification de la puissance et de la volonté divines, ainsi que l'affirmation de la nécessité de toutes choses, induit, selon Bramhall, une détermination ambiguë de la divinité. Le Dieu de Hobbes pourrait apparaître, en effet, aux yeux des hommes qu'il gouverne, comme le principe d'un double vouloir contradictoire, puisqu'il leur ordonne d'une part d'agir conformément à la parole de sa révélation, tout en les contraignant d'autre part à suivre le cours inéluctable et prédéterminé de la nécessité. Or, affirme Bramhall, « commander une chose publiquement, et en nécessiter une autre secrètement, détruit la vérité de Dieu, la bonté de Dieu, la justice de Dieu et la puissance de Dieu »[1]. Le ressort de cette critique, il importe de le souligner, repose entièrement sur la distinction classique entre deux acceptions de la volonté de Dieu. Ce que Bramhall nomme le commandement public de Dieu correspond en effet très exactement à ce que saint Thomas appelle la *voluntas signi* de Dieu, et ce qu'il nomme la volonté secrète de Dieu correspond à ce que saint Thomas désigne par l'expression de *voluntas beneplaciti* de Dieu. Saint Thomas précise ainsi le sens de sa distinction : « Ce qui est en nous le signe d'une volonté est appelé parfois métaphoriquement, en Dieu, une volonté. Par exemple, si un homme ordonne quelque chose, c'est un signe qu'il veut que cette chose soit faite : pour cette raison, le précepte divin est parfois appelé, par métaphore, une volonté de Dieu, comme dans ce texte : "Que ta volonté soit faite sur la terre comme au ciel." [...]. C'est pourquoi, en Dieu, on distingue une volonté au sens propre et une volonté au sens métaphorique. La volonté proprement dite est appelée *volonté de bon plaisir (voluntas beneplaciti)*, et la volonté métaphorique est appelée *volonté de signe (voluntas signi)*, parce que le signe d'une volonté est pris en ce cas pour la volonté même. »[2] Cette distinction est utilisée fréquemment par les théologiens protestants, et Hobbes lui-même, bien que peu soucieux de distinctions théologiques, en donne une définition exacte. Dans *Les questions concernant la liberté, la nécessité et le*

1. *Castigations, op. cit.*, p. 352.
2. Thomas d'Aquin, *Somme théologique*, 1 *a*, qu. 19, art. 11, trad. fr. A. D. Sertillanges, Paris, Desclée & Cie, 1926, p. 87-88.

hasard, il déclare ainsi que « les chrétiens [, qui] nomment habituellement volonté de Dieu la Parole et le Commandement de Dieu, à savoir l'Écriture sainte, qui n'en est que la volonté révélée [...,] reconnaissent ainsi que la volonté de Dieu proprement dite, qu'ils nomment son plan et son décret, est autre chose »[1]. Le différend entre Hobbes et Bramhall porte donc moins, en l'occurrence, sur l'interprétation de la distinction de la *voluntas signi* et de la *voluntas beneplaciti* que sur son application à la question des attributs divins.

Considérons tout d'abord la façon dont Bramhall applique cette distinction à la véracité divine : « Troisièmement, cette opinion de l'absolue nécessité détruit la vérité de Dieu, lui faisant ordonner ouvertement une chose, et en nécessiter une autre en privé ; réprimander un homme pour avoir fait ce qu'il l'a déterminé à faire ; professer une chose, et avoir l'intention d'en faire une autre. »[2] Après avoir rappelé la distinction entre la vérité de la chose, la vérité de la connaissance comme adéquation de la pensée et de la chose et la vérité de l'énonciation, ou véracité, comme adéquation du signe et du signifié, Bramhall souligne que le fait que Dieu commande une chose publiquement selon sa *voluntas signi*, bien qu'il en empêche secrètement la réalisation selon sa *voluntas beneplaciti* identifiée avec le cours nécessaire des choses, est un signe manifeste de dissimulation. Alors que, dans les *Questions*, il n'osait pas penser que Hobbes pût attribuer à Celui qui est la vérité même une telle hypocrisie, dans les *Castigations*, il franchit le pas, et fait de la dissimulation le premier trait de la tyrannie du Dieu de Hobbes. De même qu'un tyran humain règne en faisant usage du secret et de la dissimulation, de même le Tout-Puissant règne sur les hommes en leur faisant croire que tous seront sauvés, alors même qu'il en a prédestiné un grand nombre à la damnation.

L'argument avancé par Hobbes pour concilier bonté et toute-puissance divines ne trouve pas davantage grâce aux yeux de Bramhall : « [La nécessité] détruit la bonté de Dieu, faisant de lui quelqu'un qui hait l'homme, et qui prend plaisir aux tourments de ses créatures, alors

1. *Questions*, « Les sources des arguments débattus en cette question », p. 58.
2. *Questions*, XV, p. 213.

que les chiens eux-mêmes léchaient les plaies de Lazare[1], par pitié et commisération pour lui. »[2] Répondre, comme le fait Hobbes, que condamner les hommes pour des fautes qu'ils ne pouvaient pas ne pas commettre traduit moins une absence de justice en Dieu que « peu de tendresse et d'amour pour l'humanité »[3] ne saurait suffire, en effet, à donner sens à l'attribut de la bonté divine. Pour disculper Dieu de ce manque de bonté, il ne suffit pas non plus de dire que les créatures vivantes souffrent parfois autant que les hommes sans que la volonté de Dieu y soit pour rien, car, précise Bramhall, les créatures animales ne connaissent pas d'autre douleur que la mort, et la mort constitue une dette de nature et n'est pas l'expression d'une justice punitive. Entre la mort d'un animal, fût-elle douloureuse, et les souffrances infligées aux homme en punition de fautes qu'il n'ont pas pu s'empêcher de commettre, il ne saurait y avoir de comparaison. Le Dieu de Hobbes apparaît donc, là encore, comme un tyran, puisqu'il ne fait pas preuve de la bonté que l'on est en droit d'attendre d'un roi juste, lequel renoncerait à châtier des personnes ayant été contraintes de mal agir.

Dans un troisième argument, Bramhall tend à montrer en quoi le Dieu de Hobbes est un Dieu injuste : « [La nécessité] détruit la justice de Dieu, lui faisant punir les créatures pour ce qui fut son acte à lui, qu'elles n'avaient pas plus le pouvoir d'éviter que le feu n'a le pouvoir de ne pas brûler[4]. »[5] Pour comprendre cet argument, il convient toutefois de revenir à l'argument de Hobbes auquel il répond : « Une puissance irrésistible justifie toutes actions, réellement et véritablement, qui que ce soit qui la possède ; une puissance moindre n'a pas cet effet, et parce qu'une telle puissance ne se trouve qu'en Dieu, il faut nécessairement qu'il soit juste en toutes ses actions. »[6] Ainsi définie, la justice divine n'est pas une norme transcendante, dont la fonction serait de guider la volonté divine, mais elle est un *effet de la*

1. Luc, XVI, 21.
2. *Questions*, XV, p. 213.
3. *Questions*, X, p. 136.
4. Voir Daniel, III, 20-26.
5. *Questions*, XV, p. 213.
6. *Questions*, XII, p. 146.

puissance, en tant qu'une puissance irrésistible emporte avec elle sa propre justification[1].

La triple destruction de la véracité, de la bonté et de la justice divines ne laisse pas, on l'imagine aisément, de faire vaciller la toute-puissance elle-même, car, en faisant de Dieu l'auteur du péché et de tous les défauts qui sont les « fruits de l'impuissance, et non de la puissance »[2], Hobbes en arrive, selon Bramhall, à détruire le fondement même de la puissance divine : « [La nécessité] détruit la puissance même de Dieu, faisant de lui le véritable auteur de tous les défauts et de tous les maux qui se rencontrent dans le monde. Ces derniers sont les fruits de l'impuissance, non de l'omnipotence. Celui qui est la cause effective du péché, soit en lui-même, soit chez la créature, n'est pas tout-puissant. »[3] Se souvenant ici du commentaire augustinien de Genèse, XIX, 22[4], Bramhall va chercher à montrer que, la puissance du Dieu de Hobbes étant une puissance de faire le mal, elle est de fait une forme d'impuissance. Pour parfaire sa démonstration, il lui faut toutefois rejeter la distinction établie par son interlocuteur entre le fait d'être cause du péché et le fait d'en être l'auteur. Dans les *Questions*, Hobbes soutient en effet que Dieu est la cause et non pas l'auteur du péché : l'auteur étant « celui qui reconnaît une action pour sienne ou donne un mandat pour la faire »[5], Dieu n'est pas l'auteur du péché, puisqu'il ne donne nulle part dans les Écritures « un mandat pour commettre le vol, le meurtre, ou tout autre péché »[6]. Mais Dieu est la cause du péché,

1. Voir, plus bas, notre chapitre IV, p. 147-155.
2. *Castigations*, *op. cit.*, p. 355.
3. *Questions*, XV, p. 214.
4. À propos de Dieu, qui, bien qu'il ait eu la puissance de détruire Sodome et Gomorrhe tant que Loth y était, s'est abstenu d'un tel acte par souci de justice, Augustin écrit : « Poterat per potentiam, sed non poterat per iustitiam » (*Contra Gaudentium*, I, 30, 35 (PL 43, 727 ; CSEL 53, 233) ; cité par W. J. Courtenay, *Capacity and Volition*, *op. cit.*, p. 39, n. 21). Bramhall reprend presque littéralement l'argument d'Augustin : « C'est une règle en théologie que Dieu ne peut rien faire qui comporte quelque méchanceté ou imperfection [...]. Ainsi Dieu ne peut-il détruire le juste avec le méchant (Genèse, XVIII, 25). Il ne pouvait détruire Sodome tant que Loth y était (Genèse, XIX, 22), non pas par un défaut de sa domination ou de sa puissance, mais parce que cela ne convenait pas à sa justice, ni à la loi qu'il avait lui-même instituée » (*Questions*, XII, p. 159-160).
5. *Questions*, XV, p. 223.
6. *Ibid.*

dans la mesure où il affirme qu'il n'y a pas de malheur dans une ville dont il ne soit pas la cause[1]. Comme les meurtres font bien évidemment partie des malheurs, Dieu, qui est la cause de tous les malheurs, est également la cause de tous les meurtres. Refusant, ou ignorant la théorie hobbesienne de l'autorisation[2], Bramhall considère qu'il est pire d'être la cause du péché que d'en être l'auteur, car « être auteur c'est moins qu'être acteur »[3]. S'appuyant sur la conception cicéronienne de l'autorité, il montre en outre que la distinction de Hobbes entre auteur et cause a pour effet d'innocenter Dieu de l'accusation la plus légère – être l'auteur du péché –, pour l'accabler de l'accusation la plus lourde – être la cause du péché. Hobbes serait ainsi un piètre avocat, puisque sa plaidoirie, au lieu d'innocenter son client, contribuerait à aggraver son cas.

La destruction des attributs divins entraîne, selon Bramhall, une tyrannie d'autant plus terrible qu'elle fait de Dieu une puissance purement mauvaise. Alors qu'il pensait se débarrasser du diable, Hobbes aurait ainsi mis Dieu à sa place[4]. De fait, son tyran divin est pire que le dieu méchant des Manichéens, car ces derniers laissaient du moins subsister à côté du principe du mal un principe du bien, et il est pire que le dieu de Simon Magus, car ce dernier se contentait de blâmer Dieu de n'avoir pas exempté l'homme de tout péché. Pour intéressante qu'elle puisse être, cette description de la tyrannie du Dieu de Hobbes ne saurait toutefois suffire à rendre compte de la critique que Bramhall adresse au Dieu de la toute-puissance. En effet, si la destruction des attributs de Dieu constitue bien le motif central de cette critique, celle-ci répond également à un autre motif, moins apparent, mais tout aussi

1. « Non est malum in civitate quod ego non feci » ; « Il n'y a pas de malheur dans une ville dont je ne sois pas la cause » (Amos, III, 6).

2. Pour une formulation plus développée de la théorie hobbesienne de l'autorisation, voir le chapitre XVI du *Léviathan* : « Les paroles et actions de certaines personnes artificielles sont reconnues pour siennes *[Owned]* par celui qu'elles représentent. La personne est alors l'acteur ; celui qui en reconnaît pour siennes *[owneth]* les paroles et actions est l'auteur, et en ce cas l'acteur agit en vertu de l'autorité qu'il a reçue » (*Lév.*, XVI, 4, p. 163).

3. *Castigations, op. cit.*, p. 356.

4. « When he took away the devil, yet I did not suspect, that he would so openly substitute God Allmighty in his place » (*Castigations, op. cit.*, p. 355).

important pour notre propos. De façon fort éclairante, Bramhall montre que la transformation de Dieu en tyran suppose l'abandon par Hobbes de la définition classique de la puissance ordonnée de Dieu, définition qui repose sur l'idée qu'un sujet peut s'obliger lui-même.

II. OBLIGATION ENVERS SOI-MÊME ET *POTENTIA ORDINATA DEI*

Le couple conceptuel *voluntas signi/voluntas beneplaciti*, utilisé par Bramhall pour critiquer la conception hobbesienne de la royauté divine par nature, entretient une relation étroite avec le couple classique *potentia ordinata/potentia absoluta Dei*. En effet, alors que la *voluntas signi* est « la révélation de la volonté de Dieu à sa création, en fonction de laquelle l'homme peut connaître la volonté de Dieu »[1], la *voluntas beneplaciti* est la volonté secrète de Dieu, en fonction de laquelle il ordonne la nature et les choses[2]. Une remarque de l'anabaptiste suisse, Balthasar Hübmaier, reprise plus tard par Jacques Ier, va nous permettre d'orienter notre enquête : tout en reconnaissant que Dieu dispose d'une puissance absolue, grâce à laquelle il peut faire tout ce qu'il veut *(and can do all things)*, l'auteur ajoute que la majesté éminente de Dieu doit être gardée secrète et qu'il n'est pas nécessaire que nous nous en enquérions[3]. Ce secret de la majesté divine n'est-il pas mis à mal par la thèse de Hobbes sur la nécessité ? Il l'est de fait, car si l'on sait que tout advient nécessairement, on sait aussi que ce qui advient de par la volonté secrète de Dieu advient nécessairement. Faire dépendre la nécessité de la puissance absolue de Dieu, cette dernière fût-elle comprise de nouvelle manière, conduit à transgresser un interdit majeur de la théologie de la toute-

1. Jacques Ier, cité dans F. Oakley, *Omnipotence, Covenant and Order*, *op. cit.*, p. 116.
2. Le rapprochement entre la volonté révélée et la puissance ordonnée, d'une part, entre la volonté secrète et la puissance absolue de Dieu, d'autre part, a été analysé par Francis Oakley, « Jacobean Political Theology : The Absolute and Ordinary Powers of the King », *loc. cit.*
3. Balthasar Hübmaier, *Das andere Büchlein von der Freiwilligkeit des Menschen*, pt. III, in *Schriften*, G. Westin et T. Bergsten (éd.), Heidelberg, 1962, p. 416-418 ; cité par Oakley, *Omnipotence, Covenant and Order*, *op. cit.*, p. 117.

puissance, à savoir le caractère secret de la volonté absolue de Dieu. De la difficulté qu'il pouvait y avoir à opérer pareille transgression, on trouve la marque dans le refus signifié par Hobbes de faire publier ses thèses sur la nécessité, refus qui est réitéré à quatre reprises dans *De la liberté et de la nécessité*[1]. La thèse de la nécessité absolue doit être gardée secrète d'autant plus rigoureusement que ce qu'elle dévoile de la puissance absolue de Dieu se concilie plus difficilement avec ce que Dieu a révélé aux hommes de son dessein. L'accusation de tyrannie adressée au Dieu de Hobbes s'appuie sur cette indiscrétion théologique, qui donne de Dieu l'image d'un être duplice, semblable à « un homme [...] qui ordonnera[it] une chose ouvertement et, en secret, intriguera[it] en vue de l'empêcher »[2]. En dévoilant partiellement le secret de la toute-puissance, Hobbes rend ce secret sulfureux. Néanmoins, l'essentiel ne réside pas tant dans ce dévoilement partiel que dans une transformation radicale de la signification respective de la puissance absolue et de la puissance ordonnée de Dieu. Alors que la puissance absolue est traditionnellement associée à l'idée de la liberté, elle est rattachée par Hobbes à l'idée de la nécessité. Au lieu de désigner ce que Dieu peut accomplir abstraction faite de sa volonté effective, la puissance absolue désigne, selon le philosophe, le principe d'où procède l'ordre nécessaire de la nature. Toutefois, la transformation la plus significative concerne moins la puissance absolue que la puissance ordonnée.

Bien que Bramhall n'hésite pas à dire que Hobbes fait un usage aléatoire des arguments *de potentia Dei*[3], on est en droit de penser que le retravail hobbesien du concept de toute-puissance est beaucoup moins naïf que l'évêque ne le prétend. Avec constance et détermination, et nullement à l'aveuglette, Hobbes défend sa conception de la *potentia Dei* en prenant significativement pour cible la conception classique de la puissance ordonnée. Intégrée sans difficulté à la théologie anglicane,

1. « Je doute qu'il eût mieux valu, parce que Mgr l'Évêque déclare l'avoir en horreur, ne pas formuler cette doctrine, comme il eût fallu le faire si votre Seigneurie et lui ne m'avaient pas pressé de répondre » (*Liberté et nécessité*, p. 66). Voir également *Liberté et nécessité*, p. 74, p. 81-82, p. 116.

2. *Questions*, X, p. 133 ; XII, p. 144.

3. « Il tire au hasard, peu soucieux de savoir, du moment que cela satisfait son humeur présente, s'il a ou non atteint sa cible et fait avancer sa cause » (*Castigations*, *op. cit.*, p. 315).

la distinction entre la *potentia absoluta* et la *potentia ordinata* est familière à Bramhall, qui en définit ainsi la caractéristique principale : « Rien n'est impossible à la puissance absolue de Dieu ; mais, selon sa puissance ordonnée, qui est établie par sa volonté, il ne peut pas modifier les décrets qu'il a pris, ni enfreindre sa promesse. »[1] De fait, la puissance ordonnée de Dieu est traditionnellement définie par l'obligation que Dieu s'impose librement à lui-même de respecter les promesses qu'il a faites aux hommes. Pour un théologien resté fidèle aux distinctions de la scolastique, l'ordre établi par la volonté divine ne repose donc nullement sur le caractère irrésistible de la puissance, mais sur un contrat que Dieu a passé avec lui-même dans l'acte de la Création, avant de le passer avec les hommes par l'intermédiaire de ses prophètes. De cet ordre ou de cette puissance ordonnée, saint Anselme avait, bien avant Bramhall, très clairement posé les fondements conceptuels, en établissant qu'il y a deux sortes de nécessités, à savoir, d'une part, une nécessité qui produit l'effet par la contrainte et, d'autre part, une nécessité qui produit l'effet à partir d'une libre obligation à l'égard de soi-même. Pour penser cette dernière, Anselme propose le modèle du vœu monastique : « Quand on a fait un vœu, on est nécessairement tenu de le respecter, si l'on ne veut pas tomber sous le coup de la condamnation d'apostasie ; de fait, on peut être contraint de le respecter si l'on cesse de vouloir s'y tenir. Néanmoins, celui qui reste fidèle à son vœu avec une volonté constante, ne plaît pas moins à Dieu, mais plus que s'il n'avait pas fait ce vœu. Car il a renoncé pour Dieu, non seulement à la vie, mais à la liberté de la vivre, et il faut dire qu'il vit cette vie sainte, non par nécessité, mais en fonction de cette même liberté qui l'a conduit à faire son vœu. »[2] S'il est vrai que l'apostat peut être contraint

1. « Nothing is impossible to God's absolute power ; but according to His ordinate power, which is disposed by His will, He cannot change His own decrees, nor go from His promise » (*Castigations, op. cit.*, p. 315).

2. « Tale est, cum quis sanctae conversationis sponte vovet propositum. Quamvis namque servare illud ex necessitate post votum debeat, ne apostatae damnationem incurrat, et licet cogi possit servare, si nolit : si tamen on invitus servat quod vovit, non minus sed magis gratus est Deo, quam si vivisset ; quoniam non solum communem vitam, sed etiam eius licentiam sibi propter Deum abnegavit, nec sancte vivere dicendus est necessitate, sed eadem qua vovit libertate » (Anselme, *Cur Deus Homo*, II, 5 (Opera omnia, II, 100) ; cité par W. J. Courtenay, *Capacity and Volition, op. cit.*, p. 41, n. 35).

de respecter ses vœux monastiques, la contrainte elle-même n'est pas au principe de son engagement. Celui-ci procède d'une libre décision qui a pour effet d'imposer un ordre, en l'occurrence, une façon de vivre selon une règle. Engageant l'avenir en fonction d'une décision présente, le vœu monastique est un contrat que l'on passe avec soi-même. La nécessité qui procède de ce contrat reposant en dernière instance sur une libre décision, elle diffère radicalement de la nécessité qui contraint de façon toute extérieure. Ainsi, lorsqu'il applique au Créateur le modèle des vœux monastiques, Anselme déclare-t-il que, bien que Dieu ne soit jamais contraint par la nécessité, il peut néanmoins choisir librement de s'imposer une obligation à lui-même, en vue notamment du bien de l'humanité. La soumission de Dieu à la nécessité procède donc d'un acte libre. La distinction anselmienne des deux sortes de nécessité est précieuse, car elle permet de comprendre ce que veut dire Bramhall lorsqu'il déclare que, selon sa puissance ordonnée, Dieu ne peut enfreindre sa promesse : il entend dire par là, fort classiquement, que la puissance ordonnée de Dieu repose sur une libre obligation de Dieu à l'égard de lui-même. De fait, la seule nécessité que Bramhall puisse accepter est celle qui procède de cette autonomie divine. Ainsi à la nécessité absolue de Hobbes oppose-t-il logiquement la nécessité qui ordonne le monde en fonction d'une libre décision divine, et, conformément à la tradition, il nomme cette dernière nécessité hypothétique ou conditionnelle, puisqu'elle est subordonnée à la condition de la décision divine.

III. LA CRITIQUE DE L'IDÉE D'OBLIGATION DE DIEU ENVERS LUI-MÊME

L'affirmation par Hobbes du caractère absolu de la nécessité s'accompagne de fait d'un abandon du concept de puissance ordonnée, et cet abandon peut lui-même se comprendre à partir de la critique que le philosophe adresse à l'idée d'obligation envers soi-même. Formulée dans le chapitre XXVI du *Léviathan* à propos de l'interprétation de la règle juridique *princeps legibus solutus*, cette critique possède une valeur générale : « Il est libre en effet, celui qui peut être libre quand il veut. Et aucune personne ne peut être obligée envers elle-même, car celui qui peut obliger peut aussi libérer de cette obligation, et celui qui n'est obligé qu'envers lui-même n'est donc pas obligé. »[1] Étroitement liée à la critique hobbesienne de la théologie de l'Alliance[2], cette analyse de la notion d'obligation envers soi-même s'applique également à Dieu. Aux yeux de Hobbes, l'idée classique, reprise par Bramhall, selon laquelle « Dieu peut librement s'imposer des obligations envers sa créature » est une idée absurde, car, dit-il, « celui qui peut obliger peut aussi, lorsqu'il le veut, libérer d'une obligation ; et celui qui peut se libérer d'une obligation lorsqu'il le veut n'est pas obligé »[3]. Pour la même raison qu'il rejette l'idée de libre promesse ou de vœu, il rejette comme inopérante l'idée d'une libre obligation de Dieu envers lui-même. Puisque n'être obligé qu'envers soi-même équivaut à ne pas être obligé du tout, si Dieu n'est engagé qu'envers lui-même il est libre de toute obligation.

Cette critique repose sur deux éléments conceptuels étroitement corrélés : l'absence d'un concept spécifique de liberté morale et une identification de l'obligation et de la contrainte. Concernant le premier point, la position de Hobbes consiste à contester la pertinence d'une distinction entre liberté morale et liberté naturelle. Les hommes faisant selon lui partie intégrante de la nature, ils sont mus comme les animaux par la crainte des châtiments et l'espoir des récompenses. À Bramhall qui lui objecte l'existence d'une différence de nature entre les motifs de l'action animale et les motifs de l'action humaine, Hobbes répond par une question qui dévoile crûment sa pensée : « Les hommes ne font-ils pas leur devoir en se souciant de leur dos, de leur cou, et des bons mor-

1. *Lév.*, XXVI, 6, p. 283. Cette idée se trouve déjà formulée par Jean Bodin : « Si donc le Prince souverain est exempt des loix de ses predecesseurs, beaucoup moins seroit-il tenu aux loix et ordonnances qu'il fait : car on peut bien recevoir loy d'autruy, mais il est impossible par nature de se donner loy, non plus que commander à soy mesme chose qui depende de sa volonté, comme dit la loy, *Nulla obligatio consistere potest, quae à voluntate promittentis statum capit* : qui est une raison necessaire, qui monstre evidemment que le Roy ne peut estre subject à ses loix » (*Les six livres de la République*, I, 8, Lyon, Gabriel Cartier, 1593[10], rééd. Paris, Fayard, 1986, p. 192).

2. Voir, plus bas, notre chapitre IX, p. 339-352.

3. *Questions*, XII, p. 169.

ceaux tout comme les chiens d'arrêt, les canards d'appât et les perroquets ? »[1] Cette affirmation en forme de question pose clairement qu'il n'existe pas de liberté spécifique au fondement de l'action morale. Concernant le second point, Hobbes tend à identifier, comme le lui reprochera d'ailleurs Pufendorf[2], obligation et contrainte. Dans la mesure où l'obligation naturelle procède de la toute-puissance de Dieu[3], la raison dernière de l'obligation s'apparente de fait à la raison du plus fort. S'il n'est pas faux de considérer qu'une différence demeure entre la contrainte qui est uniquement l' « effet des forces naturelles » et l'obligation qui « ne saurait en aucune manière être produite par la force toute seule »[4], il n'en est pas moins vrai que, dans le cas de l'obligation qui procède de la puissance divine, cette différence s'annule. L'obligation morale, que Hobbes appelle obligation naturelle, n'est plus, quand elle est fondée sur la toute-puissance, que l'intériorisation raisonnée de la contrainte.

L'ordre que Dieu impose aux hommes dans le domaine de la moralité n'est donc l'expression de sa justice que pour autant que sa justice est l'expression de sa puissance. Lorsqu'il « affirme que la puissance de Dieu à elle seule, sans aucune autre aide, suffit à justifier toute action qu'il accomplit »[5], Hobbes ajoute significativement que ce que les hommes « appellent du nom de justice et en vertu de quoi ils sont estimés et déclarés légitimement justes ou injustes », à savoir les pactes et les conventions, « n'est pas ce par quoi il convient de mesurer ou de proclamer justes les actions du Dieu tout-puissant »[6]. De fait, si Dieu était tenu d'ordonner sa puissance en fonction de pactes ou de conventions, il faudrait bien plutôt le taxer d'impuissance : ainsi Bramhall est-il « conduit à employer des mots qui siéent mal à celui qui veut parler du Dieu tout-puissant, car il le rend incapable de faire ce qui a toujours été

1. *Questions*, XIV, p. 209.
2. Samuel Pufendorf, *Le droit de la nature et des gens*, I, VI, X, trad. fr. P. Barbeyrac, 2 vol., Bâle, 1732, réimp., Caen, Presses Universitaires de Caen, coll. « Bibliothèque de Philosophie politique et juridique », 1987, p. 95-96.
3. Sur ce point, voir, plus bas, notre chapitre IV, p. 142-147.
4. Pufendorf, *Le droit de la nature et des gens*, *op. cit.*, p. 95.
5. *Questions*, XII, p. 145.
6. *Ibid.*

du ressort du pouvoir ordinaire des hommes. "Dieu, dit-il, ne peut détruire les justes avec les méchants", ce que font néanmoins ordinairement les armées »[1]. L'évêque de Derry a beau répliquer que les armées ne suspendent que momentanément l'exercice de la justice ordinaire, sans jamais prétendre se substituer à elle[2] – sous-entendant par là que l'exercice de la puissance absolue ne remet pas en cause l'existence de la puissance ordonnée –, la critique de Hobbes a porté ses fruits : s'il n'y a pas de sens à parler d'une obligation envers soi-même, la puissance de Dieu n'est pas tenue par une quelconque alliance avec la nature et le concept de *potentia ordinata Dei* est vide de signification.

La pensée de Hobbes peut dès lors s'appuyer sur une claire distinction entre l'ordre politique et l'ordre naturel, le premier reposant sur la capacité des hommes à s'engager par des contrats, le second ignorant totalement la logique contractualiste. De fait, cette partition stricte n'est pas le fruit du hasard, mais le résultat de la critique théologique de l'idée d'une obligation de Dieu envers lui-même. Le Dieu tout-puissant de Hobbes n'étant contraint par personne, il ne saurait fonder l'ordre naturel sur une telle obligation. Quoi qu'il en soit par ailleurs de la corrélation du politique et du théologique, on doit observer que le développement de la théorie politique contractualiste coïncide chez Hobbes avec un rejet radical de la notion de *potentia ordinata Dei*. Ainsi peut-on juger que, pour penser l'ordre politique en termes de contrat, il a fallu renoncer à penser l'ordre naturel comme l'expression d'une convention passée par Dieu avec lui-même. Autrement dit, la sécularisation du thème du contrat en politique semble bien présupposer le développement d'une philosophie naturelle, elle-même libérée de l'ombre de la puissance ordonnée de Dieu. De fait, la physique de Hobbes, comme celle de Galilée d'ailleurs, ne repose plus sur la force de l'engagement divin, la nature étant désormais restituée à la pure immanence de l'enchaînement des causes et des effets. Si Dieu a encore un rôle à jouer dans l'ordre naturel, c'est en tant que cause première efficiente, mais pas en tant que volonté capable d'obligation. Si la pra-

1. *Questions*, XII, p. 169-170.
2. Voir Bramhall, *Castigations*, *op. cit.*, p. 317.

tique de la science suppose, comme nous le verrons dans le prochain chapitre, le respect par le savant d'un ensemble de règles morales et politiques, cela n'implique nullement que la nature elle-même soit soumise à une convention divine en forme de contrat naturel. Au contraire, on est en droit de penser que l'organisation politique et juridique de la science moderne procède elle-même de l'abandon de l'idée d'un contrat naturel compris comme une alliance passée entre Dieu et la nature. Pour que les savants puissent déchiffrer les secrets de l'univers matériel, il leur a fallu renoncer à la croyance en une puissance ordonnatrice de l'univers. Le silence des espaces infinis semble bien être, en ce sens, la condition de la science moderne.

CHAPITRE II

L'idée de Dieu en procès

La théologie n'a pas sa place dans le corpus des sciences philosophiques. Le *De Corpore* l'affirme péremptoirement : « Itaque excludit a se philosophia, Theologiam. »[1] Toutefois, pour péremptoire qu'il soit, ce jugement n'est pas prononcé à la légère : il est la conclusion du procès auquel Hobbes soumet la théologie. Ce procès peut s'entendre de deux façons : en un premier sens, qui est aussi celui de Hobbes, il peut s'interpréter comme la procédure quasi juridique par laquelle le philosophe s'interroge, dans les termes de la logique, sur la scientificité de cette discipline. Le problème est alors de savoir si la théologie peut revendiquer un droit à l'objectivité scientifique, c'est-à-dire un droit à poser son objet comme un objet de connaissance. En un second sens, qui correspond au point de vue de l'historien des idées, le procès de la théologie peut s'entendre comme le processus auquel la théologie de Hobbes participe lorsqu'elle caractérise Dieu par la prééminence de sa toute-puissance. Le problème est moins alors de comprendre pourquoi la théologie n'est pas une science que de comprendre en quoi, bien qu'elle ne soit pas une science, elle participe de la dynamique qui contribue au développement de la science au XVIIe siècle[2].

Il ne faudrait pas, toutefois, séparer trop radicalement les dimensions juridique et historique de la mise en procès de la théologie, car si

1. *De Corpore*, I, 8, *OL I*, p. 9. Nous donnons la pagination dans l'édition Molesworth, mais nous suivons le texte de Thomas Hobbes, *De Corpore*, introd., édition critique, notes, appendices et index par K. Schuhman, Paris, Vrin, 1999.

2. Sur ce point, voir M. Gauchet, *Le désenchantement du monde*, *op. cit.*, p. 204-208.

l'exclusion de la théologie hors de la science signifie bien que Dieu ne saurait être considéré comme un objet de la connaissance humaine, elle n'implique pas pour autant que les arguments *de potentia Dei* ne jouent aucun rôle dans le débat historique de la science moderne et, pas davantage, comme nous le montrerons dans le prochain chapitre, que la puissance de Dieu ne joue aucun rôle dans la constitution du système de la science. Avant de mettre en évidence l'incidence des arguments *de potentia Dei*, il importe toutefois d'analyser, à la lumière de la théorie hobbesienne de la science, la critique de la théologie que l'on trouve formulée dans le *De Corpore.*

Dans ce but, nous montrerons tout d'abord que l'exclusion de la théologie hors de la science tient à une caractérisation de la rationalité en termes de calcul qui est elle-même indissociable d'une détermination quasi juridique de la norme linguistique de la raison humaine. Nous montrerons ensuite que ce modèle de rationalité, qui définit le fondement de la science par rapport à une logique de la référence et de l'arbitrage linguistique, s'oppose radicalement au principe d'une métaphysique de la subjectivité, quand même celle-ci reposerait, comme c'est le cas chez Descartes, sur l'idée de l'infini.

I. PEUT-ON FAIRE ENTRER DIEU DANS UN CALCUL ?

L'exclusion de la théologie, qui est prononcée en *De Corpore*, I, 8, est la conséquence directe de la définition de la philosophie comme « connaissance, acquise par droite ratiocination *(per rectam ratiocinationem)*, des effets ou des phénomènes à partir de la connaissance de leurs causes ou de leurs générations, et réciproquement, des générations possibles à partir de la connaissance des effets »[1]. Autrement dit, pour qu'un phénomène puisse être compris philosophiquement, il importe que l'on puisse en reconstituer la genèse à l'aide de procédures de calcul. Cette règle vaut aussi bien pour les objets mathématiques que pour les phénomènes de la nature, la rationalité s'appréciant dans tous

1. *De Corpore*, I, 2, p. 2.

les cas à l'aune de la computabilité[1]. L'exemple du cercle en fournit une bonne illustration : pour s'assurer qu'une figure est un cercle, il suffit d'en connaître le mode de construction, c'est-à-dire le mode de génération. L'engendrement de la figure à partir d'un rayon que l'on fait tourner autour d'un centre fixe permet en effet de vérifier la définition du cercle comme une figure dont les extrémités sont à égales distances du centre. À l'inverse, si l'on sait que l'on a devant soi un cercle, l'on pourra aisément reconstituer son mode de génération, à partir d'un procédé ou d'un autre[2]. La rationalité ne se trouve pas, toutefois, dans les seuls objets mathématiques : elle se rencontre partout où il est possible de calculer les « conséquences des dénominations générales dont nous avons convenu pour *noter* et *signifier* nos pensées »[3]. La philosophie se définit par conséquent dans la double dimension de la référence à l'objet, quand il s'agit de noter nos calculs pour nous-mêmes, et de la signification, quand il s'agit de prouver à autrui la vérité de ces calculs. De cette définition procède une détermination formelle de l'objet de la philosophie – le *subjectum philosophiae* – comme objet quelconque dont la génération est susceptible d'être reproduite ou simulée à partir d'une procédure de calcul[4].

Lorsque l'on s'interroge pour savoir si la théologie peut faire partie du corpus de la philosophie, c'est-à-dire pour savoir s'il y a place dans ce corpus pour une science théologique, il faut donc commencer par se demander si Dieu, objet présumé d'une telle science, peut répondre aux critères opératoires, qui sont ceux de la science en général. C'est pourquoi, à la détermination positive du *subjectum philosophiae* fait suite, dans le *De Corpore*, une réflexion critique sur les objets qui prétendent à un statut philosophique. Cet examen prive du qualificatif de philoso-

1. « Quand on *raisonne*, on ne fait rien d'autre que de concevoir une somme totale à partir de l'*addition* des parties ; ou concevoir un reste, à partir de la *soustraction* par laquelle une somme est retranchée d'une autre [...]. En somme, si l'*addition* et la *soustraction* ont leur place en quelque domaine, quel qu'il soit, la *raison* y a aussi sa place. Et là où elles n'ont pas leur place, la *raison* n'a rien à faire » (*Lév.*, V, 1, p. 37).

2. Voir *De Corpore*, I, 5, p. 5-6.

3. *Lév.*, V, 2, p. 38.

4. « [...] là où il n'y a ni génération ni propriété, il n'y a pas de philosophie » (*De Corpore*, I, 8, p. 9).

phique toutes les disciplines qui ne répondent pas aux critères de rationalité précédemment cités. Dans la série des disciplines refusées, la théologie vient en premier : « C'est pourquoi la philosophie exclut la théologie, je veux dire la doctrine de la nature et des attributs de Dieu, éternel, ingénérable, incompréhensible, et dans lequel il n'y a ni composition ni division, et nulle génération de concevable. »[1] Cette priorité dans l'exclusion est significative : elle traduit une volonté délibérée de rompre le lien de subordination qui unissait dans la scolastique la philosophie à la théologie. Le sens véritable de cette exclusion n'apparaît toutefois que si on la replace dans la série des exclusions prononcées par Hobbes dans le même texte. Deux exemples sont particulièrement significatifs : celui de l'histoire et celui de l'astrologie judiciaire. L'exemple de l'histoire est intéressant, car malgré l'absence d'ambiguïté de l'expression par laquelle Hobbes signifie son exclusion[2], celle-ci ne correspond pas à un rejet pur et simple de la discipline concernée. Bien qu'exclue par elle, l'histoire, dans sa double dimension naturelle et civile, n'en est pas moins nécessaire à la philosophie[3], car elle se fonde sur l'expérience et sur l'autorité. Le jugement porté sur les disciplines exclues par la philosophie n'est pas toujours aussi favorable : lorsqu'elle est motivée par un vice de raisonnement, l'exclusion de certains savoirs est assortie de la mention de leur indignité. Il en va ainsi pour l'astrologie judiciaire que Hobbes exclut sans ménagement de l'encyclopédie philosophique. Dans la liste des disciplines non philosophiques, la théologie pose donc problème. Faut-il comprendre son exclusion sur le modèle de l'exclusion de l'histoire, qui suppose une reconnaissance de la discipline exclue, ou sur celui de l'exclusion de l'astrologie judiciaire, qui implique une disqualification radicale ? A-t-on affaire à un rejet de la théologie en tant que telle ou seulement à une transformation de son statut ?

Il convient de noter tout d'abord que, même si l'on n'y rencontre qu'une seule occurrence du terme *theologia*, la question théologique

1. *Ibid.*
2. « Excludit historiam tam naturalem quam politicam » *(ibid.)*.
3. *Ibid.*

organise en son entier l'article consacré, dans le *De Corpore*, au *subjectum philosophiae.* Outre la théologie naturelle, Hobbes évoque en ce lieu la science des anges[1], la révélation[2] et le culte divin[3], pour les exclure tour à tour de la philosophie. Cette critique est exhaustive, puisqu'elle n'omet aucune des parties de ce que l'on est convenu d'appeler en général la théologie, que ce soit la doctrine de la nature de Dieu (théologie naturelle), celle de sa parole révélée (théologie scripturaire), celle de ses auxiliaires (démonologie) ou de son culte (ecclésiologie). Parmi ces doctrines, seule la première reçoit explicitement, dans le *De Corpore*, le nom de théologie, car c'est aussi la seule qui avance des raisons à l'appui de ses assertions. Cette partie de la théologie est la *theologia naturalis*, que l'on définit classiquement, ainsi que le fait Hobbes, comme « la doctrine de la nature et des attributs de Dieu »[4]. Pour quelle raison exclure la théologie naturelle ? Parce que le Dieu de la théologie, ou plus exactement le nom de Dieu, car il ne s'agit pas ici d'autre chose, ne se prête pas aux opérations qui fondent l'activité philosophique. La définition nominale de Dieu, excluant la possibilité de penser ce dernier comme le produit d'une genèse, ainsi que la possibilité de le penser comme un composé, suffit à indiquer l'incompatibilité de la théologie et de la rationalité philosophique, puisque cette dernière n'a de prise que sur les corps générables et computables. S'il n'y a pas de science de Dieu, c'est que la définition de ce dernier s'oppose à sa constitution en objet de science. Afin de préciser les raisons de l'exclusion de la théologie hors de la science, il importe toutefois de revenir sur le statut de la rationalité à l'œuvre dans le modèle hobbesien de la science.

1. « Elle exclut la doctrine des anges et de toutes ces choses dont on pense qu'elles ne sont ni des corps, ni des propriétés *(affectus)* des corps ; parce qu'il n'y a en elles de place ni pour la composition, ni pour la division, comme il n'y a en elles de plus ni de moins, c'est-à-dire, aucune place pour la ratiocination » *(ibid.)*.

2. « Elle exclut toute science qui est acquise par inspiration divine, ou révélation, en tant qu'elle n'est pas acquise par la raison, mais donnée par une grâce divine et un acte instantané (comme par un sens surnaturel) » *(ibid.)*.

3. « Enfin, elle exclut la doctrine du culte de Dieu, que l'on connaît, non pas par la raison naturelle, mais par l'autorité de l'Église, et qui relève non de la science mais de la foi » (*De Corpore*, I, 8, p. 10).

4. *Ibid.*

II. LA RATIONALITÉ COMME CAPACITÉ NORMATIVE ET ARBITRALE

La détermination de la raison comme calcul sur les conséquences des dénominations de nos pensées doit être interprétée selon la double fonction de la dénomination en général. Nous avons vu, en effet, qu'en tant qu'ils servent à noter nos pensées, « quand nous calculons à part nous »[1], les noms relèvent d'une logique de la référence, et qu'en tant qu'ils servent à signifier nos pensées à autrui, ils relèvent d'une théorie générale des signes. Pour autant que la signification se distingue de la dénotation, il importe donc de distinguer la démonstration à autrui et le calcul mental. Cependant, cette distinction recouvre elle-même une affinité plus profonde, dans la mesure où la logique de la référence repose sur une théorie de la norme linguistique et la logique de la signification sur une théorie de l'arbitrage linguistique, qui présupposent l'une et l'autre la constitution d'un espace interlocutoire organisé de façon quasi juridique autour de la production et du respect de normes de parole. Cette détermination normative de la parole jette un éclairage singulier sur la détermination de la raison comme computation : le calcul ne porte pas en effet sur des choses, mais sur des règles qui servent à désigner des choses ou à dénoter les qualités des choses. La critique de la capacité divine à soumettre l'ordre naturel à la parole de la promesse s'accompagne ainsi d'une réappropriation par les hommes de la capacité d'ordonner le monde par la parole. En donnant un nom à leurs pensées, les hommes ordonnent la nature, puisque le nom est, comme nous allons le voir, tout à la fois une convention et une règle.

1. *La norme de parole*

La parole est avant tout une invention, un produit de l'artifice humain. La rupture avec la problématique naturaliste du langage que l'on attribue traditionnellement à Cratyle relève de l'évidence : « Si

1. *Lév.*, V, 2, p. 38.

l'on considère en effet que, quotidiennement, des mots nouveaux sont fabriqués et d'anciens mots détruits, que des nations différentes usent de mots différents, et qu'il est impossible soit d'observer des ressemblances soit d'établir des comparaisons entre un mot et une chose, comment peut-on concevoir que les noms des choses leur soient imposés en fonction de leur nature ? »[1] Tout bon logicien considérera donc comme « indubitable » que « l'origine des noms procède *ab arbitrio hominum* »[2]. Désormais, il importera donc moins de s'interroger sur l'origine de la parole, pour savoir si elle est conventionnelle ou naturelle, que sur le statut de la convention qui la fonde[3]. L'analyse du terme latin *arbitrium*, dans les textes que Hobbes a consacrés à la parole, nous fournira un fil conducteur très utile pour tenter d'aborder cette question. Dans le chapitre X du *De Homine*, la parole est définie comme « l'enchaînement des mots que les hommes ont établis par leur *arbitrium (arbitrio hominum constitutorum)* pour signifier la succession des concepts de ce que nous pensons »[4], et, dans ce même texte, il est dit que l'origine du discours ne peut être autre que l'*arbitrium* de l'homme lui-même[5]. Que ce soit dans le *De Homine* (1658), et non pas dans le *Léviathan* (1651) que l'on trouve la réflexion la plus approfondie sur la fonction de l'arbitre humain au fondement de la parole, montre à l'évidence que Hobbes n'a cessé jusqu'à la fin d'infléchir sa théorie du langage. Cependant, loin d'apporter une solution définitive aux embarras du conventionnalisme linguistique, l'usage du terme *arbitrium*

1. *De Corpore*, II, 4, p. 14.

2. *Ibid.*

3. *De Corpore*, II, 4, p. 14 : « Car bien que certains noms de créatures vivantes et d'autres choses, dont usèrent nos premiers parents, aient été enseignés par Dieu lui-même, cependant, ils furent arbitrairement *(arbitrio suo)* imposés par lui et par la suite, à la fois lors de l'épisode de la tour de Babel et depuis du fait du temps écoulé, tombèrent en désuétude et dans l'oubli, et à leur place d'autres mots leur succédèrent, inventés et reçus par les hommes. » Sur le conventionnalisme de Hobbes, voir S. Shapin et S. Schaffer, *Leviathan et la pompe à air. Hobbes et Boyle entre science et politique*, trad. fr. T. Piélat, Paris, Éd. de la Découverte, 1993, p. 149-156.

4. *De Homine*, X, 1, trad. fr. et commentaire par P.-M. Maurin, Paris, Éd. A. Blanchard, 1974, p. 143. Lorsque le texte original est cité, la pagination renvoie au second volume de l'édition Molesworth (*OL II*).

5. « [...] origo sermonis naturaliter alia esse non potuit praeter ipsius hominis arbitrium » (*De Homine*, X, 2, *OL II*, p. 90 ; voir *De Corpore*, II, 4, p. 14).

dans le *De Homine* pose lui-même problème. À strictement parler, ce terme ne désigne en effet ni le libre arbitre, ni la volonté, ni l'arbitraire humains[1]. Comment un philosophe comme Hobbes, critique impénitent du libre arbitre[2], aurait-il pu faire jouer à ce dernier concept un rôle décisif dans sa théorie de l'origine du langage ? En outre, s'il est exact de dire que l'invention des noms procède d'un acte de volonté, le concept de volonté, trop général, ne peut suffire à caractériser la nature particulière de ce qui est ainsi inventé. Enfin, l'institution des noms dépend moins d'une volonté arbitraire que d'une volonté de faire respecter une règle, en ce sens qu'une telle opération crée moins une fiction qu'une norme[3]. Le terme d'arbitre est donc, en l'occurrence, la traduction la plus satisfaisante du latin *arbitrium*.

Le sens premier de cette théorie de l'arbitrage linguistique est que le nom importe moins par lui-même que par la règle, dont il est indissociable, qui fixe sa signification. Or cette règle, qui procède de la décision d'associer de façon constante telle idée à tel nom, ne se réduit pas à l'arbitraire du signe : elle présuppose une normativité propre à l'espace infrajuridique des signes. Une fois fixée la signification du mot « arbre », il n'est plus légitime, en effet, de désigner par ce mot autre

1. P.-M. Maurin, le traducteur de l'ouvrage, marque bien cette difficulté en ne traduisant jamais par le même terme le mot *arbitrium*. Cependant, cette multiplication des équivalents ne résout pas le problème, quand elle ne conduit pas purement et simplement à commettre des contresens, comme c'est le cas lorsque P.-M. Maurin choisit le mot « libre arbitre » pour traduire l'une des occurrences du terme *arbitrium* (*arbitrio ipsorum* est rendu par « leur libre arbitre », *De Homine*, X, 1, p. 143).

2. Sur ce point, voir, en particulier, *Questions*, XXXII, p. 362-365.

3. Dans une perspective nominaliste qui emprunte beaucoup à Hobbes, Nietzsche lie implicitement l'invention du langage à l'invention des normes. À propos de la première conclusion de la paix, qui, dit-il, met fin « au plus grossier *bellum omnium contra omnes* », il précise que cette « conclusion de paix apporte avec elle quelque chose qui ressemble au premier pas en vue de l'obtention de cet énigmatique instinct de vérité. C'est-à-dire qu'est maintenant fixé ce qui désormais doit être » vérité «, ce qui veut dire qu'on a trouvé une désignation des choses uniformément valable et obligatoire, et la législation du langage donne même les premières lois de la vérité : car naît ici pour la première fois le contraste de la vérité et du mensonge » (*Le livre du philosophe*, III, trad. fr. A. Kremer-Marietti, Paris, Aubier-Flammarion, 1978, p. 175). Les perspectives des deux philosophes sont toutefois fort dissemblables : alors que Hobbes entend poser les fondements de la vérité scientifique en soustrayant, grâce au respect de la norme linguistique, le langage à l'arbitraire, Nietzsche entend montrer que la vérité, parce qu'elle repose sur une législation du langage, n'est en fait qu'une puissance d'illusion.

chose qu'un arbre, à moins d'instituer une nouvelle règle, à la manière des poètes. Peu importe d'ailleurs que les hommes se soient ou non associés pour fixer la signification des noms. Hobbes reconnaît volontiers le peu de vraisemblance d'une telle hypothèse : « Comme, d'autre part, j'ai dit que les vocables sont issus d'une convention humaine, on me demandera peut-être quels sont les hommes dont les conventions aient assez de valeur pour assurer à l'humanité un bienfait tel que le langage ; en effet, que les hommes se soient réunis un jour pour fixer par décret la signification des mots et leur enchaînement n'est pas croyable. »[1] Il importe cependant qu'une telle hypothèse puisse venir à l'esprit, car cela montre suffisamment que l'invention de la parole relève d'une sphère de régulation analogue à celle du droit[2]. Dans les deux cas, en effet, on a affaire à une activité normative[3] : même si le mot que j'invente ne doit servir qu'à moi seul, il n'en demeure pas moins qu'en l'adoptant je me fixe une règle à laquelle je prétends me tenir. Un idiolecte est un langage à part entière, pour peu que son locuteur respecte les règles de référence et de syntaxe qu'il s'est à lui-même prescrites[4]. En apparence, cette hypothèse d'un idiolecte constitue une hypothèse assez peu fidèle à la pensée de Hobbes, puisque ce dernier conteste l'efficacité d'un contrat passé avec soi-même[5]. En réalité, la difficulté disparaît si l'on tient compte du fait que le premier usage du langage, qui est de se rappeler par des marques ce que l'on a pensé, ne concerne pas un sujet identique à soi-même, mais un sujet en

1. *De Homine*, X, 2, p. 144.

2. L'idée d'un caractère juridique, ou du moins normatif, de l'invention des noms se trouve confirmée par l'emploi du terme « pacte » pour désigner la nature de cette invention : « Secundum pacta (quae arbitrio nostro fecimus circa ipsarum significationes) » (*Objectiones Tertiae*, AT, VII, p. 178). De ce rapprochement, Vico propose une explication étymologique et historique : « En droit romain, *nomem* signifie "droit" » (*Principes d'une science nouvelle relative à la nature commune des nations*, trad. fr. A. Doubine, Paris, Nagel, 1986, § 433).

3. Hobbes ne manque pas de souligner l'importance du langage au fondement du politique : sans la parole, « il n'y aurait pas eu parmi les hommes plus de République, de société, de contrat et de paix que parmi les lions, les ours et les loups » (*Lév.*, IV, 1, p. 27). On peut d'ailleurs se demander si la raison de l'importance du langage au principe du politique ne tient pas en dernier ressort à la nature préjuridique de l'institution des noms.

4. Voir *Lév.*, IV, 3, p. 28.

5. Sur l'importance de cette critique pour la problématique de la toute-puissance, voir, plus haut, notre chapitre I.

quelque sorte dédoublé, éloigné de soi par l'effet du temps. L'absence de droit positif dans l'état de nature interdit certes un accord des hommes sur le sens des notions politiques essentielles, comme « juste », « bien », « vertu », ainsi que sur les mesures et sur les quantificateurs, comme « beaucoup », « peu », « une livre », « une pinte », etc. Mais s'il est nécessaire d'établir par des lois « l'usage et la définition de tous les noms sur lesquels on ne s'accorde pas et qui tendent à faire naître des controverses »[1], il n'en demeure pas moins vrai qu'un nom quelconque exprime déjà une volonté normative, puisqu'il repose sur la règle linguistique à laquelle se reconnaissent tenus ceux qui en font usage. Hobbes ne dit nulle part que tous les noms devraient recevoir leur signification de la puissance souveraine, mais il développe une théorie du langage qui, si elle échappe au cadre strict d'une théorie entièrement réglementaire de la langue, lui emprunte néanmoins l'idée d'une certaine normativité.

Avec l'invention de la parole, l'homme découvre donc le pouvoir de la règle. La conversion[2] du discours mental en discours verbal, que Hobbes présente comme l'usage général de la parole, a pour effet majeur de soumettre le sujet aux règles du discours. Corrélativement, l'enchaînement des mots ne peut pas avoir pour principe la seule passion, comme c'est le cas dans le discours mental, car le désir du sujet se trouve désormais soumis aux normes du langage. Cette spécificité du langage humain apparaît clairement quand on le compare avec les systèmes de signes des animaux : « Quant à la communication vocale à l'intérieur d'une même espèce animale, ce n'est pas un langage, car ce n'est pas par leur arbitre, mais par le cours inéluctable de la nature que les cris des animaux signifiant l'espoir, la crainte, la joie, et les autres passions, servent d'organe à ces mêmes passions. Ainsi, chez les animaux dont les voix comportent très peu de variété, il arrive que, par la

1. Thomas Hobbes, *Elements of Law*, II, X, 8, p. 189.

2. F. Tricaud traduit le latin *conversio* et l'anglais *to transferre* par le terme « transformer » : « L'usage général de la parole est de transformer notre discours mental en discours verbal, et l'enchaînement de nos pensées en un enchaînement de mots. » (*Lév.*, IV, 3, p. 28). On ne peut toutefois manquer d'être frappé par l'emploi d'un terme anglais à forte connotation juridique, comme l'est le terme *to transfer*, dans un contexte qui ne semble pas de prime abord requérir un vocabulaire juridique. Cette connotation est toutefois absente du latin.

diversité de leurs cris, ils s'avertissent les uns les autres de fuir dans le danger, s'engagent à manger, s'excitent à chanter, s'engagent à aimer ; ces cris ne sont pourtant pas un langage, car ils ne dépendent pas de la volonté *(voluntate)*, mais jaillissent, par le pouvoir de la nature, à partir du sentiment particulier à chacun : la crainte, la joie, le désir, et les autres passions ; voilà qui n'est pas parler, ce qui tombe sous le sens si l'on pense au fait que les animaux de la même espèce ont tous des voix identiques, les hommes des voix différentes. »[1] Cette analyse montre que, contrairement aux signes du langage humain, les signes par lesquels communiquent les animaux n'instaurent pas de rupture avec le discours mental. Alors que le discours verbal humain met à distance la logique affective du discours mental, les systèmes de signes des animaux ne font que reconduire sous une autre forme la logique de la passion. De fait, les signes utilisés par les animaux ne s'ordonnent pas en un discours *(sermo)* : ce ne sont pas des signes institués, mais des signes naturels qui procèdent d'un sentiment particulier. Ainsi le cri, malgré l'uniformité de la voix qui le porte, ne dit-il rien au-delà de la passion singulière qu'il exprime, car il est seulement une voix pathétique. En revanche, parce qu'il fait l'objet d'une institution et énonce une règle, celle de sa signification, le nom du discours humain s'écarte fortement de la logique naturelle de l'expression d'un pathos. Par l'usage des mots, le désir du sujet se trouve en quelque sorte décentré : il n'est plus à lui-même sa propre loi, puisqu'il est tenu de respecter, sous peine d'absurdité, la règle tacite qui lui permet de s'exprimer. La parole repose ainsi sur une activité normative, qui, parce qu'elle contient en elle la possibilité de toutes les autres normes, fait de l'homme « le seul être animé qui puisse, grâce à l'universalité de la signification des mots, se donner par la réflexion des règles *(regulas)* tant dans l'art de vivre que dans les autres arts »[2]. Autrement dit, le simple fait de parler contient déjà en soi la possibilité de la science et celle de la politique : celles-ci ne font qu'ajouter quelques règles spécifiques à celles qui régissent déjà le discours verbal.

1. *De Homine*, X, 1, p. 143, trad. modifiée.
2. *De Homine*, X, 3, p. 145, trad. modifiée.

2. *L'institution de la droite raison*

Parmi ces règles additionnelles, il faut accorder une place centrale à la règle de l'arbitrage, qui est au principe de la logique de la signification comprise comme communication de nos raisonnements à autrui. Cette règle a pour fonction d'éviter les conséquences néfastes d'une référence indue à l'autorité de la raison naturelle. La droite raison, dont la fonction, comme l'indique assez bien l'anglais *right reason,* est de fournir une norme à la raison, ne coïncide avec la raison de personne : elle ne relève pas tant de l'évidence qui se donne en chair et en os que de la rigueur objective de la règle. La rectitude de la raison signifie certes en premier lieu l'exactitude d'une *computatio*, mais cette exactitude dépendant elle-même de l'obéissance sans faille du savant aux règles du calcul et aux définitions de mots, la rectitude de la raison signifie également l'obligation faite au savant de s'y soumettre. La droite raison sera donc une instance régulatrice chargée de veiller au bon fonctionnement des procédures de calcul.

Pour autant, Hobbes ne conçoit cette instance ni comme un recueil de règles méthodiques, ni comme une norme naturelle. D'une part, en effet, s'il conçoit bien l'utilité d'une méthode, il ne considère pas que celle-ci ait pour fonction de fournir des règles pour la direction de l'esprit. Contrairement au *Discours de la méthode,* la méthode de Hobbes n'est pas l'ensemble des règles du savoir certain de soi[1], mais « la plus courte investigation des effets par la connaissance des causes, ou des causes par la connaissance des effets »[2]. La méthode ne constitue donc pas une instance régulatrice de l'activité rationnelle et, de ce fait, on ne saurait la confondre avec la droite raison. D'autre part, la droite raison n'est pas davantage une norme naturelle de la vérité de nos rai-

1. « Ce que j'entends maintenant par méthode, ce sont des règles certaines et faciles, par l'observation desquelles on sera sûr de ne jamais prendre une erreur pour une vérité, et, sans y dépenser inutilement les forces de son esprit, mais en accroissant son savoir par un progrès continu, de parvenir à la connaissance vraie de tout ce dont on sera capable » (*Règles pour la direction de l'esprit*, règle IV, AT, X, p. 371-372.

2. *De Corpore*, VI, 1, p. 58-59.

sonnements, comme c'était le cas dans la pensée antique. Prenant ses distances par rapport à la conception stoïcienne de l'ὀρθὸς λόγος, Hobbes utilise le concept de droite raison pour mettre en évidence la fonction des normes au fondement de la connaissance objective. Cette prise de distance n'introduit pourtant aucun arbitraire : elle indique seulement de façon extrêmement cohérente que, sans une droite raison artificielle instituée par les hommes, le seul respect des normes de la raison naturelle ne saurait suffire à fonder la science. Bien qu'il reconnaisse que la « raison elle-même » est « toujours la droite raison », Hobbes modifie radicalement le sens de cette concession en ajoutant, aussitôt après, que « la raison d'aucun homme, ni d'ailleurs celle d'un nombre quelconque d'hommes, ne rend les choses certaines »[1]. La droite raison naturelle ne permet donc pas à elle seule de comprendre la constitution d'une science objective, car, ne fournissant pas de critère certain de discrimination, elle ne permet pas de trancher entre les prétentions à la vérité des différents savants.

La dimension éthico-politique de la droite raison est mise en évidence par Hobbes à l'occasion d'une réflexion sur la régulation des débats scientifiques : « C'est pourquoi, de même que, lorsqu'il y a dispute au sujet d'un compte, les parties doivent s'entendre pour poser comme étant la droite raison la raison de quelque arbitre ou juge, à la sentence duquel ils se tiendront tous deux, ou sinon leur dispute ou bien en viendra aux coups, ou bien restera non tranchée, faute d'une droite raison établie par la nature, de même en est-il dans les débats de toute espèce : quand des hommes qui se considèrent plus sages que tous les autres réclament à grands cris la droite raison pour juge, mais ont pour seul but que les choses ne soient réglées par la raison d'aucun autre qu'eux-mêmes, cela est aussi intolérable dans le commerce des hommes que d'employer comme atout, dans une partie de cartes, après qu'on ait tiré la couleur qui servira d'atout, la couleur dont on est le mieux fourni. Or, ils ne font rien d'autre, ceux qui veulent que chacune de leur passion, aussitôt qu'elle vient à régner en eux-mêmes, soit prise pour la droite raison, et cela dans leurs propres querelles : ils tra-

1. *Lév.*, V, 3, p. 38.

hissent leur manque de droite raison par la façon même dont ils y prétendent. »[1] La comparaison du fonctionnement de la communauté scientifique avec une partie de cartes met bien en évidence le statut de l'arbitrage comme règle de droit propre à la sphère de la communication. De même qu'il n'est pas possible de modifier les règles d'un jeu au fur et à mesure du déroulement de la partie, de même il n'est pas concevable d'imposer à autrui sa certitude intérieure comme norme de la vérité. La communication de la science repose, d'une part, sur des règles communes aux différents savants, celles de la référence et de la méthode, et d'autre part, sur la reconnaissance par tous de la légitimité de l'arbitrage d'un tiers. Le choix d'une droite raison arbitrale a ainsi pour fonction de corriger les illusions de la raison naturelle, en rappelant aux savants que l'objectivité de la science relève de conventions humaines et non pas d'un contrat naturel. Dans la mesure où il est amené à trancher entre les diverses prétentions à la vérité, le juge chargé de régler les contentieux scientifiques a pour tâche de faire respecter le droit de la raison. La fonction de l'arbitre n'est donc pas de dicter la vérité aux parties en présence, mais d'éviter que quiconque ne s'arroge une capacité infaillible de dire la vérité. La figure du juge est là pour rappeler au savant que, la vérité dépendant des règles de la référence, ces règles doivent pouvoir être vérifiées à travers leur communication à autrui. Les signes de la science *(signs of science)* n'acquièrent en effet un caractère de certitude que lorsque « celui qui prétend posséder la science de quelque chose peut enseigner cette science, c'est-à-dire en démontrer clairement la vérité à autrui »[2]. Or, à défaut d'un consensus sur la clarté d'une démonstration, c'est au juge de départager les diverses prétentions à la vérité.

Une objection vient toutefois à l'esprit : faire d'un juge le garant de l'objectivité de la science ne risque-t-il pas d'exacerber, au lieu de l'interrompre, le jeu des passions subjectives dans l'activité scientifique ? Pour répondre à cette objection, il faut définir plus précisément

1. *Ibid.*

2. *Lév.*, V, dernier §, p. 44. Sur ce point, voir notre article, « Les savants dans la cité », in *Thomas Hobbes. Philosophie première, théorie de la science et politique*, J. Bernhardt, Y. C. Zarka (éd.), Paris, PUF, 1990, p. 189-191.

le principe d'arbitrage qui rend possible l'institution de la droite raison. Ce principe relève, suivant le moment de l'analyse, soit de l'éthique, soit de la politique. D'un point de vue éthique tout d'abord, il apparaît que l'arbitrage scientifique est une application particulière de la loi de nature qui préconise que « ceux qui sont en dispute soumettent leur droit au jugement d'un arbitre »[1]. Cette loi étant elle-même une conséquence de la loi fondamentale de nature qui préconise de rechercher la paix, quand il existe un espoir de l'obtenir, la règle de l'arbitrage vise donc bien à subordonner les passions, notamment les passions belliqueuses, à la puissance de la règle.

La mise en œuvre politique de cette loi de nature ne risque-t-elle pas, toutefois, de prendre la forme d'une institution de censure, étouffant les droits de la raison au nom du droit supérieur de la paix publique ? La contradiction n'est pas insoluble : « Sans doute, en matière de doctrines, ne doit-on avoir égard qu'à la vérité ; néanmoins cela n'est pas incompatible avec le fait de prendre la paix pour règle de celles-ci : car une doctrine incompatible avec la paix ne peut pas davantage être vraie que la paix et la concorde ne peuvent être contraires à la loi de nature. »[2] Cette affirmation dépasse de beaucoup la requête, à laquelle elle se trouve généralement réduite, d'un droit de censure pour le souverain : une souveraineté assurée de ses fondements n'a que faire d'un tel droit qui manifeste davantage de faiblesse que de force. Lorsque Hobbes appelle de ses vœux l'établissement d'un droit de la science, son but est que la vérité puisse se manifester sous la forme de l'objectivité de la science, et non pas par un souci machiavélien de garder cette vérité cachée. La préservation de la souveraineté suppose moins une censure rigoureuse de la science que l'adoption de règles et d'institutions susceptibles d'en assurer un fonctionnement pacifique. Loin de toute inquisition, la fonction des juges institués par le souverain est d'assurer le respect de ces règles et de ces institutions, sans lesquelles la connaissance scientifique ne saurait prendre son essor. Derrière la question de la droite raison se profile donc la thèse de la

1. *Lév.*, XV, 30, p. 156.
2. *Lév.*, XVIII, 9, p. 184.

fondation de l'objectivité sur l'accord de la vérité et de la loi. Dire que c'est l'autorité et non la vérité qui fait la loi[1] n'implique donc nullement que la loi ne contribue en rien à la constitution de la science. Le modèle de la normativité juridique informe au contraire en profondeur la théorie hobbesienne de la science. Ce souci normatif ne procède toutefois nullement d'une volonté délibérée de masquer l'éventualité d'un désaccord entre des interlocuteurs réels. Hobbes envisage en effet cette possibilité sous une forme qui confirme le sens véritable de sa théorie de l'arbitrage public : « Il est vrai que dans une République, où, par l'effet de la négligence ou de l'incompétence des gouvernants et des docteurs, les fausses doctrines finissent pas recevoir un assentiment général, les vérités opposées peuvent susciter une antipathie générale : néanmoins, l'irruption d'une vérité nouvelle, aussi soudaine et brutale soit-elle, ne rompt jamais la paix ; tout au plus peut-elle réveiller la guerre. En effet, des gens gouvernés d'une manière si relâchée qu'ils osent prendre les armes pour protéger ou introduire une opinion sont encore en guerre ; leur état n'est pas la paix, mais seulement une cessation d'armes causée par la crainte qu'ils ont les uns des autres : ils vivent, pourrait-on dire, sur un pied de guerre perpétuel. »[2] Hobbes eût été mal venu de prétendre que la science se développe toujours dans la paix et la concorde, lui qui passa sa vie à polémiquer : son irénisme théorique ne correspondait pas à un goût immodéré du consensus scientifique. Cependant, il ne faut pas confondre le *casus belli* et les raisons véritables de la guerre. Si tant est que ce cas de figure ait un sens, une guerre suscitée par une polémique scientifique procéderait non pas de la science elle-même, mais de la négligence de l'État, car une vérité nouvelle peut tout au plus réveiller une guerre civile latente, mais ne peut pas la faire naître. En dernière instance, c'est le souverain, parce qu'il a négligé de pourvoir à l'organisation de la science, qui est responsable des troubles surgis à l'occasion d'une théorie nouvelle. Loin de donner au souverain un pouvoir discrétionnaire sur les doctrines, Hobbes lui confie au contraire la responsabilité de veiller au res-

1. « [...] authoritas, non veritas, facit legem » (*Lev.*, XXVI, 21, p. 202).
2. *Lév.*, XVIII, 9, p. 184.

pect des procédures de la science. De fait, sans l'instance politique qui confère une positivité à la loi naturelle d'arbitrage, il n'y aurait pas de communication de la vérité de la science, car cette communication suppose le respect des règles de la procédure scientifique.

3. *La science et la norme du vrai*

Quelle est la signification pour la science de la règle d'arbitrage ? En l'absence d'un arbitre qui fasse respecter les droits objectifs de la science, ce sont les passions de chacun des savants qui l'emportent et, notamment, le désir de posséder la raison, sens premier de l'expression « avoir raison ». Héritier en ce point de la critique baconienne des idoles, Hobbes fait de l'orgueil un véritable obstacle épistémologique[1]. Derrière le masque triomphant du bon sens ou de la sagesse, l'orgueil intellectuel s'oppose au développement et à la communication des connaissances : « Car telle est la nature des hommes, que, quelque supériorité qu'ils puissent reconnaître à beaucoup d'autres dans le domaine de l'esprit, de l'éloquence et des connaissances, néanmoins, ils auront du mal à croire qu'il existe beaucoup de gens aussi sages qu'eux-mêmes. »[2] Pour surmonter les résistances que cette sagesse idolâtre oppose à la science, Hobbes s'appuie implicitement sur sa théorie de la norme linguistique : « C'est pourquoi dans tout raisonnement il faut user de précaution, afin de ne pas recevoir, outre ce qui exprime la chose elle-même *(praeter significationem ipsius rei),* quelque chose qui proviendrait du naturel, du tempérament et des passions de celui qui parle. »[3] Dans l'exigence de distinguer la référence *(significatio rei)* et les passions du locuteur, la théorie de la norme linguistique trouve son application scientifique la plus importante. De fait, la définition de nom, qui est la formulation théorique de cette exigence, traduit dans la logique de la science la normativité originaire qui préside à la forma-

1. Voir F. Bacon, *Le « Valérius Terminus »,* chap. 22, trad. fr. F. Vert, Paris, Klincksieck, 1986, p. 66-67.
2. *Lév.,* XIII, 2, p. 122.
3. *Lév.,* IV, p. 35, note 41.

tion des langues. En l'absence d'une régularité minimale dans l'usage des mots du langage ordinaire, le fonctionnement régulier que la science doit au respect des définitions de noms ne serait pas même concevable. Si la définition nominale est par excellence « ce qui supprime l'équivoque »[1], c'est-à-dire ce qui « détermine la signification du nom défini, en la séparant de toute signification autre que celle qui est contenue dans la définition »[2], elle suppose elle-même la régularité de l'usage ordinaire des mots. Si cette définition permet à la science de commencer, c'est qu'elle rappelle les exigences qui sont celles de toute dénomination bien comprise.

On s'est beaucoup interrogé sur la signification exacte de la définition nominaliste de la science que Hobbes propose dans le *De Cive*, lorsqu'il écrit qu'une proposition scientifique est une proposition dont la justification est tirée de la proposition elle-même « par le rappel de la signification courante des mots qui forment la proposition, signification fixée par le consentement commun »[3]. Arrigo Pacchi y a vu un excès de nominalisme, que Hobbes lui-même ne tarderait pas à corriger[4]. On peut y voir tout aussi légitimement une volonté de penser la vérité objective de la science à partir de la détermination normative de la langue. L'exemple choisi par Hobbes pour illustrer son propos le montre clairement : « Soit, par exemple, la proposition : "deux et trois font cinq". En se remémorant l'ordre des noms des nombres, tel qu'il a été institué d'un commun accord par ceux qui parlent la même langue (comme en vertu d'un pacte nécessaire à la société humaine), de telle sorte que "cinq" soit le nom de toutes les unités contenues dans "deux" et "trois" prises ensemble, chacun accordera que cela est vrai, parce que 2 et 3 ensemble sont égaux à 5, et cet assentiment recevra le nom de "science". Et connaître cette vérité n'est autre chose que reconnaître qu'elle a été faite par nous. Car ceux qui, par leur arbitrage *(arbitrio)* et les règles de leur langage *(loquendi lege)*, font que les nombres

1. « Quod tollit aequivocum » (*De Corpore*, VI, 15, I, p. 74).
2. *Ibid.*
3. *De Cive*, XVIII, 4, p. 283.
4. A. Pacchi, *Convenzione e ipotesi nella formazione della filosofia naturale di Thomas Hobbes*, Florence, La Nuova Italia, 1965, p. 155-158.

s'appellent "deux", "trois" et "cinq", font également, par leur arbitrage, que la proposition "deux et trois pris ensemble font cinq" soit vraie. »[1] Les définitions qui sont au principe de la science procèdent ainsi du fondement commun de la langue, qui n'est autre que l'accord possible des locuteurs de cette même langue sur la définition des mots. En insistant comme il le fait ici sur l'importance du consensus linguistique, Hobbes souligne la proximité des structures de la langue et des structures politico-juridiques de la société : le sens des noms est fixé par un accord qui ressemble fort au pacte social lui-même, car cet accord est *quasi* « un pacte nécessaire à la société humaine »[2]. Cet accord négocié, que l'on peut qualifier d'arbitrage linguistique, rend possible la société humaine, dans la mesure même où il permet à différents locuteurs de recourir aux mêmes règles de parole *(loquendi lege)* pour se référer aux choses. De ce fait, l'arbitrage linguistique conditionne la nature même de la vérité de la science. La première raison en est, comme nous l'avons vu plus haut, que les définitions de nom, qui sont au fondement des sciences, ne diffèrent des définitions communes, qui fixent le sens ordinaire des mots, que par un degré de formalisation plus élevé ; fondamentalement, le modèle quasi juridique de leur institution n'est pas différent de celui qui régit l'invention des mots ordinaires. La seconde raison découle de la première : la vérité et la fausseté dans les sciences dépendent étroitement des définitions que l'on donne des noms. Les exemples utilisés par Hobbes montrent bien l'importance des définitions initiales : la vérité ou la fausseté de la proposition « Un homme est une créature vivante » dépend ainsi de la possibilité de comparer l'extension respective de la dénomination « homme » et de la dénomination « créature vivante », ce qui n'est possible que s'il existe des définitions rigoureuses de ces deux termes : « Si la deuxième dénomination, *créature vivante*, désigne *(signifie)* tout ce que désigne la première, *homme*, alors l'affirmation ou consécution est *vraie* ; autrement elle est *fausse*. »[3] La rigueur de la définition détermine en l'occurrence

1. *De Cive*, XVIII, 4, p. 283.
2. *Ibid.*
3. *Lév.*, IV, 11, p. 31 ; voir *De Cive*, XVIII, 4, p. 284.

la précision de la signification. Dès lors, il est permis de dire que « vrai et faux sont des attributs de la parole, et non des choses »[1] : sans l'univocité, que seule rend possible la définition des dénominations employées dans la science, il n'y aurait pas de vérité scientifique.

III. LOGIQUE DE LA RÉFÉRENCE *VERSUS* PSYCHOLOGISME ET MÉTAPHYSIQUE DE LA SUBJECTIVITÉ

L'objectivité s'indique d'une double façon dans la définition que Hobbes donne de la philosophie : positivement, d'une part, dans l'affirmation de l'identité de la connaissance causale et de la connaissance philosophique sous l'égide de la droite raison[2] ; négativement, d'autre part, dans la critique des déterminations psychologiques et métaphysiques du sujet de la connaissance. L'analyse interne de cette définition montre suffisamment, tout d'abord, que Hobbes appartient à la tradition philosophique qui fait abstraction du naturel du philosophe dans la détermination de son rapport à la vérité. Ainsi, pour penser la connaissance causale, ne fait-il à aucun moment référence à celui qui l'effectue, comme si la philosophie était indifférente au désir de vérité du philosophe. Cette observation est confirmée par le fait que la connaissance causale est définie indifféremment soit comme philosophie[3] soit comme science[4], ce qui montre à l'évidence que l'amour platonicien de la sagesse ne participe plus, chez Hobbes, de cette définition[5].

Pourtant, cette suspension de l'affirmation subjective en philosophie ne procède nullement d'une prévention irrationnelle ou d'un

1. *Ibid.*

2. « La philosophie est la connaissance, acquise par droite ratiocination *(per rectam ratiocinationem)*, des effets ou des phénomènes à partir de la connaissance de leurs causes ou de leurs générations, et réciproquement, des générations possibles à partir de la connaissance des effets. » (*De Corpore*, I, 2, p. 2).

3. *Lév.*, XLVI, 1, p. 678.

4. *Lév.*, V, 17, p. 42-43.

5. Pour l'analyse de la signification des termes « philosophie », « philosophe » et « philosopher », dans les dialogues platoniciens, nous renvoyons au travail de M. Dixsaut, *Le naturel philosophe*, Paris, Vrin-Les Belles Lettres, 1994[2], et plus particulièrement au chapitre VI, intitulé « Le discours du philosophe », et à la table des occurrences, p. 384-388.

soupçon pathologique : elle provient de l'idée selon laquelle la soumission de la raison au désir, fut-il désir de vérité, constitue en soi-même un obstacle sur le chemin du savoir[1]. Légitime quand il épouse la forme de la curiosité, le désir de vérité devient critiquable dès lors qu'il prend la figure du sujet certain de soi qui se refuse à soumettre sa certitude au jugement d'autrui. Néanmoins, dissocier radicalement l'investissement subjectif du savant de l'objectivité de la connaissance ne va pas de soi, comme le montre la remarque suivante : « De même qu'en arithmétique il est inévitable que les hommes inexpérimentés se trompent, à maintes reprises, et parviennent à un résultat faux, et que cela peut arriver à ceux-là mêmes qui font profession de cet art, de même dans toute autre matière à raisonnement, les hommes les plus capables, les plus attentifs et les plus expérimentés peuvent s'égarer et inférer de fausses conclusions. »[2] Ce texte ne dit pas, à la façon des sceptiques, que l'homme est condamné à se tromper, mais qu'en faisant de l'erreur le privilège des seuls ignorants on ne fait que renforcer le dogmatisme et donc la possibilité d'erreur des savants. Dire que les meilleurs savants peuvent se tromper n'est donc pas faire le jeu du scepticisme, mais penser de façon cohérente l'objectivité scientifique, puisque la vérité n'est le privilège de personne, pas même de ses plus illustres partisans. Indifférente à la certitude intérieure du savant, la science est *a fortiori* indifférente à son autorité. S'il veut éviter de substituer à l'exercice de sa raison un acte de foi dans la certitude de ses calculs, le savant devra donc impérativement se défier du jeu des passions qui l'animent. Cependant, cette vigilance du sujet à l'égard de lui-même ne saurait être trop constante, car la force des passions peut parvenir à corrompre l'exigence intellectuelle la plus grande, les raisonnements métaphysiques en apparence les plus solides. Il faut donc craindre à la fois l'obstacle que les passions opposent aux procédures de la raison et une métaphysique de la subjectivité, qui entend trouver dans le sujet de la pensée et dans l'idée de Dieu un fondement à la connaissance humaine.

1. « La *raison* en est la *marche* [de l'esprit humain], l'accroissement de la *science* en est le *chemin,* et le bien de l'humanité, l'*aboutissement* » (*Lév.*, V, 20, p. 44).

2. *Lév.*, V, 3, p. 38.

1. *Les passions du savant comme obstacles épistémologiques*

La détermination de la science comme système de régulation et d'arbitrage à l'intérieur du système des signes permet de comprendre pourquoi la philosophie naturelle de Hobbes est une philosophie qui se méfie des passions. Il apparaît en effet que si la référence au désir du sujet joue un rôle décisif dans la définition de la connaissance par expérience, elle est totalement absente de la définition de la connaissance par raisonnement. Cette différence s'explique, premièrement, par le fait que l'on ne conçoit pas d'expérience qui ne soit l'expérience de quelqu'un, alors que l'on conçoit fort bien la validité d'un raisonnement anonyme. Dans un cas, le sujet doit témoigner de ce qu'il a perçu, c'est-à-dire engager sa responsabilité en tant que sujet ; dans l'autre, il doit seulement effectuer un calcul, c'est-à-dire se conformer à des règles. Mais cette différence s'explique également par le fait que la connaissance scientifique, contrairement à la connaissance empirique, ne repose pas directement sur la sensation et sur la mémoire, mais indirectement par le biais de la parole[1]. L'invention de la parole, sans laquelle il n'y aurait ni définition nominale ni raisonnement, apparaît ainsi comme la cause véritable de la mise entre parenthèses des passions dans le processus de la connaissance scientifique.

La fonction des passions dans le processus mental est pourtant loin d'être négligeable. La connaissance par expérience ne se limite pas, en effet, à la connaissance des faits, mais rend possible une première connaissance causale, qui n'accède pas encore à l'universalité de la science. La notion de causalité déborde ainsi le cadre strict de la connaissance philosophique : elle constitue aussi l'un des concepts clefs de la description du discours mental, qui est par hypothèse un discours non verbal, et par conséquent non philosophique : « L'enchaînement des pensées réglées est de deux sortes. La première consiste à chercher, d'un effet imaginé, les causes ou les moyens qui le produisent ; elle est com-

1. Voir *Lév.*, V, 17, p. 42.

mune à l'homme et à l'animal. La seconde consiste, lorsqu'on imagine une chose quelconque, à chercher tous les effets possibles qui peuvent être produits par celle-ci ; autrement dit, on imagine ce qu'on peut en faire quand on la possède. De cela je n'ai jamais vu quelque signe ailleurs que chez l'homme. »[1] Le désir de connaître les causes, qui constitue le principe le plus général du discours mental, est si peu lié à la détermination de l'homme comme être de parole qu'il se manifeste tout aussi bien chez l'animal. Or, en affirmant ainsi qu'il y a une connaissance empirique de la cause, Hobbes s'oppose d'une part à la thèse aristotélicienne selon laquelle la recherche des causes est le propre de l'art[2] et, d'autre part, au lieu commun selon lequel la connaissance par les causes est le propre de l'homme. L'animal qui possède les deux racines de l'expérience que sont la sensation et la mémoire possède lui aussi un désir de rechercher les causes. L'homme est en outre capable, par anticipation, d'imaginer les effets que peut produire une chose quelconque. Par conséquent, le propre de l'homme[3] réside dans une variété de la connaissance causale et non pas dans la connaissance causale en général. Grâce à cette aptitude à l'anticipation des effets, l'homme apparaît clairement comme le seul sujet capable de création et d'artifice : « En somme, le discours mental, quand il est gouverné par un dessein, n'est rien d'autre que la *recherche*, c'est-à-dire la faculté d'invention. »[4] Indépendamment de la parole, la connaissance non verbale des causes traduit donc déjà une aptitude à dépasser l'ordre du donné.

La rationalité n'est pas non plus le propre du seul discours verbal. Si l'invention des mots rend certes possible un usage plus facile de la ratio-

1. *Lév.*, III, 5, p. 23.

2. « Les hommes d'expérience savent bien qu'une chose est, mais ils ignorent le pourquoi, tandis que les hommes d'art connaissent le pourquoi et la cause » (Aristote, *Métaphysique*, A, 1, 981 *a* 25, trad. fr. J. Tricot, Paris, Vrin, 1981).

3. À strictement parler, le concept aristotélicien du propre, qui désigne « ce qui, tout en n'exprimant pas la quiddité de la chose, appartient pourtant à cette seule chose » (Aristote, *Topiques*, I, 5, 102 *a* 15, trad. fr. J. Tricot, Paris, Vrin, 1984), ne fait pas partie du vocabulaire philosophique de Hobbes, qui lui préfère celui de signe. Le signe marque davantage le caractère empirique de la distinction spécifique. L'aptitude à anticiper les effets relève ainsi de la catégorie du signe : « De cela je n'ai jamais vu quelque *signe* ailleurs que chez l'homme » (*Lév.*, III, 5, p. 23 ; nous mettons en italiques).

4. *Ibid.*

cination, il n'en demeure pas moins qu'un raisonnement mental, compatible avec un désir de la fin, est possible. De fait, les opérations d'addition et de soustraction par lesquelles se définit le raisonnement sont susceptibles de s'appliquer au discours mental. La démonstration en est donnée dans le *De Corpore* : la vue successive de trois accidents d'un corps en mouvement qui s'approche conduit à additionner les accidents que sont la conception de la chose comme un corps, la conception de ce corps comme mû, la conception de ce corps animé comme parlant. La sommation de ces accidents donne l'idée d'homme ; la soustraction de chacun des accidents à l'idée d'homme permet à l'inverse de redécomposer cette idée en autant d'idées partielles[1]. Cette rationalité du discours mental permet de rendre compte de l'existence d'une connaissance causale indépendamment du discours verbal. La cause entière étant définie par Hobbes comme « la somme ou l'agrégat de tous les accidents, tant dans les agents que dans le patient, concourant à l'effet proposé ; s'ils existent tous, on ne peut comprendre que l'effet n'existe pas, ou que l'effet puisse exister s'il en manque un »[2]. Dès lors qu'il existe un raisonnement mental et donc un calcul sur les idées, il y a un sens à utiliser le vocabulaire de la causalité à propos du discours mental.

Il n'en demeure pas moins que le concept de cause, mis en œuvre par la pensée non verbale, possède une spécificité pratique qui s'estompe avec l'introduction des dénominations. La connaissance non verbale de la causalité sert en effet à orienter l'action, comme l'indique clairement l'équivalence établie par Hobbes entre les termes de cause *(cause, causa)* et de moyen *(means, medium)* et entre les termes d'effet et de fin. La connaissance non verbale est la recherche des moyens qui permettent d'atteindre les fins de l'action : ainsi s'explique qu'elle ne cherche à connaître les causes qu'en vue de la production des effets.

Dans le discours mental, la causalité reste donc soumise à la singularité du sujet, à savoir à la particularité de ses imaginations, de ses pas-

1. Voir *De Corpore*, I, 3, p. 3-4.
2. *De Corpore*, VI, 10, p. 68 ; *Critique du De Mundo*, XXVII, 5, p. 317.

sions et de ses desseins[1]. Le fondement du discours mental n'est rien d'autre en effet que la reproduction de la succession de sensations déterminées, en fonction d'un désir particulier. La libre succession de nos pensées en l'absence de désir directeur constitue de ce fait une exception[2], dont Hobbes note le caractère remarquable afin de mieux mettre en évidence la règle passionnelle qui régit d'ordinaire l'enchaînement de nos pensées. Habituellement, précise-t-il, le discours mental « est *réglé* par quelque désir et quelque dessein »[3]. Non content de cette affirmation générale, il décrit en outre l'étroite dépendance du discours mental et de la logique de l'action : « Du désir surgit la pensée de quelque moyen que nous avons vu produire un résultat semblable à celui que nous visons ; et de la pensée de ce moyen surgit la pensée des moyens d'atteindre ce moyen, et ainsi de suite jusqu'à ce que nous parvenions à quelque commencement qui soit en notre pouvoir. Et parce que la fin, à cause de la force de l'impression, revient souvent à l'esprit, nos pensées sont promptement remises sur la voie au cas où elles commenceraient à vagabonder. »[4] Dans ce texte, qui n'est pas sans rappeler la description aristotélicienne du syllogisme pratique[5], Hobbes montre clairement que le véritable sujet du discours mental est d'abord le sujet du désir. C'est en effet le désir qui organise ce discours, en l'ordonnant à la fin qui est la sienne, fin qui se ramène en dernière instance au désir du bien propre apparent. La nature du désir, qu'elle soit sensuelle ou intellectuelle, ne modifie pas les données du problème, comme le

1. Cette singularité n'est pourtant pas synonyme de contingence, car il y a une nécessité du discours mental, comme il y en a une du discours savant : « Quand on pense à une chose quelconque, la pensée qui suit immédiatement n'est pas tout à fait aussi fortuite qu'il ne semble. Toute pensée ne succède pas indifféremment à toute autre » (*Lév.*, III, 2, p. 21).

2. L'association libre, le rêve et le mot d'esprit illustrent, dans le propos de Hobbes, le type du discours mental qui n'est pas guidé par le désir, car, dans ces trois cas, il ne se « trouve aucune pensée marquée par la passion, qui puisse gouverner et diriger vers soi les pensées qui la suivent, comme feraient la fin et le but d'un désir ou de quelque autre passion » (*Lév.*, III, 3, p. 22).

3. *Lév.*, III, 4, p. 22.

4. *Ibid.*

5. Le syllogisme pratique est la règle de la partie calculatrice de l'âme. Il s'énonce de la façon suivante : « A doit être fait, parce que A est un moyen d'atteindre B et que B est la fin » (W. D. Ross, *Aristote*, trad. fr. J. Samuel, Paris, Gordon & Breach, 1971, p. 303). Voir Aristote, *Éthique à Nicomaque*, VI, 1144 a 30, trad. fr. J. Tricot, Paris, Vrin, 1987.

montre indubitablement l'exemple de la curiosité, qui n'est un exercice de l'intellect que pour autant qu'elle est la passion de la connaissance causale. La subjectivité ici considérée est donc essentiellement pratique, puisque nos pensées singulières sont toujours subordonnées au désir, qui s'ordonne lui-même au souci de l'action. La connaissance de l'objet étant indissociable du souci d'agir sur lui, il est normal qu'elle reçoive sa règle de la passion du sujet. De fait, la nature même du désir permet de comprendre qu'il puisse influencer la succession des imaginations. Le désir procède en effet d'un même mouvement *ab extra* que l'imagination, mais, alors que ce mouvement réagit sur le cerveau par la production d'un phantasme, il réagit sur le cœur par la production d'un désir, c'est-à-dire d'un *conatus* qui tend soit à nous rapprocher de l'objet, soit à nous en éloigner. Tout mouvement agissant sur un agent sentant est donc susceptible de produire sur lui une réaction de désir ou d'aversion. Le dédain, qui traduit l'absence d'amour ou d'aversion pour un objet, est lui-même une réaction passionnelle, la passion de celui qui n'a pas de passion.

Si le désir constitue un principe de régulation du discours mental, c'est que les images qui sont accompagnées de désir ou d'aversion sont plus fortes et permanentes *(strong-permanent/vivida-permanens)* que celles qui suscitent le dédain. La force ou la faiblesse d'une impression ne sera donc pas fonction de la seule impression, mais de l'inscription de cette dernière à l'intérieur de la dynamique passionnelle du sujet de l'action. Le point de vue de Hobbes est donc distinct de celui de Hume : il ne propose pas tant une ontologie qu'une pragmatique de l'imagination. Il n'utilise pas le critère de la vivacité pour distinguer l'imagination de la sensation, mais pour distinguer les imaginations et les sensations de choses désirées ou abhorrées des imaginations et sensations de choses indifférentes. Dans la mesure où il ordonne les pensées comme autant de moyens de parvenir à la fin désirée et où il produit une intensification de l'imagination, le désir permet d'assigner une fin à la succession des pensées.

Toujours singulière, la passion peut seulement fournir un principe singulier de l'enchaînement de nos pensées, mais en aucun cas une règle universelle et nécessaire. Fidèle en cela au nominalisme le plus exigeant, Hobbes affirme en effet que le langage est l'unique condition de l'universalité du savoir : « [...] il n'y a rien d'universel dans le monde, en dehors des dénominations ; car les choses nommées sont toutes individuelles et singulières. »[1] L'universalité de certaines dénominations tient à la communauté de la signification : un nom commun comme le mot « arbre » est singulier en tant que dénomination et commun en tant qu'il fait référence à une multiplicité d'arbres. Une chose singulière ne peut donc jamais être une cause universelle, car il lui manque l'universalité du support verbal. En substituant à la régulation du discours par la passion la régulation du discours par la règle de la bonne dénomination, l'invention des mots permet à la science de surmonter la diversité des désirs singuliers des savants. Non pas que la science se distinguerait de l'expérience par une finalité seulement théorique, car le but de la philosophie est en effet la puissance[2], à savoir de permettre aux hommes de tirer profit de la connaissance causale par la construction de machines et l'acquisition de techniques, mais parce que son but spécifique suppose que le désir singulier du savant soit soumis à un système de régulation symbolique. La règle du discours a changé, et ce changement est au principe d'une mise à distance des passions singulières. Il en résulte que le sujet des passions – celui dont s'occupe la psychologie – n'est pas le sujet de la science. Ce sujet serait-il un sujet métaphysique, le substrat identique à soi-même des opérations de la connaissance ?

2. *La critique du sujet métaphysique de la science*

En complète opposition sur ce point avec Descartes, Hobbes rejette toute détermination onto-théologique du sujet connaissant. Loin de ne relever que d'une vaine rivalité intellectuelle, l'anticartésianisme de Hobbes possède de fait des racines théoriques beaucoup plus profondes : refusant de fonder la science moderne sur le principe

1. *Lév.*, IV, 6, p. 29.
2. *De Corpore*, I, 6, p. 6 ; *Lév.*, V, 20, p. 44.

d'une corrélation entre le moi et Dieu, le philosophe anglais entend penser le sujet de la science à partir des déterminants physiologiques, logiques, éthiques et politiques de la connaissance humaine[1].

Conformément à sa théorie normative du langage, la principale critique que Hobbes adresse aux *Méditations métaphysiques* vise à montrer que, contrairement à ce qu'elle affirme, la métaphysique cartésienne reste prisonnière de la logique passionnelle qui gouverne le discours mental. Derrière l'assomption de la certitude métaphysique du *Cogito*, Hobbes découvre des passions humaines fort peu métaphysiques. Cette approche, il faut en convenir, ne risquait guère d'obtenir l'assentiment de Descartes : comment le *Cogito* pourrait-il porter la marque de la passion, puisque le doute métaphysique par lequel il s'atteint a pour fonction essentielle de dépouiller le sujet des *Méditations* de toutes ses déterminations empiriques ? Toutefois, si Hobbes n'a sans doute pas compris Descartes comme celui-ci désirait qu'on le comprît, il n'ignorait pas pour autant la signification du doute cartésien[2]. Si ce doute ne constitue pas à ses yeux une preuve suffisante de la réduction métaphysique de la passion, c'est que, derrière l'évidence de la présentation à soi du sujet connaissant, demeure une opiniâtreté rien moins que métaphysique. La réponse de Descartes montre fort clairement que ce dernier ne s'est pas mépris sur le sens de la première objection de l'« Anglais » : « Et ce n'a point été pour acquérir de la gloire que je les ai rapportées [*i.e.*, les raisons de douter], mais je pense n'avoir pas été moins obligé de les expliquer, qu'un médecin de décrire la maladie dont il a entrepris d'enseigner la cure. »[3] Si l'on est prêt à accorder que le souci de la gloire n'entre pour rien dans la méthode du doute et dans la découverte du *Cogito*, le soupçon jeté par Hobbes sur la nature passionnelle de la métaphysique cartésienne n'en est pas pour autant levé.

1. Descartes n'a manifestement pas cherché à comprendre le point de vue de Hobbes, comme en témoigne ce passage d'une lettre à Mersenne : « Je n'ai pas cru me devoir étendre plus que j'ai fait en mes réponses à l'Anglais, à cause que ses objections m'ont semblé si peu vraisemblables, que c'eût été les faire trop valoir, que d'y répondre plus au long » (*À Mersenne*, 21 avril 1641, AT, III, p. 360).

2. *Troisièmes Objections*, AT, IX-1, p. 133, l. 1-17.

3. *Troisièmes Objections*, AT, IX-1, p. 133-134.

Le débat des deux penseurs rebondit ainsi de plus belle sur la question de savoir comment il faut comprendre la connaissance d'entendement. La règle qui préside aux opérations de l'esprit est pour Descartes une règle d'évidence, qu'il énonce dans les termes suivants au début de la *Méditation troisième* : « Et partant il me semble que déjà je puis établir pour règle générale, que toutes les choses que nous concevons fort clairement et fort distinctement, sont toutes vraies. »[1] Or, de façon significative, ce n'est que dans ses objections à la *Méditation quatrième* que Hobbes déclare que la validité de cette règle ne peut s'apprécier en elle-même, mais seulement à partir des jugements qu'elle rend possibles. Descartes considère, on le sait, que la vérité et l'erreur procèdent de la faculté de juger, c'est-à-dire du « concours de deux causes, à savoir, de la puissance de connaître qui est en moi, et de la puissance d'élire, ou bien de mon libre arbitre »[2]. L'évidence de l'entendement ne suffit donc pas à faire qu'une idée puisse être dite vraie ou fausse, mais il faut pour cela que la volonté affirme ou nie ce que l'entendement lui dicte : « Car par l'entendement seul je n'assure ni ne nie aucune chose, mais je conçois seulement les idées des choses, que je puis assurer ou nier. »[3] Alors que dans les *Regulae* et dans le *Discours de la Méthode* Descartes faisait encore de l'affirmation et de la négation des facultés de l'entendement[4], il affirme dans les *Méditations* que ces deux actes de l'esprit relèvent d'une faculté distincte, à savoir de la volonté. Ainsi concilie-t-il à la fois l'idée selon laquelle l'évidence parfaite suffit

1. *Méditations métaphysiques*, AT, IX-1, p. 27.
2. *Méditations métaphysiques*, AT, IX-1, p. 45, l. 5 ; VII, p. 56, l. 13-14.
3. *Méditations métaphysiques*, AT, IX-1, p. 45.
4. J.-M. Beyssade met clairement en évidence cette émergence progressive du rôle de la volonté dans la conception cartésienne de la connaissance : « Les *Regulae* faisaient encore du pouvoir d'affirmer ou de nier, c'est-à-dire de ce qui, dans le jugement, est détermination volontaire, une faculté de l'entendement, qu'elles distinguaient pourtant déjà de la faculté par laquelle l'entendement a l'intuition et la connaissance des choses [...]. Le *Discours de la méthode* n'apporte ici aucune novation [...]. Par contre, à partir de 1641 et de la *Quatrième Méditation*, la volonté, faculté d'affirmer ou de nier, de poursuivre ou de fuir, et l'entendement, faculté de se représenter une proposition comme vraie ou comme fausse, un objet comme bon ou mauvais, deviennent deux facultés de l'âme symétriques, qui concourent aussi bien dans les jugements que dans les actions » (*La philosophie première de Descartes*, Paris, Flammarion, 1979, p. 177-178).

à déterminer la volonté dans le jugement[1] et le principe selon lequel l'adhésion du vouloir est indispensable à la détermination de la vérité d'un tel jugement. Hobbes voit dans cette tentative de conciliation appliquée à l'erreur une contradiction interne : on ne saurait affirmer en même temps que l'erreur de jugement n'est rien de réel et qu'elle procède d'une mauvaise utilisation de la volonté dans le jugement[2]. L'acte de la volonté est un acte réel que l'on ne peut considérer comme négligeable. Si l'on veut qu'elle échappe au paralogisme[3], la douzième objection de Hobbes doit être interprétée comme une critique de la détermination ambiguë de la volonté par Descartes. Délaissant la question de la liberté de choix ou d'indifférence[4], Hobbes s'efforce principalement de mettre en évidence, à partir de la théorie cartésienne de la volonté, les ambiguïtés de la conception cartésienne de l'entendement. Un entendement qui n'affirme rien et qui ne nie rien par lui-même est selon lui une contradiction dans les termes, puisque les opérations de l'entendement ne sont rien d'autre que des affirmations et des négations.

Ce n'est donc pas un hasard si la treizième objection, qui porte sur la règle d'évidence, a pour point de départ une expression employée par Descartes pour parler de l'entendement : « Cette façon de parler, *une grande clarté dans l'entendement*, est métaphorique, et partant, n'est pas propre à entrer dans un argument. »[5] Puisque la conception cartésienne de l'entendement relève d'un usage métaphorique du langage, la fonction de la critique sera de percer à jour cette métaphore et de rétablir les termes dans leur sens propre. À partir des articulations de la doctrine cartésienne du jugement, la critique de Hobbes consiste ainsi pour

1. « Et quoique je ne l'eusse pas démontré, toutefois la nature de mon esprit est telle, que je ne me saurais empêcher de les estimer vraies, pendant que je les conçois clairement et distinctement » (*Méditations métaphysiques*, V, AT, IX-1, p. 52).

2. « [...] ce qui semble avoir de la contradiction avec les choses qui ont été dites auparavant » (*Troisièmes Objections*, AT, IX-1, p. 148).

3. « Et je suis étonné de n'avoir encore pu rencontrer dans toutes ces objections aucune conséquence, qui me semblât être bien déduite de ses principes. » (*Troisièmes Objections*, AT, IX-1, p. 148).

4. Voir J.-M. Beyssade, *La philosophie première de Descartes*, *op. cit.*, p. 180-189.

5. *Troisièmes Objections*, AT, IX-1, p. 149.

l'essentiel à montrer qu'il n'est pas possible de poser à la fois que l'évidence est un signe suffisant de la vérité et que la vérité requiert en outre un acte de la volonté.

De fait, la question se pose de savoir pourquoi Descartes introduit la volonté dans sa théorie de la vérité[1], en soutenant à la fois qu'il n'y a pas de vérité sans un acte de la volonté et que la « connaissance de l'entendement doit toujours précéder la détermination de la volonté »[2]. De façon significative, l'exemple que Hobbes choisit pour illustrer cette question est celui de la découverte de la première vérité métaphysique du cartésianisme[3]. Dans cet exemple principiel, la certitude de soi du sujet méditant repose à la fois sur une évidence de l'entendement et sur une inclination de la volonté, puisque d'une « grande clarté » dans l'entendement a suivi une « grande inclination » dans la volonté. Or, dans les *Méditations*, l'acte de la volonté se trouve en quelque sorte annulé, son importance minorée, par la détermination qu'il reçoit de l'entendement[4] : l'inclination de la volonté *(propensio in voluntate)* est pensée par Descartes comme un corrélat obligé de l'évidence de la perception. C'est ce que Hobbes n'accepte pas, pour deux raisons, dont l'une tient à sa conception de l'entendement et l'autre à sa conception de la volonté.

Premièrement, Hobbes refuse à l'entendement la possibilité d'être à lui-même le signe de sa propre certitude, au motif que la certitude de

1. Cette question pourrait être également posée à propos de la théorie cartésienne de la création des vérités éternelles, car celle-ci radicalise la fonction de la volonté au principe de la vérité. Mais il ne semble pas que Hobbes ait entendu parler de cette théorie, qui n'aurait pas pu manquer d'attirer son attention, Descartes se référant explicitement au modèle politique de la volonté du roi pour expliciter sa thèse de la création des vérités éternelles : « Ne craignez point, je vous prie, d'assurer et de publier partout, que c'est Dieu qui a établi ces lois en la nature, ainsi qu'un roi établit des lois en son royaume » (*À Mersenne*, 15 avril 1630, AT, I, p. 145). Pour une analyse de la thèse cartésienne, voir J.-L. Marion, *Sur la théologie blanche de Descartes*, Paris, PUF, 1981, p. 275-282.

2. *Méditations métaphysiques*, AT, IX-1, p. 47.

3. *Troisièmes Objections*, AT, IX-1, p. 149.

4. C'est une question débattue de savoir si la théorie cartésienne de la volonté a connu une évolution après les *Meditationes de prima philosophia* de 1641. Nous renvoyons sur ce point à J. Laporte, qui répond à cette question par la négative (*Le rationalisme de Descartes*, Paris, PUF, 1945, p. 271-273), et à F. Alquié, qui, lui, y répond affirmativement (*La découverte métaphysique de l'homme chez Descartes*, Paris, PUF, 1950, p. 292).

l'entendement peut aisément dissimuler une passion du savant. Derrière le critère cartésien de l'évidence, Hobbes entrevoit la possibilité de l'entêtement et de l'obstination de qui chérit ses propres opinions[1] : « [...] celui qui n'a aucun doute, prétend avoir une semblable clarté [la clarté d'entendement dont parle Descartes], et sa volonté n'a pas une moindre inclination à affirmer ce dont il n'a aucun doute, que celui qui a une parfaite science. Cette clarté peut donc bien être la cause pourquoi quelqu'un aura et défendra avec opiniâtreté quelque opinion, mais elle ne lui peut pas faire connaître avec certitude qu'elle est vraie. »[2] La clarté n'est donc pas un critère de vérité, mais un mobile passionnel : elle ne garantit en rien la certitude de l'idée, mais incline seulement à défendre l'opinion que l'on a. Ainsi Descartes se trompe-t-il lorsqu'il considère que la volonté ne joue qu'un rôle secondaire dans le jugement, puisque c'est elle, et non pas l'entendement, qui est responsable de l'obstination du sujet connaissant. De fait, dans sa réponse, Descartes reconnaît que certains peuvent se réclamer de l'évidence, qui ne la possèdent pas. Mais il n'en maintient pas moins la pertinence de la règle d'évidence contre l'argument avancé par Hobbes de la confusion possible de l'idée claire et de l'opinion obstinée[3] : « [...] il n'y a personne qui ne sache que par ce mot, *une clarté dans l'entendement*, on entend une clarté ou perspicuité de connaissance, que tous ceux-là n'ont peut-être pas, qui pensent l'avoir ; mais cela n'empêche pas qu'elle ne diffère beaucoup d'une opinion obstinée, qui a été conçue sans une évidente perception. »[4] La différence entre les deux auteurs tient à la confiance respective qu'ils accordent au sujet de la connaissance : pour Descartes, le sujet pensant possède en lui-même le

1. Cette critique de l'évidence selon Descartes n'est pas sans rappeler le style des moralistes, puisque, dans les deux cas, il s'agit de découvrir un vice dissimulé derrière une vertu supposée.

2. *Troisièmes Objections*, AT, IX-1, p. 149.

3. Dans *Les Passions de l'âme*, Descartes formule ainsi la distinction de l'opinion obstinée et de la constance fondée dans la vérité d'évidence : « Mais il y a pourtant une grande différence entre les résolutions qui procèdent de quelque fausse opinion et celles qui ne sont appuyées que sur la connaissance de la vérité ; d'autant que si on suit ces dernières, on est assuré de n'en avoir jamais de regret ni de repentir, au lieu qu'on en a toujours d'avoir suivi les premières lorsqu'on en découvre l'erreur » (*Les passions de l'âme*, I, 49, AT, XI, p. 368).

4. *Troisièmes Objections*, AT, IX-1, p. 149-150.

moyen de distinguer la vérité de l'erreur, et peut ainsi se prémunir contre les illusions des passions de l'âme ; pour Hobbes, le sujet ne possédant pas de critère intérieur infaillible de la vérité, il doit s'en remettre au respect des règles de la science.

Deuxièmement, Hobbes refuse à la volonté la liberté de l'arbitrage en matière de vérité. S'il accorde à Descartes que la volonté est au principe du jugement, c'est pour ajouter aussitôt que la croyance du sujet dans la vérité de la proposition ne dépend pas de sa volonté. Ce point est décisif dans la mesure où le principe d'adhésion à la science cesse d'être un acte libre de la volonté pour devenir une nécessité. Ma volonté ne peut choisir d'adhérer ou non à la vérité d'une proposition, si mon entendement la lui présente comme vraie. Proche de Descartes par le résultat, qui veut que la vérité détermine l'adhésion de la volonté, Hobbes s'en écarte par le principe, puisque pour lui ce n'est pas la liberté de la volonté qui s'exprime dans l'adhésion du jugement à la vérité, mais sa servitude[1]. En soumettant l'assentiment à la nécessité de la vérité propositionnelle, Hobbes libère la connaissance scientifique de l'emprise du désir du sujet connaissant. En effet, et quel que soit par ailleurs son intérêt ou son désir, un sujet ne peut refuser d'accepter ce que son entendement lui présente comme vrai. Par conséquent, et non sans paradoxe, c'est en soumettant la volonté à la nécessité que Hobbes rend possible la « liberté » de la pensée, puisqu'une proposition vraie n'a pas besoin d'être voulue pour être telle. Devenue indépendante du désir subjectif, y compris du désir de vérité, la vérité peut désormais accéder à l'objectivité de la science. La distinction opérée par Hobbes entre la vérité que l'on croit et la vérité que l'on revendique par un acte de la volonté permet de comprendre le statut de cette objectivité : « De plus, non seulement savoir qu'une chose est vraie, mais aussi la croire, ou lui donner son aveu et consentement, ce sont choses qui ne

1. Manifestement, le débat philosophique rencontre ici l'opposition théologique de la thèse calviniste du serf arbitre et du dogme catholique du libre arbitre : « Où il faut aussi remarquer que la liberté du franc-arbitre est supposée sans être prouvée, quoique cette supposition soit contraire à l'opinion des calvinistes. » (Hobbes, *Troisièmes Objections*, AT, IX-1, p. 148). La réponse de Descartes est une fin de non recevoir : « Et ce n'est pas ici le lieu d'examiner quelle est en cela l'opinion des calvinistes » *(ibid.)*.

dépendent point de la volonté ; car les choses qui nous sont prouvées par de bons arguments, ou racontées comme croyables, soit que nous le veuillons ou non, nous sommes contraints de les croire. Il est bien vrai qu'affirmer ou nier, soutenir ou réfuter des propositions, ce sont des actes de la volonté ; mais il ne s'ensuit pas que le consentement et l'aveu intérieur dépendent de la volonté. »[1] Cette indépendance du consentement à l'égard de la volonté est au principe de l'indépendance de la science, car, s'il est possible de modifier la volonté d'autrui et ses désirs, il n'est pas possible de lui faire accepter comme vrai ce qu'il juge faux et *vice versa*. On peut bien sûr faire dire à autrui que ce qu'il juge vrai est faux, mais cet aveu extorqué ne peut supprimer la croyance intérieure. La liberté de l'esprit selon Hobbes tient ainsi à l'absence radicale de liberté du sujet connaissant. Autrement dit, ce n'est pas la liberté de l'arbitre qui préserve le mieux ma liberté intérieure, mais l'absence d'une telle liberté, qui me contraint à accepter pour vrai ce qui se présente comme tel. Cette thèse ne réintroduit pas pour autant le primat de l'évidence, car l'évidence n'atteste pas la vérité de l'idée, mais la justesse de la dénomination[2]. Que reste-t-il dès lors du sujet de la connaissance, s'il ne s'illustre pas davantage par son désir de vérité que par l'évidence de ses idées ?

Afin de radicaliser sa critique du sujet métaphysique de la philosophie, Hobbes montre que le sujet qui pense est également un objet de la connaissance. Réeffectuant pour son compte d'une façon fort peu cartésienne le déroulement de la *Méditation seconde*, Hobbes accorde à Descartes sa première détermination du sujet : « *Je suis une chose qui pense.* C'est fort bien dit ; car, de ce que je pense, ou de ce que j'ai une idée, soit en veillant, soit en dormant, l'on infère que je suis pensant : car ces deux choses, *je pense et je suis pensant*, signifient la même chose. De ce que je suis pensant, il s'ensuit que je suis, parce que ce qui pense n'est pas un rien. »[3] Cet accord sur la détermination

1. *Troisièmes Objections*, AT, IX-1, p. 149.

2. « [...] ce qu'est l'évidence, je l'expose à présent : et c'est la concomitance d'une conception avec les mots qui la signifient dans l'acte de ratiocination » (*Elements of Law*, I, VI, 3, p. 25).

3. *Troisièmes Objections*, AT, IX-1, p. 134.

du sujet comme *res cogitans,* qui correspond chez Descartes au résultat de la méditation et chez Hobbes à une analyse logique, n'est qu'un accord apparent. De fait, concernant l'interprétation de la *res cogitans,* le désaccord est patent. Faut-il comprendre la chose pensante comme la substance même de la pensée ou comme le support du raisonnement ? Hobbes, qui ne voit dans la première solution qu'un paralogisme[1], reproche à Descartes de ne pas distinguer le sujet de ses accidents, et de confondre la pensée, comme acte du sujet pensant, et ce sujet lui-même. Il lui reproche en somme de vouloir substituer à la compréhension traditionnelle du sujet comme substance une compréhension nouvelle de la substance comme sujet de la pensée. Derrière l'apparente naïveté de l'argument, il faut lire en fait le refus d'une détermination de la substance qui promeut le sujet de la pensée au rang de fondement de la philosophie, à savoir le refus d'un ordre philosophique dans lequel la vérité dépend d'un unique sujet métaphysique qui l'autorise en la fondant. Ce refus prend la forme d'un rappel au lieu commun des distinctions philosophiques[2]. Dans la mesure où elle suppose que l'on attribue à la substance des dénominations d'accident, la détermination spirituelle de la chose qui pense relève pour Hobbes d'un usage absurde du langage. La critique de la métaphysique cartésienne du sujet passe ainsi par une théorie logique de l'absurdité : le philosophe Descartes s'est laissé prendre au piège des mots, ou, comme il est dit dans le *Léviathan,* s'est « empêtré dans les mots comme un oiseau dans des gluaux »[3]. En tout point opposée à celle de

1. « Mais où notre auteur ajoute : *c'est-à-dire, un esprit, une âme, un entendement, une raison,* de là naît un doute. Car ce raisonnement ne me semble pas bien déduit, de dire : *je suis pensant,* donc *je suis une pensée* ; ou bien *je suis intelligent,* donc *je suis un entendement* » (*Troisièmes Objections,* AT, IX-1, p. 134).

2. « Monsieur Descartes donc prend la chose intelligente et l'intellection, qui en est l'acte, pour une même chose ; ou du moins il dit que c'est le même que la chose qui entend et l'entendement, qui est une puissance ou faculté d'une chose intelligente. Néanmoins tous les philosophes distinguent le sujet de ses facultés et de ses actes, c'est-à-dire de ses propriétés et de ses essences, car c'est une chose que la chose même *qui est,* et autre chose que son *essence* » *(ibid.).*

3. *Lév.,* IV, 12, p. 31. Dans le *De Corpore,* Hobbes précise ainsi le sens de cette métaphore : « Le discours a en lui quelque chose de semblable à la toile de l'araignée (ce que l'on disait autrefois des lois de *Solon*) ; en effet les esprits faibles et délicats se laissent prendre et se perdent dans les mots, mais les courageux les traversent aisément » (*De Corpore,* III, 8, p. 32).

Descartes, la conclusion de Hobbes concernant le sujet de la connaissance se présente comme la conclusion légitime d'un raisonnement qui aurait été compromis par un usage absurde du langage : « Il se peut donc faire qu'une chose qui pense soit le sujet de l'esprit, de la raison, ou de l'entendement, et partant, que ce soit quelque chose de corporel, dont le contraire est pris, ou avancé, et n'est pas prouvé. Et néanmoins c'est en cela que consiste le fondement de la conclusion qu'il semble que M. Descartes veuille établir. »[1] Prenant l'exact contre-pied du raisonnement cartésien, Hobbes montre que la certitude de soi du moi pensant ne suffit pas à prouver que le sujet de la pensée est de nature spirituelle. Conscient du radicalisme de cette objection, Descartes reproche à Hobbes de dissimuler sous des termes concrets et composés son but véritable qui serait « d'empêcher, autant qu'il peut, qu'on ne puisse séparer la pensée d'avec le corps »[2]. Cette réponse ne prend pas néanmoins l'exacte mesure de la critique : celle-ci n'a pas le but seulement négatif que Descartes lui prête, mais vise également à élaborer une théorie positive de la science. Autrement dit, si le projet philosophique de Hobbes suppose comme préalable la critique du dualisme des substances, c'est parce qu'un tel dualisme, en accréditant l'existence d'un sujet spirituel de la science, fait oublier que le véritable sujet de la philosophie, ce sont les corps dans leur diversité. Le but de la critique du sujet cartésien est ainsi de reconstruire le sujet de la science à partir de l'ordre des corps.

Cette reconstruction se fait en deux temps. Premièrement, il faut rappeler que le sujet véritable de la pensée est le substrat matériel dont la pensée est l'accident. Comme n'importe quel autre accident, la pensée ne peut en effet se soutenir dans l'être en l'absence d'une « raison corporelle » ou d'une « raison de matière ». Il ne servirait donc à rien de multiplier les renvois réflexifs d'accident en accident. La pensée de la pensée ayant tôt fait d'épuiser son pouvoir dilatoire, il faut bien finir par conclure : « Et partant, puisque la connaissance de

1. *Troisièmes Objections*, AT, IX-1, p. 134.
2. *Troisièmes Objections*, AT, IX-1, p. 136.

cette proposition : *j'existe*, dépend de la connaissance de celle-ci : *je pense* ; et la connaissance de celle-ci, de ce que nous ne pouvons séparer la pensée d'une matière qui pense ; il semble qu'on doit plutôt inférer qu'une chose qui pense est matérielle, qu'immatérielle. »[1] Deuxièmement, en indiquant qu'il n'est nullement impossible de penser un passage naturel du mouvement des organes au raisonnement, Hobbes reconduit le sujet de la pensée à son statut physiologique de corps organique. Si l'on suppose que le raisonnement n'est rien d'autre qu'un enchaînement de noms par le mot *est*, « le raisonnement dépendra des noms, les noms de l'imagination, et l'imagination peut-être (et cela selon mon sentiment [*i.e.*, celui de Hobbes]) du mouvement des organes corporels ; et ainsi l'esprit ne sera rien autre chose qu'un mouvement en certaines parties du corps organique »[2]. Le sujet de la pensée ne fait donc pas exception à la règle qui veut que ce qui existe existe sous une raison corporelle. Ainsi n'y a-t-il pas de place chez Hobbes pour un sujet qui se penserait lui-même à partir de la dynamique de sa pensée et qui s'atteindrait sur le mode d'une connaissance certaine de soi. S'il utilise l'expression *subjectum philosophiae*, c'est en lui donnant le sens classique d'objet de la science. Ainsi, dans le *De Corpore*, cette expression sert-elle à désigner tout corps en tant qu'il peut faire l'objet d'une connaissance rationnelle[3]. Les « sujets de la philosophie », ce sont les corps dans leur diversité, en tant du moins qu'ils sont susceptibles d'être pris en compte dans un raisonnement, à savoir en tant qu'ils peuvent entrer dans un calcul. Comme cela ne peut se faire que si un corps est soumis à dénominations[4], le sujet de la philosophie n'est pas une *res cogitans*, mais une *res nominata*. D'un tel *subjectum* il faut rendre compte, non pas par un parcours méditatif, mais par un parcours encyclopédique qui embrasse de façon systématique la totalité des corps connaissables. Par-

1. *Troisièmes Objections*, AT, IX-1, p. 135.
2. *Troisièmes Objections*, AT, IX-1, p. 138.
3. Voir *De Corpore*, I, 8, p. 9.
4. « Subject to names » (*Lev.*, IV, 14, p. 106) ; « res nominata » (*Lev.*, *OL III*, IV, 14, p. 28).

tant, le sujet de la philosophie se dissémine en une distribution des sciences[1] qui forme aussi bien un *corpus*[2], unité nominale d'un savoir en progrès.

3. *La critique de l'idée de Dieu comme fondement de la théorie de la science*

Pour en revenir à Dieu et si l'on tient compte de ce qui précède, il est clair que le désaccord des deux auteurs sur sa fonction dans le système de la science ne saurait d'abord porter sur la question de son existence, mais sur la question de savoir si l'on possède ou non son idée dans notre esprit. Question de fait derrière laquelle se tient une question de droit, puisqu'il s'agit de savoir s'il est ou non légitime d'inscrire Dieu dans le système de nos représentations. Alors que Hobbes oppose à cette prétention l'affirmation que nous n'avons pas d'idée positive de l'infini, Descartes montre qu'une telle prétention est non seulement légitime, mais qu'elle est encore nécessaire pour assurer la cohérence du système de la science. Dans la mesure où elle en présente à un degré ultime toutes les caractéristiques de vérité, de clarté et de distinction, la représentation de l'infini est en effet, pour ce dernier, l'archétype de la représentation. L'idée de Dieu « est entièrement vraie ; car, encore que peut-être l'on puisse feindre qu'un tel être n'existe point, on ne peut pas feindre néanmoins que son idée ne me représente rien de réel »[3]. Et cette idée « est aussi fort claire et fort distincte, puisque tout ce que mon esprit conçoit clairement et distinctement de réel et de vrai, et qui contient en soi quelque perfection, est contenu et renfermé tout entier dans cette idée »[4]. Elle n'est donc nullement, comme le prétend

1. *De scientiarum distributione* est le titre du chapitre IX du *Léviathan* latin.

2. Hobbes déclare en effet, dans le *Léviathan* anglais, sensiblement différent sur ce point du *Léviathan* latin : « Les registres où est consignée la science, ce sont les *ouvrages* qui contiennent les démonstrations des consécutions qui lient une affirmation à une autre » (*Lév.*, IX, 3, p. 79).

3. *Méditations métaphysiques*, III, AT, IX-1, p. 36.

4. *Ibid.*

Hobbes, une négation du fini[1]. Elle n'est pas inférieure aux autres idées et notamment aux idées des substances finies, mais supérieure à elles, car elle est l'idée de la cause de toutes les substances finies. De fait, la présence en nous de l'idée de Dieu oriente de part en part la réflexion cartésienne sur la cause de nos représentations, l'idée de Dieu étant l'idée d'une cause première de nos représentations. Loin de parvenir à Dieu par le biais d'une régression causale, c'est bien plutôt l'idée de Dieu qui nous fournit l'idée de la cause première. Cependant, cette saisie de Dieu comme cause première n'est elle-même possible que parce que l'idée de Dieu est l'idée d'un être existant par soi. Dire d'un être qu'il est par soi ne signifie pas toutefois qu'il peut être conçu indépendamment de toute référence à la causalité, mais qu'il est « par soi comme par une cause »[2]. Ainsi, s'il est possible d'avoir une idée de Dieu, c'est-à-dire de le concevoir, c'est que tout être qui existe, fût-ce par soi, est soumis au principe de raison : « [...] puisque nous concevons et entendons fort bien, non seulement l'existence, mais aussi la négation de l'existence, il n'y a rien que nous puissions feindre être tellement par soi, qu'il ne faille donner aucune raison pourquoi plutôt il existe, qu'il n'existe point. »[3] Concevoir une idée de Dieu signifie donc, en dernier ressort, que la raison de tout ce qui existe n'est pas elle-même sans raison. La référence à la toute-puissance divine prend, dans un tel contexte, une signification bien particulière : elle ne signifie pas, comme c'est le cas dans le volontarisme théologique, l'impossibilité de rendre compte rationnellement de l'existence et de l'action divines, mais désigne au contraire la raison pour laquelle un tel être existe. Dire que Dieu est par soi signifie positivement qu'il est « comme si c'était être par une cause, à savoir par une surabondance de sa propre

1. « Et je ne me dois pas imaginer que je ne conçois pas l'infini par une véritable idée, mais seulement par la négation de ce qui est fini, de même que je comprends le repos et les ténèbres par la négation du mouvement et de la lumière : puisqu'au contraire je vois manifestement qu'il se rencontre plus de réalité dans la substance infinie que dans la finie, et partant que j'ai en quelque façon premièrement en moi la notion de l'infini, que du fini, c'est-à-dire de Dieu, que de moi-même » (*Méditations métaphysiques*, III, AT, IX-1, p. 36).

2. *Premières Objections*, AT, IX-1, p. 88-89.

3. *Ibid.*

puissance »[1]. Dire que Dieu est par soi n'équivaut donc nullement à dire qu'il est sans raison, mais seulement qu'il n'a pas de cause distincte de sa propre puissance. Par conséquent, lorsque le sujet méditant découvre en lui-même l'idée de Dieu, il ne découvre rien d'autre que l'idée d'une cause dernière des phénomènes, qui est aussi cause d'elle-même. Ainsi l'affirmation cartésienne en théologie, « De Deo, quod existat », est-elle une position d'existence qui présuppose la concevabilité de Dieu comme cause dernière des phénomènes. Dire que nous avons une idée de Dieu ne revient cependant pas à dire que nous pouvons nous représenter parfaitement la cause première de la réalité objective de nos idées, mais seulement que cette cause n'est pas étrangère à la structure de la représentation. Si Descartes privilégie le concept d'infini par rapport au concept de toute-puissance, c'est aussi sans nul doute en raison de sa moindre connotation volontariste. En effet, même si le sujet méditant ne comprend pas parfaitement l'infini, il n'en a pas moins une idée claire et distincte, en tant qu'il le comprend comme ce qui comprend tout ce qui possède de la réalité[2], à savoir précisément comme la cause de tout ce qui existe et de soi-même. Présente en fait dans l'esprit de celui qui médite, justifiée en droit par la nécessité de fonder métaphysiquement le système de la science, l'idée d'infini est véritablement au centre de la pensée cartésienne. Elle rend possible une clôture interne du système de la représentation, puisque Dieu étant représentable, il fonde en vérité nos représentations et nous assure du même coup de la réalité des choses représentées.

Cependant, que l'on refuse d'intégrer la cause première de nos idées au système de la représentation, et cette impeccable construction vacille. En l'absence d'une idée de Dieu qui soit une idée véritable et non pas simplement une supposition, la clôture du système de nos idées devient impossible : nous n'avons plus d'assurance, à l'intérieur même de ce système, que nos idées soient des idées de quelque chose, que l'ordre qu'elles nous dévoilent soit bien l'ordre des choses. Bref,

1. *Ibid.*
2. *Méditations métaphysiques*, III, AT, IX-1, p. 37.

l'absence de l'idée de Dieu nous fait passer d'un système de la représentation, fondé sur une perspective réglée à l'infini, à un autre système dans lequel il n'existe pas de règle absolue au fondement de la représentation, mais seulement des règles instituées par les hommes.

Hobbes ne manque pas de s'engouffrer dans les difficultés propres à l'idée cartésienne de Dieu, soulignant notamment que nul étant, aussi élevé soit-il, ne peut échapper à la question de sa représentabilité. Dieu faisant pour lui l'objet d'une supposition et non pas d'une fiction, il est déclaré irreprésentable[1]. Cette conclusion, qui procède de sa théorie de la représentation, est en outre conforme aux exigences de la religion : « C'est pourquoi on nous défend de l'adorer [*i.e.,* Dieu] sous une image, de peur qu'il ne nous semble que nous concevions celui qui est inconcevable. »[2] Comme l'idole est par excellence une représentation de l'irreprésentable, la condamnation mosaïque de l'idolâtrie est ainsi interprétée comme une condamnation de la volonté de faire entrer Dieu dans le système de la représentation. L'opposition de Hobbes à Descartes est donc beaucoup plus fondamentale et concertée qu'on ne le soutient parfois. Si le philosophe anglais n'accepte pas le projet cartésien de fonder philosophiquement la vérité de la science sur une idée de Dieu, c'est que la théologie relève selon lui d'une logique de la supposition, et nullement d'une logique de la représentation. Les deux auteurs parlent bien de la même chose, à savoir des rapports de Dieu et de la représentation, mais ils en parlent dans des perspectives radicalement opposées. Tandis que Descartes soumet le système de la représentation à l'idée de Dieu, Hobbes entend soumettre l'idée de Dieu aux exigences de la représentation : « Nous n'avons donc point en nous, ce semble, aucune idée de Dieu ; mais tout ainsi qu'un aveugle-né, qui s'est plusieurs fois approché du feu et qui en a senti la chaleur, reconnaît qu'il y a là quelque chose par quoi il a été échauffé, et, entendant dire que cela s'appelle du feu, conclut qu'il y a du feu, et néanmoins n'en connaît pas la figure ni la couleur, et n'a, à vrai dire, aucune idée,

1. « Il en est de même du nom vénérable de Dieu, de qui nous n'avons aucune image ou idée » (*Troisièmes Objections*, AT, IX-1, p. 140).

2. *Ibid.*

ou image du feu, qui se présente à son esprit ; de même l'homme, voyant qu'il doit y avoir quelque cause de ses images ou de ses idées, et de cette cause une autre première, et ainsi de suite, est enfin conduit à une fin, ou à une supposition *(suppositionem)* de quelque cause éternelle, qui, parce qu'elle n'a jamais commencé d'être, ne peut avoir de cause qui la précède, ce qui fait qu'il conclut nécessairement *(necessario)* qu'il y a un être éternel *(aliquid aeternum)* qui existe ; et néanmoins il n'a point d'idée qu'il puisse dire être celle de cet être éternel, mais il nomme ou appelle du nom de Dieu cette chose que la foi ou la raison *(rem creditam vel agnitam)* lui persuade. »[1] Ce texte inscrit la réflexion sur l'existence de Dieu dans la perspective d'une interrogation sur la cause première de nos représentations, sans pour autant constituer une preuve métaphysique. La thèse de l'existence de Dieu relève en effet de la connaissance par inférence, et non pas de la connaissance directe par intuition ; plus spécifiquement, elle relève d'une logique de la *suppositio*. À ce propos, on remarquera que l'analogie construite par Hobbes entre la connaissance du feu par l'aveugle-né et la connaissance de Dieu par les hommes se retrouve quasiment à l'identique dans un texte d'Ockham, l'inventeur de la théorie médiévale de la *suppositio*. Sans devoir considérer que Hobbes reprend ici la théorie de son devancier médiéval, on peut néanmoins admettre à titre d'hypothèse qu'il lui emprunte son analogie. Désirant montrer que les hommes ne peuvent connaître Dieu en cette vie par un concept simple et qui lui soit propre[2], Ockham introduit en effet l'analogie suivante : « Je prouve la seconde thèse : nous ne pouvons rien connaître par des moyens purement naturels à l'aide d'un concept simple propre à la chose, sans connaître d'abord la chose en elle-même. Cela apparaît clairement par l'induction *(inductive)*. Car autrement on pourrait dire qu'un aveugle-né connaît la couleur grâce à un concept propre de la couleur, puisqu'il n'y a pas plus de raison que Dieu soit connu par un concept propre sans avoir d'abord été connu en lui-même qu'il n'y en a que la couleur le

1. *Ibid.*

2. « Secundo, quod non potest concipi a nobis pro statu isto in aliquo conceptu simplici proprio sibi » (*Ordinatio*, dist. II, qu. IX, in *Ockham's Philosophical Writings*, éd. et trad. anglaise Ph. Boehmer, Édimbourg et Londres, 1957, p. 102).

soit, ainsi que nous le ferons voir dans la distinction suivante. Mais il est manifeste que la couleur n'est pas connue d'un tel homme par un concept propre. Par conséquent, Dieu ne l'est pas davantage. »[1] Bien qu'Ockham n'envisage pas ici l'exemple de l'aveugle-né du point de vue de la connaissance du feu, mais du point de vue de la connaissance de la couleur[2], la conclusion à laquelle il parvient est parente de celle de Hobbes : ce dernier montre qu'il ne saurait y avoir d'idée de Dieu au sens d'une idée adéquate à son objet, et Ockham prouve qu'il n'y a pas de concept simple propre à Dieu, c'est-à-dire de concept singulier que seule la connaissance directe peut nous donner. Le concept hobbesien de la *suppositio* est toutefois distinct du concept ockhamien.

Dans le texte de l'*Objection cinquième*, le terme *suppositio* se trouve en effet associé par Hobbes aux concepts de fin (*ad finem*, l. 17) et de croyance (*rem creditam*, l. 22). Significativement, le concept de fin sert, dans le *Léviathan*, à décrire une propriété remarquable de la logique du discours : « Tout discours gouverné par le désir de savoir trouve finalement son aboutissement, soit dans le succès soit dans l'abandon. Et la chaîne du discours, où qu'elle soit interrompue, trouve en cet endroit, pour le moment considéré, un aboutissement. »[3] Si la réflexion régressive sur la cause de nos représentations s'arrête à une *suppositio*, c'est d'abord en vertu de cette propriété générale de la discursivité, qui est que tout discours doit avoir une fin[4]. Cette exigence ne vaut pas spécifiquement chez Hobbes pour la régression causale, mais pour toute forme de discours. La *suppositio* constitue de fait un

1. *Ordinatio*, dist. II, qu. IX, in *Ockham's Philosophical Writings*, *op. cit.*, p. 104.

2. Cette différence ne doit pas être surestimée. L'appartenance de ces deux comparaisons à la même tradition trouve une illustration remarquable dans l'épître au lecteur de *Of Liberty and Necessity*. John Davies de Kidwelly, l'auteur de cette épître, déclare en effet que nous sommes aussi peu à même de mesurer la justice des actions divines qu' « un aveugle-né d'apprécier les couleurs » (*Of Liberty and Necessity*, *EW IV*, p. 236). Quoi qu'il en soit, il est remarquable de voir que, dès le XIVe siècle, la question de l'aveugle-né est associée à la question de l'existence de Dieu.

3. *Lév.*, VII, 1, p. 59.

4. Dans la *Critique du De Mundo*, Hobbes met en garde contre l'équivocité du mot fin *(end, finis)*, équivocité que ne fait pas disparaître la traduction par aboutissement : « car "fin" *(finis)* pris pour "objectif et intention" *(scopo & intentione)* ne signifie pas la même chose que lorsqu'il est pris pour "le point final" *(extremo)* ou "le *terminus ad quem* du mouvement" » (*Critique du De Mundo*, XL, 4, p. 436).

type de conclusion qui a pour propriété de mettre fin à un discours, sans que cette fin constitue un véritable aboutissement. On pourrait presque dire que la supposition est une conclusion suspendue, qui attend encore la résolution du discours. Ainsi trouve-t-elle naturellement sa place dans la typologie des attitudes propositionnelles que Hobbes propose dans le *De Cive*, à l'occasion d'une réflexion sur le concept de foi : « L'objet de la foi, prise au sens général, à savoir *ce qui est cru*, est toujours une *proposition* (c'est-à-dire un énoncé affirmatif ou négatif) que nous admettons comme vraie. Mais comme les propositions sont admises pour des raisons diverses, il en résulte que les diverses manières de les admettre reçoivent des noms différents. Or, nous admettons parfois des propositions sans pour autant les accepter dans notre esprit. Nous les admettons ainsi, soit de manière temporaire, jusqu'à ce que nous ayons déterminé, en examinant leurs conséquences, si elles sont vraies : c'est ce qui s'appelle *supposer* ; soit de manière définitive, comme nous le faisons par crainte des lois : ce qui est *professer* ou *confesser* par des signes extérieurs ; soit encore par volonté d'être agréable, comme le font les gens courtois à l'égard de ceux qu'ils respectent, et, à l'égard des autres, par souci de rester en paix avec eux : ce qui est, au sens propre, *concéder*. »[1] Dans la mesure où elle tient lieu non pas de la chose ou d'un concept de la chose, mais où elle formule un état provisoire de la réflexion qui appelle une confirmation ultérieure, la supposition selon Hobbes est fort proche de l'hypothèse au sens contemporain du terme. Contrairement au savoir *(scire, knowledge)*, qui repose sur la vérification de la signification de tous les termes de la proposition, la supposition repose sur l'acceptation provisoire de la vérité de la proposition, sous couvert d'une vérification ultérieure. Or quelle vérification peut-on fournir de la proposition qui énonce que Dieu existe ? Deux possibilités s'offrent au philosophe : pour cette proposition, comme pour toute autre, la raison qui conduit à la recevoir pour vraie tient soit à la proposition elle-même, soit à la personne qui la propose à notre acquiescement. Dans le premier cas, la vérification relève de la science, puisqu'il s'agit

1. *De Cive*, XVIII, 4, p. 282-283.

de vérifier la conformité des termes de la proposition aux conventions sur lesquelles ils reposent : « connaître la vérité équivaut à se souvenir que nous l'avons faite en usant des mots *(ipsa nominum usurpatione)* »[1]. Dans le second cas, la confirmation de l'hypothèse relève de la confiance que nous avons dans le savoir d'autrui[2] : « En revanche, lorsque les raisons qui nous conduisent à donner notre assentiment à une proposition découlent, non pas de la proposition elle-même, mais de la personne qui l'énonce, car nous la jugeons assez compétente pour ne pas se tromper, et nous ne voyons pas pourquoi elle voudrait nous tromper, alors notre assentiment, parce qu'il ne procède pas de la confiance que nous avons en notre propre connaissance, mais en celle d'autrui, reçoit le nom de "foi". »[3] La *suppositio Dei*, ou plus exactement la *suppositio alicujus causae aeternae*, n'est rangée exclusivement, dans l'*Objection cinquième*, ni dans la catégorie des objets de croyance ni dans la catégorie des objets de savoir. Son statut reste en quelque sorte en suspens, en attente d'une détermination ultérieure. L'homme qui réfléchit à l'origine dernière de ses représentations en vient à conclure à l'existence de quelque chose d'éternel *(aliquid aeternam),* mais cette conclusion n'est pas certaine, puisque Hobbes parle de cette chose en disant « cette chose que la foi *ou* la raison lui persuade » *(rem creditam* vel *agnitam nominat)*[4].

Cette incertitude a une signification anthropologique. Ce qui pousse l'homme à rechercher Dieu, c'est en effet le désir de connaître la cause des effets qu'il perçoit, et plus particulièrement le désir de parvenir à la connaissance d'une cause dernière des phénomènes : « [...] les effets que nous reconnaissons naturellement comprennent nécessairement un pouvoir capable de les produire, avant qu'ils ne fussent produits ; et ce pouvoir présuppose que quelque chose existe qui possède

1. *Ibid.*

2. Il est frappant de voir combien, du point de vue qui est celui de Hobbes, la question cartésienne de la véracité de Dieu relève moins de la réflexion philosophique que de la logique de la foi, puisque la foi est pour lui une forme de certitude relative à la personne qui énonce une proposition et que le but de la méditation cartésienne est de prouver que la nature de Dieu lui interdit d'énoncer des propositions fausses.

3. *De Cive*, XVIII, 4, p. 284.

4. *Troisièmes Objections*, AT, IX-1, p. 140 ; nous mettons en romains.

ce pouvoir ; et cette chose qui existe, et qui a le pouvoir de produire, à moins qu'elle ne soit éternelle, doit nécessairement avoir été produite par quelque chose qui était avant elle ; et cette dernière encore par quelque chose d'autre avant elle ; au point que nous en arrivons à un éternel, c'est-à-dire au premier pouvoir de tous les pouvoirs, et première cause de toutes les causes. Et c'est cela que tous les hommes appellent du nom de DIEU, ce qui implique éternité, incompréhensibilité, et omnipotence. »[1] Ce raisonnement des *Elements of Law* n'est cependant nullement valable dans l'absolu, mais vaut seulement pour l'homme en tant qu'il est susceptible d'une connaissance par les causes. Il vaut plus précisément pour les hommes qui aiment chercher les causes, à savoir pour les savants : « Ainsi tous les hommes qui veulent réfléchir peuvent naturellement connaître que Dieu est, bien qu'ils ne puissent connaître ce qu'il est. »[2] Or Hobbes ne considère pas que tous les hommes veulent réfléchir, ou qu'ils se soucient tous également de la connaissance des causes[3]. Contrairement à Descartes, qui, partant du sujet méditant *(ego cogitans),* n'a pas à se soucier d'ancrer l'idée de Dieu dans une description de la nature humaine, Hobbes ne dissocie jamais la question de la cause des représentations de l'anthropologie. Il rattache la *suppositio Dei* à la nature de l'homme, et, plus particulièrement, à l'intérieur de l'espèce humaine, à la nature de ceux qui se préoccupent de connaître les causes. Bien que cette détermination soit présentée quelque peu différemment dans la cinquième objection, le point de départ étant alors un collectif *(in nobis)* qui se révèle être ensuite identique à l'espèce humaine *(itaque homo),* néanmoins, dans tous ces textes, celui qui réfléchit sur l'origine des représentations, c'est toujours l'homme. Issu de la passion de la curiosité, le Dieu des savants exprime cette forme de religiosité de la raison qui correspond au souci de connaître la raison dernière des représentations. En ce sens, la supposition de l'existence de Dieu relève bien d'une anthropologie, et non pas

1. *Elements of Law,* I, XI, 2, p. 53-54.
2. *Elements of Law,* I, XI, 2, p. 54.
3. Contrairement à Aristote, Hobbes insiste moins sur le fait que tous « les hommes désirent naturellement savoir » (*Métaphysique,* A, 1, 980 *a* 21) que sur le fait que ce désir naturel n'engendre pas chez tous une égale passion de la connaissance des causes.

d'une preuve métaphysique, et la thèse de la *suppositio Dei* est parfaitement compatible avec une critique philosophique de toute preuve métaphysique de l'existence de Dieu. Penser Dieu en termes de preuve constitue en effet pour Hobbes une gageure intenable, car nous ne possédons pas d'idée de Dieu, et donc pas de fondement intuitif à la notion que nous en avons. Ainsi la faiblesse de la première preuve cartésienne par les effets tient-elle moins à une erreur commise dans la démonstration qu'au caractère erroné de la prémisse. Privé de toute idée de Dieu, Hobbes ne peut pas nous conduire de l'idée de Dieu à l'existence de Dieu. Cependant, sa théorie de la *suppositio Dei* est là pour nous rappeler que l'absence d'idée de Dieu n'implique pas davantage la ruine de la science que la disparition de toute théologie. L'échec de la fondation métaphysique de la science laisse intacte la puissance de la raison.

CHAPITRE III

Le nécessitarisme et le paradoxe de la cause entière

S'il a lu le *De servo arbitrio,* Hobbes n'a pu qu'être frappé par un court passage dans lequel Luther déclare que la nécessité pourrait être établie, « même si l'Écriture n'était pas là pour la prouver »[1]. Telle est bien, en effet, la caractéristique majeure du nécessitarisme de Hobbes, de ne pas tant chercher ses preuves dans les Écritures[2] que dans des arguments tirés de la raison. La définition des termes et une argumentation correctement conduite doivent suffire à établir la nécessité de toutes choses. Toutefois, cette confiance dans la raison dépend elle-même de présupposés théologiques. Bien que Luther les présente comme indépendants des Écritures et que Hobbes les présente comme contraires à la « bonne logique »[3], ces présupposés n'en sont pas moins présents chez les deux auteurs et relèvent dans l'un et l'autre cas de la théologie de la toute-puissance. Luther affirme en effet que tout homme qui raisonne correctement doit pouvoir déduire de la toute-puissance et de l'omniscience divines la nécessité de toutes choses, car « nous ne faisons pas ce qui nous plaît en vertu de notre libre arbitre, mais ce que Dieu a prévu de toute éternité, et qu'il produit selon son conseil et son pouvoir

1. Luther, *Du serf arbitre*, trad. fr. J. Carrère, in *Œuvres*, t. 5, Genève, Labor et Fides, 1958, p. 151.

2. Rappelons toutefois que Hobbes fait appel aux mêmes lieux bibliques que Luther pour défendre la thèse de la nécessité. Romains, IX, 20, notamment, cité par Luther dans *Du serf arbitre* (*op. cit.*, p. 151) est cité par Hobbes dans *De la liberté et de la nécessité* (p. 68).

3. *Liberté et nécessité*, p. 115.

infaillibles et immuables »[1]. Hobbes, quant à lui, ajoute à ses preuves rationnelles du nécessitarisme que « nier la nécessité [...] c'est ruiner les décrets et la prescience du Dieu tout-puissant », car si les hommes étaient parfaitement libres de vouloir ce qu'ils veulent, Dieu ne pourrait ni prévoir ni décréter par avance le cours des choses et ne posséderait donc pas une puissance absolue. Que Luther nuance la valeur de ce raisonnement théologique au nom de la primauté des Écritures ou que Hobbes le fasse au nom de la rigueur logique, il n'en demeure pas moins qu'ils ressentent l'un comme l'autre la nécessité de l'énoncer.

L'importance de cet argument théologique ne saurait toutefois apparaître d'emblée, car Hobbes refuse de se revendiquer ouvertement d'une quelconque tradition. Ce refus possède indéniablement une signification polémique : en substituant aux définitions de ses adversaires des définitions nouvelles, Hobbes parvient plus facilement à déplacer les termes de la controverse sur la nécessité. Au nom d'un légitime souci de clarté lexicale, il parvient, ce qui n'est pas sans paradoxe, à masquer la signification historique des concepts dont il fait usage. Bien qu'il n'ignore pas que d'autres avant lui ont défendu la thèse de la nécessité, il feint de tenir ces prédécesseurs pour indifférents. Il importe toutefois de ne pas se leurrer sur le sens de cette affectation d'ignorance : si elle procède indéniablement d'une volonté de rigueur, elle est aussi un procédé rhétorique. Quand la polémique l'y oblige, Hobbes sait fort bien se servir, comme d'autant de miroirs déformants, des références historiques que ses interlocuteurs lui proposent. L'usage qu'il fait de la référence au stoïcisme est emblématique de ce procédé, car s'il accepte d'inscrire son nécessitarisme dans la postérité du Portique, c'est que cette filiation lui permet de dissimuler davantage les présupposés théologiques de sa propre réflexion. Le néo-stoïcisme, qui ne constitue pas pour lui une source d'inspiration directe, lui apporte seulement une caution culturelle plus facile à mettre en avant que la théologie de la toute-puissance sur laquelle il s'appuie.

1. Luther, *Du serf arbitre*, *op. cit.*, p. 151.

I. L'ARGUMENT THÉOLOGIQUE EN FAVEUR DE LA NÉCESSITÉ

Bien que la preuve de la nécessité soit présentée par Hobbes comme une preuve essentiellement logique, un argument théologique est introduit dans la discussion afin d'établir la portée véritable des conclusions obtenues : « À cela, je pourrais ajouter, si j'y voyais bonne logique, l'inconvénient de nier la nécessité, en arguant que c'est ruiner les décrets et la prescience du Dieu Tout-Puissant ; car tout ce que Dieu a pour intention de faire advenir en se servant de l'homme comme instrument, ou tout ce qu'il prévoit comme devant advenir, un homme qui jouirait d'une liberté comme en défend Monseigneur à l'égard de la nécessitation pourrait l'empêcher et faire que ce ne fût pas, et Dieu, soit ne le saurait pas par avance, et ne l'ordonnerait pas, soit saurait par avance des choses qui ne seront jamais, et ordonnerait ce qui n'adviendra jamais. »[1] Cette remarque, présentée sous la forme d'un ajout à la preuve proprement dite, repose sur une contradiction entre l'omniscience divine et la liberté humaine, à supposer, comme le fait Hobbes, que Dieu ne puisse prévoir le comportement d'un agent libre, c'est-à-dire d'un agent capable de ne pas agir quand toutes les conditions de son action sont réunies[2]. En niant la thèse du libre arbitre, Hobbes se donne de fait le moyen d'ignorer les embarras relatifs à la conciliation de la liberté humaine et des décrets divins. Alors que Bramhall estime nécessaire, pour opérer cette conciliation, « d'assujettir les futurs contingents à l'intuition de Dieu, en vertu de cette présentialité qu'ils ont dans l'éternité »[3], Hobbes considère que la solution fournie par cet éternel présent, ce *nunc stans*, est inintelligible. Au lieu de modifier la conception de

1. *Questions*, XXXVI, p. 397 ; *Liberté et nécessité*, p. 115.
2. Hobbes emprunte à Suarez, pour la réfuter, la définition courante du libre arbitre : « Enfin, je soutiens que la définition courante d'un libre agent, savoir, qu'un libre agent est ce qui, quand toutes choses sont présentes qui sont indispensables pour produire l'effet, peut néanmoins ne point le produire, implique une contradiction et n'est qu'absurdité [...] » (*Questions*, XXXII, p. 362). Voir Suarez, *Disputationes metaphysicae*, disp. 19, sect. 4, 1, in *Opera omnia*, C. Berton (éd.), vol. 25-26, Paris, 1866, p. 706 : « Causa libera est, quae, positis omnibus requisitis ad agendum, potest agere et non agere. »
3. *Questions*, XXIV, p. 315.

l'éternité, il convient plutôt de considérer que les actions des hommes sont déterminées nécessairement par des causes qui renvoient elles-mêmes à la toute-puissance de Dieu. Une théorie sommaire de la motivation suffit à établir ce point, puisqu' « on constate journellement que la louange, le blâme, la récompense, le châtiment, les bonnes et les mauvaises conséquences des actions enregistrées dans la mémoire de chacun, nous font choisir tout ce que nous choisissons, et que le souvenir de ces choses procède des sensations et celles-ci de l'opération des objets de la sensation, lesquels objets sont extérieurs à nous et gouvernés par le seul Dieu tout-puissant »[1]. L'argument qui fait de la prescience le ressort d'une preuve de la nécessité de toutes choses repose, par conséquent, sur l'attribut de la toute-puissance de Dieu, car si l'homme possédait un libre arbitre, il pourrait tromper les prévisions divines, et si Dieu pouvait se laisser ainsi tromper par l'homme, il ne serait pas tout-puissant. Celui qui, comme Bramhall, défend la thèse du libre arbitre se voit donc obligé de choisir entre deux impossibilités : ou bien nier l'omniscience, ou bien nier la toute-puissance. Hobbes, pour sa part, entend fonder l'omniscience sur la toute-puissance.

Dire que la toute-puissance fonde la nécessité de l'action humaine nous renseigne-t-il toutefois suffisamment sur la nature de la nécessité en question. Bramhall nie que Hobbes soit parvenu à prouver une nécessité absolue, c'est-à-dire une nécessité par la rétrogradation des causes antécédentes jusqu'à la cause première : « Notre question est de savoir si le concours et la détermination des causes sont nécessaires avant qu'elles ne concourent ou ne soient déterminées. Il prouve que l'effet est nécessaire après que les causes ont apporté leur concours, et après qu'elles ont été déterminées. »[2] Cette distinction entre une nécessité absolue et une nécessité hypothétique repose sur la distinction connexe entre la nécessité antécédente et la nécessité de conséquence : la nécessité est absolue lorsqu'elle est indifférente au temps de l'effectuation, c'est-à-dire lorsqu'elle est antécédente ; la nécessité est hypothétique lorsqu'elle dépend du temps de l'effectuation, parce qu'elle est

1. *Questions*, XXIV, p. 317.
2. *Questions*, XXXIV, p. 384.

conséquente à l'événement. De fait, le reproche de Bramhall n'est pas nouveau : il reprend l'un des arguments que les partisans de l'opinion commune adressèrent à leurs adversaires nécessitaristes, lors des débats sur le sujet qui eurent lieu à Oxford au XIVe siècle[1]. La réponse de Hobbes s'inscrit ainsi, partiellement du moins, dans la postérité des thèses de Bradwardine, qui avait défendu l'idée d'une nécessitation antécédente de la volonté humaine par la volonté divine. Soucieux de distinguer son nécessitarisme du *fatum* des Stoïciens[2], le théologien d'Oxford précise en effet, comme Hobbes le fera après lui, que la nécessité qu'il défend est une nécessité qui dépend de l'efficace de la cause première. Or, pour désigner la nature de la nécessité qui procède de la cause première et libre, il utilise, comme Hobbes le fera après lui, l'expression de nécessité antécédente, précisant que c'est par une telle nécessité que la volonté de Dieu détermine la volonté créée de l'homme. Les objections que les défenseurs de l'opinion commune, partisans d'une forme de pélagianisme, adressent à Bradwardine ne sont pas sans évoquer les objections que l'évêque de Derry adressera plus tard à Hobbes. Aux autorités invoquées par Bradwardine en faveur de la nécessité antécédente, les partisans de l'opinion commune, que sont Fitzralph, Wodeham, Holcot, répondent que ces autorités « désignent la nécessité de conséquence, non de conséquent ; la nécessité conditionnelle, non absolue ; la nécessité au sens composé *(conjonctim)*, non divisé ; ou, ce qui revient au même, la nécessité de l'énoncé *(necessitas dicti)*, non celle de la chose *(rei)* »[3]. Toutes ces distinctions sont reprises par Bramhall à un moment ou à un autre de sa controverse avec Hobbes. S'il serait absurde de vouloir identifier rigoureusement les positions de Hobbes et de Bramhall avec celles de leurs devanciers médiévaux[4], la proximité des positions n'en est pas moins frappante. L'objection de Bramhall, que nous avons citée plus haut, en fournit un

1. Sur ce point, voir J.-F. Genest, *Prédétermination et liberté créée à Oxford au XIVe siècle*, *op. cit.*, *passim*.

2. Bradwardine, *De causa Dei*, III, 12, *op. cit.*

3. J.-F. Genest, *Prédétermination et liberté créée à Oxford au XIVe siècle*, *op. cit.*, p. 68.

4. Il est clair, notamment, que Hobbes s'écarte de Bradwardine sur la question de la liberté humaine, car, contrairement à ce dernier, il exclut la possibilité d'un pouvoir *ad oppositum* laissé à la volonté humaine.

bon exemple : en déclarant que Hobbes n'est parvenu à penser qu'une nécessité hypothétique et nullement une nécessité absolue, l'évêque de Derry reconduit les objections qui furent adressées à Bradwardine par les partisans de l'opinion commune.

De fait, cette objection est importante car elle oblige Hobbes à préciser la signification théologique de son nécessitarisme : il n'importe pas seulement de prouver que tout événement, une fois produit, est un événement nécessaire, mais encore que cet événement était nécessaire avant même qu'il ne se soit produit. Or, pour cela, il faut quitter le champ de la seule logique, afin de postuler une cause première qui puisse donner un sens à l'idée de cause entière. Bref, il faut montrer qu'il « y a une connexion nécessaire de toutes les causes naturelles depuis le commencement »[1], connexion en fonction de laquelle tout événement arrive. Porté par la controverse, Hobbes justifie dialectiquement les thèses de théologie qui sous-tendent son nécessitarisme : « Ici, cependant, il me faut relever certains de ses propos sur ce sujet, car ils vont à l'encontre de sa propre doctrine. "Là où toutes les causes, déclare-t-il, jointes ensemble et subordonnées l'une à l'autre, font une cause totale unique, si une seule, tout particulièrement la première dans la série ou la hiérarchie complète des causes, est nécessaire, elle détermine les autres et, sans aucun doute, rend l'effet nécessaire." De fait, ce que j'appelle la cause nécessaire de tout effet consiste en la conjonction de toutes les causes subordonnées à la première en une cause totale unique. "Si l'une de celles-ci, affirme-t-il, en particulier la première, produit son effet nécessairement, alors, toutes les autres sont déterminées et l'effet est également nécessaire." Or il est évident que la cause première est une cause nécessaire de tous les effets qui en résultent immédiatement, d'où il suit, d'après la raison avancée par lui, que tous les effets sont nécessaires. »[2] Porté par le questionnement de Bramhall, Hobbes montre en quoi la notion de cause première permet de déterminer le sens de la notion de cause entière. Elle le peut, tout d'abord, parce que la cause première constitue l'unique commun dénominateur de toutes les séries causales,

1. *Questions*, XXXIV, p. 390.
2. *Questions*, XVIII, p. 245-246.

qui forment une cause entière. Néanmoins, il ne faut pas comprendre le concours de toutes les causes selon l'idée simplificatrice d'une concaténation linéaire, mais selon l'idée d'un réseau de chaînes causales unies les unes aux autres dans leur premier et leur dernier maillon. L'intégralité de la cause est au prix de cette sommation des séries causales, qui dépend elle-même de la suffisance de la cause première[1]. Si la cause première permet de déterminer le sens de la cause entière, c'est en outre parce que la cause première est en elle-même une cause entière. N'ayant par définition aucune cause antécédente, la cause première est à elle seule la totalité de ses parties. La cause première étant une cause entière, et la cause entière étant une cause nécessaire, il en résulte par l'évidence de la relation transitive que la cause première est aussi une cause nécessaire, et plus exactement, une cause nécessaire des effets « qui en résultent immédiatement »[2]. Cette précision signifie ceci : une cause entière n'étant cause que des effets qu'elle contribue seule à produire dans un rapport d'immédiateté, à savoir dans un rapport temporel tel qu'entre l'instant où la cause est entière et l'instant où l'effet est produit il n'y ait aucun autre instant[3], il en va de même pour la cause première. L'immédiateté s'oppose, en l'occurrence, à l'instantanéité : si l'effet est bien produit lorsque la cause est entière, il n'en résulte pas pour autant que la cause ne soit pas antérieure à l'effet. À l'idée selon laquelle sa nécessité se résumerait dans la formule tautologique, « l'effet est quand il est »[4], Hobbes oppose l'idée selon laquelle la nécessité suppose que les événements futurs ne peuvent se produire autrement qu'ils ne se produiront en raison mêmes des causes qui les précèdent.

Raisonnant par l'absurde, il montre en outre que si, comme Bramhall le lui accorde, les causes suffisantes sont des causes nécessaires, alors les causes nécessaires sont aussi des causes antécédentes. En effet, si la

1. « Le *concours de toutes les causes* ne fait pas davantage une seule *chaîne* ou concaténation, mais un nombre incalculable de chaînes jointes ensemble, non pas dans toutes leurs parties, mais dans le premier maillon, le Dieu tout-puissant ; et, conséquemment, la cause entière d'un événement ne dépend pas toujours d'une chaîne unique, mais d'un grand nombre de chaînes à la fois » (*Questions*, XI, p. 137-138).

2. *Ibid.*

3. Pour la définition de l'immédiateté, voir *De Corpore*, VII, 10, p. 87.

4. *Questions*, XXXV, p. 396.

production des effets par les causes avait lieu en un instant, il faudrait considérer que les causes de ces causes seraient elles aussi produites en un même instant, et cela à l'infini. L'éternité se résumerait à l'instant de son effectuation, ce qui est contraire à l'expérience que nous avons du temps. Il faut donc conclure, à l'inverse, que l'éternité n'est pas un éternel présent, et que la nécessité qui procède de la cause première est indéniablement une nécessité antécédente. L'instant qui sépare l'effet de sa cause immédiate suffit à ruiner la conception de l'éternité comme *nunc stans*[1], et à réintroduire le temps dans la causalité. La théorie de la nécessité antécédente est donc étroitement liée à une théorie de l'éternité.

Cette théorie de l'éternité est la condition même de la théologie de la prescience et de la toute-puissance divines qui sous-tend le nécessitarisme de Hobbes. L'argument par la prescience divine est de fait le seul argument théologique que Hobbes se permette d'avancer à l'appui de ses démonstrations de la nécessité. Cet argument se formule ainsi : « [...] tout ce que Dieu a prévu de toute éternité, il l'a voulu de toute éternité, et donc nécessairement. »[2] L'éternité de la prévision divine est le fondement théologique de la nécessité des événements futurs. Toutefois, si tous les théologiens s'accordent à reconnaître que les événements prévus par Dieu doivent nécessairement se produire, tous ne s'accordent pas sur l'interprétation de cette nécessité.

La proposition énonçant que doit nécessairement arriver ce que Dieu a prévu est susceptible de deux lectures distinctes. Soit cette nécessité est considérée comme une nécessité de conséquence *(necessitas consequentiae),* la prévision impliquant seulement que les événements qui se produisent sont nécessaires une fois qu'ils se sont produits ; soit cette nécessité est une nécessité du conséquent *(necessitas consequentis),* la prévision impliquant que l'événement prévu se réalise en fonction d'une nécessité antécédente. Le choix en faveur de l'une ou l'autre de ces solutions ne repose pas sur des raisons de logique, mais sur une compréhension différente de la toute-puissance divine. Dans le premier

1. Voir *Questions*, XXXIII, p. 374.
2. *Questions*, XVIII, p. 250.

cas, on considère que la puissance n'a pas à intervenir, puisque la proposition, « ce qui sera, sera », vaut aussi bien pour la cause première que pour les causes secondes. Dans le second cas, en revanche, on considère la toute-puissance divine comme le fondement de l'immutabilité de la volonté divine. C'est parce que la toute-puissance de Dieu assure la permanence de l'ordre du monde que Dieu peut prévoir tout ce qui se produira. La prescience des futurs n'implique donc leur nécessité antécédente que parce qu'elle repose sur une conception de la puissance comme fondement de la suffisance des causes : « La toute-suffisance ne signifie rien de plus, quand elle est attribuée à Dieu, que l'omnipotence ; et l'omnipotence ne signifie rien de plus que la puissance de faire toutes les choses qu'il veut faire. Mais pour la production de toute chose qui est produite, la volonté de Dieu est autant requise que le reste de sa puissance et de sa suffisance. Et, en conséquence, sa toute-suffisance ne signifie pas une suffisance ou une puissance de faire les choses qu'il ne veut pas faire. »[1] La conception de la toute-puissance comme puissance de faire ce que l'on veut s'oppose, en l'occurrence, à la conception de la toute-puissance comme puissance d'agir contrairement à l'ordre ordinaire qui a été voulu par Dieu. De fait, seule la première définition permet de déduire de la prescience divine que les événements voulus par Dieu se produisent en fonction d'une nécessité antécédente, car, dans ce cas, ce que Dieu a une fois prévu, il l'a aussi voulu, et ce qu'il a voulu, il a la puissance de le réaliser. Ainsi comprise comme puissance de réalisation, la toute-puissance assure l'immutabilité de la volonté : « Il est vrai que Dieu ne fait pas tout ce qu'il peut faire, s'il le veut ; mais qu'il puisse *vouloir* ce qu'il n'a pas *voulu* de toute éternité, je le nie, à moins qu'il puisse non seulement *vouloir un changement,* mais aussi *changer sa volonté,* dont tous les théologiens disent qu'elle est immuable. Il faut donc forcément que des effets nécessaires procèdent de Dieu. »[2] Hobbes a certes raison de dire que tous les théologiens affirment, conformément aux Écritures[3], que la volonté de

1. *Questions*, XXXV, p. 396.
2. *Questions*, XVIII, p. 250.
3. Dieu dit : « Mon projet tiendra bon, et j'exécuterai tout ce que je désire » (Isaïe, XLVI, 10).

Dieu est immuable, mais il sait par ailleurs fort bien que tous les théologiens ne s'accordent pas sur le sens de cette immutabilité. Certains l'entendent en un sens faible, considérant que, bien que la volonté et la prescience de Dieu ne changent pas, Dieu peut vouloir l'opposé d'un événement futur qu'il a décrété. Toutefois, pareille interprétation est pour Hobbes contraire à une juste compréhension de la toute-puissance divine. La toute-puissance implique que ce que Dieu a voulu, il le réalise nécessairement, c'est-à-dire en fonction d'une nécessité antécédente, établie de toute éternité.

II. L'IDENTITÉ DE LA CAUSE SUFFISANTE ET DE LA CAUSE NÉCESSAIRE

La principale démonstration que Hobbes donne de la nécessité ne semble pas, toutefois, faire appel à des présupposés théologiques. Cette démonstration repose, en effet, sur l'identité logique de la cause suffisante et de la cause nécessaire, sans qu'il soit fait explicitement mention de la toute-puissance de Dieu. Le point de départ de la démonstration est la définition nominale de la cause suffisante comme « ce à quoi rien ne manque qui soit indispensable à la production de l'effet »[1]. Dans le cours de la polémique, Hobbes précise que la compréhension de la langue anglaise suffit à valider cette définition[2] : pour savoir ce que signifie l'expression « cause suffisante », il suffit de comprendre l'expression « assez de cause » *(cause enough)*. Nulle théologie, par conséquent, à l'horizon du langage ordinaire. La nécessité de la cause suffisante se déduit elle-même de l'analyse sémantique de la définition initiale. La

1. *Questions*, XXXI, p. 358 ; *Liberté et nécessité*, p. 110. Cette définition se trouve également, ainsi que la preuve elle-même, dans le *Short Tract*. Cees Leijenhorst a montré que les thèses de Hobbes dépendent fortement des débats de l'aristotélisme tardif, et notamment de ses versions les plus radicales, comme le *De fato* de Pomponazzi. Voir *Hobbes and the Aristotelians. The Aristotelian setting of Hobbes's Natural Philosophy*, Utrecht, Publications of the Zeno Institute of Philosophy, 1998, p. 232-239.

2. « Je ne pensais pas que cette définition eût pu déplaire à quiconque connût assez notre langue pour savoir qu' "une cause suffisante" et "assez de cause" signifient la même chose » (*Questions*, XXXI, p. 360).

preuve à proprement parler se déroule en deux moments. En un premier temps, Hobbes raisonne par l'absurde : « s'il est possible qu'une cause suffisante ne suscite pas l'effet, alors il manque quelque chose d'indispensable, et la cause donc n'était pas suffisante »[1]. Supposer, comme le font la plupart des aristotéliciens, qu'une cause suffisante *puisse* ne pas produire l'effet contredit la définition nominale de la cause suffisante. En un second temps, Hobbes tire les conséquences de cette impossibilité : « Mais s'il est impossible qu'une cause suffisante ne produise pas l'effet, alors une cause suffisante est une cause nécessaire ; puisque, par définition, produit un effet nécessairement ce qui ne peut que le produire. »[2] Le ressort de cette déduction, qui repose sur la définition nominale de la cause nécessaire comme ce qui ne peut que produire l'effet[3], réside dans la disparition de la modalité du possible entre l'impossible et le nécessaire. Derrière l'évidence logique affichée, cette démonstration constitue toutefois un véritable coup de force théorique, dans la mesure où les concepts de cause suffisante et de cause nécessaire sont généralement opposés, et non pas identifiés, dans la tradition aristotélicienne dont ils sont issus. De fait, la nécessité suffisante ou hypothétique ne prend sens à l'origine que dans une perspective téléologique, alors que la nécessité simple se comprend par rapport à la production mécanique d'un effet à partir de la sommation des conditions requises[4]. Plus exactement, c'est par rapport à la fin visée que l'on peut dire d'une cause qu'elle suffit ou qu'elle ne suffit pas. La suffisance telle que l'entend Hobbes, à savoir l'ensemble des conditions requises à

1. *Questions*, XXXI, p. 358 ; *Liberté et nécessité*, p. 110.

2. *Ibid.*

3. Le *Short Tract* donne exactement la même définition de la cause suffisante et de la cause nécessaire, mais commence par la définition de la cause nécessaire : « 13. Est cause nécessaire ce qui ne peut que produire l'effet. » ; « 14. Est cause suffisante ce qui possède toutes choses requises à la production de l'effet » (*Short Tract*, sect. 1, p. 13-14). De la même façon, la démonstration de l'identité de la cause suffisante et de la cause nécessaire a pour point de départ, dans le *Short Tract*, la définition de la cause nécessaire : « La cause qui ne peut que produire l'effet est une cause nécessaire (par le princ. 13). Or une cause suffisante ne peut que produire l'effet, parce qu'elle possède tout ce qui est requis pour le produire (par le princ. 14). Car si elle ne le produit pas, c'est qu'il manque quelque chose encore pour sa production et ainsi la cause n'est pas une cause suffisante, ce qui est contraire à l'hypothèse » (*Short Tract*, sect. 1, p. 14).

4. Voir C. Leijenhorst, *Hobbes and the Aristotelians*, *op. cit.*, p. 234, note 129.

la production d'un effet quelconque, est pour un aristotélicien une compréhension faible, puisqu'il lui manque la prise en compte de la fin. Dans sa critique du nécessitarisme hobbesien, Bramhall reprend à son compte l'argument aristotélicien classique qu'il a pu lire par exemple dans les écrits des jésuites de l'école de Coïmbre[1] : « On peut dire d'une cause qu'elle est suffisante soit parce qu'elle produit l'effet qui est recherché, comme dans la génération d'un homme ; soit parce qu'elle suffit à produire ce qui est produit, comme dans la génération d'un monstre. Dans le premier cas, on parle à juste titre d'une cause suffisante, dans le second on parle d'une cause faible et insuffisante. »[2] L'évidence que Hobbes pense trouver dans l'analyse du langage ordinaire masque en fait une transformation radicale dans la compréhension de la suffisance : ce qui était un sens faible est maintenant posé par Hobbes comme un sens fort de la notion. La pierre de touche de la suffisance ne se trouve plus désormais dans la fin visée, mais dans les conditions requises à la production de l'effet. Cette transformation de la notion de suffisance est la condition véritable de l'identification de la cause suffisante et de la cause nécessaire, puisque la cause suffisante est ce à quoi rien ne manque qui soit nécessaire à la production de l'effet. L'introduction de la notion de *causa integra*[3] est une conséquence logique de cette transformation de la *causa sufficiens* : sera dite suffisante la cause qui intègre la totalité des conditions requises à la production de l'effet.

Les problèmes liés à la notion de *causa sufficiens* se déplacent donc vers la notion de *causa integra*. La *causa integra* étant l'agrégat des accidents de l'agent et du patient qui sont requis à la production de l'effet, il convient de penser la cause entière comme une somme de conditions. Dans quelle mesure, toutefois, cette somme intègre-t-elle la totalité des conditions ? Les accidents sommés ne sont en effet rien d'autre que les

1. Voir B. Pereira, *De communibus omnium rerum naturalium principiis et affectionibus*, Lugduni, 1588.

2. *Questions*, XXXI, p. 359.

3. *De Corpore*, IX, 3, p. 107-108 : « *Causa* autem simpliciter sive *causa integra* est *aggregatum omnium accidentium tum agentium quotquod sunt, tum patientis, quibus omnibus suppositis, intelligi non potest quin effectus una sit productus, et suppositio quod unum eorum desit intelligi non potest quin effectus non sit productus.* »

causes *sine quibus non* de la production de l'effet, c'est-à-dire des causes dont la nécessité est seulement conditionnelle, dites pour cela nécessaires *per hypothesin*[1]. De telles causes définissent négativement les conditions de la production d'un effet ; elles permettent seulement de dire que si telle condition n'est pas réalisée, alors tel effet ne se produira pas. Mais elles ne permettent pas de dire en fonction de quel principe de suffisance l'effet sera produit. On peut énumérer sans fin les conditions requises à la production d'un effet ; si à cette énumération fait défaut le principe de sa complétude, l'effet ne sera jamais produit. Hobbes n'est donc fondé à parler de cause entière que pour désigner la cause qui suffit entièrement à la production de son effet, cette cause étant celle qui contient en elle le principe de son effectuation. La suffisance de la cause entière ayant pour effet de transformer la nécessité hypothétique des causes *sine quibus non* en nécessité absolue, elle confère à la cause un statut de cause à part entière. Mais comment l'intégration des causes partielles dans une cause entière est-elle pensable ? Chaque partie de la cause entière étant elle-même le produit d'une cause entière antécédente, il peut sembler que la suffisance de la cause soit condamnée à se dissoudre dans une régression à l'infini. Ce risque se déduit clairement de certaines thèses de Hobbes : « Ces actes qui forment, lorsqu'ils sont réunis *(collecti)*, une cause entière, sont individuellement des actes futurs, puisqu'ils ont chacun individuellement leur cause entière et ainsi, sans interruption *(continuo)*, les actes subséquents dépendent-ils nécessairement des actes antécédents jusqu'aux actes présents. »[2] L'obscurité relative de la fin de la phrase n'en obscurcit pas le sens général, qui est que tous les actes, y compris les actes futurs, arrivent nécessairement, car tout acte repose sur une cause antécédente qui est elle-même une cause entière. Cependant, Hobbes ne nous dit pas la raison pour laquelle, à un moment donné, un effet particulier s'inscrit dans la chaîne des déterminations causales. Autrement dit, il ne nous dit pas pourquoi un ensemble d'actes (ou d'accidents) se trouve, à un moment donné, sommé ou, pour reprendre l'expression qu'il emploie ici, collecté dans l'unité de la cause entière. Une seule

1. *De Corpore*, IX, 3, p. 107.
2. *Critique du De Mundo*, XXXV, 8, p. 390.

chose est sûre, la multiplication semble-t-il *ad infinitum* des chaînes causales nous éloigne de la réponse à une telle question. Faut-il en conclure que Hobbes postule la suffisance de la cause sans la prouver, et qu'en l'absence d'une telle preuve la nécessité qu'il déduit de la suffisance de la cause n'est plus elle-même qu'une nécessité *per hypothesin* ? C'est la conclusion que Bramhall, en s'appuyant sur les définitions scolastiques de la nécessité absolue et de la nécessité hypothétique, voudrait établir. Afin d'échapper à cette conclusion, Hobbes conçoit la nécessité de compléter sa démonstration de la nécessité par des arguments spécifiques en faveur de la suffisance de la cause.

III. LE PARADOXE DE LA CAUSE ENTIÈRE

En toute rigueur, le problème de la cause entière peut se formuler ainsi : y a-t-il un sens à poser que l'effet procède d'une cause unique, alors même que l'on sait que cette cause est elle-même une collection de multiples causes ? Comment peut-on penser l'unité d'une telle collection sans quitter le plan rationnel de la causalité ? Au niveau local, qui est celui de l'effet que nous percevons ou que nous contribuons à produire, une telle entreprise semble extrêmement difficile à réaliser, car nous nous trouvons confrontés à la multiplicité des séries causales, dont le lien, du fait même de leur multiplicité, nous échappe. De fait, il n'est pas possible de dire pourquoi telle cause partielle concourt avec telles autres à la production de tel effet particulier. On peut constater le concours de plusieurs causes sans pour autant en connaître la raison. Hormis le cas de l'action humaine, pour lequel la dernière cause trouve son unité dans l'unité de la raison d'agir[1], dans tous les autres cas, l'unité

1. M. Pécharman cherche dans l'analyse de l'action une solution locale à l'aporie de la cause entière : « Une argumentation locale, procédant par application des notions simples de la *Philosophia Prima*, n'est-elle pas dans ce cas mieux à même de rendre raison du moment déterminé où une cause devient entière, et où son effet est immédiatement produit ? Il en va ainsi, nous semble-t-il, de l'analyse de l'action, pour laquelle Hobbes use de la notion de cause entière en lui conférant une raison interne de son propre achèvement, et du commencement dans l'existence de son effet à un moment déterminé » (« Philosophie première et théorie de l'action », in J. Bernhardt et Y. C. Zarka (éd.), *Thomas Hobbes. Philosophie première, théorie de la science et politique*, *op. cit.*, p. 55-56).

de la dernière cause, unificatrice de la cause entière, demeure elle-même inexpliquée. La question de la cause entière semble donc se réduire à la question de savoir comment une multiplicité de causes peut en venir à n'en plus former qu'une seule. Mais la question de Hobbes est plus précise encore : il lui importe de savoir si l'on peut ou non penser, *à partir de la théorie causale elle-même*, la coordination ou l'harmonisation des causes multiples et simultanées qui concourent à la production d'un unique effet. La question prend alors la forme cosmologique d'une interrogation sur la compatibilité réelle de la multiplicité des causes, identifiées aux planètes, et de l'unité de l'univers.

De façon significative, la solution de cette difficulté est jugée paradoxale par Bramhall, qui non seulement n'en comprend pas la pertinence philosophique, mais encore la réduit à une volonté d'originalité, qui est peu en accord avec l'usage que Hobbes fait de la figure du paradoxe en général[1]. La formulation de l'argument est la suivante : « Dans le reste de son discours, il [Bramhall] évalue les opinions que soutiennent les hommes de certaines professions touchant les causes en quoi consiste, selon eux, la nécessité des choses. D'abord, dit-il, l'astrologue fait dériver sa nécessité des étoiles ; secondement, le médecin l'attribue à la température du corps. Pour ma part, je ne suis pas de leur opinion, parce que ni les étoiles à elles seules ni la température du patient par soi-même ne peuvent produire aucun effet sans le concours de tous les autres agents. *Il n'est, en effet, guère d'action, si fortuite semble-t-elle, que ne concoure à causer tout ce qui est* in rerum natura, *point sur lequel*

1. Hobbes rappelle à Bramhall que le paradoxe n'est pas une félonie ou un crime haïssable mais « une opinion qui n'est pas encore acceptée de façon générale » (*Questions*, XXI, p. 296). Maniant le paradoxe avec aisance, Hobbes s'efforce ainsi de montrer que le christianisme lui-même n'énonçait rien d'autre à ses débuts qu'une vérité paradoxale, puisqu'il n'était pas accepté de tous. La théorie de l'hérésie peut dès lors être considérée comme le versant théologico-politique de la théorie hobbesienne du paradoxe, une opinion hérétique n'étant d'abord qu'une opinion privée, partagée par peu de personnes, et n'ayant pas reçu l'autorisation politique de se propager (voir Thomas Hobbes, *Relation historique touchant l'hérésie et son châtiment*, in *Hérésie et histoire*, *op. cit.*, p. 29-30). Hobbes donne une preuve de cette proximité sémantique des termes « hérésie » et « paradoxe », dans le troisième chapitre de l'appendice au *Léviathan* latin, où l'on peut lire à propos de la conception corporelle des anges : « Ceci n'eût pas été compté comme un paradoxe par tous les anciens Pères, ni par tous les docteurs des Églises réformées, et l'Église anglicane ne le condamne pas » (*Lév.*, *Ap III*, p. 776).

je n'insisterai pas ici parce que c'est un grand paradoxe et qu'il découle de bien des spéculations antérieures. »[1] Dans le passage auquel Hobbes fait ici référence, Bramhall répond à une objection que pourraient lui faire un astrologue et un médecin qui entendraient, à partir de leur pratique respective, défendre la thèse de la nécessité. Selon l'évêque, il convient de rejeter également la détermination astrale de l'un et la détermination physiologique de l'autre, car « les étoiles et les complexions inclinent, mais ne nécessitent pas la volonté »[2]. Pour les réconcilier tous, Hobbes signifie son désaccord avec chacun des trois. De son désaccord avec l'astrologue et le médecin, la raison est simple : l'un privilégiant les seules influences astrales, l'autre insistant sur les seules complexions des malades, aucun des deux ne pense la cause dans son intégralité. Leur nécessitarisme, si tant est que l'on puisse conserver le mot, est un nécessitarisme de la cause partielle. À cette thèse unilatérale, Hobbes objecte ce qu'il nomme lui-même un « grand paradoxe ». Toutefois, et contrairement à ce que dit un peu rapidement l'évêque, cette formulation paradoxale ne procède pas du désir de s'illustrer parmi les savants, mais de la volonté philosophique de penser jusqu'au bout la suffisance de la cause. De fait, le concept de *causa integra* n'a de sens que si l'on suppose que l'intégralité de ce qui est dans l'univers concoure à la production de tous les effets. Les limites d'une cause entière, quelle qu'elle soit, sont par conséquent les limites de l'univers entier, car, en tant que sa cause dépend de la sommation de tous les événements qui forment le monde, la détermination ultime d'un effet tient en définitive à l'univers entier. On conçoit aisément qu'un tel argument, présenté ici sans ses prémisses, ait pu susciter les railleries de Bramhall, qui ne manque pas de demander à son adversaire en quoi le grand Mongol ou le roi de Chine ont pu concourir à la composition de sa réplique[3]. Pour faire taire cette ironie, il convient de procéder à un examen attentif de cet argument que l'on nommera, par commodité, « paradoxe de la cause entière ».

1. *Questions*, XXI, p. 294 ; *Liberté et nécessité*, p. 96-97 ; nous mettons en italiques.
2. *Questions*, XXI, p. 294.
3. *Questions*, XXI, p. 295.

Ce paradoxe n'est pas, déclare Hobbes, le fruit d'une soudaine illumination, mais le résultat de « nombreuses spéculations antérieures »[1]. Bien que la tournure impersonnelle de la phrase ne permette pas d'en avoir la certitude, il semble toutefois raisonnable de penser qu'il est fait ici référence à une œuvre antérieure du philosophe. S'il s'inscrit effectivement dans le droit fil de sa pensée, le paradoxe de la cause entière ne se rencontre toutefois ni dans le *Short Tract,* où l'on trouve les premières formulations de la théorie causale, ni dans le *De Corpore,* où l'on trouve l'exposé « officiel » de cette même théorie. Il s'agirait donc de spéculations que le philosophe aurait gardées par devers lui pendant toute cette période. Si tel était le cas, il faudrait se contenter des indications lacunaires de *Of Liberty and Necessity,* et des indications à peine moins lacunaires de *The Questions concerning Liberty, Necessity and Chance,* qui ajoutent aux premiers échanges les réponses de Hobbes aux remarques de Bramhall. Cependant, s'il est vrai de dire que l'œuvre publiée du vivant de Hobbes n'offre qu'une exposition extrêmement incomplète du paradoxe de la cause entière, il est faux d'en conclure que nous ne possédons aujourd'hui aucun autre élément pour reconstituer les « spéculations antérieures » auxquelles il fait référence dans le texte des *Questions.* La publication en 1973 du manuscrit de la *Critique du De Mundo de Thomas White* a permis de compléter, de façon très significative, notre connaissance d'une phase capitale de l'élaboration de l'œuvre hobbesienne. Cette phase est décisive pour notre propos, car elle correspond à la période qui précède l'entretien de Hobbes avec Bramhall, entretien qui préluda à la polémique sur la liberté et la nécessité : la rédaction de la *Critique du De Mundo* a dû être achevée aux alentours de mars 1643, et c'est fort probablement en août 1645 que fut rédigée la première réponse à Bramhall[2]. L'une des premières versions du *De Corpore,* dont la rédaction a occupé Hobbes dans la période

1. *Questions,* XXI, p. 294.

2. En ce qui concerne la datation du manuscrit de la *Critique du De Mundo de Thomas White,* nous renvoyons aux pages 43 à 45 de l'édition de J. Jacquot et H. W. Jones ; en ce qui concerne la datation de l'entretien de Hobbes avec Bramhall et celle de la rédaction de *Of Liberty and Necessity,* nous renvoyons aux hypothèses de F. Lessay, dans *Liberté et nécessité,* p. 31-38.

intermédiaire, serait certes précieuse pour notre recherche, mais il ne nous en reste malheureusement presque rien, à savoir quelques notes de Hobbes, de Herbert of Cherbury et de Cavendish[1], lesquelles, en outre, conformes en cela à ce que sera la version définitive du *De Corpore,* n'évoquent nullement l'existence d'un paradoxe de la cause entière. C'est donc dans la seule *Critique du De Mundo* qu'il nous faut chercher les indications qui nous manquent.

On les y trouve de fait dans le chapitre XXXVI, qui porte énigmatiquement sur l'astrologie judiciaire, mais non pas dans les chapitres XXXV et XXXVII, qui sont pourtant, comme le remarquent Jacquot et Jones[2], l'une des sources des arguments de Hobbes dans sa polémique avec Bramhall. La critique de l'astrologie judiciaire est l'un des chevaux de bataille de la science du XVIIe siècle, et c'est aussi l'un de ses lieux communs, les savants véritables et le public cultivé pouvant s'y retrouver sans difficulté. Critiquer Nostradamus n'est pas encore un argument d'École au milieu du siècle, mais ne saurait tarder à le devenir. La question divise si peu qu'un tenant de la science d'Aristote, comme l'est Bramhall, n'a nul besoin qu'on l'en convainque. Après tout, Aristote lui-même ne passe pas pour être un tenant de la divination[3]. En critiquant l'astrologie judiciaire, Thomas White également ne faisait rien d'autre que de propager, avec force conviction d'ailleurs, un lieu commun de la culture scientifique de son temps[4]. Pourquoi Hobbes, qui ne défend pas d'autres thèses que celles de la science mécanique moderne, court-il le risque de passer pour un défenseur rétrograde de la divination ? La raison en est qu'il convient, selon lui, pour bien aborder le thème de l'astrologie judiciaire, de distinguer

1. Concernant ces manuscrits qui éclairent le premier état de la rédaction du *De Corpore,* voir l'introduction de Jacquot et Jones à *Critique du De Mundo,* p. 77-88.

2. *Ibid.,* p. 73.

3. Concernant la position d'Aristote à l'égard de la divination, voir J. Vuillemin, *Nécessité ou contingence. L'aporie de Diodore et les systèmes philosophiques,* Paris, Éd. de Minuit, 1984, p. 160, n. 18.

4. À défaut d'un véritable talent de savant, Descartes reconnaissait à Thomas White des qualités de vulgarisateur. Dans une lettre à Huygens, il écrit ainsi que le *De Mundo,* malgré des erreurs en physique, a « le mérite de préparer les esprits à recevoir d'autres opinions que celles de l'École » (Descartes, *À Huygens,* 13 octobre 1642 ; cité par Jacquot et Jones, *Critique du De Mundo,* p. 38).

deux questions : « [...] premièrement, même s'ils paraissent fortuits, les événements futurs dépendent-ils de la force présente des astres, de telle sorte que, sans celle-ci, ils ne pourraient pas se produire ? (Nous appelons astres en ce lieu ces grands corps qui, avec le liquide transparent qui coule entre eux et que nous appelons éther ou air, constituent le monde, et en ce sens, nous comprenons également le globe terrestre sous le nom d'astre) ; deuxièmement, à partir de ce que les hommes ont appris de la nature et du mouvement des astres, peut-on prévoir et prédire ces divers événements, que nous nommons fortuits ? En effet, une chose est la cause et la nécessité par lesquelles les choses futures sont produites, une autre est ce par quoi nous conjecturons qu'il y a des choses futures. Les causes des choses futures peuvent être dans les astres, même si elles ne nous sont pas clairement connues. »[1] On ne sait pas ce que des lecteurs comme Descartes ont pu penser d'un tel propos, mais il est probable qu'ils ne se seront pas mépris sur le sens profond de la défense par Hobbes de l'un des principes de l'astrologie, le principe du destin. Il est cependant moins sûr que des lecteurs peu avertis n'auraient pas pris prétexte de cette distinction subtile, s'ils avaient pu en avoir connaissance, pour qualifier d'irrationnelle la thèse nécessitariste de Hobbes. La réaction de Bramhall à la lecture de l'énoncé du paradoxe de la cause entière, qui n'est que la formulation hors contexte de la même thèse, suffit à prouver la réalité du risque encouru. Mais cette réaction, supposée ou avérée, des lecteurs de Hobbes dépend avant tout de l'opinion scientifique communément acceptée à son époque. Si l'on s'en tient à la définition du paradoxe qui le fait dépendre non pas de la structure interne de l'énoncé mais de sa réception par un public, en quoi déclarer qu' « il n'est [...] guère d'action, si fortuite semble-t-elle, que ne concoure à causer tout ce qui est *in rerum natura* » peut-il choquer un lecteur éclairé ? Une chose est sûre, ce n'est pas en tant qu'elle affirme le principe de causalité en l'étendant à tout ce qui existe dans la nature, car le principe de causalité fait partie du rationalisme ambiant qui sous-tend la réaction de Bramhall. C'est même au nom de ce rationalisme commun que Bramhall se moque de

1. *Critique du De Mundo*, XXXVI, 1, p. 397.

la thèse de Hobbes : comment peut-on soutenir rationnellement que le grand Mongol contribue, comme une cause à son effet, à la rédaction de sa réponse ? C'est parce qu'elle contredit une certaine idée de la rationalité, et non pas parce qu'elle affirme un souci plus grand de rationalité, que la thèse de Hobbes est paradoxale. Un lecteur comme Bramhall[1], qui ne se prévaut pas d'une formation scientifique particulière, ne voit dans cette thèse qu'une régression irrationnelle en direction de l'art divinatoire.

La position de Hobbes, on l'imagine aisément, est tout autre : elle consiste à valider les principes théoriques qui sous-tendent la divination, tout en réfutant la pratique elle-même qui prétend se fonder sur de semblables principes. Le philosophe justifie la thèse selon laquelle les « astres » déterminent le moindre événement, mais refuse que les hommes puissent en conséquence devenir des devins. Il y a bien là une argumentation paradoxale, dont on comprend qu'elle ait pu scandaliser des esprits moins assurés que le sien. Mais Hobbes se fait fort de résoudre ce paradoxe grâce à une redéfinition de l'expression « les astres » et à une application stricte des principes de la mécanique aux corps célestes. Si l'on entend par « les astres » l'ensemble de l'univers formé par les corps célestes et l'éther qui les englobe, c'est-à-dire des corps dans un espace homogène et fermé, la notion d'influence ou de force occulte *(vis)*, chère à l'astrologie judiciaire, perd alors tout son mystère. Les seules influences que connaissent les corps en mouvement dans l'espace, que l'espace soit stellaire ou terrestre, sont les actions par contact d'un corps sur un autre corps, directement ou par l'intermédiaire d'un milieu. Malgré certaines apparences du contraire, Hobbes n'entend donc pas ressusciter l'ancien concept stoïcien de sympathie universelle. Il critique en effet le concept d'action par sympathie, en montrant qu'il procède de l'attribution injustifiée d'un pouvoir causal à ce qui n'est qu'une qualité de la chose, attribution qui tient à ce que les

1. En guise de préambule à son examen du paradoxe, Bramhall déclare : « Quant à ce paradoxe en particulier, je ne me mêle pas des actions naturelles, car le sujet de mon discours est la liberté morale » (*Questions*, XXI, p. 295). Tout au long des *Questions*, Hobbes ne cesse de regretter de s'être engagé avec Bramhall dans une polémique qui aurait exigé de son interlocuteur des connaissances scientifiques réelles.

hommes ne sont pas mécanistes jusqu'au bout. Lorsqu'ils voient qu'un effet est produit par un mouvement, les hommes, dit Hobbes, n'hésitent pas à dire que le mouvement est la cause de l'effet, mais quand cette relation n'apparaît pas aussi clairement, ils ont tendance à attribuer la puissance causale à une qualité sensible. Par-delà l'intention générale de son propos, Hobbes fait allusion plus particulièrement à ces philosophes antiques qui assignaient une puissance causale aux éléments sensibles, « chaud, froid, humidité, sécheresse »[1]. La critique se fait en outre plus précise, lorsqu'il ajoute : « Lorsque les effets suivent immédiatement leur cause ils nomment l'opération sympathie ou antipathie ou une autre qualité occulte, ou, en effet, une influence, mais jamais mouvement, *comme si les qualités de la nature et les puissances des corps étaient infusées dans les corps de la même façon que l'eau ou un autre fluide est versé ou coule dans un vase.* »[2] Ce n'est pas surinterpréter ce texte que d'y voir une allusion au modèle stoïcien de l'action du *pneuma,* qui repose effectivement sur le modèle de l'action des liquides ou des gaz et qui renvoie à une théorie du mélange des corps[3]. Tout se passe donc comme si Hobbes entendait conserver le modèle stoïcien de la sympathie, sans la sympathie elle-même. Il montre en effet que le concept de sympathie universelle, ou de concours universel, n'a de sens que si l'on supprime l'idée de sympathie pour la remplacer par l'idée de relation causale[4] : « Mais comme l'influence des astres, ou leur mouvement, s'étend de la façon décrite des étoiles fixes à la Terre, et que pour la même raison elle s'étend aussi d'un astre à un autre, et comme la Terre, ainsi que n'importe quel autre astre, possède une force ou une

1. *Critique du De Mundo,* XXXVI, 2, p. 397.
2. *Ibid.*, nous mettons en italiques.
3. « Les Stoïciens étendent à tous les corps des modèles valables pour des liquides ou des gaz. L'interpénétration des corps n'est pas compatible avec une mécanique rationnelle, elle ne peut se prêter à aucune quantification du mouvement. C'est dans le domaine de la vie, fait d'échanges et de circulations qui abolissent le caractère absolu de la distinction entre intérieur et extérieur, que le schéma stoïcien est pertinent. La théorie stoïcienne du mélange est étrangère à toute chimie » (J.-J. Duhot, *La conception stoïcienne de la causalité,* Paris, Vrin, 1989, p. 130).
4. Si l'on devait préciser celui d'entre les Stoïciens chez lequel on rencontre le plus clairement une semblable volonté de concilier la sympathie universelle et l'explication causale, c'est le nom de Posidonius qu'il faudrait sans nul doute citer.

influence propre par laquelle elle agit sur les corps qui en sont distants, il en résulte que toutes les choses agissent sur toutes au même moment *(efficitur omnia in omnia simul agere)*, c'est-à-dire que pour produire un effet quelconque l'influence de tous les astres doit concourir. »[1] Au terme de cette déduction rigoureuse, Hobbes ne garde finalement du principe stoïcien de la sympathie universelle que l'idée selon laquelle un concours de tout ce qui est dans l'univers est requis à la production du moindre effet. Il peut donc soutenir à la fois, comme les Stoïciens le faisaient, que tout événement futur dépend nécessairement de tout ce qui est dans la nature, tout en contestant la conclusion qu'ils en tiraient, à savoir que la divination est une science à part entière. En effet, que le tout de l'univers concoure à la production du moindre effet n'implique nullement que nous soyons capables de comprendre la raison de cet effet. Par conséquent, la philosophie de Hobbes est une philosophie de la nécessité qui ne justifie pas la pratique de la divination. En congédiant la diseuse de bonne aventure à la fin du chapitre XXXVI[2], Hobbes montre également les limites de sa référence à la philosophie stoïcienne. Mais il ne l'aura pas fait sans avoir critiqué au préalable la médiocrité d'une physique, celle de White, qui ne va pas jusqu'au bout de ses principes : « Ces arguments que notre auteur cite contre l'astrologie sont par conséquent invalides, si ce qu'il a lui-même postulé, à savoir que la nécessité des choses procède de la réunion des causes *(de rerum necessitate ex causarum collectione)*, est valide. »[3] De toute évidence, le postulat de White contredit les conséquences qu'il prétend en déduire. À l'inconséquence de White, Hobbes entend donc opposer sa propre cohérence, en montrant que le principe de l'astrologie n'est pas distinct du principe du nécessitarisme. Ce rapprochement à première vue audacieux dérive directement de la thèse selon laquelle on ne saurait rendre raison du principe de causalité, et du nécessitarisme qui s'en déduit, si l'on ne montre pas qu'un tel principe repose sur l'idée d'une cause véritablement entière. Si la cause n'est pas entière, on ne peut en

1. *Critique du De Mundo*, XXXVI, 3, p. 398.
2. *Critique du De Mundo*, XXXVI, 10, p. 401.
3. *Critique du De Mundo*, XXXVI, 7, p. 400.

effet expliquer qu'elle produise quoi que ce soit. Or, comment une cause pourrait-elle être entière si elle ne subsumait pas sous un unique principe tout ce qui agit dans l'univers ? Le paradoxe de Hobbes a une cohérence parfaite : on ne peut prouver la *nécessité* de toutes choses, si *toutes les choses* ne concourent pas à la production de l'effet. Aussi fortuit soit-il en apparence, un effet ne peut avoir une cause suffisante, c'est-à-dire une cause nécessaire de sa production, si l'un des agents dont est fait l'univers ne concourt pas à le produire. Or, pour qu'un agent puisse ne pas concourir, il faudrait qu'existe dans l'univers un agent qui ne soit en contact, proche ou lointain, avec aucun des agents dont les actions ont contribué à produire cet effet supposé. Mais un tel agent, parfaitement indifférent, serait aussi parfaitement détaché : il formerait un autre univers. Or la théologie de Hobbes n'est pas compatible avec la thèse de la pluralité des univers[1]. Il faut donc conclure que tout ce qui est *in rerum natura* contribue à produire l'effet, fût-il en apparence le plus fortuit qui soit.

Le ressort d'une telle preuve réside dans l'idée de l'unicité de l'univers. Dans sa réponse aux remarques sardoniques formulées par Bramhall à propos du paradoxe de la cause entière, Hobbes présente cette idée à partir d'une théorie de l'espace fermé : « De la même façon, lorsque je dis qu' "il n'est guère d'action que ne concoure à causer tout ce qui est *in rerum natura*", cela paraît à l'évêque un grand paradoxe ; et si je disais que toute action est l'effet du mouvement, et qu'il ne peut y avoir un mouvement dans une partie du monde, sans que le même mouvement soit aussi communiqué à tout le reste du monde, il dirait que ce n'est pas là un moindre paradoxe. Mais, cependant, si je disais que si un corps de moindre dimension, telle une sphère ou un tonneau creux, était empli d'air ou d'une autre matière liquide, et que si, dans ce tonneau, l'on faisait se mouvoir n'importe quelle petite particule, tout le reste serait mû également, il concevrait que cela est vrai, sinon lui, du moins un lecteur judicieux. Ce n'est pas la grandeur du tonneau qui modifie le cas ; et par conséquent, la même chose serait vraie également si le monde entier était le tonneau ; car c'est la

1. Voir *Critique du De Mundo*, XXXI.

grandeur de ce tonneau que l'évêque ne comprend pas. »[1] Lorsqu'il corrige la première formulation de son paradoxe, Hobbes en dévoile aussitôt la signification rigoureuse dans le cadre du mécanisme : « [...] il ne peut y avoir un mouvement dans une partie du monde, sans que le même mouvement soit aussi communiqué à tout le reste du monde. »[2] Un système mécanique est en effet un système invariable par une constante donnée. Quelle que soit cette constante, il faut qu'au bilan général elle se conserve[3]. L'incidence globale d'un mouvement local, telle qu'elle est décrite en termes généraux dans notre passage, n'a pas d'autre sens. Si un mouvement local, aussi insignifiant fût-il, ne se communiquait pas universellement, il y aurait au bilan général, non pas un équilibre, mais un déséquilibre. Et, faute d'un tel équilibre, la possibilité d'un calcul rigoureux appliqué aux mouvements serait dès lors à exclure. Or, Hobbes formule la condition d'un tel équilibre de façon topologique : pour que les lois de la mécanique puissent s'appliquer à un système donné, il faut que ce système soit clos. L'exemple du tonneau est emblématique de la nécessité d'une telle clôture : la fermeture du tonneau est la condition de la transmission sans perte du mouvement d'une particule à l'ensemble des autres particules. Cette fermeture implique en effet que l'action d'aucun corps extérieur ne peut venir modifier subrepticement les conditions du calcul des effets. Cette condition de clôture est donc une condition de complétude. Elle s'associe en outre une condition de continuité, Hobbes spécifiant que le contenu du tonneau est un contenu qui exclut le vide. Mais cette deuxième condition n'est en fait que le complément obligé de la première : la présence d'un vide absolu à l'intérieur d'un système mécanique interdirait la transmission sans perte du mouvement. Dans sa polémique avec Boyle, Hobbes a recours à l'optique pour étayer cette thèse : le fait que les rayons de la lumière traversent le vide que Boyle prétend isoler au moyen de sa pompe à air est la preuve qu'il ne

1. *Questions*, XXI, p. 296.
2. *Ibid.*
3. Cette question de la constante a joué en physique un rôle fondamental, mais la constante elle-même n'a cessé de varier.

s'agit pas là d'un vide absolu[1]. On ne peut qu'être frappé par la ressemblance d'un tel argument et de l'argument stoïcien qui servait à établir l'absence de vide dans l'univers. Une analogie, bien sûr, ne vaut pas raison. Le système des Stoïciens ne peut en aucun cas être considéré comme un système mécanique, puisque le principe d'inertie ne s'y applique pas[2]. Cependant, l'analogie n'est pas non plus totalement fortuite, Hobbes, à l'instar des Stoïciens, se trouvant confronté à la nécessité de penser un univers clos : pour Chrysippe, cette clôture est la condition de la sympathie universelle, qui est elle-même la condition du destin ; pour Hobbes, cette fermeture est la condition de la conservation d'un invariant, qui est elle-même la condition de la nécessité.

La clôture de l'univers est un fait. Or un argument scientifique est toujours de l'ordre du raisonnement, et un raisonnement, qui est toujours conditionnel, ne peut établir des faits. Par conséquent, il n'est pas possible de prouver, à partir d'un tel raisonnement, la clôture de l'univers. L'argument paradigmatique du tonneau, qui relève de la preuve analogique, c'est-à-dire en dernier ressort de l'intuition, ne permet lui aussi qu'une preuve conditionnelle : si l'univers est fermé, alors il n'y a pas moins de raison pour que s'applique à lui qu'au tonneau le principe de la communication universelle des mouvements. Hobbes montre certes que la différence d'échelle n'induit pas de différence de nature entre les systèmes, mais il ne démontre pas que le système du monde est un système fermé. Autrement dit, si l'on admet la vérité du principe de conservation pour le modèle réduit qu'est le tonneau à particules, il faut l'admettre aussi pour le système élargi qu'est l'univers. Mais, physiquement, rien ne nous dit qu'on puisse penser l'univers comme un tonneau à étoiles, c'est-à-dire comme un système clos, excluant le vide[3]. L'absence de preuve physique de la clôture de l'univers vaut aussi

1. Voir S. Shapin et S. Schaffer, *Leviathan et la pompe à air*, *op. cit.*, p. 113-128.

2. Voir J.-J. Duhot, *La conception stoïcienne de la causalité*, *op. cit.*, p. 184.

3. Hobbes a critiqué le principe des expériences par lesquelles Robert Boyle entendait établir la possibilité du vide dans la nature. Les pièces de ce débat ont été réunies par Steven Shapin et Simon Shaffer, *Léviathan et la pompe à air*, *op. cit.*, p. 187-209 et *passim*. Hobbes opposait en fait à la vérité expérimentale de Boyle la vérité, qu'il estimait d'un rang supérieur, des principes de la mécanique. Mais les deux hommes ne parlaient pas du même

pour les Stoïciens : le facteur unificateur des phénomènes, le *pneuma*, est déduit de la nécessité métaphysique de lutter contre la tendance généralisée à la destruction, qui serait celle de l'univers laissé à lui-même. Sénèque exprime cette nécessité de façon parfaitement claire : « L'équilibre des éléments est déjà en butte à des assauts et à des causes de destruction. Dès que le monde se relâchera quelque peu de la surveillance appropriée, les eaux feront irruption de toutes parts, de la surface et des profondeurs, d'en haut et d'en bas. »[1] Il va sans dire que la compréhension de la cause comme principe de surveillance, héritage du platonisme, n'a pas de sens dans la philosophie naturelle de Hobbes. Cependant, l'absence de preuve au sens physique du terme, à savoir l'absence de preuve par la causalité, est ce qui rapproche les deux conceptions de l'univers. L'affirmation de la cause pneumatique organisatrice de l'univers et l'affirmation de la clôture de l'univers relèvent l'une et l'autre de ce que l'on peut appeler les conditions de pertinence d'un modèle d'explication étiologique. Si les deux problèmes ne se retrouvent liés par certains Stoïciens, Posidonius notamment, que dans l'aprés-coup de la rationalisation du modèle initial[2], il est clair que, chez Hobbes, l'affirmation de la clôture du système des corps en mouve-

vide : Hobbes s'en tenait à la définition traditionnelle du vide, compris comme un espace dans lequel il n'y a absolument aucun corps ; Boyle retenait une définition plus modeste, celle qui voit dans le vide un espace presque totalement vidé d'air. Le rôle de la pompe à air était précisément de permettre la mise en évidence un tel espace.

1. Sénèque, *Questions naturelles*, III, XXX, 5, trad. fr. Oltramare, Paris, Les Belles Lettres, 1961, p. 148.

2. J.-J. Duhot précise que les Stoïciens ont d'abord pensé une double causalité, unificatrice et naturelle, avant de s'interroger, comme le fit Posidonius, sur l'harmonisation de ces deux causalités : « Le Portique semble utiliser deux schémas différents. D'abord le schéma métaphysique fondamental : le monde est structuré par un *pneuma* omniprésent qui possède de ce fait toute causalité. Ensuite, [...] il y a des causes naturelles, qui relèvent de l'étiologie, mais dont le résidu inexpliqué, les correspondances qui ne se ramènent pas à une causalité scientifiquement analysable, fait appel à une coordination relevant de la causalité synectique divine [...]. Si la compatibilité de ces deux conceptions ne paraît pas avoir fait problème pour les Stoïciens, c'est peut-être qu'ils concevaient, sans l'expliciter, la causalité divine comme première et la causalité phénoménale comme seconde, la cause divine incluant la cause étiologique au lieu d'interférer avec elle. De toute façon le stoïcisme maintient cette double exigence : toute cause se ramène à l'action divine, et l'univers se laisse étudier dans une approche étiologique qui en implique l'organisation en séries causales » (*La conception stoïcienne de la causalité*, *op. cit.*, p. 117).

ment relève d'une nécessité interne à la théorie de la cause entière. La cause n'est entière que si tous les agents de l'univers concourent à sa constitution, et il n'en est ainsi que si l'univers est un système fermé. La condition dernière de cette clôture résidant dans l'unification par la puissance de Dieu des différentes séries causales, il faut donc bien, comme Hobbes le fait, supposer un Dieu tout-puissant au principe de l'univers.

Deuxième partie

RELIGION, MORALE ET POLITIQUE

Dès lors que l'on se tourne vers les objets de la science morale et politique, l'horizon théologique, de lointain qu'il était dans les sciences de la nature, devient soudain fort proche. De fait, la méthode euclidienne dont Hobbes se revendique ne dissimule qu'imparfaitement les présupposés théologiques spécifiques qui orientent sa pensée morale et politique. La difficulté véritable est donc moins de constater la présence de thèses théologiques dans le *De Cive* et dans le *Léviathan*, car celle-ci est patente, que de comprendre la nature de ces dernières et le rapport qu'elles entretiennent avec les thèses de l'anthropologie politique. Ces thèses relèvent d'une forme spécifique de théologie de la toute-puissance : à la différence des thèses précédemment considérées, qui privilégiaient le principe de causalité, elles mettent en avant la signification morale et politique de la souveraineté de Dieu. La causalité divine s'efface donc devant la différence qui sépare Dieu compris comme absolu de la puissance et l'homme compris comme puissance relative. Cette détermination différentielle de l'homme n'est pas neutre, dans la mesure où elle enveloppe une compréhension de la mortalité humaine comme l'horizon à partir duquel se déploient la morale et la politique modernes.

À travers l'étude de quatre problèmes spécifiques, nous nous efforcerons donc de montrer en quoi le principe de la toute-puissance divine peut permettre de comprendre d'une manière nouvelle la signification des thèses morales et politiques de Hobbes. Il conviendra d'établir tout d'abord, dans le chapitre IV, que Hobbes ne réduit pas la religion naturelle à la seule anthropologie, mais qu'il développe une théorie cohérente de l'obligation religieuse en fondant cette dernière sur l'excès de la puissance divine. Il s'agira d'établir ensuite, dans le chapitre V, et cela à partir d'une analyse du concept de réflexion, que, loin de s'opposer à l'anthropologie politique, la théologie de la puissance en constitue au contraire l'un des présupposés fondamentaux. Cette démonstration permettra d'ouvrir la voie à une réinterprétation, dans les chapitres VI et VII, des concepts de conservation de soi, de loi naturelle, de droit naturel et de souveraineté, soit donc des principaux concepts qui fondent la théorie hobbesienne de la morale et de la politique.

CHAPITRE IV

La religion de la toute-puissance

La pensée religieuse de Hobbes possède une structure stable qui est lisible, sinon dans toutes les œuvres majeures, du moins dans les groupements d'œuvres qui forment système : dans le *Léviathan*, qui présente à la fois l'affirmation la plus radicale des thèses anthropologiques et le développement le plus précis des thèses théologiques sur la religion ; dans l'ensemble formé par le *De Cive* et le *De Homine*, le premier contenant les thèses théologiques sur la religion et le second les thèses anthropologiques quelque peu modifiées. Aussi, plutôt que de privilégier l'idée d'une évolution, convient-il de dégager la structure qui commande la théorie de la religion naturelle dans son ensemble. Cette structure comprend, d'un côté, une détermination anthropologique de la religion à partir des passions, et, de l'autre, une détermination théologique de la religion dans le cadre d'une théorie de la loi naturelle fondée sur la toute-puissance divine[1].

Ces deux affirmations ayant pu passer pour contradictoires, certains commentateurs ont cherché à les ramener à un unique principe. Les uns, à la suite de Leo Strauss, ont mis en avant l'explication causale du phénomène religieux, pour contester l'idée que l'homme puisse être

1. Ces oppositions tranchées ont servi d'argument aux tenants de la thèse du crypto-athéisme de Hobbes. D. Berman s'appuie ainsi sur le fait que, dans le *Léviathan* (VI, 36, p. 53), Hobbes définit la vraie religion après avoir montré que l'on ne peut distinguer la religion de la superstition pour prouver que Hobbes est un athée. Voir D. Berman, *A History of Atheism in England from Hobbes to Russell*, Londres-New York-Sydney, Croom Helm, 1988, p. 65.

obligé d'obéir à Dieu par nature ; les autres, à la suite de Taylor et de Warrender, ont privilégié le caractère irréductible de l'obligation d'obéir à Dieu, en minorant parfois la puissance de l'explication anthropologique[1]. Soucieux de sauver l'unité du système, les uns comme les autres ont eu tendance à pratiquer l'art de la litote. Pour tenter d'éviter ce double écueil, il convient de tenir compte du fait que Hobbes aborde la question de la religion naturelle sous deux angles très différents. Une première catégorie de textes met en œuvre la question religieuse dans les limites de l'anthropologie : on les trouve d'abord dans les *Elements of Law*, première partie (laquelle, rappelons-le, fut éditée à l'origine sous le titre *Humane Nature*), et notamment au chapitre XI ; on les trouve ensuite dans le *Léviathan*, première partie, « Of Man / De Homine », et notamment dans le chapitre XII, « Of Religion / De Religione » ; on les trouve enfin dans les *Elementa Philosophiae*, deuxième livre, *De Homine*, et notamment dans le chapitre XIV, « De Religione ». Une seconde catégorie de textes envisage la religion naturelle dans la perspective du royaume de Dieu par nature : on les trouve d'une part dans le *De Cive*, troisième partie, « De Religione », et notamment dans le chapitre XV, « De regno Dei per naturam », et d'autre part dans le *Léviathan*, chapitre XXXI, « Of the kingdom of God by nature / De regno Dei naturali ».

Cette distinction de deux catégories de textes a une pertinence générale que les variations qui interviennent d'une œuvre à l'autre ne remettent pas fondamentalement en cause. Deux variations majeures sont néanmoins à prendre en considération : 1 / Bien que la problématique religieuse du *De Cive* s'inscrive clairement dans la perspective du règne de Dieu par nature, l'obligation d'obéir aux lois de nature y est référée, dans un passage tout du moins, à la révélation et non pas à une relation naturelle de l'homme à Dieu[2] ; 2 / Dans le *De Homine*,

1. L. Strauss, *La philosophie politique de Hobbes*, trad. fr. A. Enegrén et M. B. de Launay, Paris, Belin, 1991 ; H. Warrender, *The Political Philosophy of Hobbes : his Theory of Obligation*, *op. cit.* ; A. E. Taylor, « The Ethical Doctrine of Hobbes », *loc. cit.*

2. « Toutefois, ces mêmes lois [*i.e.*, les lois de nature], en tant qu'elles ont été présentées par Dieu dans l'Écriture, reçoivent à très juste titre le nom de lois, comme on le verra au chapitre suivant » (*De Cive*, III, 33, p. 121). Les *Elements of Law* adoptent sur ce point

l'explication anthropologique de la religion des païens, au lieu de valoir pour elle-même, est subordonnée à la présentation de la loi naturelle qui régit le culte divin[1]. Ces variations, il va sans dire, ne sont pas le fait du hasard : la première correspond à une phase de l'élaboration de la pensée de Hobbes où celui-ci n'a pas tiré toutes les conséquences de sa thèse de la royauté de Dieu par nature ; la seconde répond au souci de faire apparaître, à l'intérieur même de l'anthropologie, le point de vue théologique de la royauté de Dieu par nature. Pour importantes qu'elles puissent être, ces modifications n'autorisent pas cependant une lecture exclusivement diachronique de la pensée religieuse de Hobbes. Si cette pensée subit indéniablement une évolution des *Elements of Law* au *De Cive*, voire à l'intérieur du *De Cive*[2], ce n'est plus le cas par la suite : le changement qui intervient dans le *De Homine* ne modifie pas le fond de la problématique, mais l'adapte pour répondre à des objections, faisant du même coup apparaître une relation d'abord difficilement perceptible entre les perspectives anthropologique et théologique. La prise en compte de la thèse de la toute-puissance divine permet en effet une intégration réelle des disparités apparentes de la théorie hobbesienne de la religion, car l'omnipotence est à la fois au principe du système des causes, dont relève l'anthropologie et au fondement du royaume de Dieu par nature.

Dans ce chapitre, l'accent principal portera sur la théorie du royaume de Dieu par nature, dans la mesure où c'est elle qui conditionne l'approche théologique de la question religieuse, mais il est clair que cette perspective n'est nullement exclusive de l'approche anthropologique, que nous serons d'ailleurs amené à évoquer à plusieurs

une formulation ouverte : les lois de nature ne sont pas appelées lois « eu égard à la nature, mais eu égard à l'auteur de la nature, Dieu tout-puissant » (*Elements of Law*, I, XVII, 12, p. 93).

1. *De Homine*, XIV, 11-13, p. 184-187.

2. Pufendorf a parfaitement souligné la différence qui sépare la position de Hobbes dans le chapitre III du *De Cive*, où il affirme que les lois de nature ne sont à proprement parler des lois qu' « en tant qu'elles ont été consignées dans l'Écriture par Dieu lui-même » (*De Cive*, III, 33, p. 121) et dans le chapitre IV (3, p. 122-123), où « il met au nombre des différentes manières de connaître les lois divines, les maximes que la droite raison nous enseigne au dedans de nous par un langage muet » (*Le droit de la nature et des gens*, II, III, XX, *op. cit.*, p. 205).

reprises. Parce qu'elle est au centre de la théorie de la religion dans le royaume de Dieu par nature, nous commencerons par analyser la notion d'obligation naturelle, nous préciserons ensuite les caractéristiques du royaume singulier qui donne sens à cette obligation, et nous chercherons enfin à dégager les traits principaux de la religion qui lui correspond.

I. QU'EST-CE QUE LA RELIGION NATURELLE ?

L'expression de religion naturelle est employée par Hobbes dans deux sens différents : dans le chapitre XIV du *De Homine*, elle désigne la « religion considérée purement et simplement *(simpliciter)* »[1] ; dans le chapitre XI du *Léviathan*, l'expression *natural religion* désigne la religion qui procède de l'ignorance ou de la connaissance des causes naturelles[2]. Dans le premier cas, la religion naturelle correspond à la définition la plus générale de la religion ; dans le second cas, elle correspond à une explication anthropologique du phénomène religieux à partir de la théorie causale. Dans les deux cas, la religion naturelle s'oppose à la religion positive comme ce qui dépend de la nature s'oppose à l'institution.

Le *De Homine* donne de la religion naturelle la définition suivante : « La religion est la manifestation extérieure du culte de ceux qui rendent hommage à Dieu sincèrement. »[3] Ce critère de sincérité n'est certes pas sans pertinence, si tant est « que personne dans le peuple n'est assez stupide pour ne pas juger comme imposteur celui qui ordonne de croire des choses, du reste difficiles à croire, quand il l'a vu vivre comme s'il n'y croyait pas »[4]. Cependant, ce critère ne suffit pas, car il ne permet pas de distinguer la religion véritable de la superstition. De ce point de vue, en effet, la nature du Dieu que l'on vénère importe peu, dès lors que le culte qu'on lui rend est un culte sincère. L'alter-

1. L'expression utilisée est la suivante : « Religionis simpliciter, id est, naturalis » (*De Homine*, XIV, 1, *OL II*, p. 179).

2. L'expression *natural religion* est employée dans la marge du texte pour désigner les effets de la curiosité, à savoir la supposition d'une cause première, ou de la crainte face à l'avenir, à savoir la supposition de puissances invisibles (*Lév.*, XI, 25-26, p. 102-103).

3. *De Homine*, XIV, 1, p. 179.

4. *De Homine*, XIV, 13, p. 186 ; voir *Lév.*, XII, 26, p. 117.

native est donc claire : soit la religion naturelle désigne uniquement l'expression d'un sentiment subjectif à l'égard de Dieu, auquel cas elle relève principalement d'une anthropologie, soit elle désigne en outre le fondement objectif de ce sentiment dans une loi divine, auquel cas elle relève également de la théologie. Cette seconde solution se trouve formulée dans le chapitre XXXI du *Léviathan*. Présentée dans un chapitre consacré à la royauté de Dieu par nature, la théorie de la religion y est entièrement subordonnée à une théorie de la loi divine. La religion naturelle n'est plus dès lors la manifestation vide de la sincérité d'une croyance, mais l'expression d'une théologie de l'obligation.

Pour éviter le double écueil que constituent une obéissance excessive à la loi civile au détriment de la loi divine et une obéissance indue à la loi divine aux dépens de la loi civile, il est nécessaire, souligne Hobbes, de savoir « quelles sont les lois divines »[1]. Tel est, dans le chapitre XXXI du *Léviathan*, le point de départ de la théorie de la religion naturelle[2]. La méthode adoptée est en l'occurrence fortement marquée par la définition volontariste de la loi conçue comme parole de commandement : pour connaître les lois divines, il faut remonter de la loi à la volonté souveraine qui l'institue. L'analyse de la définition nominale du mot « loi » permet ainsi de préciser la signification théologique de la loi naturelle : si la philosophie veut que l'on nomme lois naturelles les prescriptions de la raison qui se déduisent du principe de la conservation propre[3], ça n'est là que le sens figuré du terme et non pas son sens propre, la loi étant « proprement la parole de celui qui de droit commande aux autres »[4]. Les préceptes de la raison ne peuvent donc prétendre au statut de lois que si on les considère comme procédant de la parole de Dieu « qui de droit commande à toute chose »[5]. On ne saurait dire plus clairement que la loi naturelle n'a de signification légale que

1. *Lév.*, XXXI, 1, p. 378.
2. *Lév.*, XXXI, 1, p. 378 ; *DCI*, XV, 1, p. 219.
3. Concernant la déduction des lois de nature, voir, plus bas, notre chapitre VI, p. 252-255.
4. *Lév.*, XV, 41, p. 160.
5. *Lév.*, XV, 41, p. 160 ; voir *De Cive*, XIV, 1, p. 205. Concernant les origines de cette définition volontariste de la loi, voir M. Bastit, *La naissance de la loi moderne*, Paris, PUF, 1992, p. 250-257.

par rapport à une théologie : en l'absence d'un fondement théologique de l'obligation, il ne saurait y avoir de loi naturelle, car la raison des hommes ne constitue en elle-même la source d'aucune obligation. En faisant des déductions de la raison le sens figuré de la loi naturelle, Hobbes déclare donc fort clairement que la raison n'est pas pratique par elle-même : les préceptes de la raison ne revêtent un caractère d'obligation que parce qu'ils font l'objet d'un commandement divin.

Afin de souligner la rationalité de la loi naturelle, certains commentateurs ont cru bon de prendre le contre-pied de la lettre du texte : ils ont voulu faire des théorèmes de la raison le sens propre, et des commandements divins par nature le sens figuré ou métaphorique de la loi naturelle[1]. Ce sauvetage était doublement malheureux, car, d'une part, il supposait que l'on pouvait prendre toute liberté par rapport à la lettre d'un texte par ailleurs réputé rigoureux, et d'autre part, en faisant disparaître l'idée de commandement qui accompagne l'idée de loi naturelle, il réduisait l'obligation à la nécessité de la démonstration[2]. Pour mieux marquer la rupture opérée par Hobbes avec le rationalisme théologique de Thomas d'Aquin ou de Hooker, on le rapprochait inopportunément de Spinoza[3]. On suivra ici l'hypothèse inverse, considérant que seule une explicitation du sens propre de la loi naturelle, à égale distance de Thomas d'Aquin et de Spinoza, peut éviter d'attribuer à Hobbes une confusion des sens propre et figuré de la notion. De fait, cette distinction est essentielle pour comprendre le sens véritable de la religion naturelle : de même que la déduction rationnelle des lois de nature constitue le sens figuré de la loi naturelle, de même la théorie anthropologique de la religion constitue le sens figuré de la religion naturelle. Le sens propre de la religion naturelle étant d'être une religion selon la loi naturelle, il faut la comprendre à partir d'une analyse des conditions théologiques de cette même loi.

1. R. Polin, *Hobbes, Dieu et les hommes*, *op. cit.*, p. 30-33.

2. *Elements of Law*, I, XVI, 1, p. 81-82. Sur ce point, voir plus bas, chapitre VI, p. 253-254.

3. Voir A. Matheron, « Obligation morale et obligation juridique selon Hobbes », *Philosophie*, 23 (1989), p. 37-56. L'auteur soutient que l'on n'a pas besoin de penser la loi naturelle comme une obligation absolue.

II. *DE REGNO DEI PER NATURAM*

Formellement, l'explication théologique de la loi de nature se distingue nettement de la déduction anthropologique des diverses maximes qui s'y réfèrent. En effet, alors que l'anthropologie vise à établir le comportement rationnel qui favorise la conservation et la défense des hommes, la théologie cherche à montrer que l'obligation naturelle d'obéir à Dieu dépend de sa toute-puissance. Et si ces deux approches concernent un même contenu, on ne saurait toutefois les réduire trop vite l'une à l'autre. L'approche théologique, qui nous retiendra ici, emprunte pour sa part à la méthode analytique illustrée, dans le chapitre VI du *De Corpore*, par l'exemple de la justice. De même que l'idée de justice suppose l'existence de lois et d'un législateur humain, de même, est-il précisé, l'idée de loi naturelle suppose l'existence d'un Dieu qui en soit l'auteur. Dans cette perspective, il importe donc de commencer par s'assurer que la loi divine peut satisfaire aux critères de la loi en général. Ces critères sont au nombre de deux. Premièrement, une loi ne doit pas être « un conseil, mais un commandement »[1] ; deuxièmement, « elle n'est pas [...] un commandement adressé par n'importe qui à n'importe qui, mais le fait seulement de celui dont le commandement s'adresse à un homme préalablement obligé à lui obéir »[2]. La loi divine naturelle satisfait manifestement ces deux requisits, puisqu'elle n'est pas un conseil, mais un commandement de Dieu, et qu'elle ne s'adresse pas à n'importe qui mais à des hommes préalablement obligés d'obéir à Dieu. De fait, la loi divine ne mérite le nom de loi que pour autant que la relation entre Dieu et les hommes est comparable à la relation qui unit un souverain à ses sujets. Hobbes se doit donc de faire l'hypothèse qu'il existe un royaume de Dieu.

1. *Lév.*, XXVI, 2, p. 282.
2. *Ibid.*

1. *Hobbes critique de Hooker*

Cette hypothèse est elle-même autorisée par les Écritures saintes : « Dieu est roi, que la terre se réjouisse, dit le psalmiste. Et il dit aussi : Dieu est roi, les nations dussent-elles s'en irriter ; lui qui siège au-dessus des chérubins, la terre dût-elle en être ébranlée. Que les hommes le veuillent ou non, ils sont nécessairement assujettis à tout moment à la puissance divine. En niant l'existence ou la providence de Dieu, les hommes peuvent bien rejeter leur tranquillité, mais non pas leur joug. »[1] Sous la forme exégétique classique d'un commentaire de citations bibliques, Hobbes introduit dans ce texte l'idée selon laquelle il existe un fondement théologique de la sujétion humaine. En tant que fondement de la nécessité de la nature, la puissance divine assujettit la volonté des hommes à l'ordre de la providence. Que tous les hommes ne se conçoivent pas comme sujets de Dieu n'empêche nullement qu'ils ne lui soient réellement soumis. De ce point de vue, l'adhésion subjective des hommes importe peu, puisqu'elle ne modifie pas l'ordre des choses : le libertin qui se croit libre parce qu'il proclame que Dieu et la providence n'existent pas n'en est pas moins déterminé par la volonté divine.

La détermination de la puissance divine comme fondement de l'ordre nécessaire de la nature ne suffit pas toutefois à conférer à Dieu le statut de souverain, car parler de la puissance divine sur la nature comme d'un royaume de Dieu revient à faire un usage seulement métaphorique de cette expression. Parler ainsi revient à confondre l'autorité avec la causalité divine. Or, bien qu'on retrouve la toute-puissance divine aussi bien au fondement de l'ordre nécessaire de la nature qu'au principe de l'ordre moral de la loi naturelle, elle n'y joue pas un rôle identique. Dans un cas, elle assure la clôture du système des causes en faisant de Dieu la cause première de l'univers ; dans l'autre, elle fait de Dieu l'auteur par nature de la loi. En tant que cause première de l'univers, Dieu n'est donc pas l'auteur de la loi naturelle : il ne le devient que dans la mesure où s'instaure entre lui et les hommes une relation d'autorité. De fait, c'est

1. *Lév.*, XXXI, 2, p. 379.

seulement comme auteur, c'est-à-dire comme personne, qu'il mérite d'être appelé Dieu : il n'existe qu' « un seul nom pour désigner ce qu'il est par rapport à nous, et c'est *Dieu,* ce mot signifiant à la fois père, roi, et seigneur »[1]. L'utilisation du nom de Dieu pour désigner la *causa prima* de l'univers n'est donc pas première, mais dérivée, la Création par elle-même ne conférant aucune autorité.

Cette thèse est une thèse critique, contredisant terme à terme la thèse qui fait de la création du monde le fondement de l'autorité divine. Parmi les théologiens qui ont soutenu cette dernière position, il convient tout particulièrement de citer Hooker : « Étant premier, il [Dieu] ne peut être que l'auteur de cette loi selon laquelle il agit ; Dieu, par conséquent, est une loi à la fois pour lui-même et pour toutes les autres choses à part lui. Pour lui-même il est une loi en toutes ces choses, dont notre sauveur parle, lorsqu'il dit, *Mon père travaille jusqu'à présent, moi aussi je travaille.* Dieu ne produit rien sans cause. Toutes ces choses qui sont faites par lui ont une fin pour laquelle elles sont faites : et la fin pour laquelle elles sont faites est une raison qu'a sa volonté de les faire. »[2] Pensant la légalité comme un mode de la finalité qui régit les actions, Hooker est conduit à identifier autorité et causalité divines. Le commandement divin modèle identiquement selon lui les lois morales et les lois de l'univers en fonction d'un dessein qui s'exprime dans une loi divine éternelle. La Création étant en quelque sorte autorisée par l'intention divine, cette intention explique que la cause première se présente d'abord et avant tout comme une autorité. Que la nature ne produise pas les êtres en fonction de modèles *(exemplary draughts or patternes)* présents en Dieu, mais selon la nécessité, ne modifie pas cette conclusion[3]. La nécessité

1. *Lév.,* XXXI, 22, p. 388.

2. Richard Hooker, *Of the Lawes of Ecclesiasticall Politie,* W. Speed (éd.), The Folger Library Edition, Cambridge, Mass. et Londres, 5 vol., 1977-1990, p. 60. Nous modernisons l'orthographe du titre en *Of the Laws of Ecclesiastical Polity.* Pour une analyse des rapports entre politique et théologie chez Hooker, voir P. Carrive, *La pensée politique anglaise de Hooker à Hume,* Paris, PUF, 1994, p. 3-31.

3. La critique de l'exemplarisme théologique est tout à fait explicite chez Hooker : « Bien que nous ne soyons pas de l'avis de ceux qui pensent que la nature en ses opérations a devant elle certains modèles exemplaires, demeurant dans le cœur de Dieu, où on les

qui régit les êtres involontaires, loin d'invalider l'autorité de Dieu, en est au contraire la preuve, car sans un guide intelligent de l'univers la régularité d'action de ces agents dénués de volonté ne pourrait s'expliquer[1]. Or, une fois prouvé que la loi nécessaire qui ordonne les agents involontaires procède elle-même de l'autorité raisonnable de Dieu, il devient aisé de prouver qu'il en va de même *a fortiori* pour la loi de nature qui régit l'action des agents volontaires. On comprend ainsi que Hooker puisse identifier l'autorité et la causalité divines. Cette identification d'ailleurs n'est pas nouvelle, puisque dans la question 103 de sa *Somme théologique* Thomas d'Aquin considérait déjà Dieu à la fois comme cause première et comme auteur de la loi[2], et utilisait indifféremment le terme *gubernatio* pour désigner le gouvernement divin des êtres rationnels et le gouvernement divin des êtres irrationnels. En dissociant les questions de la causalité et de l'autorité divines, Hobbes rompt par conséquent avec la manière thomiste d'envisager la *gubernatio* comme le prolongement de la *creatio*[3] : selon lui, tous les êtres créés sont conservés par la puissance divine du seul

découvre, sur lesquels elle fixe ses yeux comme le font les voyageurs des mers sur l'étoile polaire, et en fonction desquels elle guide sa main à l'exécution par l'imitation, [...] cependant, sa dextérité apparaît telle, qu'aucune créature intellectuelle au monde n'aurait la capacité de faire ce que la nature fait sans savoir et sans capacité ; il faut nécessairement que la nature ait un guide *(director)* doué d'une connaissance infinie pour la guider dans toutes ses voies » (*Of the Laws of Ecclesiastical Polity*, *op. cit.*, p. 66-67).

1. La preuve de l'existence de Dieu selon Hooker s'appuie donc, non pas sur la liberté de l'arbitre humain, mais sur la nécessité des processus involontaires, car la nécessité d'un guide apparaît davantage lorsque les agents ne sont pas susceptibles de se guider eux-mêmes par l'effet de leur volonté que lorsqu'ils peuvent le faire. L'identification de la nature et de l'art divin permet de concilier à la fois la nécessité de certains processus naturels et la providence divine, car la nature se trouve ainsi totalement instrumentalisée : « Ces choses que l'on dit faites par la nature sont accomplies par l'art divin, qui utilise la nature comme un instrument : cet art ou ce savoir divin n'existe pas dans la nature elle-même, en tant qu'elle agit, mais dans le guide des opérations de la nature » (*Of the Laws of Ecclesiastical Polity*, *op. cit.*, p. 67). Comme elle repose sur l'existence de la nécessité, fût-elle partielle, pareille métaphore peut être reprise sans inconvénient par Hobbes dans l'introduction au *Léviathan* : « La nature, cet art par lequel Dieu a produit le monde et le gouverne, est imitée par l'*art* de l'homme en cela comme en beaucoup d'autres choses, qu'un tel art peut produire un animal artificiel » (*Lév.*, Introduction, 1, p. 5).

2. Thomas d'Aquin, *Somme théologique*, 1*a*, qu. 103, art. 1.

3. Cette dualité *gubernatio-creatio* compose en fait une trilogie dans la théologie politique médiévale où ces deux termes se trouvent assez souvent associés au terme de *conservatio*.

fait qu'ils ont été créés, mais seuls les hommes peuvent se sentir obligés à l'égard de Dieu, et donc être ses sujets[1].

La définition de la notion de sujet de Dieu *(subditus Dei, God's subject)* ne devra donc pas s'étendre à tous les êtres existants, ni même à l'humanité tout entière : « Les sujets du royaume de Dieu, ce ne sont donc pas les corps inanimés, ni les créatures privées de raison (car ni les uns ni les autres ne peuvent comprendre des préceptes tels que les siens), ni les athées, ou ceux qui croient que Dieu ne se soucie en rien des actions des hommes (car ceux-là ne reconnaissent nulle parole comme émanée de Dieu, n'espèrent pas ses récompenses, et ne craignent pas ses menaces). Les sujets de Dieu, ce sont ceux qui croient qu'il y a un Dieu qui gouverne le monde, qui a donné des préceptes au genre humain et établi pour lui des récompenses et des châtiments. Tous les autres doivent être réputés ses ennemis. »[2] Cette définition restrictive du *subditus Dei* a deux corollaires principaux. Premièrement, elle implique que l'obligation d'obéir à la loi divine se distingue de la nécessité de la nature. Les sujets de Dieu se définissant, en effet, non pas par leur appartenance à la nature mais par leur obligation d'obéir à une loi, ils n'acquièrent leur statut de sujet qu'en vertu de cette même loi. La possibilité de l'athéisme et de l'épicurisme suffit, en outre, à prouver que l'homme n'est pas de par sa nature même un sujet de Dieu, le fait de ne pas croire en Dieu ou de croire que Dieu ne s'intéresse pas aux affaires des hommes lui faisant perdre son statut de *subditus Dei*. Il en résulte une seconde conséquence, non moins décisive que la première. La prise en compte de la capacité qu'ont les hommes de se sentir obligés modifie profondément notre façon de considérer l'anthropologie philosophique : quand on ignore cette capacité, l'homme apparaît

1. Si Hobbes n'accepte pas de suivre Thomas d'Aquin et d'étendre le royaume de Dieu à l'ordre de la nature, il n'anticipe pas pour autant Spinoza qui disqualifie au nom d'un mécanisme absolutisé l'idée d'un royaume de Dieu par la nature. S'il conteste à Thomas d'Aquin que la loi naturelle participe de la loi éternelle, ce n'est pas pour accorder à Spinoza que la loi divine est identique aux lois nécessaires de la nature. À Spinoza, qui veut réduire le gouvernement divin à l'ordre nécessaire de la nature, Hobbes répond par avance que la communauté des sujets de Dieu, à savoir celle des êtres qui se reconnaissent obligés par nature, est différente de l'ordre nécessaire de la nature.

2. *Lév.*, XXXI, 2, p. 379.

seulement comme un objet de la science naturelle ; quand on la prend en compte, il se présente en outre comme le sujet d'une obligation.

En tant que rapport d'obligation, le rapport de l'homme à Dieu dans le royaume de Dieu par nature est un rapport de commandement qui passe par la parole. Le concept de puissance divine n'a de sens, dans ce cas, que par rapport au problème d'une domination par la parole. Plus précisément, si la puissance justifie le règne de Dieu par la nature, elle ne le fait que dans la mesure où elle rend possible une parole de commandement adressée à des sujets, c'est-à-dire une parole légale. La domination qui transforme les hommes en sujets de Dieu repose sur trois modalités différentes : « Dieu a trois manières de signifier ses lois : par les prescriptions de la *raison naturelle*, par des *révélations* et par la *voix* de quelque *homme*, dont il assure, au moyen de miracles, le crédit auprès des autres. Il s'ensuit que la parole de Dieu est triple : *rationnelle*, *sensible* et *prophétique*. Et à ces trois cas correspondent trois types d'audition : *droite raison*, *sensation surnaturelle*, *foi*. Mais pour ce qui est de la sensation surnaturelle, qui repose sur une révélation ou une inspiration, aucune loi universelle n'a été donnée par cette voie, parce que Dieu ne parle de cette manière qu'à des individus particuliers, et pour dire des choses diverses à chacun. »[1] Le passage de la distinction à trois termes à la distinction à deux termes a indéniablement une signification critique : en écartant la sensation surnaturelle, Hobbes rend caduque l'idée selon laquelle la révélation faite à un individu pourrait suffire à en faire un sujet de Dieu. Il s'inscrit par là même dans la tradition d'un anglicanisme soucieux de défendre les droits de l'Église d'Angleterre contre les attaques des puritains. Soixante ans auparavant, Richard Hooker, dans *Of the Laws of Ecclesiastical Polity*, avait déjà clairement dénoncé la prétention des puritains de son temps à vouloir fonder le royaume de Dieu sur l'inspiration individuelle[2]. Comme Hooker,

1. *Lév.*, XXXI, 3, p. 380.

2. « Il n'y a que deux chemins par lesquels l'esprit conduit les hommes à toute vérité : l'un est extraordinaire, l'autre commun ; l'un n'appartient qu'à quelques-uns, l'autre s'étend à tous ceux qui sont de Dieu ; l'un est celui que nous appelons [...] *Révélation*, l'autre *Raison*. Si l'Esprit par une telle révélation leur a révélé les secrets de cette discipline [il s'agit de la discipline puritaine] dans l'Écriture, ils doivent professer qu'ils sont tous (aussi bien hommes, femmes qu'enfants) des prophètes. Ou si la raison est la main par laquelle l'Esprit les a

Hobbes écarte l'inspiration individuelle parce qu'elle ne fait pas de l'inspiré un sujet de Dieu, mais un sujet de ses propres passions. La sensation surnaturelle ne fait pas sortir l'homme de l'ordre de la nature : elle ne l'assujettit pas à l'auteur de la loi mais à l'ordre des passions. Comme il ne suffit pas de croire que l'on est inspiré par Dieu pour en être le sujet, la parole de Dieu doit donc faire l'objet d'une classification binaire et non pas d'une classification ternaire : la parole rationnelle et la parole prophétique font en effet partie d'une même catégorie, car elles considèrent l'une et l'autre la parole de Dieu comme une source de loi ; la parole révélée à un seul fait en revanche partie d'une autre catégorie, car elle est une parole de Dieu sans caractère légal, « aucune loi universelle n'a[yant] été donnée par cette voie, parce que Dieu ne parle de cette manière qu'à des individus particuliers, et pour dire des choses diverses à chacun »[1]. En minimisant la différence qui sépare la raison de la prophétie, Hobbes parvient à mieux faire ressortir la différence qui sépare la parole divine législatrice de celle qui ne l'est pas. Bien que la prophétie suppose la révélation individuelle, et soit passible en ce sens des mêmes critiques qu'elle, elle s'en distingue cependant par l'existence de critères qui lui sont propres, à savoir le respect de la religion existante et le recours aux miracles. Ainsi la révélation faite à Moïse ne put-elle donner lieu à l'énonciation d'une loi que grâce aux miracles qui l'accompagnaient. Les souverainetés prophétique et naturelle de Dieu ne relèvent donc de la croyance que pour autant que cette croyance est la condition subjective de l'obéissance à la loi : si la croyance en la providence et la croyance aux miracles sont respectivement les conditions subjectives des royaumes naturel et prophétique de Dieu, elles ne le sont que pour autant qu'elles révèlent à l'homme son rapport de sujétion à Dieu[2]. La croyance en la providence, c'est-à-dire en la nécessité de toutes choses, n'est pas pour autant identique à la

conduits, pour autant que les persuasions fondées sur la raison sont faibles ou fortes à proportion de la force de ces raisons sur lesquelles elles reposent, ils doivent tous, du plus considérable au moins considérable, être capables d'apporter pour chaque article distinct une raison particulière aussi forte que leur persuasion est sincère » (*Of the Laws of Ecclesiastical Polity*, *op. cit.*, préface, p. 17).

1. *Ibid.*
2. *Lév.*, XXXI, 4, p. 380.

croyance aux miracles. Alors que croire aux miracles suppose que l'on ait foi en la personne du prophète qui les réalise, le seul exercice de la raison suffit à susciter la croyance en la providence, c'est-à-dire en la nécessité. Mais il s'agit là encore d'une croyance, car, comme nous l'avons vu dans le chapitre II, la *suppositio Dei* et la détermination de la nécessité de toutes choses n'équivalent pas à une preuve à strictement parler[1]. De même, par conséquent, que la croyance aux miracles fournit la condition subjective de l'appartenance au royaume prophétique de Dieu, de même la croyance en la providence divine fournit la condition subjective de l'appartenance au royaume de Dieu par nature. La croyance comme telle ne saurait toutefois être considérée comme le fondement objectif du royaume de Dieu par la nature.

Le fondement du droit de souveraineté qui appartient à Dieu est introduit par Hobbes à partir d'une thèse fondamentale : « Le droit de nature par lequel Dieu règne sur les hommes et châtie ceux qui enfreignent ses lois ne découle pas du fait qu'il les a créés (auquel cas il requerrait l'obéissance en remerciement de ses bienfaits), mais de sa *puissance irrésistible.* »[2] Pour expliciter le sens de cette thèse, Hobbes a recours à la comparaison suivante : « Si un homme avait surpassé en puissance tous les autres [dans l'état de nature], à tel point que ceux-ci, même en joignant leurs forces, auraient été incapables de lui résister, aucune raison n'aurait poussé cet homme à renoncer au droit que la nature lui avait accordé. Dès lors, il aurait conservé son droit de domination sur tous les autres, en raison d'un excès de puissance *lui permettant de se préserver et de les préserver (qua ac se ac illos conservare potuisset).* Ainsi, pour ceux dont la puissance est irrésistible, et donc pour Dieu tout-puissant, le droit de dominer découle de la puissance elle-même. »[3] La fonction du modèle anthropologique auquel Hobbes se réfère pour penser le fondement du règne de Dieu par nature doit être bien comprise : elle n'est pas de réduire la puissance divine à la puissance humaine, mais tout au contraire de montrer en quoi la différence

1. Voir, plus haut, dans le chapitre II, p. 91-95.
2. *Lév.*, XXXI, 5, p. 380-381.
3. *De Cive*, XV, 5, p. 221 ; nous mettons en italiques ; voir *Lév.*, XXXI, 5, p. 381.

qui sépare la puissance de l'homme de celle de Dieu rend possible à Dieu ce qui est impossible à l'homme. En proposant une image de ce que pourrait être une domination absolue parmi les hommes si les hommes n'étaient pas naturellement égaux les uns aux autres, l'anthropologie politique aide à comprendre la thèse théologique du règne de Dieu par nature. Le raisonnement anthropologique est en l'occurrence un raisonnement par l'absurde : formant l'hypothèse d'un homme plus puissant que tous les autres, Hobbes montre que cette supériorité, si elle existait, serait seule capable de fonder par nature une domination de l'homme sur l'homme. Mais, comme aucun homme ne peut l'emporter ainsi sur autrui, l'idée d'une telle domination ne saurait avoir de sens à l'intérieur du monde humain. Le détour par une anthropologie négative est toutefois fort utile, car il permet de comprendre de façon analogique en quoi l'idée d'une domination naturelle peut avoir un sens dans une théologie de la toute-puissance.

L'excès de la puissance divine sur la puissance humaine fonde le règne de Dieu par la nature, car aucun homme ne peut prétendre opposer de résistance à Dieu. Le pluriel utilisé par Hobbes pour désigner « ceux dont la puissance est irrésistible »[1] souligne bien par contraste l'unicité de celui qui peut prétendre exercer une telle puissance. En réponse aux objections que sa thèse avait suscitées, Hobbes propose la précision suivante, dans la seconde édition du *De Cive* : « Si la chose paraît rude à certains, que l'on accepte de considérer ceci en une muette réflexion : s'il y avait deux tout-puissants, lequel des deux serait obligé (*obligaretur*) d'obéir à l'autre. On conviendra, me semble-t-il, qu'aucun des deux ne serait obligé envers l'autre. Si cela est vrai, alors ce que j'ai avancé est vrai aussi, à savoir que les hommes sont soumis à Dieu parce qu'ils ne sont pas tout-puissants. »[2] L'argument de l'omnipotence ne fonde le règne de Dieu sur les hommes que parce que l'omnipotence exclut le partage de la souveraineté : dire que les hommes sont obligés d'obéir à Dieu en raison de sa toute-puissance n'a de sens dès lors que parce que cette puissance ne se rencontre qu'en lui.

1. *Lév.*, XXXI, 5, p. 381.
2. *De Cive*, XV, 7, rem., p. 223.

Reprenant à son compte un argument classique de la théologie de la toute-puissance, Hobbes le met ainsi fort habilement au service de sa démonstration[1].

2. *Pufendorf critique de Hobbes*

L'habileté de cette réponse n'a pas, cependant, convaincu tout le monde. Pufendorf, notamment, juge l'argument « peu solide », car « supposer deux êtres tout-puissants, c'est tomber dans une contradiction manifeste »[2]. De fait, à travers la critique de Pufendorf, c'est une conception antithétique du fondement théologique de l'obligation naturelle qui s'exprime. Reprenant point par point l'analogie de Hobbes, Pufendorf souligne en premier lieu ce qu'il considère comme des erreurs de raisonnement. Une première erreur concerne la compatibilité des deux propositions suivantes : « La nature donne le droit de régner uniquement à cause de la supériorité des forces » ; « Ce droit vient de la nature, par cela même qu'elle ne l'ôte point. » Sur ce point, Pufendorf observe que « de cela seul que l'on n'ôte pas une chose, il ne s'ensuit pas qu'on l'accorde. Et comme *n'être pas ôté, &, être donné*, n'expriment pas une seule & même idée ; quand la nature n'ôterait ce droit à personne, cela n'empêcherait pas qu'il ne fallut un autre principe pour l'accorder positivement »[3]. Cette critique se veut une critique formelle : il ne suffit pas que la nature ne s'oppose pas au droit de régner pour que cette absence d'opposition ait à proprement parler valeur d'autorisation. Hobbes aurait ainsi conclu trop vite d'une absence d'empêchement à une permission en bonne et due forme. Il n'est cependant pas certain que cette « erreur » ne soit qu'une erreur de

1. Un argument approchant en faveur du monothéisme se trouve sous la plume de Descartes, qui, dans une lettre à Clerselier du 17 février 1645, écrit que « quand les Anciens nommaient plusieurs dieux, ils n'entendoient pas plusieurs tout puissants, mais seulement plusieurs fort puissants, au-dessus desquels ils imaginaient un seul Jupiter comme souverain, et auquel seul, par conséquent, ils appliquaient l'idée du vrai Dieu, qui se présentait confusément à eux » (AT, IV, p. 188). Voir également Thomas d'Aquin, *Somme théologique,* Ia, qu. 11, art. 3.

2. Pufendorf, *Le droit de la nature et des gens*, I, VI, X, *op. cit.*, p. 97.

3. Pufendorf, *Le droit de la nature et des gens*, I, VI, X, *op. cit.*, p. 95.

logique : Hobbes considère en effet que la liberté dont est fait le droit naturel réside uniquement dans une absence d'empêchement. Il n'est donc pas besoin d'une autorisation particulière de la nature pour que la liberté confère un droit. De fait, par-delà l'aspect logique de sa remarque, Pufendorf entend critiquer le principe même de la théorie hobbesienne de l'obligation, car il refuse qu'une obligation en général puisse reposer sur la seule crainte du châtiment. Pour qu'il y ait obligation, il faut que la menace de la peine soit appuyée sur de justes raisons, le respect des raisons devant équilibrer la crainte de la puissance[1]. La force seule ne saurait constituer un fondement suffisant de l'obligation ; il faut en outre que cette force soit justifiée. Bien que cette théorie de l'obligation ne s'oppose pas absolument à celle de Hobbes, Pufendorf l'utilise cependant pour récuser la théorie hobbesienne de l'obligation naturelle, dont il montre qu'elle ne remplit pas les conditions formelles de l'obligation en général. En voulant fonder l'obligation naturelle sur la toute-puissance divine, Hobbes confond selon lui l'obligation et la contrainte. Ces deux notions sont pourtant distinctes : contraindre est « uniquement l'effet des forces naturelles » ; obliger « ne saurait en aucune manière être produit par la force toute seule »[2]. L'obligation est incompatible avec la volonté de résister, « car toute obligation suppose certaines raisons & certains motifs qui agissent sur la conscience de l'homme, de telle sorte que selon les lumières de sa propre raison il juge qu'il ferait mal de résister, & par conséquent qu'il n'en a pas le droit »[3] ; la contrainte ne peut tout au plus que différer le moment de la résistance, mais ne saurait en aucun cas l'interdire, car « on ne laisse pas de conserver toujours le droit de tenter toutes sortes de voies pour se délivrer du joug ou par adresse, ou en opposant même la force à la force »[4]. Pufendorf considère que, pour n'avoir par vu cette distinction, Hobbes a commis là encore une erreur de raisonnement.

La distinction par laquelle Hobbes introduit sa théorie du droit naturel de Dieu montre toutefois l'insuffisance de cette interprétation.

1. Pufendorf, *Le droit de la nature et des gens*, I, VI, IX, *op. cit.*, p. 94.
2. Pufendorf, *Le droit de la nature et des gens*, I, VI, X, *op. cit.*, p. 95.
3. *Ibid.*
4. *Ibid.*

En distinguant d'emblée deux façons de fonder le droit naturel de Dieu, l'une sur la puissance irrésistible, l'autre sur le fait de la création[1], Hobbes indique clairement en effet qu'il n'ignore pas l'objection que lui fera Pufendorf beaucoup plus tard. Il sait fort bien notamment que selon que l'on soutient que Dieu possède un droit naturel en fonction de sa seule puissance ou en raison de sa bonté de Créateur, les hommes sont tenus de lui obéir par crainte de sa puissance ou par reconnaissance à l'égard de ses bienfaits. S'il retient le critère de la puissance au détriment du critère de la bonté, c'est sciemment, parce qu'il rejette l'idée selon laquelle la reconnaissance pourrait être au fondement d'une obligation naturelle. Naturellement, les hommes n'obéissent pas à Dieu parce qu'ils lui sont reconnaissants de les avoir créés, mais parce qu'ils craignent sa puissance. Dans quelle mesure ce motif est-il compatible avec la définition de l'obligation ? Il l'est à condition de considérer, comme le fait Hobbes, que la puissance de Dieu est véritablement irrésistible. En tant que telle, la puissance divine ne saurait être considérée comme une source de contrainte : elle constitue au contraire le principe d'une obligation en conscience, dont la raison repose sur la considération de l'absolu de la puissance. Pufendorf reconnaît d'ailleurs explicitement que le jugement qu'il porte sur la théorie hobbesienne de l'obligation ne procède pas uniquement d'une analyse interne de cette théorie : « C'est pour ces raisons-là, *& pour une autre tirée de la bonté divine*, avec laquelle les maximes de Hobbes ne s'accordent point, que nous ne croyons pas devoir fonder purement & simplement sur la toute-puissance de Dieu le droit qu'il a de régner, ou son empire souverain considéré en tant qu'il emporte la vertu d'imprimer quelque sentiment d'obligation dans le cœur des hommes. »[2] Le ressort essentiel de la critique de Pufendorf tient précisément à cette autre raison « tirée de la bonté divine ». Contrairement à Hobbes, le juriste allemand refuse en effet de considérer que la bonté ou la générosité du Créateur dans l'acte de la création puisse ne pas être une source d'obligation

1. *Lév.*, XXXI, 5, p. 380.

2. Pufendorf, *Le droit de la nature et des gens*, I, VI, X, *op. cit.*, p. 96 ; nous mettons en italiques.

pour les hommes. S'il est faux que le Dieu de Hobbes soit dépourvu de toute bonté, il est vrai que cette bonté ne joue aucun rôle au fondement de sa conception de l'obligation.

III. LE MAL EST-IL UN CHÂTIMENT DIVIN ?

Cette remarque vaut tout particulièrement pour la théorie de la justice divine, qui dépend directement de la théologie de la toute-puissance, car « c'est en vertu de cette puissance qu'il appartient naturellement au Dieu tout-puissant d'exercer la royauté sur les hommes, et le droit de les affliger à son gré *(the right of afflicting men at his pleasure)* ; non comme créateur et dispensateur de faveurs, mais comme tout-puissant. Et encore que le châtiment *(punishment)* ne soit dû qu'à la faute, puisque ce mot désigne précisément l'affliction *(affliction)* imposée à cause d'une faute, le droit d'affliger *(the right of afflicting)* ne vient pas toujours de la faute des hommes, mais de la puissance de Dieu »[1]. Le sens de ce passage repose sur une claire distinction des notions de châtiment *(punishment)* et d'affliction *(affliction)* : affliger, c'est faire subir un mal ; punir, c'est faire subir un mal en réparation d'une faute commise[2]. Se plaçant résolument dans une perspective juridique, Hobbes établit que le droit d'affliger « ne v[enant] pas toujours de la faute des hommes »[3], il n'a pas à être justifié par elle[4]. Parce qu'il sépare les deux concepts que confond le droit de punir, à savoir la puis-

1. *Lév.*, XXXI, 5, p. 381.

2. Hobbes retrouve dans ce passage la précision des définitions qu'il donne dans les *Elements of Law* : « Et encore que le châtiment *(punishment)* ne soit dû qu'à sa faute, *puisque ce mot désigne précisément l'affliction (affliction) imposée à cause d'une faute* [...] » (*Lév.*, XXXI, 5, p. 381 ; nous mettons en italiques).

3. *Ibid.*

4. La même distinction était déjà présente dans le *De Cive* : « Et à chaque fois que Dieu punit un pécheur, ou même le tue, même s'Il a ainsi puni ses péchés, on ne saurait dire pour autant qu'Il n'aurait pas pu à juste titre le frapper, voire le tuer, en l'absence de tout péché. Si la volonté qu'a eue Dieu de punir a pu prendre en considération le péché qui a précédé, il ne s'ensuit pas pour autant que *le droit de frapper ou de tuer* dépend du péché humain, mais il dépend de la puissance divine » (*De Cive*, XV, 5, p. 221 ; nous mettons en italiques).

sance d'infliger une souffrance et la raison qui justifie cette souffrance, il peut poser la question de la justice divine uniquement en termes de puissance. Comme Dieu règne sur les hommes en vertu de son omnipotence, il n'y a pas lieu de vouloir justifier les maux de l'humanité par d'autres raisons[1]. Dans sa rigueur extrême, cette conclusion sape les fondements de la conception aristotélico-thomiste de la justice divine.

1. *La critique de la norme du juste*

Bramhall souligne clairement l'irréductibilité des deux approches : « Mais sa [*i.e.*, Hobbes] plus grave erreur, dont j'ai touché un mot auparavant, est de faire de la justice l'effet de la seule puissance. La puissance n'est pas la mesure et la règle de la justice, mais la justice est la mesure et la règle de la puissance. La volonté de Dieu, et la loi éternelle qui est en Dieu lui-même, sont à proprement parler la règle et la mesure de la justice. »[2] Disant cela, Bramhall suggère que Hobbes procède à un complet renversement des fondements traditionnels de la justice divine. En subordonnant la justice à la puissance, la théologie de Hobbes récuse de fait l'idée que la volonté de Dieu dans l'exercice de la justice pénale puisse se régler sur une norme préexistante. En particulier, Hobbes refuse de définir la justice pénale, ainsi que le fait Bramhall, comme « une relation d'égalité et de proportion entre le démérite et le châtiment »[3], car cette définition présuppose l'existence d'une norme absolue de la justice, qui n'existe pas selon lui indépendamment de l'exercice de la toute-puissance. Le renversement théolo-

1. La justice de Dieu résidant dans sa puissance, on ne peut parler à ce propos d'un irrationalisme de Hobbes, car la puissance vaut ici raison. Identifier le volontarisme théologique de Hobbes à un irrationalisme, comme le fait parfois A. Pacchi, ne peut avoir de sens à la rigueur que du point de vue d'une classification des traditions théologiques, dans la perspective d'une opposition générale entre le « volontarisme » franciscain et le « rationalisme » dominicain (*Filosofia et teologia in Hobbes*, Milan, Unicopli, 1985, p. 11-14 et *passim*). Prise absolument, cette désignation est fausse, car, d'une part, la puissance est la raison même du règne de Dieu par la nature, et d'autre part, elle est, nous le montrerons dans le chapitre V, l'une des conditions de l'exercice de la raison humaine.

2. *Questions*, XII, p. 162.

3. *Questions*, XII, p. 163.

gique qu'il opère touche ainsi, par-delà la tradition thomiste dans laquelle s'inscrit Bramhall, les fondements platoniciens de cette tradition[1]. En faisant dépendre la justice divine de la toute-puissance, Hobbes met la toute-puissance divine à la place que Platon réserve à l'Idée du Bien. C'est selon lui la démesure de la puissance divine, le fait qu'elle ne soit limitée par aucune autre puissance, et non pas l'Idée du Bien qui donne la mesure de la justice de Dieu. Les théologiens comme Bramhall, qui refusent de penser la justice indépendamment de l'Idée du Bien, ne parviennent pas à penser la signification de la thèse de Hobbes : « Voyez avec quelle grossièreté T. H. comprend ce principe antique et véritable, selon lequel “la volonté de Dieu est la règle de la justice” : comme si, en voulant des choses *en elles-mêmes* injustes, il les faisait devenir justes en raison de son empire absolu et de sa puissance irrésistible, à la façon dont le feu s'assimile d'autres choses et leur confère la nature du feu. »[2] Parler, comme le fait ici Bramhall, de choses *en elles-mêmes* injustes équivaut à reconduire le primat de la justice comme Idée, à savoir comme la norme autosuffisante du juste et de l'injuste. Or la détermination de la justice par la puissance signifie à l'inverse qu'il n'y a pas d'Idée de la justice indépendamment de la puissance qui la détermine : « Une puissance irrésistible justifie toutes actions, réellement et véritablement, qui que ce soit qui la possède ; une puissance moindre n'a pas cet effet, et parce qu'une telle puissance ne se trouve qu'en Dieu, il faut nécessairement qu'il soit juste en toutes ses actions ; et nous qui, n'entrant pas dans ses desseins, l'appelons à nous rendre des comptes, commettons en cela une injustice. »[3] Poser l'existence d'une norme absolue de justice, à savoir l'existence d'une loi divine éternelle, présuppose de fait que la

1. Bramhall fait à Hobbes un reproche, qui exprime bien sa conception de l'anti-platonisme de Hobbes : « T. H. a inventé une nouvelle sorte de ciel sur la terre. Le pire est que c'est un ciel sans justice » (*Questions*, XII, p. 163). Alors que le platonisme politique doit permettre d'établir un ciel de justice sur la terre, puisqu'il s'agit pour le philosophe de transformer les Idées en normes de la vie politique, la théologie de la toute-puissance ne saurait faire exister qu'un ciel sur la terre sans justice, puisqu'elle confond la justice divine avec la puissance de Dieu.

2. *Questions*, XII, p. 162 ; nous mettons en italiques.

3. *Questions*, XII, p. 146.

différence de puissance entre l'homme et Dieu ne change rien à la signification des idées et en particulier à la signification de l'idée de justice. Or, cette univocité supposée est selon Hobbes proprement illusoire, car elle conduit l'homme à vouloir juger Dieu en fonction de critères qui conviennent à un être dont la puissance est limitée, mais qui ne conviennent pas à un être dont la puissance est illimitée. La justice de Dieu est une justice de la toute-puissance ; celle des hommes est une justice de la moindre puissance. Plutôt que de vouloir estomper le différend qui oppose sur ce point Hobbes et Bramhall, il convient plutôt d'en préciser la nature exacte.

2. *Job et le problème du mal*

L'opposition des deux auteurs s'exprime avec le plus de force à l'occasion de la discussion du problème du mal. De la doctrine selon laquelle, le châtiment procédant de la puissance, il n'est pas besoin d'avoir commis une faute pour subir une affliction, résulte une compréhension spécifique de la question de la théodicée. En effet, puisque la faute n'est pas nécessairement la cause du châtiment des hommes, elle n'est pas non plus nécessairement la cause du mal qui leur arrive. Ainsi l'homme malheureux peut-il être innocent, sans que Dieu soit pour autant responsable de son malheur. Fonder la justice divine sur la toute-puissance évite, par conséquent, le dilemme classique selon lequel il faut que la responsabilité du mal incombe soit à l'homme soit à Dieu. Ce dilemme est le suivant : comme Dieu ne peut être accusé d'avoir voulu le mal de sa créature, il faut nécessairement que l'homme soit coupable ; comme le mal qui échoit aux individus ne peut pas toujours être rapporté à une faute précise, il faut l'attribuer à un péché originel, ce qui équivaut à détruire l'idée d'innocence. Afin d'échapper à ce dilemme, Hobbes modifie les termes dans lesquels se trouve classiquement posé le problème du mal : « Les anciens ont souvent débattu de cette question : *Pourquoi arrive-t-il souvent que les méchants prospèrent et que les bons subissent l'adversité ?*, qui est la même que celle que nous posons, pour notre compte, en ces termes : *De quel droit Dieu dispense-*

t-il les prospérités et les adversités de cette vie ? »[1] Cette substitution par identification d'une question à une autre permet de déplacer le problème : il ne s'agit pas tant de s'interroger sur la responsabilité de Dieu dans le scandale du mal que de déterminer le fondement du droit de Dieu à laisser subsister ce mal scandaleux. Cette approche de la question de la théodicée s'inscrit dans une perspective opposée à la perspective illustrée par Leibniz[2]. Alors que ce dernier justifie le mal par la raison divine, Hobbes le justifie par la puissance divine. Pour Hobbes, en effet, la toute-puissance suffit à justifier l'existence du mal dans le monde, indépendamment de tout calcul du meilleur : l'action divine n'est pas juste parce qu'elle répartirait harmonieusement le bien et le mal, mais parce qu'elle procède de la puissance, d'où découle aussi bien le malheur que le bonheur des hommes. Dieu se trouve ainsi justifié sans avoir eu à rendre de comptes devant le tribunal de la raison humaine.

L'interprétation que Hobbes donne de l'épisode de Job – pour laquelle il a pu s'inspirer des nombreux commentaires du XVIIe siècle[3] – fait apparaître ce point avec clarté. Dieu, Job et les amis de Job sont campés par le philosophe comme les personnages d'un procès : « Et Job, avec quelle force ne représente-t-il pas à Dieu les nombreuses afflictions qu'il a endurées en dépit de sa justice ? Et dans le cas de Job, c'est Dieu lui-même qui tranche la question, par des arguments tirés non de la faute de Job, mais de sa propre puissance. En effet, alors que les amis de Job tiraient argument de son affliction pour prouver sa faute, et qu'il se défendait en invoquant sa conviction intime d'être innocent : Dieu lui-même prend le débat en main, et après avoir justifié l'affliction de Job par des arguments tirés de sa propre puissance (tels que : *Où étais-tu quand je posais les fondements de la terre ?* et d'autres

1. *Lév.*, XXXI, 6, p. 381.
2. Sur l'origine et la signification chez Leibniz du concept de théodicée, J. Brunschwig donne des indications précieuses dans son édition des *Essais de théodicée*, *op. cit.*, p. 10-11.
3. C. Schmitt – *Der Leviathan in der Staatslehre des Thomas Hobbes*, Hambourg, Hanseatische Verlag, 1938, p. 39, n. 1 – cite en particulier les scolies et l'importante préface de la traduction latine du livre de Job par Philippus Codurcus (*Libri Job, versio nova ex hebraeo cum scholiis*, Paris, 1651).

semblables apostrophes), confirme l'innocence de Job et infirme la doctrine erronée de ses amis. »[1] D'après cette interprétation, Dieu n'accepte ni la thèse de Job, qui s'appuie sur son innocence pour demander des comptes à la justice divine, ni la thèse des amis de Job, qui font des malheurs de ce dernier la preuve de sa culpabilité. Hobbes refuse également les deux solutions qui consisteraient, l'une, à justifier Dieu auprès de Job en montrant que les malheurs de ce dernier s'inscrivent dans le plan de la providence, et l'autre, à accabler Job en lui montrant que son sentiment d'innocence dissimule en fait des fautes bien réelles. L'affirmation de la puissance comme raison dernière de l'action divine possède ainsi une double fonction critique : elle permet d'écarter à la fois l'optimisme théologique, qui justifie le mal par un bien supérieur, et le pessimisme théologique, qui justifie le mal par la faute. Justifiés par la toute-puissance divine, les malheurs de Job ne s'expliquent pas plus par la bonté de Dieu que par la déchéance radicale de l'homme. Il y va d'une irréductibilité du mal que ne peuvent expliquer ni le plan de la providence, ni le péché des hommes. Mais dire que le mal est irréductible, loin de signifier que l'homme est par nature coupable, signifie au contraire que ce dernier n'est pas plus responsable du malheur qui l'afflige lorsqu'il est coupable que du malheur qui l'accable lorsqu'il est innocent. À l'inverse de ce que sera chez Kant le Dieu des postulats de la raison pratique, qui proportionne selon une régulation idéale le mal à la faute et le bien au mérite, le Dieu de Hobbes assure la disproportion réelle qui sépare la vertu de sa récompense et le vice de sa punition. La puissance divine permet ainsi de penser la réalité du mal dans toute sa brutalité sans recourir aux idéalisations de la raison. Penser Dieu selon la puissance, c'est refuser de le penser comme la clef de voûte d'un système des idées, comme le principe d'une idéalisation du monde moral.

Les contemporains de Hobbes refusèrent cette théodicée paradoxale, dans laquelle ils ne voulurent voir qu'une théorie scandaleuse. Pour avoir voulu innocenter à la fois Dieu et l'homme de l'existence du mal, Hobbes se retrouva ainsi dans le box des accusés : il fut jugé

1. *Lév.*, XXXI, 6, p. 382.

coupable, parce qu'en s'appuyant sur l'argument de la toute-puissance, sa pensée sapait les fondements de la théorie chrétienne du péché. De fait, les accusations portées contre lui, au cours de ce qu'il est convenu d'appeler la chasse au Léviathan[1], font apparaître *a contrario* le lien qui unit sa théologie de la toute-puissance et sa critique de la théorie du péché originel. La réfutation par Bramhall de la théorie hobbesienne de la justice divine est sur ce point particulièrement éclairante : « Troisièmement, bien que je reconnaisse que les pactes humains ne sont pas la mesure de la justice de Dieu, mais que sa justice réside dans sa volonté propre et immuable, qui l'incline à donner à chaque homme ce qui lui revient en propre, des récompenses aux bons et des châtiments aux mauvais ; Dieu peut néanmoins s'imposer librement des obligations envers sa créature. Il a passé l'alliance des œuvres avec l'humanité en Adam ; et par conséquent, s'il punit l'homme ce n'est pas contrairement à sa propre alliance, mais parce que l'homme a failli à son devoir. Et la justice divine ne se mesure pas à l'omnipotence ou au caractère irrésistible de la puissance, mais à la volonté de Dieu. »[2] Rejetant la justification de la justice divine par la puissance au nom du respect par Dieu de l'alliance des œuvres[3], Bramhall est conduit à réaffirmer une stricte corrélation entre le malheur subi par l'homme et sa culpabilité. Les trois exemples qu'il analyse, ceux-là même que Hobbes met en avant chaque fois qu'il entend défendre sa théorie de la justice de Dieu, sont les exemples de Job, de l'aveugle-né[4], et de l'origine de la mort[5]. Dans chacun de ces trois cas, Bramhall met en œuvre une double argumentation, qui associe à la thèse thomiste,

1. L'expression a été utilisée par S. I. Mintz *(The Hunting of Leviathan, op. cit.)*, pour désigner les critiques virulentes qui ont suivi la parution du *Léviathan*.

2. *Questions*, XII, p. 159.

3. Sur la théologie de l'Alliance, voir, plus bas, notre chapitre IX.

4. Jean, IX.

5. Romains, V, 12. Il est frappant de voir que ce sont les mêmes exemples qui se retrouvent, d'une part, dans les *Questions* (XII, p. 160-162) et, d'autre part, dans le *De Cive* (XV, 6) et dans le *Léviathan.* (XXXI, 6). Ces recoupements confirment que le débat avec Bramhall fournit des éléments indispensables à la compréhension de la théorie du royaume de Dieu par nature. La référence biblique du troisième exemple, celui qui concerne le rapport entre la mort et le péché, n'est donnée ni dans le *Léviathan*, ni dans les *Questions*.

selon laquelle Dieu ne permet pas l'existence d'un mal qui ne soit compensé par un bien[1], la thèse augustinienne selon laquelle l'existence du mal renvoie au péché[2]. La première thèse est illustrée par les exemples qui tendent à montrer que le mal apparent est en fait l'expression de la bonté divine : le mal subi par Job était une mise à l'épreuve de ses grâces et la cécité de l'aveugle-né était le moyen d'élever son âme à la vision béatifique de Dieu[3]. Il n'est pas jusqu'à la mort des bêtes qui ne puisse être justifiée comme le règlement d'une dette[4]. En leur infligeant la mort, Dieu permet aux animaux de réparer la dette qu'ils ont contractée à l'égard de la nature en naissant ; en les faisant mourir, il leur fait donc du bien. La seconde thèse est que la justification de l'existence du mal par la bonté du projet divin ne contredit pas sa justification par le péché : Job n'était pas aussi innocent qu'il le prétendait, comme suffit à le prouver son impatience à l'égard de Dieu et l'aveugle-né ne l'était pas davantage, puisqu'il avait été conçu dans le péché[5]. Quant au troisième exemple, il y a une grande différence entre la mort des bêtes, qui répare une dette de nature, et les souffrances de l'enfer, dont il est clair qu'elles sont infli-

1. « C'est une vérité très certaine, que Dieu ne souffrirait pas qu'il y ait du mal dans le monde, s'il ne savait produire le bien à partir du mal » (*Questions*, XII, p. 154-155). La formule *to draw good out of evil* traduit assez fidèlement ce que pouvait être l'objet d'une théodicée rationaliste avant Leibniz. Avec ce dernier, l'opération divine de production du bien à partir du mal est exprimée dans les termes mathématiques d'un calcul du meilleur.

2. Cette synthèse, qui concilie des éléments calvinistes d'inspiration augustinienne et des conceptions néo-thomistes empruntées à la seconde scolastique catholique, correspond de fait au syncrétisme propre à l'Église d'Angleterre après la réforme laudienne.

3. « Deuxièmement, les afflictions de Job n'étaient pas des châtiments vindicatifs visant à se venger de ses péchés [...], mais des épreuves probatoires visant à éprouver ses grâces » (*Questions*, XII, p. 160) ; « En ce qui concerne l'aveugle mentionné en Jean IX, sa cécité était plus pour lui une bénédiction qu'un châtiment, puisqu'elle était le moyen d'élever son âme à la lumière et de le conduire à voir la face de Dieu en Jésus-Christ » (*Questions*, XII, p. 161).

4. « La mort des bêtes sauvages n'est pas une punition du péché, mais une dette de nature » *(ibid.)*.

5. « Troisièmement, Job n'était pas d'une pureté telle que Dieu n'eût pu en toute justice lui imposer des châtiments plus grands que les afflictions dont il souffrit » (*Questions*, XII, p. 160) ; « En outre, ni lui [l'aveugle-né] ni ses parents n'étaient innocents, ayant été conçus et étant nés dans le péché et l'iniquité, Psaume, LI, 5. Et nous péchons tous de nombreuses manières, Jacques, III, 2 » (*Questions*, XII, p. 161).

gées aux hommes en raison de leurs péchés[1]. Par conséquent, même si Bramhall n'a recours à la théorie augustinienne du péché qu'en un second moment, cet augustinisme par défaut n'en joue pas moins un rôle essentiel : sous l'optimisme thomiste de la théorie de la bonté divine subsiste le pessimisme radical de la théorie du péché originel.

3. *Conflit d'interprétation*

Les thèses que nous venons d'examiner sont étroitement liées à l'histoire de la théologie de la toute-puissance. La puissance divine étant selon Bramhall une puissance de faire le bien, elle ne saurait être compatible avec l'accomplissement de ces actions qui sont en elles-mêmes des actions mauvaises. Lorsqu'il interprète le passage de la Genèse (XIX, 22), où il est dit que Dieu ne pouvait pas détruire Sodome tant que Loth y était, l'évêque précise que cette destruction n'était pas au-dessus de la puissance divine, mais qu'elle était contraire à la bonté de Dieu. Cette interprétation est de fait l'héritière de concepts qui furent élaborés au XIe siècle à l'occasion du débat sur les limites de la puissance divine[2]. Appliquant à la question de la théodicée des catégories forgées par les théologiens médiévaux, Bramhall soutient que la capacité de faire le mal ne constitue pas une puissance à proprement parler, mais plutôt une absence de puissance : « C'est une règle en théologie que Dieu ne peut rien faire qui comporte quelque méchanceté ou imperfection : par exemple, Dieu ne peut se renier lui-même (2 Timothée, II, 13) ; il ne peut mentir (Tite, I, 2). Ces actes, et ceux qui leur ressemblent, sont les fruits de l'impuissance, non de la puissance. Ainsi Dieu ne peut-il détruire le juste avec le méchant (Genèse, XVIII, 25). Il ne pouvait détruire Sodome tant que Loth y était (Genèse, XIX, 22), non pas par un défaut de sa domination ou de sa

1. « Et bien qu'elles [les bêtes] soient souvent abattues pour l'utilité de l'homme, il y a cependant une différence considérable entre ces affres légères et momentanées, et les douleurs insupportables et infinies de l'enfer ; entre le simple fait de priver une créature de la vie temporelle et le fait de la soumettre à la mort éternelle » (*ibid.)*.

2. Sur les origines augustiniennes de ce débat, voir W. J. Courtenay, *Capacity and Volition*, *op. cit.*, p. 28-31.

puissance, mais parce que cela ne convenait pas à sa justice, ni à la loi qu'il avait lui-même instituée. »[1] Si Dieu a la puissance de mentir, ce n'est donc pas positivement, mais négativement : il en a la capacité, mais pas la volonté ; il peut le permettre, mais pas le vouloir. De fait, Hobbes refuse pareille distinction entre volonté et capacité. Après avoir déclaré qu'il n'ignore pas la distinction « entre la volonté et la permission »[2], il précise sa critique en disant que Bramhall « est conduit à employer des mots qui siéent mal à celui qui veut parler de Dieu tout-puissant, car il le rend incapable de faire ce qui a toujours été du ressort du pouvoir ordinaire *(ordinary power)* des hommes »[3]. Si Dieu a laissé faire certains actes qu'il avait la puissance d'empêcher, c'est qu'il les a voulus. Il est absurde de déclarer que Dieu n'avait pas la puissance de détruire le juste avec le méchant ou Sodome tant que Loth s'y trouvait, car il est absurde de dire que la puissance absolue de Dieu ne peut faire ce que fait sans difficulté la puissance ordinaire des hommes[4]. Il faut donc soutenir que la puissance divine coïncide avec la volonté divine, et que la justice est ce que Dieu a voulu. Il est vrai toutefois que, du point de vue de Bramhall, la puissance illimitée que Hobbes attribue à Dieu ne saurait apparaître que sous la forme d'une puissance maligne. Le pouvoir illimité d'affliger qui procède de cette puissance semble le fait d'un Dieu cruel prenant plaisir à outrepasser les règles de la bonté en soi. Lorsqu'on persiste à vouloir la juger à partir de normes absolues, la puissance divine d'infliger mort et souffrance ressemble fort à de la cruauté. Ainsi, dire que Dieu règne par sa puissance seule équivaut à dire, selon Bramhall, qu'il est menteur, cruel, injuste et sans véritable puissance : menteur, car il commande des choses qu'il sait par ailleurs être impossibles à réaliser ; cruel, car un Dieu bon ne saurait condamner des êtres pour des fautes qu'ils ne pouvaient pas ne pas

1. *Questions*, XII, p. 159-160.
2. *Questions*, XII, p. 146.
3. *Questions*, XII, p. 169.
4. C'est Boèce qui le premier a remarqué que, si l'opposé d'incapacité est capacité et si la puissance divine ne s'étend qu'aux choses bonnes, beaucoup de choses échappent à la toute-puissance de Dieu qui sont pourtant au pouvoir de n'importe quel homme. Voir Boèce, *La consolation de la philosophie*, IV, prosa 2, 94, trad. fr. A. Bocognano, Paris, Garnier, 1937, p. 69.

commettre ; injuste, car sa puissance n'a pas égard aux règles de la justice ; sans véritable puissance, car il est l'auteur véritable de tous les malheurs du monde[1]. Néanmoins, cette imputation s'effondre dès lors que l'on pense, comme le fait Hobbes, qu'il n'y a pas de normes absolues à partir desquelles il serait possible de juger la puissance divine : « [...] la santé, la maladie, le bien-être, les tourments, la vie et la mort, sont sans aucune passion de sa part dispensés par lui, et il leur met fin quand ils s'achèvent, et les fait commencer quand ils commencent, selon son dessein éternel, auquel on ne peut résister »[2]. Dès lors que la puissance de Dieu permet d'accepter l'irréductibilité du mal, il n'y a plus lieu d'idéaliser la culpabilité de l'homme sous la forme d'un péché originel qui justifierait par avance tous les maux de l'humanité. Il n'y a pas lieu non plus de se représenter Dieu comme un être cruel qui prendrait plaisir aux malheurs des hommes : Dieu dispense les biens et les maux sans aucune passion.

IV. LE CULTE DE LA TOUTE-PUISSANCE

La théorie de la religion naturelle, comme nous l'avons déjà souligné, peut être envisagée soit du point de vue de la causalité naturelle, soit du point de vue du royaume de Dieu par nature. Dans le premier cas, il s'agit de comprendre les croyances humaines à partir de leurs causes naturelles[3], dans le second cas, il s'agit de comprendre en quoi la toute-puissance oblige les hommes à rendre un culte à Dieu. Cette seconde perspective est introduite à partir d'une réflexion sur la souveraineté divine par nature : « Après avoir parlé du droit de la souveraineté divine en tant qu'il se fonde sur la seule nature, nous devons considérer maintenant quelles sont les lois divines, ou prescriptions de la raison naturelle, lois qui concernent soit les devoirs naturels des hommes entre eux, soit l'honneur naturellement dû à notre divin

1. Sur ce point, voir, plus haut, notre chapitre I, p. 37-40.
2. *Questions*, XV, p. 222-223.
3. Pour un exposé complet de ce type d'analyse, voir *Lev.*, XII.

souverain. »[1] Alors que la morale comprend les lois divines relatives aux rapports des hommes entre eux, la religion comprend les lois divines relatives aux rapports des hommes à Dieu. La théorie de la religion selon la loi naturelle se présente donc comme une théorie des lois de nature relatives à l'honneur qui est dû au souverain divin dans son royaume par nature.

1. *L'honneur et le culte de Dieu*

L'honneur et le culte en quoi consistent les lois religieuses sont définis par Hobbes dans les termes suivants : « L'honneur réside dans le fait de concevoir la puissance et la bonté d'autrui et d'y croire, le tout au-dedans de soi : en conséquence, honorer Dieu, c'est avoir une conception aussi élevée que faire se peut de sa puissance et de sa bonté. Ce sont les signes extérieurs de cette croyance, tels qu'ils apparaissent dans les paroles et les actions, qu'on appelle culte, mot qui désigne une partie de ce que les latins englobaient sous le terme de *cultus.* »[2] L'honneur de Dieu est pensé à partir de ce que pourrait être l'honneur rendu à un homme que l'on supposerait tout-puissant : l'honneur ne serait alors rien d'autre que la croyance intérieure dans la toute-puissance de cet homme. L'honneur consiste en effet dans l'exercice intérieur par lequel on reconnaît pour soi-même la puissance de quelqu'un : honorer un roi suppose que l'on reconnaisse intérieurement sa souveraineté, honorer un homme riche que l'on reconnaisse la supériorité de sa richesse, etc. De la même façon, honorer Dieu suppose de reconnaître intérieurement la supériorité de sa puissance. Cependant, l'honneur de Dieu se caractérise en propre par le caractère absolu de la différence de puissance qu'il s'agit de reconnaître : alors qu'honorer un homme n'implique nullement qu'il ne puisse être un jour égalé ou surpassé en puissance, honorer Dieu implique de reconnaître que sa puissance ne pourra jamais être surpassée. Honorer Dieu consiste ainsi à

1. *Lév.*, XXXI, 7, p. 382-383.
2. *Lév.*, XXXI, 8, p. 383.

reconnaître qu'il existe une différence absolue de puissance entre l'humanité et la divinité.

Lorsque le sentiment de l'honneur s'extériorise dans des paroles ou des actes, il reçoit alors le nom de culte. En effet, bien que le terme d'honneur soit parfois employé pour désigner « les effets extérieurs du véritable honneur qui se rend dans le fond de l'âme », cet usage est impropre, car « le culte, à le bien prendre, est l'acte extérieur, caractère et signe visible de l'honneur interne »[1]. Le *cultus Dei* se distingue par conséquent de l'*honor Dei* comme le signe se distingue de ce qu'il signifie. La différence qui sépare le culte rendu à un homme du culte rendu à Dieu est analogue à la différence qui sépare le fait d'honorer un homme et le fait d'honorer Dieu. Cette différence, qui tient à la différence de puissance qu'il y a entre l'homme et Dieu, est une différence de finalité : dans le cas du courtisan, le culte vise à accroître la puissance de celui qui le rend ; dans le cas du croyant, il tend à affermir, chez celui qui le rend, la conscience de la puissance divine. Aussi ne faut-il pas se laisser abuser par l'analogie anthropologique qui sert à définir le culte divin. Si ce culte « est régi conformément à notre capacité par ces règles de l'honneur que la raison prescrit aux faibles de rendre aux hommes plus puissants qu'eux, dans l'espoir d'en tirer un avantage [...] », il ne vise pas un accroissement de notre puissance, mais une remémoration de notre faiblesse. La reconnaissance de l'excès de la puissance divine conduit à un renversement de la signification anthropologique du culte, qui nous fait passer d'une théorie du courtisan à une théorie de la religion[2]. Le culte divin que nous prescrit la raison naturelle est celui grâce auquel nous nous reconnaissons intérieurement, sans la médiation d'un pacte, comme soumis à la toute-puissance de Dieu. Ce culte, qui s'exprime par des paroles et des actions, a pour unique but d'augmenter le désir intérieur d'honorer Dieu. Aux trois passions qui correspondent à l'honneur de Dieu, « l'*amour*, qui se rapporte à la bonté, l'*espoir* et la *crainte*, qui se rapportent à la puis-

1. *De Cive*, XV, 9, p. 278-279.
2. Concernant les implications politiques de cette théorie du culte, voir, plus bas, notre chapitre VII, p. 294-299.

sance », correspondent les trois actes du culte de Dieu, *« louer, exalter, bénir »*[1], la louange concernant la bonté, l'exaltation et la bénédiction concernant la puissance.

2. *La puissance comme nom divin*

En tant qu'ils sont des actes de parole, ces actes cultuels relèvent d'une théorie des noms divins. Comme telle, cette théorie fait donc partie de la théorie du culte divin : elle a pour fonction de rappeler au sujet de Dieu que la parole que l'on peut tenir sur la nature divine ne concerne pas tant l'être divin que la loi dont il est réputé l'auteur. La théorie hobbesienne des nom divins n'aura donc de sens que comme réponse au commandement de la loi. Il en résulte que le discours que le sujet de Dieu doit tenir sur son souverain divin est régi par une conception radicale de l'analogie : « [...] il faut supposer quelque chose d'analogue *(aliquid analogum)* que nous ne pouvons pas concevoir »[2]. Cette conception extrême de l'analogie est à mettre en relation avec la faiblesse radicale de l'homme, car cette dernière affecte au premier chef la capacité de connaître Dieu. Par conséquent, si l'analogie s'exprime sous la forme radicale d'un discours équivoque, ce n'est pas en raison d'une position sceptique, mais en raison d'une position théologique, parce que l'équivocité du discours est le moyen le plus adéquat pour exprimer l'excès de la puissance divine sur la puissance humaine. La difficulté tient en l'occurrence à la définition de l'équivocité. En général, Hobbes oppose l'équivocité à l'univocité en fonction de la différence d'intention qui préside à l'usage des mots : « [...] cette distinction ne concerne pas tant les mots que ceux qui les utilisent, car certains en font un usage propre et précis (en vue de rechercher la vérité), d'autres les détournent de leur sens pour l'ornement ou la tromperie. »[3] La métaphore fournit ainsi un bon exemple de l'usage ornemental du

1. *Lév.*, XXXI, 9, p. 384.
2. *De Cive*, XV, 14, p. 227.
3. *De Corpore*, II, 12, p. 20.

discours équivoque, car si « toute métaphore est par définition équivoque »[1], l'équivocité de la métaphore n'équivaut jamais à de la fausseté. Cette distinction du discours équivoque et du discours faux ne vaut pas cependant pour le seul discours métaphorique : « Bien qu'il puisse y avoir de l'erreur dans les termes équivoques, il n'y en a cependant pas dans ceux qui le sont de façon manifeste *(manifesta)*. »[2] L'usage de l'équivocité dans le culte divin relève précisément de l'équivocité manifeste. Dans la théorie des noms divins, l'équivocité manifeste n'a pas un sens ornemental, mais cultuel[3].

Dans les *Elements of Law*, la théorie des noms divins est introduite par un rappel de l'ordre des matières et une remarque de méthode : après avoir traité de la connaissance des choses naturelles, Hobbes se propose de réfléchir à la connaissance des choses surnaturelles, puisqu'il existe des mots pour les désigner. La théorie des noms divins dérive ainsi de la théorie des noms en général ; soumise aux mêmes exigences, elle sera commandée par les mêmes principes : « Or puisque nous donnons des dénominations non seulement aux choses naturelles, mais aussi aux surnaturelles, et que par toutes nos dénominations nous sommes censés exprimer un sens et une conception, il s'ensuit qu'il nous faut à présent considérer quelles pensées et imaginations nous avons à l'esprit quand nous proférons le très saint nom de Dieu et les noms des vertus que nous lui attribuons. »[4] Hobbes énonce très clairement dans ce texte le principe qui régit son approche des noms divins : il s'agit du principe qui régit la définition de nom, à savoir le principe de la correspondance univoque du nom et de la représentation. Il en résulte qu'un attribut divin, à l'instar de n'importe quelle autre dénomination, ne peut avoir de signification *(meaning)* que s'il désigne de

1. *Ibid.*
2. *De Corpore*, V, 12, p. 56.
3. L'interprétation de R. Polin ne prend en compte que la dimension métaphorique de la théorie des noms divins. Il est dès lors normal qu'elle réduise la théologie au rang d'un pur et simple ornement de la philosophie : « Tout se passe comme si le système politique de Hobbes, qui, dans son intégrale rationalité, se suffit à lui-même et se justifie radicalement, sous-tendait une superstructure d'expression religieuse pour ainsi dire ornementale » (R. Polin, *Hobbes, Dieu et les hommes*, *op. cit.*, p. 46).
4. *Elements of Law*, I, XI, 1, p. 53.

façon univoque une idée dans l'esprit de l'homme qui l'emploie. Or, aussitôt après le rappel de cette règle de méthode, Hobbes affirme que Dieu est incompréhensible[1]. Soumis à la règle de la représentation signifiante, le nom divin traduit ainsi ses limites : il ne peut rien signifier concernant l'objet qu'il désigne, car cet objet excède toute représentation. Mais il ne constitue pas pour autant un terme insignifiant, car il reçoit un sens de l'intention qui préside à son attribution ; ce sens ne réside pas dans une idée, puisqu'il n'y a pas d'idée de Dieu[2], mais dans une intention, l'intention d'honorer Dieu par une dénomination non représentative.

Cette caractérisation de l'attribut divin n'est pas sans rapport avec celle que propose la théologie négative : dans les deux cas, en effet, l'incompréhensibilité de Dieu oblige la parole théologique à outrepasser les limites de la pensée catégorielle pour parvenir à un discours sur Dieu qui soit de tout autre nature. Mais il ne faudrait pas en conclure que la seule voie qui s'ouvre alors à la pensée théologique de Hobbes soit celle de la théologie négative[3], et cela pour deux raisons essentielles. Premièrement, la théologie négative, telle que le pseudo-Denys la formule à l'origine, ne rompt pas avec la logique prédicative de la même façon que la théologie de Hobbes. D'une part, Denys ne pense Dieu à aucun moment en termes de preuve, mais en termes de manifestation, à la différence de Hobbes qui propose dans les *Elements of Law*, à défaut d'une preuve, une *suppositio Dei* ; d'autre part, alors que Hobbes pense les attributs divins comme des noms de la puissance, et la puissance comme la condition de la loi, les formulations tant positives que négatives que l'on trouve dans les *Noms divins*[4] sont pensées

1. *Elements of Law*, I, XI, 1, p. 183, ligne 1.

2. Sur l'absence d'idée de Dieu, voir, plus haut, notre chapitre II, p. 86-95.

3. M. Malherbe observe très justement que « l'idée même d'une théologie négative paraît déjà trop forte. Dieu n'est pas indicible parce que la contemplation que nous en aurions serait trop riche pour notre langage, mais parce que l'unique rapport qui nous lie à lui est notre acte de soumission » (M. Malherbe, *Thomas Hobbes ou l'œuvre de la raison*, Paris, Vrin, 1984, p. 222-223).

4. Pseudo-Denys, *Noms Divins*, in *Œuvres complètes*, trad. fr. M. de Gandillac, Paris, Aubier-Montaigne, 1943. Pour l'analyse du corpus dyonisien, nous nous référons, d'une part, à la préface de M. de Gandillac à sa traduction des *Œuvres complètes*, et d'autre part, à J.-L. Marion – *L'idole et la distance*, Paris, Grasset & Fasquelle, 1991, p. 177-243 – qui

comme autant de manifestations de l'essence de la divinité. D'une certaine façon, Hobbes est donc à la fois plus radical que Denys dans sa critique de la théologie prédicative et moins radical que lui. Plus radical, en ce sens qu'il ne considère pas que les affirmations ou les négations relatives à Dieu puissent avoir la moindre valeur de vérité ; moins radical, dans la mesure où il accorde à l'esprit la possibilité d'accéder par une voie naturelle, fût-elle paradoxale et dérivée, à la connaissance de l'existence de Dieu.

Cette première différence essentielle en appelle une seconde : la théorie hobbesienne de l'honneur de Dieu, malgré une proximité apparente, n'a pas la même finalité que la théorie dyonisienne du discours de louange. Le corpus dyonisien est porteur d'une mystique de la transcendance ou de la cause suressentielle, qui s'exprime notamment dans le rapprochement du lexique de la cause, en grec Αἰτία, et du lexique de la louange (ὑμείν, louer) : « Les sages de Dieu louent la cause de toutes choses, en de multiples noms à partir de toutes choses causées. »[1] Cette mystique ne saurait être celle de Hobbes dans la mesure où la visée cultuelle ne concerne chez lui que la puissance et la loi, et non la cause première, qui relève de la visée de connaissance. Pour le dire autrement, supposer l'existence d'une cause première n'a pas, selon Hobbes, de signification cultuelle. Hobbes accorderait donc volontiers à Denys sa critique implicite de la théologie comme discours prédicatif ; Denys ne rejetterait pas la critique de la théologie comme science que l'on trouve chez Hobbes. Mais, alors que Denys s'engage dans la voie d'une affirmation de l'autonomie du discours de louange par rapport à toute autre forme de discours, Hobbes ne libère la parole cultuelle de la tutelle de la science que pour mieux affirmer son rapport essentiel à la toute-puissance de Dieu. L'un pose les fondements d'une théologie mystique

s'efforce de mettre en évidence l'autonomie du discours de louange par rapport à tous les autres jeux de langage, et notamment par rapport au discours prédicatif. En un sens, Hobbes cherche lui aussi à dissocier le discours de l'honneur de la logique prédicative du discours de la science, mais il s'agit moins pour lui de conférer une indépendance à la théologie que de montrer que le jeu de langage que constitue la louange s'inscrit dans une logique de pouvoir et d'autorité. Autrement dit, la théorie des noms divins selon Hobbes est moins le prélude à une théologie mystique qu'un élément de théologie politique.

1. Pseudo-Denys, *Noms Divins*, cité par J.-L. Marion, *L'idole et la distance*, *op. cit.*, p. 190.

de l'être ineffable, l'autre les assises d'une théologie de la toute-puissance. Denys, par-delà l'inadéquation des noms, cherche à ouvrir un accès vers la divinité ; Hobbes, grâce à la reconnaissance de l'équivocité essentielle des noms divins, entend exprimer la différence de nature qui sépare la force divine de la faiblesse humaine.

3. *L'évolution de la théorie des noms divins*

Dès les *Elements of Law*, le ressort essentiel de la théorie hobbesienne des noms divins réside donc dans la notion de puissance : « Les attributs par conséquent que nous donnons à la Divinité sont propres à signifier *(signify)* soit notre incapacité, soit notre révérence : notre incapacité, quand nous disons incompréhensible et infini ; notre révérence quand nous lui donnons les dénominations qui parmi nous sont celles des choses que nous célébrons et exaltons le plus volontiers, comme omnipotent, omniscient, juste, miséricordieux, etc. »[1] Les attributs divins signifient soit notre incapacité, soit le respect que nous avons pour Dieu. Le mot *incapacity* désigne au sens propre du terme un défaut de notre puissance de connaître, à savoir notre impuissance à nous représenter un être transcendant. Le mot *reverence* spécifie la modalité de notre rapport intérieur à la divinité comme étant un rapport entre deux puissances absolument inégales. Or, dans les *Elements of Law*, ces deux types d'attributs procèdent d'une même source, à savoir de l'incapacité humaine à connaître Dieu : « Puisque Dieu Tout-Puissant est incompréhensible, il s'ensuit que nous ne pouvons avoir aucune image ou conception de la Divinité ; en conséquence, tous ses attributs signifient notre incapacité et impuissance *(inability and defect of power)* à rien concevoir touchant sa nature, non point du tout une conception quelconque que nous en aurions, sinon celle-là seule, qu'il y a un Dieu. »[2] L'omnipotence divine, qui est la raison de l'incapacité humaine à comprendre Dieu, enveloppe toutefois la conception de

1. *Elements of Law*, I, XI, 3, p. 54.
2. *Elements of Law*, I, XI, 2, p. 53.

l'existence de Dieu : l'incompréhensibilité divine n'est pas telle qu'elle empêcherait de savoir qu'il y a un Dieu. Cette détermination, qui ne s'exprime encore que timidement dans les *Elements of Law*, prend toute sa force dans la théorie des noms divins de la *Critique du De Mundo* : « [...] on ne peut en effet attribuer à Dieu par nature aucun nom sinon *quod est*. Tous les autres (lui sont attribués) soit négativement (*negative*), comme infini ou incompréhensible, etc., soit métaphoriquement *(metaphorice)*, pour l'honorer, comme bon, juste, sage, heureux, et de semblables. »[1] Ce texte donne une tournure très nettement systématique à la théorie des noms divins : on y retrouve les mêmes exemples que précédemment, mais les catégories où ils se subsument sont désormais nommées. L'infini et l'incompréhensibilité appartiennent à la catégorie des attributs négatifs, car l'infini n'est, selon Hobbes, que la négation du fini, de même que l'incompréhensible n'est que la négation du compréhensible. La bonté, la justice, la sagesse, etc., se rangent dans la catégorie des attributs métaphoriques, puisque, dans l'ignorance de la nature divine, leur attribution à Dieu relève d'une équivocité manifeste, rien ne prouvant en effet que ce qui passe aux yeux des hommes pour des qualités le soit aussi aux yeux de Dieu. Cette classification a ainsi un mérite essentiel : elle montre qu'il n'y a pas de place dans la théorie des noms divins pour une quelconque affirmation, au-delà de l'affirmation de l'existence d'une toute-puissance. S'opposent aux attributs négatifs, non pas les attributs positifs, mais les attributs métaphoriques. Cette opposition présente de façon extrêmement claire l'alternative à laquelle se trouve confrontée la théologie de Hobbes : soit la théologie négative, soit la théologie de l'honneur. On a vu que la première voie n'était pas celle de Hobbes. Peut-on dire pour autant qu'il emprunte la seconde ?

On observe sur ce point une évolution significative de sa position. Dans les *Elements of Law*, comme dans la *Critique du De mundo*, il s'en tient à une distinction tranchée des deux voies, l'attribut métaphorique n'étant pas un attribut négatif, et réciproquement. Les attributs métaphoriques ne sont donc encore que les indices de l'incapacité humaine

1. *Critique du De Mundo*, XXVII, 8, p. 319.

à connaître Dieu : la théologie de l'honneur, dont ils indiquent la possibilité, n'est encore que l'envers d'une très problématique théologie négative. Si la classification des noms divins opérée dans la *Critique du De Mundo* amorce certes une systématisation, elle ne dégage pas encore le principe d'unité qui pourrait parfaire cette amorce de systématicité. Une certaine hétérogénéité persiste, qui est au principe d'une tension entre diverses orientations théologiques : le conflit qui oppose les variantes positive, négative et métaphorique de la théologie de Hobbes n'est pas tranché.

Dans cette perspective, on peut se demander si le nom qui dit l'existence de Dieu ne contredit pas les autres noms divins, ou à défaut de contradiction *stricto sensu*, s'il ne maintient pas l'idée que la raison puisse jouer un rôle essentiel en théologie. De fait, l'affirmation qu'il existe une démonstration de l'existence de Dieu crée la tentation d'une science théologique analogique ou impliquée. C'est la voie de la théologie impliquée que Hobbes semble indiquer dans les *Elements of Law*, à la fin de sa preuve de l'existence de Dieu : « Et c'est là [*i.e.*, la puissance de toutes les puissances, et la cause de toutes les causes] ce à quoi tous les hommes donnent le nom de Dieu, et *qui implique* éternité, incompréhensibilité et omnipotence *(implying eternity, incomprehensibility and omnipotency)*. »[1] Contrairement à ce qu'il affirme précédemment dans le même ouvrage, à savoir qu'il n'y a pas de connaissance naturelle de Dieu hormis la connaissance de son existence, Hobbes semble introduire ici l'idée que la position de l'existence de Dieu implique à elle seule l'affirmation de son éternité, de son incompréhensibilité et de sa toute-puissance. Le passage cité est certes ambigu : on pourrait penser que c'est la définition commune de Dieu, et non l'existence de la cause première, qui implique l'éternité, l'incompréhensibilité et la toute-puissance. Mais, puisqu'il y a une coïncidence entre ce que les hommes appellent du nom de Dieu et la cause de toutes les causes, c'est une seule et même chose que de dire que la définition de Dieu communément reçue implique les trois attributs cités, et de dire que la position de la cause de toutes les causes les implique : il y a donc bien une théo-

1. *Elements of Law*, I, XI, 2, p. 54 ; nous mettons en italiques.

logie impliquée associée à l'embryonnaire théologie rationnelle des *Elements of Law*. En toute rigueur, Hobbes se devrait de l'expliquer. Mais il ne le fait pas, car il maintient le caractère respectivement négatif et métaphorique des attributs de l'incompréhensibilité et de l'omnipotence. Le déséquilibre qu'introduit la preuve de l'existence de Dieu dans la théorie des noms divins est ainsi bien réel : une telle preuve fait paraître bien fragiles par comparaison les attributs négatifs et métaphoriques ; ces derniers perdraient de leur raison d'être et de leur spécificité à mesure que se trouverait expliquée la théologie impliquée. S'il convient, en raison du caractère paradoxal de la preuve de l'existence de Dieu dans la pensée de Hobbes[1], de ne pas accorder une importance exagérée à cette esquisse, cette dernière révèle toutefois l'existence de tensions à l'intérieur de la théorie des noms divins. Parmi ces tensions, l'une a trait a l'homogénéité des catégories des attributs métaphoriques et des attributs négatifs. On observe, en effet, des glissements significatifs d'une catégorie à l'autre. D'une part, certains attributs peuvent aussi bien prétendre passer pour négatifs que pour métaphoriques : l'infini, que Hobbes range dans la catégorie des attributs négatifs, constitue aussi une qualification métaphorique, puisque nous n'attribuons à Dieu que l'infinité que nous donne à penser notre propre finitude. D'autre part, le statut des attributs métaphoriques n'est pas parfaitement défini, puisque ces derniers sont pensés comme des dérivés des attributs négatifs : en eux, la négation, à savoir l'impuissance humaine, se trouve changée en une affirmation métaphorique relative à Dieu. À ce stade de sa réflexion, Hobbes ne parvient donc pas à dégager la spécificité de la théologie de l'honneur par rapport à la forme dégradée de la théologie négative à laquelle il l'oppose. Les attributs métaphoriques constituent certes une catégorie importante de noms divins, mais l'importance de cette catégorie se trouve limitée par son opposition aux deux autres catégories d'attributs.

Le changement décisif intervient dans le *De Cive* : c'est seulement dans cette œuvre en effet que les attributs honorifiques prennent défi-

1. Concernant le fait qu'il ne s'agisse pas là d'une preuve métaphysique mais d'une *suppositio Dei*, voir, plus haut, notre chapitre II, p. 91-95.

nitivement le pas sur les deux autres catégories d'attributs. Ce changement, très directement lié à l'affirmation de la thèse de la royauté de Dieu par nature, sera confirmé dans le *Léviathan* : « Celui qui ne voudra attribuer à Dieu rien de plus que ce qu'autorise la raison naturelle *(what is warranted by natural reason)* devra user d'attributs négatifs comme *infini*, *éternel*, *incompréhensible* ; ou superlatifs, comme *très haut*, *très grand*, etc. ; ou indéfinis, comme *bon*, *juste*, *saint*, *créateur* ; et cela, en des acceptions par lesquelles il entendrait exprimer non pas ce qu'il est (car ce serait le circonscrire dans les limites de notre imagination), mais combien nous l'admirons et sommes disposés à lui obéir : ce seront alors des signes d'humilité, témoignant que nous voulons l'honorer autant qu'il est en notre pouvoir. Car il n'existe qu'un seul nom pour exprimer la façon dont nous concevons sa nature : c'est JE SUIS ; et un seul nom pour désigner ce qu'il est par rapport à nous, et c'est *Dieu*, ce mot signifiant à la fois père, roi, et seigneur. »[1] Ce texte consacre l'inscription définitive de la théorie des noms divins dans le cadre d'une théorie du culte de Dieu. Les différentes catégories rencontrées dans les *Elements of Law* y subissent en effet une modification essentielle, puisqu'elles se trouvent, à des titres divers, subordonnées à la notion d'honneur. La catégorie des attributs honorifiques, énoncée en premier lieu, fait l'objet de l'analyse la plus détaillée : elle contient en elle trois types d'attributs, les attributs négatifs, superlatifs et indéfinis. L'apport conceptuel majeur de cette division est bien évidemment le fait que les attributs négatifs perdent toute autonomie par rapport aux attributs honorifiques : la voie de la théologie négative se trouve de ce fait refermée ; sa signification ne pourra plus être distinguée du culte de la toute-puissance. Corrélativement, le concept de métaphore, présent dans la *Critique du De Mundo*, n'apparaît plus dans ce passage du *Léviathan*. C'est là une conséquence directe de la modification du principe de classification des noms divins. Le principe de la classification est désormais un principe grammatical et non plus un principe rhétorique : les classes sont désignées par des termes de grammaire (négatif, superlatif, indéfini) et non plus par des termes de rhétorique (métaphore).

1. *Lév.*, XXXI, 28, p. 387-388.

Mais, indépendamment de ce principe de classification, l'intérêt majeur du passage cité plus haut est de permettre une élucidation du sens du mot « Dieu ». En tant que tel, Dieu ne peut être désigné que par l'expression « Je suis », mais en tant qu'il est considéré dans sa relation aux hommes, il reçoit à proprement parler le nom de Dieu, qui signifie « à la fois père, roi, et seigneur »[1]. Cette signification, qui n'est pas le produit d'une déduction, n'appartient pas à la philosophie proprement dite, mais à une tradition religieuse fort ancienne, qui prend sa source dans l'Ancien Testament. La prééminence de l'attribut de la toute-puissance parmi les noms divins correspond de fait à la détermination théologique de la signification de cette figure de Dieu. La toute-puissance doit être lue comme l'explicitation théologique de la compréhension religieuse de Dieu comme « père, roi et seigneur ». Cette détermination théologique, qui n'est pas comprise par Hobbes de façon historique, constitue pour lui le fondement de la religion naturelle, car « non seulement les Chrétiens, mais aussi les Gentils, croient que celui qui est Dieu est du même coup tout-puissant »[2]. L'explication anthropologique de la religion ne modifie pas ce fait : elle se contente de l'éclairer à partir de la nature humaine. Pour mesurer l'importance exacte de la théologie de la toute-puissance dans la pensée de Hobbes, il convient toutefois de montrer, comme nous tenterons de le faire dans le prochain chapitre, que cette théologie informe également la compréhension hobbesienne de la nature humaine.

1. *Lév.*, XXXI, 28, p. 388.
2. *Lév.*, *Ap I*, p. 741.

CHAPITRE V

L'anthropologie de la moindre puissance

Si l'homme est tenu d'obéir aux lois de nature en raison de la toute-puissance divine, il convient de se demander s'il possède dans sa nature les moyens d'une telle obéissance, et plus généralement, s'il est fait pour obéir à une loi quelle qu'elle soit. Si la nature humaine et la loi naturelle dépendaient chacune d'un principe différent, il n'y aurait nulle raison, sinon fortuite, de leur accord. Cet accord, que l'anthropologie politique a pour fonction d'établir, repose, telle est du moins notre hypothèse, sur des conditions théologiques spécifiques. Certes, Hobbes est moins explicite que d'autres théoriciens du droit naturel moderne, qui réfèrent explicitement leur théorie de la nature humaine à la volonté divine[1]. Mais cette réserve, qui tient à la distinction méthodologique de la science et de la théologie, ne préjuge en rien des conditions qui ont présidé à l'élaboration de sa pensée. Il convient donc de ne pas se laisser aveugler par la mise en œuvre d'un modèle mécanique des facultés de l'esprit et du corps humains, car ce modèle recouvre des déterminations qui, pour compatibles qu'elles soient avec le mécanisme, n'ont pas la même origine que lui.

1. Pufendorf, *Le droit de la nature et des gens*, II, III, V, *op. cit.*, p. 175 : « [...] il a bien dépendu de la volonté divine de produire ou de ne pas produire une créature de telle constitution, que la loi naturelle lui convienne nécessairement. Mais depuis qu'il a été créé un animal tel que l'homme, qui ne saurait se conserver sans l'observation des lois naturelles, il n'est plus permis de croire que Dieu veuille les abolir ni les changer, tant qu'il ne fera aucun changement dans la nature humaine. »

Leo Strauss a ainsi parfaitement raison de soutenir que le fondement de la philosophie morale et politique de Hobbes ne réside pas, contrairement aux affirmations de son auteur, dans la théorie physique des corps en mouvement[1]. Mais il se trompe lorsqu'il croit trouver dans l'humanisme le fondement véritable de cette philosophie. Si certains thèmes humanistes sont incontestablement présents chez le jeune Hobbes, ces thèmes ne suffisent pas à rendre compte du développement ultérieur de sa pensée. Leo Strauss reconnaît lui-même, au cœur de l'argumentaire de la philosophie politique, la présence de thèmes spécifiquement théologiques : « [...] qu'est-ce que l'opposition entre la vanité et la crainte de la mort violente sinon la forme "sécularisée" de l'antithèse traditionnelle entre l'orgueil spirituel et la crainte de Dieu (ou humilité), forme sécularisée qui résulte du remplacement du Dieu tout-puissant par des ennemis surpuissants, puis par l'État surpuissant, le "dieu mortel" ? »[2] L'argument de la sécularisation, qui conduit Strauss au plus près d'une reconnaissance de la fonction cardinale du concept de toute-puissance, rend paradoxalement impossible la prise en compte effective de la théologie de la toute-puissance à l'intérieur de la pensée de Hobbes. Dire que l'État surpuissant est le produit de la sécularisation de la toute-puissance divine revient en effet à ignorer la persistance de la figure du Dieu tout-puissant dans la pensée de Hobbes. Afin de ressaisir l'importance de cette figure conceptuelle sous des thèmes que Leo Strauss avait peut-être trop rapidement attribués à l'humanisme, il convient donc de faire un usage plus nuancé de l'hypothèse de la sécularisation.

La théorie de l'homme selon Hobbes repose moins sur le thème humaniste de la dignité humaine que sur le thème théologique de la différence de puissance qui sépare l'homme de Dieu. La théologie de la toute-puissance, telle du moins que Hobbes la définit, n'implique nul-

1. « La philosophie politique est indépendante de la science de la nature parce que ses principes ne sont pas empruntés à la science de la nature, ne sont, de fait, nullement empruntés à une science quelle qu'elle soit, mais sont fournis par l'expérience que chacun a de soi-même, ou, pour le dire plus précisément, sont découverts grâce aux efforts de connaissance et d'examen de soi de tout un chacun » (Leo Strauss, *La philosophie politique de Hobbes*, *op. cit.*, p. 24).

2. Leo Strauss, *La philosophie politique de Hobbes*, *op. cit.*, p. 52.

lement que l'homme soit méchant et sa nature corrompue ; elle suppose, en revanche, que l'on considère l'homme comme l'élément le plus faible dans le rapport qui l'unit à Dieu. Cette faiblesse, qui n'est pas un attribut empirique, est l'expression théologique d'une situation de domination irrémédiable. En nommant Dieu cette puissance de domination absolue, Hobbes formule explicitement la condition théologique de son anthropologie.

Il conviendra donc de montrer, en un premier temps, que la description psychophysique des passions ne constitue pas l'unique mode de connaissance de la nature humaine, mais qu'il faut en outre tenir compte d'une méthode spécifique qui prend en compte la détermination de Dieu comme toute-puissance. Cette méthode sera analysée en un second moment à partir du concept de réflexion. Enfin, il s'agira de montrer comment la méthode réflexive permet de réinterpréter l'anthropologie à la lumière de la théologie de la toute-puissance.

I. QU'EST-CE QUE LA NATURE HUMAINE ?

De la nature humaine, Hobbes donne la définition suivante : « La nature de l'homme est la somme *(sum)* de ses facultés et puissances naturelles – comme ses facultés de nutrition, de mouvement, de génération, de sensation, de raison, etc. Ces puissances, en effet, nous sommes unanimes à les appeler naturelles, et elles sont comprises dans la définition de l'homme sous ces termes, animal et rationnel. »[1] Cette définition suppose en fait deux opérations distinctes : une opération de sommation par laquelle est constitué le contenu de l'idée d'homme, et une définition proprement dite qui formule le contenu de cette idée.

La sommation constitue l'une des deux opérations élémentaires, avec la soustraction, grâce auxquelles l'esprit peut raisonner sur des idées : l'addition consiste à ajouter selon l'ordre de leur apparition les idées qui se présentent à l'esprit, la soustraction, à l'inverse, consiste à soustraire ces mêmes idées[2]. Dans le *De Corpore*, le calcul silencieux sur

1. *Elements of Law*, I, I, 4, p. 2.
2. *De Corpore*, I, 2, p. 3.

les idées est illustré par l'exemple, hautement significatif, de la formation de l'idée d'homme[1]. Dans ce cas, comme dans n'importe quel autre, la formation de l'idée suit le cours de la perception : des déterminations nouvelles sont ajoutées au fur et à mesure que l'observateur s'approche de l'objet observé. À distance, l'observateur ne perçoit qu'un corps, indistinctement ; s'étant rapproché, il perçoit du mouvement ; plus près encore, il voit une figure, entend des paroles. L'idée d'homme doit se concevoir, par conséquent, comme l'addition des idées successivement prélevées sur la séquence perceptive, ou plus exactement, car les sensations s'accompagnent de jugements[2], comme l'addition des jugements formés à l'occasion de la perception. À la séquence perceptive et judicative correspond l'ordre dans lequel sont placés les composants de l'idée d'homme : corps, animé, raisonnable. La décomposition de cette idée suit l'ordre inverse, lorsque l'observateur s'éloigne de l'objet qu'il observe. À l'idée totale d'homme sont ôtées successivement les idées de raison, de mouvement, pour ne plus laisser subsister que la seule idée de corps. Or les idées particulières, qui forment l'idée totale d'homme, sont identiques à ses facultés, car « les effets et les phénomènes sont les facultés ou les puissances des corps, par lesquelles nous les distinguons les uns des autres, c'est-à-dire par lesquels nous les concevons comme égaux ou inégaux, semblables ou dissemblables »[3]. Les puissances que Hobbes attribue à la nature humaine sont donc identiques aux idées que quiconque peut en avoir : elles ne sont pas différentes de l'acte par lequel elles se manifestent et se distinguent d'autres puissances. La motricité du corps humain constitue, par exemple, une propriété *(proprietas)* qui distingue ce type de corps des corps inanimés. La liste des facultés du corps humain est une liste ouverte, dont la détermination dépend de la position de l'observateur et de l'intérêt qui guide son observation. On comprend aisément que la connaissance des facultés du corps humain puisse

1. Pour une analyse de ce passage du point de vue de la théorie du discours mental, voir M. Pécharman, « Le discours mental selon Hobbes », *Archives de philosophie*, 55 (1992), p. 563-565.

2. « Car par sensation nous entendons communément un certain jugement que nous portons sur les objets à partir de leur phantasme » (*De Corpore*, XXV, 5, p. 320).

3. *De Corpore*, I, 4, p. 5.

dépendre du progrès des observations anatomiques et du développement des moyens d'investigation[1]. Il n'en va pas autrement en ce qui concerne les facultés de l'esprit : le point de vue adopté pour leur description est, ici comme là, déterminant.

La définition de la nature humaine, quant à elle, est une proposition formée de noms communs. Pour cette raison, elle ne doit pas être confondue avec l'idée totale d'homme, qui, elle, est toujours singulière. De fait, si aux idées partielles qui forment l'idée totale correspondent des dénominations qu'il faut bien convoquer pour décrire la séquence perceptive[2], la série des idées ne constitue pas en elle-même une proposition. À la série des perceptions correspond, par exemple, la proposition suivante, « L'homme est un corps animé rationnel », ou, ce qui revient au même, « L'homme est un animal rationnel ». Cette dernière proposition ne saurait être considérée comme une traduction terme à terme du discours mental en discours verbal, car « les premières vérités », dont fait partie la définition de la nature humaine, « furent énoncées arbitrairement par ceux qui les premiers imposèrent les noms aux choses, ou les reçurent déjà imposés par autrui »[3]. La proposition « l'homme est un animal » n'est donc vraie que « parce qu'il a plu aux hommes d'imposer ces deux noms à une même chose »[4]. Comme elle fait partie « des vérités faites arbitrairement par les locuteurs et les auditeurs, et de ce fait indémontrables »[5], la définition du nom « homme » fait partie des propositions primaires, c'est-à-dire des propositions qui servent de principe aux démonstrations.

Le caractère arbitraire de l'imposition des noms est essentiel pour comprendre que la nature humaine ne puisse prétendre chez Hobbes qu'au statut de définition nominale. Dans la mesure où l'homme fait l'objet d'une conception composée, sa définition équivaut à la résolu-

1. « Étant donné que l'anatomie exacte et détaillée des facultés corporelles n'est aucunement nécessaire au présent dessein, je me contenterai de les récapituler sous ces trois rubriques : puissance nutritive, puissance motrice et puissance générative » (*Elements of Law*, I, I, 6, p. 2).

2. *De Corpore*, I, 3, p. 3.

3. *De Corpore*, III, 8, p. 32.

4. *Ibid.*

5. *De Corpore*, III, 9, p. 33.

tion du nom « homme » en ses parties les plus universelles, à savoir les noms « corps animé », « sentant » et « rationnel ». Ces derniers noms sont présentés par Hobbes comme les parties du nom total « homme ». Des deux sortes de définitions distinguées par Hobbes, à savoir la définition des noms composés et la définition des noms les plus universels, c'est la première qui convient manifestement à l'homme, car la définition du nom « homme » consiste dans l'explication de la signification de ce nom à partir de ses parties les plus universelles qui forment son genre et sa différence spécifique, « tous les premiers noms jusqu'au dernier valant pour le genre, le dernier pour la différence »[1]. En raison de son caractère seulement nominal, qui procède de son identification à la définition du nom commun « homme », la signification du concept de nature humaine se trouve profondément modifiée.

1. *L'invention de l'âme*

Cette modification se traduit principalement par une remise en cause de l'identification, classique dans l'aristotélisme chrétien, de l'idée de nature humaine et de l'idée d'âme immortelle. Une comparaison de la théorie hobbesienne avec la théorie aristotélicienne de la définition permet d'apprécier la spécificité de la modification introduite par Hobbes. Aristote propose une classification des définitions en trois catégories : la première catégorie, qui a pour fonction d'expliquer ce que signifie le nom[2], se distingue par son caractère purement nominal des deux autres catégories, dont l'une a pour fonction de définir les choses qui ont une cause, et l'autre de définir les choses qui n'ont pas de cause[3]. Hobbes reprend à son compte cette division, tout en annu-

1. *De Corpore*, VI, 14, p. 73.

2. « Puisque la définition est regardée comme le discours qui explique ce qu'est une chose, il est clair que l'une de ses espèces sera un discours expliquant ce que signifie le nom, autrement dit un discours purement nominal différent de celui qui explique l'essence : ce sera, par exemple, ce que signifie le terme triangle, ce qu'est une figure en tant que nommée triangle » (Aristote, *Seconds Analytiques*, II, 10, 93 *b* 30, trad. fr. J. Tricot, Paris, Vrin, 1987).

3. Le second type de définition selon Aristote est toutefois proche par sa définition de la définition génétique selon Hobbes, puisqu'il s'agit dans les deux cas de définitions qui donnent la cause de la chose définie.

lant la différence aristotélicienne entre le caractère nominal de la première catégorie et le caractère réel des deux dernières catégories. Alors qu'Aristote souligne très fortement l'insuffisance de la définition nominale[1] et la nécessité de penser une définition réelle, Hobbes réduit les définitions réelles d'Aristote au rang de définitions nominales. Les définitions ne portent plus alors sur l'essence, mais sur le nom des choses[2].

Cette dernière thèse ne se comprend toutefois que si l'on tient compte de la transformation subie par la théorie de l'essence. Hobbes interprétant la notion d'essence à partir de sa théorie des noms abstraits[3], le terme particulier « essentia » provient selon lui de la déformation de la dénomination « ens » : « [...] la dénomination "ens" est dite *concrète*, celle d'"essentia" *abstraite*. »[4] L'essence d'une chose étant identique à ses accidents et l'accident se définissant comme une façon de concevoir la chose, l'essence est identique à ce qui permet de concevoir la chose, c'est-à-dire aux représentations et aux dénominations qui se rapportent à cette chose comme à leur cause. La saisie de l'essence, en tant qu'elle repose essentiellement sur le procédé logique de l'abstraction, permet de séparer un aspect de la chose de ses autres aspects[5]. L'essence d'une chose désigne toutefois une façon de concevoir cette chose en son entier, et non pas seulement l'une de ses parties.

1. « Puis donc que définir c'est montrer soit ce qu'est la chose, soit ce que signifie son nom, nous pouvons en conclure que la définition, si elle ne prouve absolument pas ce qu'est la chose, ne sera qu'un discours ayant la même signification que le nom. Mais c'est là une absurdité. D'abord, en effet, il y aurait définition et de ce qui n'est pas substance et de ce qui n'existe pas du tout, puisqu'on peut exprimer par un nom, même des choses qui n'existent pas. En outre, tous les discours seraient de définitions, puisqu'on pourrait toujours imposer un nom à un discours quelconque, de sorte que tout ce que nous dirions ne serait que définition et que l'*Iliade* même serait une définition » (*Seconds Analytiques*, II, 7, 92 *b* 25-35, *op. cit.*).

2. « Ces principes ne sont autres que des définitions, dont il y a deux sortes, les unes sont les définitions des noms, qui signifient des choses dont on peut connaître la cause, les autres celles qui signifient des choses dont on ne peut pas connaître la cause » (*De Corpore*, VI, 13, p. 71).

3. *De Corpore*, III, 4, p. 29-31.

4. *Lév.*, *Ap I*, p. 743.

5. « Cette abstraction des mots (qui n'est qu'une considération du phantasme ou de la dénomination, séparée de toutes les autres considérations et dénominations touchant le même objet concret) est presque indispensable à la théorie des causes » (*Lév.*, *Ap I*, p. 744-745). Le mot « presque » est ajouté ici pour rappeler qu'il existe aussi une connaissance non verbale des causes.

L'erreur d'Aristote et de ses héritiers scolastiques est, aux yeux de Hobbes, d'avoir voulu conférer à l'essence une réalité séparée, alors même qu'elle n'est qu'une modalité de la conception de la chose. Ce reproche concerne très directement la détermination de la nature humaine, car cette dernière est identique à l'essence de l'homme : « Aristote, qui n'avait pas tant égard aux choses qu'aux mots, se rendant compte, par exemple, des choses qui étaient comprises sous les deux dénominations d'*homme* et d'*animal*, ne se contenta pas de cela, et en homme diligent rechercha encore quelle chose il fallait concevoir dans la copule *est*, ou du moins dans l'infinitif *être* ; et il ne douta pas que cette dénomination *être* ne fût la dénomination d'une certaine *chose* : comme s'il existait dans la nature quelque chose dont la dénomination fût *être* ou *essence*. »[1] Dérivée de la copule « est », dans la proposition « l'homme est un animal », la notion d'essence humaine vient intercaler entre l'homme et l'animal une réalité intermédiaire. Pareille réification de l'être repose sur une mécompréhension du sens de la définition. Au lieu de signifier la seule chose singulière à l'aide des idées qui en procèdent, la définition en vient à signifier une réalité séparée de la chose ; au lieu de poser la différence entre l'étant *(ens)* et l'être *(esse)* comme la différence entre la chose qui est et la chose conçue, elle la pose comme la différence entre deux catégories d'étants, les choses singulières et les essences. Cette erreur logique induit une détermination erronée de la nature humaine.

Nommant « essence » la définition, les philosophes aristotéliciens en viennent à nommer la définition de l'homme – animal raisonnable –, essence de l'homme. À titre de convention linguistique, et si elle ne s'accompagnait d'une compréhension erronée de la notion d'essence, cette habitude ne serait guère gênante. Mais en tant qu'on la considère comme une réalité à part entière, l'essence de l'homme constitue le doublet ontologique des hommes singuliers, les parties de la définition cessant d'être des dénominations pour devenir les parties réelles d'une essence réelle. La confusion est alors complète « entre la définition de l'homme (laquelle est le discours qui a pour parties les

1. *Lév.*, XLVI, 17, p. 698.

dénominations "animal" et "raisonnable") et l'homme lui-même (dont les parties sont la tête, le thorax, les jambes et les autres membres) »[1]. L'idée que la nature humaine soit une troisième entité, distincte à la fois de la définition nominale du mot « homme » et des hommes singuliers, procède selon Hobbes d'une erreur de logique si grossière que ceux qui avaient intérêt à la soutenir se devaient en même temps de la dissimuler : « Mais comme il est difficile d'appeler essence l'animal raisonnable *in concreto*, quelques-uns, désirant adoucir cette façon de parler, dirent que l'essence de l'homme n'est pas l'animal raisonnable, mais l'âme raisonnable, et que celle-ci est une substance existant à part du corps humain. Et ainsi, ils font l'essence partie intégrante, et du même coup essentielle, de l'homme lui-même. »[2] La thèse d'une âme séparée, identique à la nature humaine, trouve là son origine. Plutôt que de reconnaître l'illusion d'où procède une telle idée, certains philosophes ont préféré identifier essence et âme humaine. Pour polémique qu'elle soit, cette interprétation renvoie à une difficulté réelle de la pensée d'Aristote : alors que la notion de πρώτν οὐσία, qui sera traduite en latin par le mot « essentia », désigne dans les *Catégories* l'individu, et non pas l'essence, elle en vient à désigner dans la *Métaphysique* le principe formel, c'est-à-dire l'essence individuelle[3]. Devenue principe formel du corps[4], l'âme peut être identifiée avec l'essence même de l'homme. Séparée de son sujet d'inhérence qu'est le corps, elle se retrouve placée au cœur de toute réflexion sur la nature humaine[5]. En raison du statut

1. *Lév.*, *Ap I*, p. 745.
2. *Ibid.*
3. Pour une étude plus complète de la position d'Aristote sur ce point, voir A. Urbanas, *La notion d'accident chez Aristote*, Paris, Les Belles Lettres, 1988, p. 194-203.
4. « [...] la substance se ramène à deux acceptions : c'est le sujet ultime, celui qui n'est plus affirmé d'aucun autre, et c'est encore ce qui, étant l'individu pris dans son essence, est aussi séparable, c'est-à-dire la configuration ou la forme de chaque être » (*Métaphysique*, E, 8, 1017 *b* 23-26, *op. cit.*).
5. Cette approche est particulièrement bien illustrée par saint Thomas, qui donne ainsi à la question des rapports de l'âme et du corps sa signification classique. Cette dernière question n'a en effet de sens que parce que l'âme est supposée séparable du corps, supposition qui n'a elle-même de sens que si l'on suppose une identité de l'âme et de l'essence de l'homme. Voir Thomas d'Aquin, *Somme théologique*, 1 *a*, qu. 75, art. 2.

ontologique éminent qu'elle réserve à la notion d'âme, cette conception de la nature humaine fournit les prémisses d'une théorie substantialiste de l'âme humaine.

2. *L'homme dans le monde animal*

Le sens profond de la critique hobbesienne de la théorie aristotélicienne de l'âme est de fait un sens théologique. À une théologie qui caractérise l'âme humaine par sa position éminente dans l'ordre des essences, Hobbes oppose une détermination théologique de l'homme par la puissance. De cette détermination, le mythe platonicien du *Protagoras* fournit assurément l'une des sources conceptuelles. Hobbes substitue en effet au dieu Épiméthée, qui a oublié de pourvoir aux besoins des hommes[1], le Dieu chrétien de la toute-puissance qui a doté les hommes d'une puissance infiniment inférieure à la sienne. En réfutant la lecture aristotélicienne[2] que Bramhall fait du mythe du *Protagoras*, Hobbes intègre à la théologie chrétienne de la toute-puissance des éléments du mythe platonicien. Cette intégration se traduit en particulier par une remise en cause radicale de la lecture thomiste, reprise par Bramhall, de la situation de l'homme à l'intérieur du règne animal.

1. « Il [Prométhée] voit les autres animaux convenablement pourvus sous tous les rapports, tandis que l'homme est tout nu, pas chaussé, dénué de couvertures, désarmé » (Platon, *Protagoras*, 321 *c*, trad. fr. A. Croiset et L. Bodin, Paris, Les Belles Lettres, 1921).

2. Aristote, *Les parties des animaux*, IV, 10, 686 *b* 21-687 *b* 27, trad. fr. P. Louis, Paris, Les Belles Lettres, 1956. Dans la philosophie d'Aristote, et plus encore chez Thomas d'Aquin, l'expérience première est l'expérience de la positivité de la nature, celle du bon ordonnancement du monde par Dieu, et de sa prévoyance infinie à l'égard de l'homme. Le manque, sous la forme de la douleur, n'apparaît chez Thomas d'Aquin qu'en un second moment : le péché originel sanctionne un mauvais usage de l'intelligence humaine sans remettre en cause la dignité ontologique que lui a conférée la providence. À l'inverse, la providence de Protagoras est, si l'on peut ainsi parler, une providence imprévoyante, puisque Épiméthée, le dieu chargé de distribuer les qualités aux animaux, a oublié l'homme dans sa distribution. Si le vol par lequel Prométhée entend pallier cet oubli divin constitue en quelque sorte une providence de substitution, celle-ci ne saurait faire oublier le défaut initial de la providence divine. Loin d'effacer l'expérience faite par l'homme de la déficience de sa nature, les dons de Prométhée et de Hermès ne cessent, de par leur caractère supplétif, de la rappeler. Dans le récit du *Protagoras*, comme dans la théologie de Hobbes, l'expérience du défaut de la nature humaine est première ; la distribution qui pallie par l'artifice de la technique et de la politique l'insuffisance de cette nature est seconde.

Comme dans le mythe du *Protagoras*, la faiblesse de l'homme par rapport à Dieu se traduit chez Hobbes par une faiblesse relative de l'homme à l'intérieur du monde animal.

Afin de comprendre l'originalité de cette position, il convient tout d'abord de rappeler les caractéristiques de la thèse d'origine thomiste à laquelle elle s'oppose. La détermination thomiste de la nature humaine relève d'une conception finaliste qui assigne par avance à l'homme sa place dans la nature. Ainsi Thomas d'Aquin rend-il compte de la supériorité de l'homme sur les autres animaux à l'aide des critères téléologiques qui furent mis en œuvre par Aristote dans un texte célèbre des *Parties des animaux*[1]. Ces critères sont, d'une part, l'adéquation de la structure du corps humain à l'intelligence humaine et, d'autre part, la hiérarchie des êtres dans la nature. Concernant le premier point, saint Thomas précise ainsi le lien posé par Aristote entre la dignité de l'âme raisonnable et l'ordre final de la nature : « Je dis donc que Dieu a établi le corps humain dans la disposition optima que demandaient une telle forme et de telles opérations [de l'âme raisonnable]. Et s'il paraît y avoir quelque défaut *(defectus)* dans la disposition du corps humain, il faut considérer que ce défaut découle des nécessités de la matière dans les propriétés qui sont requises en lui pour qu'il soit exactement ajusté à l'âme et à ses opérations. »[2] Les défauts apparents du corps humain, le fait par exemple qu'il n'ait ni griffes, ni plumes, sont interprétés comme autant d'indices d'une volonté du meilleur. Loin de constituer comme dans le mythe du *Protagoras* une infériorité, l'absence de cornes et de griffes, de poils et de plumes s'explique ici par la volonté divine de ne pas attribuer à l'homme de dispositions qui pourraient déséquilibrer sa constitution, comme ce serait le cas par exemple si l'élément terrestre prédominait en lui[3] ; loin d'être de véritables manques, ces défauts traduisent plutôt la convenance des dispositions du corps humain et de

1. Aristote, *Les parties des animaux*, IV, 10, 686 *b* 21-687 *b* 27, *op. cit.*

2. Thomas d'Aquin, *Somme théologique*, 1 *a*, qu. 91, art. 3, *op. cit.*, p. 49-50.

3. « Les cornes et les griffes qui sont les armes de certains animaux, l'épaisseur de la peau, la multitude des poils ou des plumes qui sont leur revêtement attestent l'abondance en eux de l'élément terrestre ; or une telle abondance répugne à l'égalité et à la délicatesse de la complexion humaine et c'est pourquoi ces choses ne convenaient pas pour l'homme » (*Somme théologique*, 1 *a*, qu. 91, art. 3, *op. cit.*, p. 52).

l'âme raisonnable. Par nature, l'homme ne manque donc de rien, puisque Dieu a pourvu son corps de tout ce que requiert l'exercice de sa raison. Le rôle éminent de la main s'explique ainsi, non par un quelconque défaut qu'il s'agirait de pallier, mais par l'universalité de la raison qu'elle est le mieux à même de servir[1]. L'argument aristotélicien selon lequel « ce n'est pas parce qu'il a des mains que l'homme est le plus intelligent des êtres, mais c'est parce qu'il est le plus intelligent qu'il a des mains »[2] s'inscrit parfaitement dans cette perspective thomiste d'un ordre des fins voulu par le Dieu de la Création. Dans cette même perspective, la domination des hommes sur les animaux s'explique par la hiérarchie ontologique qui régit l'ordre de la nature : « [...] de même, en effet, que dans la genèse des choses on saisit un certain ordre selon lequel on passe de l'imparfait au parfait, car la matière est pour la forme et la forme plus imparfaite pour celle qui est plus parfaite, de même en est-il aussi de l'usage qui est fait des choses de la nature, car les êtres plus imparfaits sont mis à la disposition des plus parfaits ; les plantes en effet se servent de la terre pour leur nourriture, les animaux des plantes, et les hommes des plantes et des animaux. Ainsi est-ce par nature que l'homme exerce une domination sur les animaux. »[3] La place de l'homme dans la nature tient à l'ordre final, qui lui subordonne les autres animaux. Bien qu'il ait rendu possible la rébellion de quelques animaux en réponse à la rébellion de l'homme face à Dieu[4], le péché n'a pas remis en cause le principe même de cet ordre.

Hobbes s'oppose radicalement à cette conception des rapports de l'espèce humaine avec les autres espèces : la supériorité de l'homme sur les animaux ne dépend pas de l'éminence ontologique de son espèce, mais de sa capacité pratique à pallier la faiblesse naturelle qui est la

1. « Mais à leur place [des cornes, plumes, etc.] l'homme possède la raison et ses mains, grâce auxquelles il peut se procurer armes, vêtements et autres choses nécessaires à la vie, et cela selon des modalités infinies. Aussi la main est-elle appelée, au livre III du *De Anima*, l' « instrument des instruments ». Cela convenait mieux aussi à une nature douée de raison, infiniment capable de se procurer des instruments en nombre infini » (*Somme théologique*, 1 *a*, qu. 91, art. 3, *op. cit.*, p. 52).

2. Aristote, *Les parties des animaux*, IV, 10, 687 *a* 16, *op. cit.*

3. *Somme théologique*, 1 *a*, q. 96, art. 1, *op. cit.*, p. 189-190.

4. *Ibid.*.

sienne. Contrairement à la conception essentialiste de la nature humaine, qui est toujours associée à une stricte hiérarchie des êtres, la conception de la nature humaine selon Hobbes ne repose sur aucune hiérarchie ontologique entre les êtres. Nul hasard, par conséquent, si le philosophe oppose au crypto-thomisme de l'évêque Bramhall l'affirmation de Pline selon laquelle « il n'est pas d'animal plus misérable et plus orgueilleux que l'homme »[1]. Les hommes sont ce qu'ils peuvent faire, misérables et condamnés à disparaître s'ils font un mauvais emploi de leur raison, supérieurs aux autres espèces s'il en font un bon usage : « De sorte que ce n'est pas uniquement la nature de l'homme qui le rend plus digne que les autres créatures vivantes, mais la connaissance qu'il acquiert par la méditation, et par le droit usage de sa raison, dans l'art de faire de bonnes règles pour ses futures actions. »[2] À la détermination essentialiste de la raison comme intellect agent susceptible d'une vision des essences, Hobbes répond par une instrumentalisation de la raison comprise comme faculté des règles[3]. Alors que les essences à connaître se caractérisent par leur préexistence, les règles font l'objet d'une invention ; elles relèvent de l'artifice et non pas de la nature. Comme Protagoras, Hobbes constate l'insuffisance de la puissance naturelle des hommes : « Il y a des bêtes qui voient mieux, d'autres qui entendent mieux, et d'autres qui dépassent l'humanité par d'autres sens. »[4] Il ne cherche pas à dissimuler ces défauts en arguant d'un ordre du meilleur, mais s'appuie sur eux pour montrer que la supériorité de l'homme sur les autres animaux est acquise et non pas donnée. En justifiant la prédominance de l'homme par une supériorité dans l'ordre des perfections, les tenants de l'aristotélico-thomisme ne rendent pas compte du paradoxe qu'il y a à ce que l'être qui est par nature le plus démuni soit le seigneur et maître de la Création. De fait, assurer l'homme de son statut ontologique en lui attribuant une place dans la

1. *Questions*, XIV, p. 201. Voir Pline l'Ancien, *Histoire naturelle*, II, V, trad. fr. J. Beaujeu, Paris, Les Belles Lettres, 1950, p. 15.

2. *Questions*, XIV, p. 202.

3. Sur la raison comme faculté des règles, et sur la norme de parole qui la sous-tend, voir, plus haut, notre chapitre II, p. 54-68.

4. *Questions*, XIV, p. 202.

hiérarchie des êtres tend à masquer la faiblesse de sa nature. Loin de présupposer cette place, Hobbes laisse ouverte la question de la différence entre les hommes et les animaux, se contentant, ce qui est déjà beaucoup, de poser en guise de prémisse la faiblesse de l'homme par rapport à Dieu.

Bramhall n'ignore certes pas la faiblesse qui est celle de l'homme dans la nature. Mais il n'accorde pas à cette faiblesse la même signification que Hobbes : alors que Bramhall, à la suite de saint Thomas, fait de la faiblesse une conséquence du péché, Hobbes, fidèle au mythe du *Protagoras*, considère que l'expérience du manque confère aux hommes un supplément d'intelligence. Présente dans les deux perspectives, l'expérience de la faiblesse humaine ne prend pas ici et là une même signification : dans un cas, elle borne l'intellect et fait peser sur l'activité de l'intelligence la menace d'un dévoiement du cours de la nature ; dans l'autre, elle ouvre la possibilité d'un usage artificialiste de l'intelligence humaine[1]. Pour Hobbes, la domination des hommes sur les animaux ne procède pas d'une supériorité ontologique de la nature humaine, mais d'une puissance acquise qui vient suppléer la faiblesse naturelle de l'homme. Au lieu de reconduire comme le fait Bramhall le schéma finaliste qui organise la pensée d'Aristote, Hobbes s'en éloigne donc fortement, dans la mesure où il fait de la raison une puissance acquise et où il établit le caractère subordonné de l'instrument naturel qu'est la main. Pour lui, la supériorité que confère à l'homme la raison ne réside pas dans son caractère ontologique, mais dans les effets pratiques produits par un usage réglé du discours. La faculté de parler, qui sous-tend l'usage de la raison, joue le rôle d'un principe de régulation

1. On pourrait ajouter à ce schéma la position augustinienne et sa postérité dans le calvinisme, la corruption radicale de la nature humaine ne laissant aux hommes d'autre solution qu'une confiance absolue dans la grâce divine. Aux dons de Prométhée et d'Hermès, il faudrait substituer la grâce du Dieu tout-puissant : il n'y aurait plus alors de salut que dans une obéissance entière à la parole révélée de Dieu. Cette conception calviniste, par le camouflet qu'elle inflige à l'optimisme thomiste, prépare sans doute la pensée de Hobbes. Cependant, il est plus facile de montrer en quoi Hobbes se range dans le domaine ecclésiologique du côté des positions calvinistes de l'Église jacobite que de montrer en quoi son anthropologie relève du calvinisme *stricto sensu*. En revanche, on peut montrer qu'il s'en écarte par son rejet de la théorie du péché originel, la faiblesse de l'homme face à la toute-puissance divine n'équivalant pas à la corruption de sa nature.

de la pensée et de l'action, car les mots permettent aux hommes d'enregistrer « leurs pensées, afin qu'elles ne périssent pas, mais soient conservées, et par la suite réunies à d'autres pensées pour produire des règles générales pour la direction de leurs actions »[1]. Une dénomination, comme nous l'avons montré plus haut au chapitre II, constitue déjà en elle-même une règle pour la pensée, puisqu'il faut en respecter l'univocité si l'on veut être compris et se comprendre soi-même ; mais l'association de plusieurs dénominations en un unique discours permet en outre de fixer des règles de l'action individuelle et collective. À la différence des autres animaux, qui ne savent orienter leur action qu'en fonction de l'expérience, l'homme est capable d'agir d'après des règles générales. De là procède sa supériorité dans le monde animal : « L'homme ne surpasse les bêtes que parce qu'il se donne à lui-même des règles, c'est-à-dire, parce qu'il se souvient et qu'il raisonne correctement sur ce dont il se souvient. »[2] Parce qu'ils permettent de réduire les conséquences découvertes « en des règles générales nommées "théorèmes" ou "aphorismes" »[3], les mots confèrent aux hommes une réelle supériorité sur les autres animaux. Comparée à cette faculté d'invention des règles qu'est la raison humaine, la main n'apparaît plus dès lors d'une telle importance : « [...] cette supériorité n'est pas source d'un si grand honneur qu'un homme ne puisse en parler négligemment sans commettre de faute »[4]. La détermination de l'intelligence comme faculté des règles fait perdre toute pertinence au rapport de finalité qu'établissait Aristote entre le fait de disposer de mains et la possession d'une âme raisonnable ; tout au plus Hobbes remarque-t-il que la supériorité qui procède du fait d'avoir des mains est bien moindre que celle qui procède de la capacité d'inventer des règles.

Contrairement à la thèse thomiste reprise par Bramhall qui fonde la domination des hommes sur les animaux sur la supériorité d'essence de l'âme humaine, Hobbes soutient que, pas plus que la domination sur les animaux n'est le fait de la perfection ontologique de l'homme, le péché

1. *Questions*, XIV, p. 202.
2. *Ibid.*
3. *Lév.*, V, 6, p. 40.
4. *Questions*, XIV, p. 202.

n'est responsable des cas où cette domination est battue en brèche[1]. La conception essentialiste du monde animal conduit selon lui à des absurdités patentes. La première de ces absurdités est de supposer, comme le fait Bramhall, que les animaux sauvages puissent être tenus par nature à une quelconque obligation envers l'homme[2]. Cela ne peut être le cas, car les hommes ne sont pas avec les animaux dans un rapport politique de domination, mais dans un rapport de guerre *(hostility)*[3]. La victoire sur les animaux sauvages ne procède pas par conséquent d'une obligation contractuelle, mais d'une supériorité de puissance, car « bien qu'un lion ou un ours soit plus fort qu'un homme, cependant la force, l'art, et particulièrement les ligues et les sociétés des hommes sont une puissance plus grande que la force non dirigée de bêtes non disciplinées *(the ungoverned strength of unruly beasts)* »[4]. Il en résulte encore, et pour la même raison que, « lorsqu'un lion affamé rencontre un homme désarmé dans un désert, le lion a la domination sur l'homme, si tant est que la domination de l'homme sur les lions, ou sur les moutons et les bœufs puisse être appelée domination, ce qui n'est pas possible à proprement parler »[5]. Ainsi, avant d'être un loup pour l'homme, l'homme est-il d'abord un loup pour tous les animaux qui l'entourent, l'état dans lequel il vit avec les autres espèces animales constituant un état de guerre de tous contre tous. Par ailleurs, les animaux domestiques ne jouissent en cet état d'aucun privilège par rapport aux animaux sauvages, car les hommes ne les protègent que pour mieux les faire travailler, plus facilement les tuer et s'en nourrir. La puissance de l'homme

1. Bramhall déclare en effet : « Avant que le péché n'entrât dans le monde, ou avant qu'aucune créature ne fît souffrir ou ne fût nuisible à l'homme, il les dominait, comme leur Seigneur et Maître. Et bien que la possession de cette souveraineté ait été en partie perdue, à cause du péché de l'homme, qui fit non seulement se rebeller les créatures, mais aussi les facultés inférieures contre les supérieures – d'où vient qu'un homme puisse faire du mal à un autre homme –, la domination n'en demeure pas moins » (*Questions*, XIV, p. 186).

2. « Je voudrais demander à l'évêque en quoi consiste la domination d'un homme sur un lion ou un ours. Est-ce en une obligation de promesse ou de dette ? Cela ne peut être, car ils n'ont aucun sens de la dette ou du devoir. Et je pense qu'il ne dira pas qu'ils ont reçu l'ordre de lui obéir d'une autorité quelconque » (*Questions*, XIV, p. 202).

3. *Ibid.*

4. *Ibid.*

5. *Questions*, XIV, p. 202-203.

dans la nature ne tient donc pas à sa force naturelle, mais à la puissance qu'il acquiert du fait de sa capacité à agir en groupe sous la direction de règles. La puissance artificielle de l'homme procède ainsi davantage de sa capacité à fabriquer des machines sociales que de l'invention des machines technologiques. Sur ce point encore, Hobbes s'éloigne de ce qui est dit dans les *Parties des animaux* : Aristote, en effet, s'il évoque bien la nécessité de se défendre qui incombe aux hommes du fait de leur existence animale, tend à réduire leur supériorité à l'organisation naturelle de la main. La main ayant été prévue pour servir aussi bien d'arme que d'outil, la supériorité des hommes tient à la constitution naturelle de leurs doigts et, plus précisément, à l'autonomie de leur pouce[1]. Prolongeant l'organisation naturelle du corps, les outils instaurent moins une rupture avec l'ordre final de la nature qu'ils ne le prolongent. En considérant comme secondaire l'avantage que confère aux hommes l'agilité de leurs mains, Hobbes signifie donc très clairement sa volonté de rompre avec une conception finaliste de l'appartenance de l'homme à la nature. Si l'homme l'emporte la plupart du temps sur les animaux, c'est parce qu'il possède la faculté de créer les conditions artificielles du dépassement de sa condition naturelle. Or, cette faculté de dépasser l'ordre de la nature dépend elle-même d'une conception spécifique de la nature humaine comme moindre puissance, conception qui se donne à connaître de manière elle aussi spécifique à travers la méthode réflexive de l'anthropologie.

II. LES MÉTHODES DE L'ANTHROPOLOGIE

1. *Anthropologie et mécanisme*

L'anthropologie de Hobbes met en œuvre, en premier lieu, une méthode qui s'inspire de la méthode des sciences modernes de la nature. Les causes naturelles de la sensation et de la passion font ainsi

1. « Car la main devient griffe, serre, corne, ou lance ou épée ou toute autre arme ou outil. Elle peut être tout cela, parce qu'elle est capable de tout saisir et de tout tenir » (*Les parties des animaux*, IV, 10, 687 *b* 2, *op. cit.*).

l'objet d'exposés nombreux dans les différents traités consacrés à la nature humaine. Pensées comme des effets, la sensation et la passion sont analysées à partir des causes naturelles qui les produisent selon un schéma d'explication mécaniste restituant au plus près les composantes de leur effectuation[1]. La caractéristique principale de ce type d'explication est de ramener la diversité apparente des facultés humaines à des compositions variées de mouvement en fonction de l'axiome selon lequel « le mouvement ne produit que le mouvement »[2]. De ce point de vue, les facultés se trouvent réduites à n'être que les propriétés d'un corps en mouvement – le corps humain – dans un univers de corps en mouvement. Cette méthode donne lieu à la formation d'un programme encyclopédique, qui va de la *philosophia prima* à la *philosophia moralis*[3]. Dans ce programme, la géométrie a pour objet d'étude les mouvements simples, la mécanique la composition des mouvements, et la physique les mouvements internes aux corps. La connaissance des passions, qui vient après la physique, suppose connue la cause naturelle de la sensation et de l'imagination. Elle forme, ainsi que l'indique l'emploi de l'expression « mouvement de l'âme » *(motus animorum)*[4] pour désigner les passions, une sorte de physique de l'âme humaine.

Ce programme d'une anthropologie physique connaît des commencements de réalisation. Lorsque Hobbes s'emploie à expliquer les causes naturelles des passions que l'on dit primaires, il montre que le mouvement qui produit les représentations agit également sur le cœur : « S'il le stimule, on l'appelle aise, ou contentement, ou plaisir, et ce

1. *Lév.*, I, 4, p. 11-12.
2. *Ibid.*
3. « Après la physique il faut en venir à la morale, dans laquelle nous devons considérer les mouvements de l'âme, à savoir, *l'appétit, l'aversion, l'amour, la bienveillance, l'espoir, la crainte, la colère, l'émulation, l'envie*, etc., quelles sont leurs causes et de quelles choses elles sont les causes. La raison pour laquelle elles doivent être considérées après la physique est qu'elles ont leurs causes dans les sens et l'imagination, qui sont objets de la contemplation physique. En outre, la raison pour laquelle ces choses doivent être étudiées dans l'ordre que je viens de dire est que la physique ne peut être comprise si l'on ne connaît pas d'abord les mouvements des plus petites parties des corps, et ces mouvements des parties ne peuvent être compris si l'on ne sait pas ce qui fait se mouvoir un corps, et ceci si l'on ne sait pas ce qu'un mouvement simple produit comme effet » (*De Corpore*, VI, 6, p. 64-65).
4. *Ibid.*

n'est rien en réalité que du mouvement dans la région du cœur, de même que la conception n'est rien que du mouvement dedans la tête. »[1] Les passions primaires (plaisir/peine ; désir ; amour/haine) peuvent ainsi se comprendre à partir d'une physiologie mécaniste. Cette méthode ne permet pas, toutefois, de réaliser l'intégralité du programme annoncé par Hobbes, car elle ne permet pas de connaître les parties les plus petites des corps. Si la méthode naturaliste était la seule méthode capable de nous faire accéder à la connaissance de la nature humaine, les restrictions apportées à sa mise en œuvre devraient en toute rigueur interdire la connaissance des passions les plus complexes. Comme Hobbes propose une description de ces passions, il faut donc supposer qu'il dispose d'une autre méthode lui permettant de les connaître.

2. *Anthropologie et réflexion*

Il est possible, de fait, de connaître les passions des hommes indépendamment de la science naturelle : « [...] ceux qui n'ont pas appris la première partie de la philosophie, à savoir la géométrie et la physique, peuvent néanmoins parvenir aux principes de la philosophie civile par la méthode analytique. »[2] Bien qu'elle y conduise, cette méthode, destinée plus particulièrement à ceux qui ne sont ni géomètres ni physiciens, n'est pas encore la méthode de l'anthropologie. La méthode analytique permet en effet de répondre à la question de savoir si une action est juste ou injuste, grâce à un raisonnement régressif qui dépend en dernier ressort d'un savoir anthropologique différent du savoir naturaliste. À partir d'une définition de l'injustice comme fait contraire à la loi et d'une définition de la loi comme commandement de celui qui dispose du pouvoir de coercition, le philosophe montre que les conditions de ce dernier pouvoir résident dans la volonté des hommes qui l'instituent afin de vivre en paix. Or, l'institution de ce pouvoir coercitif est requise par la nature même des appétits et des passions des

1. *Elements of Law*, I, VII, 1, p. 28.
2. *De Corpore*, VI, 7, p. 65.

hommes[1]. Il faut donc que chacun puisse s'assurer par soi-même de la justesse de la description des passions qui sous-tend le raisonnement politique. Que les passions humaines engendrent la guerre à l'intérieur de l'état de nature doit donc pouvoir être connu « par l'expérience de chacun examinant son propre esprit »[2]. Cette connaissance de soi-même constitue à proprement parler la seconde méthode de l'anthropologie.

Cette méthode est introduite dans le *Léviathan* à partir d'un commentaire du « connais-toi toi-même » des Anciens. Cette formule, qui se prête à de nombreux contresens[3], a pour but « de nous enseigner qu'à cause de la similitude qui existe entre les pensées et les passions d'un homme et les pensées et les passions d'un autre homme, quiconque regardant en soi-même observe ce qu'il fait et pour quels motifs, lorsqu'il *pense, opine, raisonne, espère, craint*, etc., lira et connaîtra par là même les pensées et les passions de tous les autres hommes en des occasions semblables »[4]. Hobbes s'inscrit moins en l'occurrence dans la postérité de l'humanisme ou de sa critique[5] qu'il ne s'en éloigne, car son appel à la connaissance de soi ne vise pas à promouvoir la dignité de l'homme, mais à montrer qu'il est possible de connaître la nature humaine sans connaître la structure fine du corps humain. En interprétant le « nosce te ipsum » à partir de l'adage qui proclame qu'il vaut mieux lire les hommes que les livres, Hobbes souligne en outre

1. *De Corpore*, VI, 7, p. 66.

2. « [...] cognoscuntur enim causae motuum animorum non modo ratiocinatione, sed etiam uniuscujusque suos ipsius motus proprios observantis experientia » (*De Corpore*, VI, 7, p. 65).

3. « L'intention de cette formule n'était pas d'approuver, selon l'usage qui en est fait maintenant, la morgue inhumaine des puissants vis-à-vis de leurs inférieurs ; ou d'encourager les hommes de basse condition à se montrer insolents envers leurs supérieurs » (*Lév.*, Introduction, 7, p. 6).

4. *Lév.*, Introduction, 7, p. 6.

5. Pour une réinterprétation anti-humaniste du « connais-toi toi-même », voir Calvin, *Institution de la religion chrestienne*, chap. II, Jacques Pannier (éd.), Paris, Les Belles Lettres, 1961[2], vol. 1, p. 81 : « Ce n'est pas sans cause que par le proverbe ancien a tousjours esté tant recommandée à l'homme la congnoissance de soymesme. [...]. Mais d'autant que ce commandement est plus utile, d'autant nous fault-il plus diligemment garder de l'entendre mal. Ce que nous voyons estre advenu à d'aucuns philosophes. Car quand ilz admonestent l'homme de se cognoistre, ilz l'ameinent quant et quant à ce but, de considérer sa dignité et excellence, et ne luy font rien contempler, sinon dont il se puisse eslever en vaine confiance, et s'enfler en orgueil. »

l'importance du paradigme de la lecture. La première utilisation de ce paradigme, dans les *Elements of Law*, permet de mieux saisir la signification du commentaire qui en est fait dans le *Léviathan*. Confronté aux erreurs de la sensation et aux équivoques des dénominations, le philosophe ne pourrait parvenir à la vérité « sans recommencer à neuf à partir du tout premier fondement de toutes nos connaissances, la sensation, et procéder à une relecture méthodique, non pas de livres, mais de nos propres conceptions »[1]. La métaphore de la lecture montre que Hobbes ne propose pas ici un modèle de connaissance introspective de l'âme humaine[2], car la connaissance de soi repose avant tout sur la compréhension du sens des mots. Il ne propose pas de percevoir les facultés comme on percevrait des sensations, mais de lire les conceptions présentes dans l'âme humaine à l'aide des notions qui les désignent dans le langage ordinaire. C'est en ce sens qu'il ajoute qu'il faut prendre « le *nosce te ipsum* pour un précepte qui mérite la réputation dont il jouit »[3]. L'usage qu'il fait de ce précepte antique est cependant un usage incontestablement moderne, puisqu'il s'en sert pour introduire une théorie de la réflexion. La connaissance de soi ne réside pas, en effet, dans un redoublement de la sensation ou de la pensée, car il serait absurde de critiquer la réflexivité cartésienne au nom de l'impossibilité de ce redoublement pour le reprendre plus tard à son compte[4]. La pensée de la pensée n'est autre que le souvenir de la pensée, non pas

1. *Elements of Law*, I, V, 14, p. 23-24. Le paradigme de la lecture de soi est évoqué également dans *Les questions concernant la liberté, la nécessité et le hasard* (XXXVIII, p. 408).

2. L'emploi d'expressions comme « regarder en soi-même », « considérer », peut certes prêter à confusion. F. Tricaud s'en prévaut pour défendre la thèse de la connaissance introspective : « Bref, il est chez Hobbes peu de doctrines aussi clairement et constamment affirmées que cette possibilité d'une intuition introspective de l'essence de l'humanité » (« Civil philosophy is demonstrable... », *in* D. Bostrenghi (éd.), *Hobbes e Spinoza, Scienza e Politica*, Naples, Bibliopolis, 1992, p. 293). Mais, ainsi qu'il le souligne lui-même dans son article, une telle référence à l'essence de la nature humaine « laisse perplexe quant à la portée des déclarations nominalistes qu'on rencontre fréquemment chez Hobbes » (*ibid.*, p. 291-292). Considérer la connaissance de soi à partir de la question du langage évite cet embarras.

3. *Elements of Law*, I, V, 14, p. 24.

4. « Or ce n'est pas par une autre pensée qu'on infère que je pense ; car, encore que quelqu'un puisse penser qu'il a pensé (laquelle pensée n'est rien d'autre qu'un souvenir), néanmoins il est tout à fait impossible de penser qu'on pense, ni de savoir qu'on sait ; car ce serait une interrogation qui ne finirait jamais : d'où savez-vous que vous savez que vous savez, etc. ? » (*Troisièmes objections*, AT, IX-1, p. 135).

son repli sur soi, mais l'image qu'elle laisse dans la mémoire. Cette expérience, qui réside dans le souvenir des passions et des opérations de l'esprit, ne fournit néanmoins qu'une connaissance particulière de soi. Le modèle de la lecture indique à l'évidence une autre voie[1]. À partir de l'analyse des mots, Hobbes envisage d'accéder à une connaissance générale des passions et des pensées humaines : « Je parle de la similitude des passions, qui sont les mêmes en tout homme (*désir, crainte, espérance*, etc.), et non d'une similitude des *objets* des passions, qui sont des choses *désirées, craintes, espérées*, etc. »[2] La connaissance de l'homme que requiert la philosophie se distingue autant de l'art du romancier que de celui du moraliste : il ne s'agit pas davantage d'écrire le roman du cœur humain que de faire la critique des vertus illusoires. Perpétuellement confrontées aux illusions et aux mensonges, ces deux approches dépendent des circonstances, qui font varier la signification des passions et rendent confus le « texte du cœur humain »[3]. Le déchiffrement auquel procède le philosophe doit éviter les écueils du subjectivisme, c'est-à-dire les écueils qui sont attachés à la connaissance singulière du singulier. Sa réflexion doit porter, non pas sur les idées des facultés, mais sur les dénominations qui servent à les désigner. Puisque seuls les noms peuvent avoir une valeur universelle, il convient de partir des noms des facultés pour comprendre l'humanité.

Cette fonction cardinale du langage dans la constitution de la science de l'homme va de pair avec l'affirmation selon laquelle la

1. Il va de soi que Hobbes ne propose pas une interprétation historique du *nosce te ipsum*, mais qu'il s'inscrit dans la perspective moderne faisant de l'adage delphique le précurseur de la pensée réflexive : « En dépit de toutes les interprétations modernes qui ont cru y reconnaître l'invitation faite à l'homme de découvrir en lui-même le pouvoir de la réflexion, cette formule n'a jamais signifié autre chose, jusqu'à Socrate et même Platon inclusivement, que ceci, qui est tout différent : connais ta portée, qui est limitée ; sache que tu es un mortel, et non pas un dieu. Le "connais-toi toi-même" ne nous invite pas à trouver en nous-mêmes le fondement de toutes choses, mais nous rappelle, au contraire, à la conscience de notre finitude : il est la formule la plus haute de la *prudence* grecque, c'est-à-dire de la sagesse des *limites* » (P. Aubenque, *La prudence chez Aristote*, Paris, PUF, 1976[4], p. 166). S'il serait faux de dire que Hobbes renoue avec la sagesse grecque des limites, on peut toutefois souligner que l'emploi qu'il fait du « connais-toi toi-même » pour introduire le thème de la réflexion s'appuie sur une conscience aiguë de la faiblesse de l'homme qui n'est pas sans rapport avec le thème de la limite.

2. *Lév.*, Introduction, 7, p. 7.

3. *Ibid.*

connaissance de soi est une connaissance d'expérience. Concluant un chapitre entièrement consacré à la question du langage, la référence à la maxime delphique dans les *Elements of Law* évoque la nécessité de parcourir méthodiquement les définitions des facultés et des passions de l'esprit pour corriger les erreurs qui procèdent des équivoques du langage. À l'automatisme du langage, qui fait que « la *ratio* n'est guère plus qu'*oratio* »[1], il convient de substituer l'analyse minutieuse du langage que les hommes tiennent sur leurs passions. La difficulté de cette langue, réputée plus « difficile à apprendre qu'aucune langue ou aucune science »[2], est liée aux automatismes de répétition qui transforment les hommes en des sortes de perroquets. Lorsque l'acte de parole confère aux mots une autonomie illusoire, les mots se transmettent sans plus faire référence à aucune conception. Pour éviter les effets de cet usage indu de la langue, le philosophe se doit donc de procéder pour lui-même à l'analyse des termes qui désignent les facultés humaines dans les théories couramment enseignées. L'analyse porte en l'occurrence sur le langage ordinaire et vise la production de définitions claires, dont chacun, y compris le souverain, doit pouvoir tester la validité par soi-même[3]. L'examen de l'esprit ne repose donc pas d'abord et avant tout sur l'expérience des facultés, mais sur l'expérience du sens des mots qui désignent ces facultés. Le terme « expérience » est ainsi utilisé par Hobbes pour distinguer deux modes de la connaissance, la connaissance par la sensation et la connaissance par les mots : « Ces deux sortes de connaissance ne sont rien autre que l'expérience : la première, l'expérience des effets des choses qui agissent sur nous de l'extérieur ; la seconde, l'expérience qu'ont les hommes du juste usage des dénominations dans le langage. »[4] Déterminer le bon usage des termes « désir », « crainte », *etc.*, exige que l'on en fasse soi-même l'expérience. Quel que soit le mot considéré, l'expérience du sens des mots se distingue de l'expérience des effets des choses extérieures comme la connaissance d'une relation se distingue de la connaissance d'un fait. Le mot renvoie,

1. *Elements of Law*, I, V, 14, p. 23.
2. *Lév.*, Introduction, 8, p. 7.
3. *Ibid.*
4. *Elements of Law*, I, VI, 1, p. 24.

le nom propre excepté, à une pluralité d'objets, alors que la sensation est toujours singulière. On comprend dès lors que Hobbes puisse présenter sa méthode comme une expérience de ce qui est commun aux passions de plusieurs hommes. Faisant pour lui-même l'expérience de l'usage approprié des mots qui servent à désigner les passions, il peut légitimement prétendre décrire l'humanité. Le sens du mot « crainte » ne sera pas rapporté à l'expérience singulière qui est celle de l'individu Thomas Hobbes, mais à l'usage qu'un locuteur de la langue anglaise se doit d'en faire.

L'absence de démonstration[1], qui caractérise la seconde méthode de l'anthropologie, s'explique par la nécessité d'expliciter le sens des noms des facultés par une réflexion sur soi qui est simultanément une réflexion sur le langage. La réflexion fait fonction d'explication, et comme telle rend inutile toute démonstration. La réflexion ainsi comprise ne se définit donc nullement par le redoublement des puissances de l'esprit (pensée de la pensée), mais par leur dédoublement en une expérience du fait et une expérience du langage. La réflexion est la fonction de l'entendement grâce à laquelle ce dernier échappe aux aléas de l'automatisme verbal. Les puissances de la réflexion ne sont donc pas limitées à la définition des passions et des facultés de l'esprit humain, mais s'étendent également à l'intégralité du champ du langage, en tant du moins que celui-ci peut se traduire en représentations. Le terme même de réflexion, suggéré par la référence au « connais-toi toi-même » de l'introduction au *Léviathan*[2], apparaît ainsi dans un texte qui n'est pas à strictement parler un texte d'anthropologie : « Pour les cinq premiers points, où l'on explique : 1 / ce qu'est la spontanéité ; 2 / ce qu'est la délibération ; 3 / ce que sont la volonté, la propension et l'appétit ; 4 / ce qu'est un agent libre ; 5 / ce qu'est la liberté ; on ne peut offrir d'autre preuve que *l'expérience de*

1. « Car cette sorte d'enseignement n'admet pas d'autre démonstration » (*Lév.*, Introduction, 8, p. 7).

2. Pour expliquer la signification de l'inscription du temple de Delphes, Socrate a recours au modèle optique de la réflexion. De même que l'œil se voit le mieux en se réfléchissant dans la pupille d'un autre œil, de même l'âme se connaît le mieux en se réfléchissant dans une autre âme (voir Platon, *Alcibiade*, 132 *b*-133 *c*).

chacun par la réflexion sur soi (by reflection on himself) et le souvenir de ce qu'il a en l'esprit[1], c'est-à-dire, ce qu'il entend *(what he himself meaneth)* lorsqu'il dit qu'une action est spontanée, qu'un homme délibère, que telle est sa volonté, que cet agent ou cette action sont libres. »[2] L'expérience que Hobbes évoque dans ce texte définit explicitement la réflexion comme un retour critique sur la signification des dénominations. Réfléchir en général équivaut ici à s'interroger sur ce que l'on veut dire lorsqu'on emploie un terme : s'il est exact que la définition des termes précède le plus souvent l'acte individuel de parole, il demeure de la responsabilité du locuteur de s'assurer par un acte de réflexion de la pertinence de la définition qu'il a reçue. La réflexion est un acte individuel auquel ne peut se substituer aucune démonstration ; son antithèse absolue est l'habitude par laquelle on fait fonctionner les mots selon l'automatisme de la répétition. Hobbes cite en exemple de la reprise réflexive d'un mot, le sens du verbe « aimer » : il n'est pas possible de prouver « que c'est tout un d'*aimer* une chose et de la juger *bonne*, à quelqu'un qui ne remarque *(mark)* pas ce qu'il veut dire lorsqu'il emploie ces mots »[3]. La réflexion est au sens fort du terme une remarque : puisqu'un mot possède une fonction de marquage, en tant qu'il est pour celui qui l'emploie la marque d'un sens, la compréhension de ce mot suppose que l'on remarque ce dont il est la marque. Cette réflexion s'effectue plus ou moins facilement selon que l'effet nommé procède plus ou moins directement d'un objet extérieur : il est plus facile de remarquer le sens du mot « table » que le sens du mot « aimer ». Cependant, c'est la même opération qui est requise dans les deux cas. Si la réflexion se distingue de la sensation, c'est précisément en tant qu'elle est l'opérateur par lequel les mots sont rapportés à une représentation : elle est indissociablement liée au rapport qui unit une parole à sa signification.

1. En note de sa traduction, F. Lessay donne les variantes suivantes : Manuscrit et *A Defense of True Liberty* de Bramhall (1655) : « What he useth to have in his mind » ; Édition originale et édition Molesworth : « What he useth in his mind » (*Liberté et nécessité*, p. 111, n. 2).

2. *Liberté et nécessité*, p. 111 ; *Questions*, XXXIII, p. 366 ; nous mettons en italiques.

3. *Liberté et nécessité*, p. 111.

3. *Hobbes et la théorie lockienne de la réflexion*

La théorie lockienne de la réflexion éclaire comparativement certains aspects de la théorie de Hobbes. Proche de Hobbes par l'importance qu'il accorde conjointement à la sensation et au langage dans la formation des connaissances, il s'en éloigne cependant par l'importance qu'il confère à la perception dans la définition de la réflexion : « [La réflexion est la] perception des opérations de notre âme sur les idées qu'elle a reçues par les sens : opérations qui devenant l'objet des réflexions de l'âme, produisent dans l'entendement une autre espèce d'idées, que les objets extérieurs n'auraient pu lui fournir : telles que sont les idées de ce qu'on appelle *apercevoir, penser, douter, croire, raisonner, connaître, vouloir*, et toutes les différentes actions de notre âme, de l'existence desquelles étant pleinement convaincus, parce que nous les trouvons en nous-mêmes, nous recevons par leur moyen des idées aussi distinctes que celles que les corps produisent en nous lorsqu'ils viennent à frapper nos sens. »[1] Bien que la notion de réflexion ne soit pas parfaitement univoque dans l'œuvre de Locke[2], une caractéristique principale se dégage toutefois de la définition de l'*Essai* : la réflexion est une source d'idées simples distinctes de celles qui procèdent de la sensation. Locke souligne certes, dès les premières ébauches de l'*Essai*, la grande proximité de la réflexion et de la sensation : « L'autre source de notre connaissance, pour n'être pas celle des sens, s'en rapproche cependant beaucoup et peut être appelée sans trop d'inexactitude sensation ; il ne s'agit de rien d'autre que de l'expérience de nos opérations mentales. »[3] Cependant, cette proximité réelle n'annule pas une différence tout aussi réelle : alors que nous rapportons aisément les idées des sens aux objets qui en sont la cause, « nous ne comprenons pas comment le corps peut pro-

1. *Essai philosophique concernant l'entendement humain* (1690), II, I, 4, trad. fr. Coste, Paris, Vrin, 1983, p. 61 ; nous abrégeons ce titre en *Essai*.

2. Si, dans sa théorie de la dérivation des idées, Locke emploie parfois le mot « réflexion » pour désigner la conscience des opérations de l'âme, cet emploi n'est pas systématique. Voir M. Kulstadt, *Leibniz on Apperception, Consciousness, and Reflection*, Munich, Philosophia Verlag, 1991, p. 103.

3. Locke, *Draft A*, Paris, Vrin, 1974, § 2, p. 41-42.

duire ces actions mentales »[1]. Il faut donc faire une place, à côté des idées de la sensation, aux idées qui procèdent de « la connaissance que l'âme prend de ses différentes opérations »[2]. Ces idées, pour simples qu'elles soient, ne sont pas aussi claires et distinctes que celles qui proviennent des sens. Bien qu'elles procèdent d'opérations qui sont sans cesse présentes dans l'âme, l'esprit tend à les oublier : « visions flottantes », elles n'acquièrent de la netteté que lorsque l' « entendement vient à se replier, pour ainsi dire, sur soi-même, à réfléchir sur ses propres opérations, et à se proposer lui-même pour l'objet de ses propres contemplations »[3]. Contrairement au modèle de la réflexion que Hobbes propose, la réflexion lockienne ne présuppose pas l'usage du langage : les mots, qui ont un rôle décisif à jouer dans l'acquisition des idées complexes[4], ne sont pas nécessaires à l'acquisition des idées simples de la réflexion. Alors que le repli de l'entendement sur ses propres opérations n'est pas concevable chez Hobbes sans l'invention de la parole, il peut se comprendre chez Locke indépendamment d'elle[5]. C'est que l'entendement *(understanding)*, au sens premier du terme, se définit chez Hobbes par la capacité « de savoir, à partir des mots, du contexte, et des autres circonstances du discours, se dégager de l'équivoque et trouver le vrai sens de ce qui est dit »[6]. Réfléchir ne peut aller sans comprendre, et comprendre sans nommer.

1. *Ibid.*
2. *Essai*, II, I, 4, *op. cit.*, p. 62.
3. *Essai*, II, I, 8, *op. cit.*, p. 63.
4. « À la vérité, présentement que les langues sont formées et qu'elles abondent en termes qui expriment ces combinaisons, c'est par l'explication des termes mêmes qui servent à les exprimer, qu'on acquiert ordinairement ces idées complexes » (*Essai*, II, XXII, 3, *op. cit.*, p. 225). Les noms, qui constituent le lien des idées simples dans le mode mixte, donnent une existence assurée à des idées qui n'ont d'existence assurée ni dans les choses ni dans les idées.
5. Cette différence n'empêche pas M. Foucault, dans la présentation qu'il donne de l'épistémé classique, d'engager Hobbes et Locke sous la même bannière : « Par rapport à l'ordre évident, nécessaire, universel, que la science, et singulièrement l'algèbre introduisent dans la représentation, le langage est spontané, irréfléchi ; il est comme naturel. Il est aussi bien, et selon le point de vue sous lequel on l'envisage, une représentation déjà analysée qu'une réflexion à l'état sauvage. À vrai dire, il est le lien concret de la représentation et de la réflexion » (*Les mots et les choses*, Paris, Gallimard, 1966, p. 97-98).
6. *Elements of Law*, I, V, 8, p. 21. Hobbes conclut cet article par la phrase suivante : « Et c'est ce qu'on appelle l'*entendement*... »

Pour éclairer ce point, il faut faire attention à un trait de l'anthropologie de Hobbes que les *Elements of Law* présentent sous un jour particulièrement net. Ainsi que l'indiquent les têtes de chapitre, les articles qui forment la première partie de cet ouvrage sont autant d'articles de définition : « Définition de la sensation » ; « Définition de l'imagination », etc. Réfléchir sur l'homme revient dès lors à constituer, par un retour sur la signification des mots que l'on emploie, le dictionnaire des facultés et des passions humaines. À travers la fonction de marquage que Hobbes assigne à la parole, les mots se voient ainsi attribuer une valeur réflexive[1] : une marque n'a d'autre fonction que de rappeler à l'esprit ce dont elle est la marque. Contrairement au fonctionnement du mot comme signe, en tant que tel destiné à autrui[2], le fonctionnement du mot comme marque renvoie l'entendement à lui-même, à l'acte par lequel il associe telle marque à telle chose. Comprendre le sens des mots apparaît ainsi comme l'activité essentielle de l'entendement *(understanding)*, puisque c'est à partir de cette compréhension que se déploie toute autre compréhension, y compris celle des autres facultés. En effet, s'il est toujours possible de se souvenir sans langage du fait que l'on se souvient, rattacher à une même faculté ses différentes représentations n'a pas de sens indépendamment de l'existence de noms communs. Grâce à la fonction universalisante des noms communs, la parole constitue la condition de possibilité des facultés : ainsi une idée simple de l'imagination n'est-elle pas concevable indépendamment de la définition de l'imagination. Le souvenir étant toujours le souvenir d'une représentation singulière et la passion une passion singulière, seule la dénomination peut permettre de dissocier clairement l'opération de l'esprit de ce sur quoi elle s'exerce, les caractères communs des passions de leur objet singulier.

1. « Une *marque* par conséquent est un objet perceptible aux sens qu'il érige volontairement à son propre usage afin de se rappeler par là une chose passée lorsque celle-ci se présente à nouveau aux sens. Comme ceux qui, ayant frôlé un rocher en mer, érigent une marque qui serve à leur rappeler leur danger passé et à l'éviter » (*Elements of Law*, I, V, 1, p. 18).

2. *Lév.*, IV, 3, p. 28.

III. ANTHROPOLOGIE ET THÉOLOGIE DE LA PUISSANCE

Si le langage permet, comme nous venons de le voir, de rendre compte des modalités de la connaissance anthropologique, il ne permet pas toutefois de rendre compte des conditions de la réflexion. La raison en est que les conditions qui président à la réflexion sont indissociables de la genèse du langage humain. De fait, c'est l'insuffisance des facultés cognitives naturelles de l'homme qui explique à la fois sa capacité réflexive et sa capacité linguistique. Or, ce qui donne la mesure de la faiblesse des facultés humaines, c'est la toute-puissance de Dieu. La théologie de la toute-puissance joue donc ici un rôle décisif, puisqu'elle apparaît comme la condition *a priori* de la détermination philosophique des limites de la nature humaine.

1. *Sensation, mémoire, signe*

La définition que Hobbes donne de la sensation et de l'imagination lui permet de mettre en évidence l'existence d'un manque essentiel au principe de la connaissance humaine. Alors que les animaux, qui ne reconnaissent pas toujours l'endroit où ils ont laissé leur réserve de nourriture, ignorent la raison de cette insuffisance, les hommes ont conscience du fait que cette insuffisance trouve sa source dans une déficience originelle de la mémoire naturelle. La conscience de ce défaut, qu'une analyse superficielle pourrait vouloir considérer comme purement empirique, relève en fait d'une détermination théologique de l'homme comme être de moindre puissance. L'invention de la parole procède certes de la constatation empirique de l'insuffisance de la mémoire naturelle, mais le fait d'accorder une telle importance à cette constatation, dans le récit philosophique de la genèse des connaissances, dépend lui-même d'une condition indépendante de l'expérience. Cette condition, qui sous-tend la description philosophique, n'est autre que le différentiel de puissance entre l'homme et Dieu. En effet, c'est parce que Hobbes pense la nature humaine comme une nature par défaut, et ce défaut comme un défaut de puissance, qu'il en vient à accorder une telle importance au défaut de puissance de la mémoire naturelle.

L'invention des marques, d'où procède l'invention des signes, repose sur l'observation d'un défaut de la mémoire naturelle : « Mais l'homme, qui sur ce point commence à s'élever au-dessus de la nature bestiale, a remarqué et gardé en mémoire la cause de ce défaut *(defect)*, et pour y remédier, il a imaginé et inventé d'édifier une marque visible ou perceptible qui puisse, quand il la revoit, lui rappeler l'idée qu'il avait eue au moment de l'édifier. »[1] À la différence des animaux, les hommes sont ici décrits comme capables de percevoir les insuffisances de leurs propres facultés. C'est la conscience de la faiblesse qui est la leur qui les conduit à s'interroger sur ce qui leur manque. La découverte du défaut de la mémoire naturelle, et l'invention du signe qui en est la suite, procèdent ainsi de la capacité qu'a l'homme de remarquer sa moindre puissance. À cet argument, on pourrait certes objecter que le souvenir constitue déjà chez l'animal un palliatif naturel aux défauts de la sensation, puisqu'il la prolonge au-delà de l'instant de son effectuation. Il est facile toutefois de répondre à cette objection en soulignant que, chez l'animal, la fonction supplétive de la mémoire ne devient jamais consciente d'elle-même, l'animal n'étant pas capable de remarquer ce qui lui fait défaut. Mécanisme bien monté par la nature, la dégradation de la sensation en mémoire n'est pas perçue par la bête comme le remède naturel au caractère éphémère de ses sensations. Seuls les hommes, parce qu'ils ont compris la raison de la fragilité de la connaissance sensible, peuvent parvenir à comprendre la mémoire comme le remède à cette fragilité. Cette compréhension joue un rôle décisif dans le développement de l'esprit humain.

Pour comprendre l'origine de la méthode réflexive de l'anthropologie, il faut donc reconnaître que la définition des facultés de l'esprit humain est guidée chez Hobbes par un *a priori* théologique que caractérise l'idée qu'il existe une différence absolue de puissance entre

1. *Elements of Law*, I, V, 1, p. 18.

l'homme et Dieu. Cette mise en relation du « connais-toi toi-même » et d'une thèse théologique n'est pas aussi incongrue qu'il pourrait sembler de prime abord. Il suffit de se reporter, par exemple, au chapitre II de l'*Institution de la religion chrétienne* de Calvin[1] – ouvrage que Hobbes avait bien évidemment lu –, pour constater que ce rapprochement est dans la plus pure tradition calviniste, Hobbes se contentant d'en déplacer le point d'application de la théologie morale à la philosophie. À l'instar du récit mythique du *Protagoras*, mais en s'appuyant sur une théologie très différente, la philosophie hobbesienne fait donc de la différence théologique de puissance la condition fondamentale de la compréhension de la nature humaine. Cette condition fondamentale possède une expression théorique et une expression pratique. Théoriquement, elle se traduit par l'affirmation selon laquelle « Tout ce que nous imaginons est fini »[2] ; pratiquement, par l'affirmation selon laquelle « n'existent en réalité ni ce *finis ultimus* (ou but dernier) ni ce *summum bonum* (ou bien suprême) dont il est question dans les ouvrages des anciens moralistes »[3]. L'incapacité humaine à concevoir l'infini et à parvenir à un but dernier n'est pas une donnée empirique, mais une détermination principielle. Connaître selon la modalité de l'infini et agir en vue d'une fin dernière feraient, en effet, sortir l'homme des limites de son humanité. Bien qu'elles soient inscrites dans la constitution naturelle de l'homme, ces limites ne deviennent lisibles par la philosophie que pour autant qu'elles sont mises en rapport avec la différence théologique de puissance. La finitude des idées et la relativité des fins poursuivies renvoient ainsi l'une et l'autre à la détermination théologique de l'homme comme être de moindre puissance. Avant d'aller plus loin, il convient toutefois de revenir à l'anthropologie et de se demander si, comme les facultés cognitives, les passions portent elles

1. Ce chapitre conjoint d'une manière remarquable la valorisation de l'adage delphique et la critique, au nom de la vérité théologique, de l'interprétation qu'en ont donnée les penseurs humanistes : « Si quelqu'un donc escoute telle manière de docteurs qui nous amusent à considérer nostre justice et vertu, il ne profitera point en la congnoissance de soymesme, mais sera aveuglé d'ignorance très pernitieuse » (Calvin, *Institution de la religion chrestienne*, II, *op. cit.*, vol. 1, p. 83).

2. *Lév.*, III, 12, p. 25.

3. *Lév.*, XI, 1, p. 95 ; *Elements of Law*, I, VII, 3 et 6, p. 29-30.

aussi la marque de la différence de puissance. C'est par ce biais que l'on pourra comprendre l'abandon par Hobbes de la perspective des fins dernières de l'homme.

2. *Réflexion sur les passions de la puissance*

Pour décrire les passions, Hobbes s'appuie, dans les *Elements of Law*, sur le principe d'une distinction temporelle des représentations : « Et d'abord, il nous faut considérer qu'il existe trois sortes de conceptions : l'une, de ce qui est présent, et c'est la sensation ; l'autre, de ce qui est passé, et c'est le souvenir ; et la troisième, de ce qui est futur, et c'est l'attente. »[1] La prise en compte de la temporalité introduit dans la représentation une différence dont la psychophysiologie ne saurait rendre compte, car le passé, le présent et l'avenir n'ont pas de sens dans une théorie mécaniste. Le mécanisme décrit en effet le mouvement sur le mode d'un présent continu, qui est précisément le temps de l'effectuation. Régie par le principe de la cause entière, la science physique ne connaît le passage du temps que sous la forme de la succession causale. La distinction des modes temporels relèvera donc uniquement de la perception humaine du mouvement : « Le temps est le phantasme du mouvement, en tant que l'on peut imaginer dans le mouvement de l'avant et de l'après, à savoir de la succession. »[2] Bien que Hobbes rapproche cette définition de celle d'Aristote, ce qu'il dit pour expliquer le caractère fantasmatique du temps la rapproche davantage de la définition de saint Augustin : le passé désignant un mouvement qui n'est plus et le futur un mouvement qui n'est pas encore, il faut conclure que seul le présent existe et que le temps est un phantasme : « [...] est igitur tempus phantasma. »[3] La mémoire est le phantasme du passé comme passé, et non pas, malgré la métaphore physique de l'inertie, comme présent ; l'anticipation est le phantasme du futur comme futur et non

1. *Elements of Law*, I, VIII, 2, p. 31-32.
2. *De Corpore*, VII, 3, p. 84.
3. *Ibid.*

pas comme présent non encore advenu. Cette double dimension du temps fantasmatique renvoie de fait à la définition de la mémoire comme source commune des souvenirs et des anticipations, puisque la « conception du futur n'est qu'une supposition qu'on en fait à partir du souvenir de ce qui est passé »[1].

À partir de cette distinction des conceptions du temps, la réflexion conduit à définir deux groupes de passions : les passions du présent et les passions du futur. Les premières, qui forment le groupe des passions esthétiques, s'ordonnent autour des différents sens, des plaisirs et des déplaisirs qui leur sont spécifiques. Les secondes, qui forment le groupe des passions morales, s'ordonnent autour de l'idée de puissance. Hobbes n'accorde pas une place très importante à la description des passions du présent : situées sur la frontière qui sépare les plaisirs sensuels (toucher et goût) de plaisirs plus spirituels (odeurs, ouïe et vision), ces passions enferment les hommes dans la plénitude du moment présent. Rien en eux ne rappelant la moindre puissance des hommes, le plaisir et le déplaisir présents sont, eu égard à la philosophie morale de Hobbes, des choses indifférentes. Pas plus qu'il ne la rabaisse[2], il n'élève donc la passion de l'instant à la dignité d'objet de la morale : à égale distance sur ce point du stoïcisme et de l'épicurisme, la philosophie de Hobbes accorde en revanche un primat remarquable aux passions de l'avenir.

La passion de l'avenir se nourrit de la représentation de ce qui n'est pas encore, et qu'il incombe aux hommes de faire advenir. Pour autant, il serait faux de donner à l'avenir comme tel une réalité qu'il n'a pas : le concept de l'avenir qui sous-tend la théorie des passions dépend avant tout du passé, qui lui donne un contenu de représentation, et secondairement du présent, dont il modifie la représentation : « On conçoit que quelque chose existera plus tard dans la mesure où on sait qu'il existe

1. *Elements of Law*, I, VIII, 3, p. 33.

2. Comme le montre la remarque suivante, Hobbes n'entend nullement se faire le censeur du plaisir des sens : « Parmi les plaisirs ou voluptés, certains naissent de la sensation d'un objet présent : on peut les appeler *plaisirs sensibles (le mot sensuel, n'étant utilisé que par ceux qui condamnent de tels plaisirs, n'a pas lieu d'être employé avant qu'il existe des lois)* » (*Lév.*, VI, 12, p. 50 ; nous mettons en italiques).

quelque chose au présent qui a le pouvoir de le produire. Et concevoir que quelque chose a le pouvoir à présent de produire autre chose plus tard, n'est possible que parce qu'on a souvenir qu'il l'a produit précédemment. C'est pourquoi toute conception du futur est conception d'une puissance capable de produire quelque chose. Quiconque suppute donc du plaisir à venir doit également concevoir l'existence en lui-même d'une puissance susceptible de le lui procurer. »[1] L'idée du futur, qui suscite les passions, n'est pas le concept vide d'un avenir indifférencié, mais le concept plein d'un avenir déterminé par le souvenir d'un bien passé. La passion, qui se nourrit d'une telle conception du futur, modifie radicalement la représentation du présent : l'état présent cesse de constituer un absolu pour devenir un moyen en vue de la réalisation d'une fin. Le corps et l'esprit ne valent plus dès lors par les plaisirs qu'ils procurent dans l'instant, mais par ceux qu'ils peuvent permettre d'atteindre plus tard. À l'immédiateté des plaisirs ou déplaisirs, à la jouissance du présent, les passions de l'avenir substituent la médiation de la puissance. Puisque « toute conception du futur est conception d'une puissance capable de produire quelque chose »[2], le souci de l'avenir transforme la représentation du présent en l'inventaire des puissances qui permettent d'atteindre quelque fin à venir. Le présent cesse dès lors d'être considéré comme le moment de la plénitude de la passion pour apparaître sous l'angle du manque. L'existence présente manque de tout ce que la passion de l'avenir ne peut trouver en elle : elle devient en quelque sorte un avenir par défaut.

La présentation du désir de puissance comme désir illimité a ce défaut pour origine : l'absence de fin dernière et de souverain bien, à savoir l'absence d'un terme absolu à l'horizon de l'action humaine, exclut radicalement la possibilité de posséder un jour la puissance suffisante pour atteindre ce but. Comme le bonheur ne consistera jamais que dans « une continuelle marche en avant du désir, d'un objet à un autre »[3], le désir du bonheur, présent chez tous les hommes, ne pourra

1. *Elements of Law*, I, VIII, 3, p. 33-34.
2. *Elements of Law*, I, VIII, 3, p. 34.
3. *Lév.*, XI, 1, p. 95.

lui-même consister que « dans un désir perpétuel et sans trêve d'acquérir pouvoir après pouvoir, désir qui ne cesse qu'à la mort »[1]. Hobbes insiste sur le fait que cette inclination générale de l'humanité ne procède pas de la positivité du désir naturel de l'homme, de la spontanéité de son *conatus*. En effet, s'il leur était possible de s'assurer de ce qu'ils possèdent déjà sans devoir chercher à posséder davantage, nombreux seraient les hommes qui renonceraient à la course à la puissance. Cependant, il leur est impossible de renoncer à la recherche de la puissance sans risquer de compromettre celle qu'ils possèdent déjà. Cela s'explique par la négativité qui marque d'emblée le désir de puissance : on ne désire jamais la puissance que pour pallier, dans l'anxiété, l'insuffisance indéfinie de nos puissances naturelles. Cette anxiété, dont Prométhée enchaîné fournit à Hobbes le symbole et l'emblème[2], détermine de part en part la théorie de la puissance : « Aussi tous les hommes, et spécialement ceux qui voient le plus loin, sont-ils dans un état semblable à celui de *Prométhée* : car de même que *Prométhée* (dont le nom une fois traduit donne : *l'homme prudent*) était attaché au mont *Caucase*, endroit d'où la vue s'étend fort loin, et où un aigle qui se nourrissait de son foie dévorait le jour ce qui en renaissait dans la nuit, ainsi l'homme qui regarde trop loin devant lui par souci de l'avenir a le cœur rongé tout le jour par crainte de la mort, de la pauvreté ou de quelque autre malheur : et son anxiété ne connaît ni apaisement ni trêve, si ce n'est dans le sommeil. »[3] Le prométhéisme qui s'exprime dans ce texte retient du mythe du *Protagoras* un élément en apparence secondaire, le châtiment de Prométhée. De même que le dieu a été condamné à être dévoré par des vautours pour avoir donné aux hommes le secret du feu, de même les hommes sont dévorés par la crainte de la mort et du malheur parce qu'ils se préoccupent sans cesse de l'avenir. L'anxiété, qui est présentée dans la relecture philosophique du mythe comme l'effet de la connaissance par les causes, est intime-

1. *Ibid.*, p. 96.
2. Pour une analyse de la figure de Prométhée dans l'œuvre de Hobbes, voir D. D'Andrea, *Prometeo e Ulisse. Natura umana e ordine politico in Thomas Hobbes*, Rome, La Nuova Italia Scientifica, 1997.
3. *Lév.*, XII, 5, p. 105.

ment liée au développement de l'intelligence : plus l'homme a le souci de connaître les causes, plus il a lieu de s'inquiéter de son avenir. Sous la plume de Hobbes, Prométhée enchaîné devient ainsi le modèle d'une humanité condamnée à vivre dans le souci de l'avenir et de la crainte de la mort.

La corrélation entre la crainte de l'avenir et l'activité de la raison présente deux significations distinctes dans la pensée de Hobbes. Premièrement, l'activité de la raison, dans la mesure où elle ne satisfait pas le désir de connaissance qu'elle suscite, constitue pour les ignorants une source d'anxiété : ils vivent dans l'idée que les événements qui leur arrivent ont des causes qu'ils ne connaissent pas. Prise en ce sens, la crainte de la mort et de la pauvreté développe en l'homme la passion de la superstition. Mais il existe également une autre façon de lier crainte et raison, et de comprendre le prométhéisme de Hobbes. Si la connaissance des causes suscite la crainte chez l'ignorant, à l'inverse la crainte rend possible la connaissance par les causes. Il convient cependant d'éviter deux écueils. Le premier de ces écueils est qu'il ne faut pas confondre la crainte avec la peur : la peur meut les hommes en fonction d'une aversion immédiate que la raison ne vient pas éclairer ; la crainte, à l'inverse, « est une prévision d'un mal futur »[1], qui appelle l'intervention de la raison. Le deuxième de ces écueils est qu'il ne faut pas interpréter trop unilatéralement la crainte comme méfiance à l'égard d'autrui. S'il est indéniable que la défiance, le soupçon et la précaution sont autant d'expressions sociales de la crainte, il n'en est pas moins vrai que cette passion possède également une signification théologique majeure, la crainte prise absolument équivalant à la conscience que l'homme peut avoir de sa propre faiblesse comparée à la toute-puissance de Dieu[2]. La crainte ainsi comprise ne se confond ni avec l'anxiété de l'homme superstitieux, ni avec la passion dominante de l'état de nature qu'est la crainte mutuelle : elle constitue bien plutôt

1. *De Cive*, I, 3, p. 93.

2. « Il résulte de la seconde sorte d'obligation, à savoir de la crainte ou encore, de la conscience de sa propre faiblesse *(a metu, sive imbellicitatis propriae conscientia)* (comparée à la puissance divine), que dans le règne de Dieu par la nature, nous sommes obligés d'obéir à Dieu » (*De Cive*, XV, 7, p. 223).

l'*a priori* théologique de la théorie anthropologique. C'est une passion originaire en ce sens qu'elle procède du rapport fondamental qui relie l'homme à la puissance qui le conserve. Cette conscience, qui n'est pas directement présente dans l'anthropologie en ce sens qu'elle ne caractérise pas la conscience des hommes dans l'état de nature, oriente en revanche la pensée du philosophe lorsqu'il lui faut déterminer ses hypothèses anthropologiques fondamentales. La crainte de Dieu ainsi comprise correspond de fait à la conscience que le philosophe peut avoir de la signification de la différence de puissance entre l'homme et Dieu. Si l'anxiété religieuse s'inscrit de plein droit dans une anthropologie, la crainte comme conscience *a priori* de la faiblesse humaine précède en droit la constitution de l'anthropologie. L'usage du terme *a priori* convient parfaitement en l'occurrence, car la conscience de la différence de puissance entre l'homme et Dieu, qui oriente par avance la détermination des axiomes de l'anthropologie, ne dérive pas de l'expérience.

IV. *DEUS SIVE POTENTIA* : HOBBES *VERSUS* SPINOZA

Cette théorie qui fait dépendre la puissance de la passion, et la passion de l'éventualité de la mort, s'oppose terme à terme à la théorie que Spinoza expose dans son *Éthique*[1]. À l'inverse de Hobbes, qui fait du défaut de sa puissance naturelle la caractéristique principale de l'homme, Spinoza définit l'essence de l'homme comme un degré de la puissance de la nature : « La puissance par laquelle les choses singulières et par conséquent l'homme conserve son être, est la puissance même de Dieu, autrement dit de la Nature »[2]. Cette puissance, qui est l'acte par lequel l'homme se maintient en vie, détermine l'essence de l'homme

1. Pour une comparaison systématique des philosophies politiques de Hobbes et de Spinoza, voir C. Lazzeri, *Droit, pouvoir et liberté. Spinoza critique de Hobbes*, Paris, PUF, 1998. Concernant la question de la puissance divine, voir plus particulièrement, p. 147-153.

2. Spinoza, *Éthique*, IV, prop. 4, démonstration, trad. fr. B. Pautrat, Paris, Seuil, 1988, p. 349.

comme *conatus*, effort pour persévérer dans son être[1]. La puissance, par conséquent, est première et détermine la nature des passions qui l'affectent : la passion comme affect *(affectus)* réside non pas dans une représentation de la puissance, mais dans la transformation – augmentation ou diminution – d'un état de cette dernière. L'exemple de la tristesse permet de mieux comprendre ce point : « [...] l'affect de Tristesse est un acte, [...] l'acte de passer à une moindre perfection, c'est-à-dire l'acte par lequel se trouve diminuée ou contrariée la puissance d'agir de l'homme. »[2] Il en résulte que l'affect dépend du degré de la puissance réelle de celui qui en est affecté, et non pas de la représentation que cette personne se fait de sa puissance. Alors que Spinoza unit désir et puissance dans une même détermination de l'essence de l'homme comme *conatus*[3], Hobbes ne met en rapport ces deux concepts qu'une fois substitué au concept métaphysique de la *potentia*[4] le concept anthropologique de la puissance comme représentation. Tandis que la puissance est pour Spinoza un degré intensif qui sert à qualifier l'essence des individus dans la nature, elle est pour Hobbes la représentation des « moyens présents d'obtenir quelque bien apparent futur »[5].

1. *Qu'est-ce que le pouvoir ?*

La distinction cardinale, qui ouvre le chapitre X du *Léviathan*, permet de mieux comprendre cette différence fondamentale : « Le *pouvoir naturel* est constitué par la prééminence des facultés du corps ou de l'esprit, telle que la force, la beauté, la prudence, les arts, l'éloquence, la libéralité, la noblesse, portés à un degré exceptionnel. Les *pouvoirs instrumentaux* sont ceux qui, acquis grâce aux premiers ou grâce à la fortune, sont les moyens et les instruments qui permettent d'en acquérir encore davantage : ainsi la richesse, la réputation, les amis, et cette action secrète

1. *Éthique*, III, prop. VII, *op. cit.*, p. 217.
2. *Éthique*, III, Déf. des affects, III, explication, *op. cit.*, p. 307.
3. « L'effort par lequel chaque chose s'efforce de persévérer dans son être n'est rien à part l'essence actuelle de cette chose » (*Éthique*, III, prop. VII, *op. cit.*, p. 217).
4. *De Corpore*, X, 1, p. 113-114.
5. *Lév.*, X, 1, p. 81.

de Dieu que les hommes appellent chance. »[1] La définition du pouvoir naturel ne qualifie pas ici, comme chez Spinoza, un degré de puissance propre à un homme particulier, mais l'écart qui sépare la puissance de l'un de celle de l'autre. Autant dire que même le pouvoir naturel relève de l'artifice, puisqu'il suppose un terme de comparaison, l'instance sociale du jugement virtuel. Le terme de nature dans l'expression *natural power* désigne de fait les qualités qui appartiennent à l'homme en tant qu'individu et non pas en tant que corps naturel, l'éloquence pour ne citer qu'elle pouvant difficilement être mise au compte de la nature de l'homme. La définition des puissances instrumentales n'ajoute rien à la définition générale de la puissance, si ce n'est un degré supplémentaire dans l'instrumentalisation de la puissance. Loin de réinscrire cette puissance dans l'ordre naturel, cette définition l'en éloigne davantage encore, puisqu'elle en fait une puissance d'acquérir d'autres puissances. Tout devient ainsi moyen en vue d'une fin indéfiniment repoussée, la richesse, le savoir, les amis aussi bien, y compris soi-même.

Ce procès d'instrumentalisation généralisée culmine avec la destruction de l'idéal chevaleresque de l'honneur. L'honorabilité n'est plus régie, en effet, par une hiérarchie absolue des valeurs, mais par les fluctuations d'un jugement social qui prend pour unique critère ce qui est considéré à tel ou tel moment comme un pouvoir : « Est *honorable* toute possession, action, ou qualité, qui est la preuve et le signe d'un pouvoir. »[2] Un tel critère de jugement interdit bien évidemment que l'on puisse faire de la puissance autre chose qu'une qualification sociale de la valeur humaine : procédant du jugement d'autrui, elle n'est en aucun cas une détermination essentielle de l'homme. Qu'elle soit naturelle ou instrumentale, la puissance dépend toujours par conséquent d'une comparaison : « Et parce que la puissance d'un individu résiste et fait obstacle aux effets de celle d'un autre, la puissance en soi n'est rien de plus que l'excédent de puissance de l'un sur l'autre. »[3] L'anxiété à l'égard de l'avenir ne conduit donc pas seulement à une transformation de la repré-

1. *Lév.*, X, 2, p. 81.
2. *Lév.*, X, 37, p. 87.
3. *Elements of Law*, I, VIII, 4, p. 34.

sentation que l'on se fait de soi-même, mais modifie également la représentation que l'on se fait d'autrui, car la valeur d'un homme, c'est « comme pour tout autre objet, son prix, c'est-à-dire ce qu'on donnerait pour disposer de son pouvoir : aussi n'est-ce pas une grandeur absolue, mais quelque chose qui dépend du besoin et du jugement d'autrui »[1]. Pour comprendre l'abaissement de la valeur de l'homme à la valeur marchande, certains commentateurs ont évoqué le développement historique du capitalisme et le passage du féodalisme à l'âge moderne[2]. Il y a indéniablement une analogie de structure entre le fonctionnement du système des marchandises et le système d'évaluation des puissances. Pourtant, la puissance n'est pas réductible purement et simplement à la valeur marchande : le souci d'accumuler sans répit puissance après puissance peut se comprendre aussi à partir de conditions théologiques spécifiques qui éclairent en retour les caractéristiques économiques de la nouvelle société marchande. Qui désire critiquer la théorie hobbesienne de la puissance se doit donc de situer correctement la réflexion de Hobbes à l'intérieur de l'histoire de la théologie de la toute-puissance.

2. *Spinoza critique de la théologie de la toute-puissance*

D'une telle tentative de critiquer Hobbes à travers la théologie de la toute-puissance, Spinoza fournit un exemple d'autant plus intéressant qu'il émane d'un philosophe dont on connaît le peu d'inclination pour les théologiens patentés. Alors que la plupart des théologiens de la toute-puissance pensent conférer à Dieu un surcroît de puissance en lui permettant de faire exception à l'ordre ordinaire de la nature, une telle faculté dérogatoire conduit selon Spinoza au résultat exactement inverse. L'erreur des théologiens de la toute-puissance tient, tout d'abord, au fait qu'ils se font une conception erronée de la liberté divine : ils « pensent que, si Dieu est cause libre, c'est parce qu'il peut, pensent-ils, faire en sorte que ce que nous avons dit suivre de sa nature,

1. *Lév.*, X, 15, p. 83.

2. C. B. Macpherson, *La théorie politique de l'individualisme possessif*, II, 3, trad. fr. M. Fuchs, Paris, Gallimard, 1971.

c'est-à-dire ce qui est en son pouvoir, ne se fasse pas, autrement dit ne soit pas produit par lui. Mais c'est comme s'ils disaient que Dieu peut faire que de la nature du triangle, il ne suive pas que ses trois angles soient égaux à deux droits ; autrement dit, que, étant donné une cause, il n'en suive pas d'effet, ce qui est absurde »[1]. La distinction médiévale de la *potentia ordinata* et de la *potentia absoluta Dei* tombe assurément sous le coup de cette critique[2]. N'acceptant pas l'idée d'une cause qui ne produirait pas tous les effets qu'elle peut produire, Spinoza ne peut accepter l'idée que la cause de toutes les causes puisse retenir pour elle-même une partie de sa puissance. Il rejette, par conséquent, l'argument selon lequel la réalisation de tous les possibles qui sont dans l'entendement divin serait contraire à l'omnipotence divine : « S'il [Dieu] avait, disent-ils, créé tout ce qui est dans son intellect, alors il n'aurait rien pu créer de plus, ce qu'ils croient incompatible avec l'omnipotence de Dieu ; et c'est pourquoi il préfèrent admettre un Dieu indifférent à tout, et ne créant rien d'autre que ce qu'il a, d'une certaine volonté absolue, décidé de créer. »[3] Le volontarisme théologique apparaît ainsi, non pas comme l'opposé de l'intellectualisme, mais comme son corollaire : ceux qui veulent sauver l'idée du possible dans l'entendement divin doivent affirmer le caractère arbitraire de la volonté créatrice de Dieu. Or, Spinoza n'entend pas davantage incliner d'un côté que de l'autre, car ces deux positions lui apparaissent l'une et l'autre entachées d'anthropomorphisme. À ces représentations vulgaires de la divinité, il oppose sa propre conception de la toute-puissance : « Tandis que moi, je pense avoir assez clairement montré (voir la Prop. 16) que de la suprême puissance de Dieu, autrement dit de sa nature infinie, une infinité de choses d'une infinité de manières, c'est-à-dire tout, a nécessairement découlé, ou bien en suit avec toujours la même nécessité, de la même manière que de la nature du triangle, de toute éternité et pour l'éternité, il suit que ses trois angles sont égaux à deux droits. Et donc l'omnipotence de Dieu fut en acte de toute éternité, et restera pour l'éternité

1. *Éthique*, I, prop. XVII, scolie, *op. cit.*, p. 47.
2. La distinction critiquée par Spinoza correspond de fait à un composé des distinctions classiques *potentia ordinata / absoluta* et *potentia ordinaria / extraordinaria*.
3. *Éthique*, I, prop. XVII, scolie, *op. cit.*, p. 49.

dans la même actualité. Et l'on se fait de cette manière, de l'omnipotence de Dieu, une idée largement plus parfaite, à mon avis du moins. »[1] La conception spinoziste de la toute-puissance est clairement une réfutation de la thèse classique de la *potentia absoluta Dei.* Alors que le concept de *potentia absoluta* procède à l'origine de la volonté de penser une pure virtualité sans aucune actualité, un pur domaine des possibles, Spinoza propose à l'inverse de penser l'absolu de la puissance comme l'acte par excellence, à savoir comme une actualité éternelle[2]. Loin de vouloir mesurer la puissance de Dieu à la capacité divine de maintenir un champ de pures possibilités, il considère au contraire que la puissance de Dieu réside dans la capacité de ce dernier à réaliser la totalité de ce qu'il peut faire.

3. *Hobbes critique de Spinoza*

Bien qu'il ne reprenne pas à son compte les arguments *de potentia Dei* critiqués par Spinoza, Hobbes ne s'accorde pas pour autant avec la conception spinoziste de la puissance divine. Refusant d'identifier la puissance divine à l'éternité de l'acte, sa position concilie à la fois la thèse de la nécessité des effets créés et la liberté de la volonté créatrice. Alors que Spinoza définit la toute-puissance par le fait que Dieu fait tout ce qu'il a la puissance de faire, Hobbes la définit par le fait que Dieu peut faire tout ce qu'il a la volonté de faire[3]. Cette différence est plus qu'une différence d'accent : en subordonnant la puissance de Dieu à sa volonté, Hobbes rend possible une conception politique de la toute-puissance. Dès lors, en effet, que la puissance est rattachée à un acte de la volonté, elle peut être considérée comme l'expression d'une volonté politique de domination. La faiblesse de la puissance humaine

1. *Ibid.*

2. « Et donc l'omnipotence de Dieu fut en acte de toute éternité, et restera pour l'éternité dans la même actualité » *(ibid.).* Sur les origines antique et médiévale de l'identification de la puissance et de l'acte chez Spinoza, voir G. Deleuze, *Spinoza et le problème de l'expression*, Paris, Éd. de Minuit, 1990, p. 82.

3. Sur ce point, voir notre introduction à la traduction des *Questions concernant la liberté, la nécessité et le hasard*, *op. cit.*, p. 26-30.

comparée à la puissance divine cesse dès lors de relever uniquement de l'ordre de la nature pour s'inscrire dans un ordre éthico-politique. Pareille considération est proprement inconciliable avec la définition spinoziste de l'omnipotence. Si, comme le veut Spinoza, la toute-puissance réside dans l'ordre nécessaire de la nature, le rapport entre la puissance divine et la puissance humaine ne saurait être considéré comme un rapport de volonté à volonté, mais seulement comme un rapport entre une puissance infinie actuelle et des degrés de cette puissance. Alors que le concept de toute-puissance vaut selon Hobbes en tant qu'il instaure une différence absolue de puissance entre la volonté divine et la volonté humaine, la puissance divine selon Spinoza ne se distingue pas de la puissance des modes finis que sont les hommes, car elle les enveloppe comme autant d'intensités[1]. Si, dans le premier cas, la puissance divine permet de mesurer l'insuffisance de la puissance humaine, dans le second cas, l'être absolument infini confère à tous les êtres un degré de puissance qui mesure leur capacité respective à persévérer dans l'être.

La distance qui sépare les conceptions de l'homme chez Spinoza et chez Hobbes s'explique ainsi fort bien par leur conception respective de la toute-puissance de Dieu : chez le premier, la toute-puissance, qui se confond avec l'ordre de la nécessité, constitue le principe d'une inscription de l'homme dans la nature ; chez le second, elle est à la fois le fondement de l'ordre nécessaire de la nature et le principe d'une obligation d'obéir à la volonté de Dieu. Ce dernier principe, qui vaut uniquement pour les hommes, procède de la reconnaissance de Dieu comme volonté. L'obligation, qui dépend du caractère volontaire de l'exercice divin de la puissance, confère un sens spécifique à la détermination de l'homme comme être de moindre puissance. La faiblesse de sa puissance contribue, en outre, à faire de l'homme un sujet au double sens du terme, à savoir, comme nous l'avons montré dans ce chapitre, un être capable de réflexion, et, comme nous le montrerons dans le prochain chapitre, un être susceptible d'obéir à la loi naturelle.

1. « Et donc la puissance de l'homme, [...], est une partie de l'infinie puissance de Dieu » (*Éthique*, IV, 4, démonstration, *op. cit.*, p. 351).

CHAPITRE VI

Les deux principes du droit naturel

La théorie du droit naturel de Hobbes repose sur deux principes fondamentaux, qui sont, d'une part, la conservation de soi et, d'autre part, la toute-puissance de Dieu. Le principe de la conservation de soi est un principe d'origine stoïcienne, dont la fonction est d'enraciner le droit dans la nature de l'homme ; le principe de la toute-puissance divine est un principe hérité de la théologie médiévale, dont la fonction est de fonder l'obligation d'obéir à la loi naturelle. Bien que l'idée d'une double fondation du droit naturel ne soit pas en elle-même nouvelle, puisqu'on en trouve déjà des exemples chez les théologiens de la seconde scolastique, la signification que Hobbes lui confère est quant à elle fort singulière, puisqu'elle équivaut à établir un lien entre théologie et individualisme.

Deux raisons expliquent que la singularité de cette double fondation n'ait pas été davantage soulignée par les commentateurs. La première raison tient au fait que l'interprétation de Hobbes a pâti d'un contresens qui fut initialement commis à propos du jusnaturalisme de Grotius. Parce que l'on avait interprété l'hypothèse *etiamsi daremus*[1] de

1. La remarque de Grotius est la suivante : « Tout ce que nous venons de dire aurait lieu en quelque manière, quand même on accorderait *(etiamsi daremus)*, ce qui ne se peut sans un crime horrible, qu'il n'y a point de Dieu, ou s'il y en a un, qu'il ne s'intéresse point aux affaires humaines » (Grotius, *Le droit de la guerre et de la paix, Discours préliminaire*, XI, trad. fr. J. Barbeyrac, Amsterdam, 1724 ; réimpression Caen, Presses de l'Université de Caen, vol. 1, 1984, p. 10).

Grotius dans le sens d'une conception entièrement sécularisée de la théorie du droit naturel, il paraissait logique d'appliquer le même critère d'interprétation à Hobbes, dont la théorie est fort proche sur bien des points de la théorie du juriste hollandais. Cette première raison a cependant disparu lorsque fut dissipée l'erreur d'interprétation qui fut commise à propos de l'hypothèse *etiamsi daremus*. P. Haggenmacher a en effet fort bien montré que l'hypothèse en question n'impliquait de la part de Grotius nul rejet de la théologie mais traduisait au contraire son évolution théologique d'une position volontariste vers une position intellectualiste[1] ; Grotius n'a fait somme toute « qu'adopter une position de compromis qui coïncide en substance avec celle de Suarez et qui ne le conduit nullement à la laïcisation qu'on lui attribue »[2]. L'erreur commise par les commentateurs de Grotius tient de fait à une mécompréhension plus générale concernant la nature de la sécularisation opérée par les théoriciens du droit naturel moderne. De ce que Hobbes, Grotius et Pufendorf ne sont pas des théologiens professionnels, mais des juristes ou des philosophes, certains commentateurs ont conclu que leurs théories du droit naturel étaient, contrairement à celles des jusnaturalistes scolastiques, foncièrement indépendantes de la théologie[3].

Si cette interprétation erronée a été relativement vite corrigée, on l'a vu, par les commentateurs de Grotius, elle a persisté plus longtemps chez les commentateurs de Hobbes. De cette persistance, la raison se trouve assurément dans le fait que le matérialisme du *De Corpore* semblait devoir contredire la volonté de fonder théologiquement la doctrine jusnaturaliste. Cette raison ne tarde pas toutefois à s'effondrer elle

1. On trouve une préfiguration de l'hypothèse de Grotius chez Grégoire de Rimini, *Super secundo sententiarum*, dist. XXXIV-XXXVII, qu. 1, art. 2, 1°, Venise, Giunta, 1522, fol. 118 *r*-118 *v*.

2. P. Haggenmacher, *Grotius et la doctrine de la guerre juste*, Paris, PUF, 1983, p. 521.

3. Cette affirmation de l'autonomie du droit naturel n'exclut d'ailleurs pas une reconnaissance de l'existence d'un souci théologique ou religieux de la part de ces théoriciens. Ernst Cassirer soutient à la fois que Grotius est un esprit religieux et que sa doctrine procède à une autonomisation complète du droit naturel. Voir E. Cassirer, *La philosophie des Lumières*, trad. fr. P. Quillet, Paris, Fayard, 1966, respectivement, p. 312 et 323-314. Cette interprétation est critiquée par Peter Haggenmacher, *Grotius et la doctrine de la guerre juste*, *op. cit.*, p. 524.

aussi dès lors que l'on observe, ainsi que nous l'avons fait dans le chapitre IV, que l'existence et la toute-puissance de Dieu constituent pour Hobbes la condition de clôture de l'univers matériel. Le fait que Hobbes ait développé une philosophie première matérialiste n'implique donc nullement qu'il n'ait pas pu fonder sa théorie du droit naturel sur une théologie spécifique.

Si la question de la sécularisation de la doctrine hobbesienne du droit naturel mérite d'être posée, il convient toutefois de bien en préciser les termes : la sécularisation ne signifie pas, en l'occurrence, et pas plus chez Hobbes que chez ses contemporains, un refus des principes théologiques de la loi naturelle, mais correspond à l'inverse à l'appropriation par un laïc d'un savoir théologique longtemps réservé à des clercs. À la différence du théologien jésuite Suarez, et comme le juriste Grotius, le philosophe Hobbes avance ses thèses sur le fondement théologique de la loi naturelle sans y être autorisé par l'obtention de grades universitaires en théologie[1]. La sécularisation de la théorie du droit naturel procède donc moins chez lui d'une rupture avec la discipline théologique que d'une prise de distance par rapport aux structures scolaires chargées de l'enseigner. Parfaitement conscient d'intervenir en homme privé dans un débat traditionnellement réservé à des clercs, Hobbes revendique la pratique théologique qui est la sienne en se prévalant de l'exemple des premiers docteurs protestants[2]. Prise en ce sens, la sécularisation de la théologie est parfaitement compatible avec une réappropriation de ses concepts dans le cadre d'un système philosophique développé par un laïc. La position de Hobbes ne présente sur ce point nul caractère d'exception[3] : l'utilisation qu'il fait de la toute-

1. Il ne fait pas de doute que le protestantisme ait contribué à ce mouvement de « laïcisation » : « Les protestants étaient, à des degrés divers, encouragés à lire les Écritures pour leur propre compte et à être pour eux-mêmes les ministres de la grâce. Ainsi, dans de nombreux pays d'Europe, la théologie se sécularisa-t-elle au sens premier du terme : elle devint le fait de laïcs » (A. Funkenstein, *Théologie et imagination scientifique du Moyen Âge au XVIIe siècle*, *op. cit.*, p. 4).

2. *Questions*, IV, p. 63-64.

3. L'interprétation contextualiste de Q. Skinner, qui rejette l'inscription de Hobbes dans un quelconque courant théologique (voir, en particulier, « Hobbes's Leviathan », *Historical Journal*, 7-2 (1964), p. 322), a été critiquée dans le chapitre III de S. A. State, *Thomas Hobbes and the Debate over Natural Law and Religion*, New York-Londres, Garland Publishing

puissance de Dieu comme fondement de la loi naturelle correspond en effet à une réappropriation laïque d'un concept théologique utilisé par une longue tradition théologique.

Cela étant dit, la nécessaire réinscription du jusnaturalisme de Hobbes dans l'histoire de la théologie de la toute-puissance ne saurait être qu'un préalable, et nullement une fin dernière[1]. La difficulté véritable consiste en effet, une fois reconnues les conditions théologiques de ce jusnaturalisme, à articuler les principes théologique et anthropologique sur lesquels il se fonde. Ce sera le premier objet de ce chapitre que de montrer comment le principe anthropologique retenu par Hobbes, à savoir le principe de la conservation de soi, s'accorde avec le principe théologique de la toute-puissance. Il s'agira ensuite d'expliquer en quoi les principaux concepts de la théorie du droit naturel présupposent une théologie de l'obligation naturelle fondée sur la toute-puissance divine. Enfin, il restera à préciser le lien qui unit la théorie des lois de nature à l'anthropologie politique et à la théologie.

I. CONSERVATION DE SOI ET TOUTE-PUISSANCE

Les théoriciens du droit naturel moderne ont contracté une dette importante à l'égard du stoïcisme. Grotius emprunte à Cicéron le principe de sociabilité que celui-ci avait lui-même repris des Stoïciens, et ce principe sera réaffirmé, entre autres, par Pufendorf, qui le placera au fondement de son *De jure naturae et gentium*. Une belle unanimité semble ainsi se faire jour pour placer la sociabilité au fondement de la théorie du droit naturel. En remplaçant le principe de sociabilité par le principe individualiste de la conservation de soi, Hobbes apparaît ainsi

Inc., 1991, p. 109-146. L'ouvrage le plus convaincant écrit sur l'évolution du droit subjectif, dans la perspective de l'école de Cambridge, est celui d'Annabel S. Brett, *Liberty, Right and Nature. Individual Rights in later Scholastic Thought*, Cambridge, Cambridge University Press, 1997.

1. Pour une réinscription de la théorie jusnaturaliste de Hobbes dans la perspective de la théologie de la loi naturelle, voir S. A. State, *Thomas Hobbes and the Debate over Natural Law and Religion*, *op. cit.*, chap. IV et V.

comme un dangereux novateur. En raison de ce changement de principe, d'aucuns ont considéré que le fondement anthropologique du jusnaturalisme de Hobbes était plus proche du renouveau épicurien que du néo-stoïcisme. Hobbes aurait développé sa théorie du droit naturel à partir des principes hédonistes d'Épicure et aurait, de ce fait, inventé une nouvelle variété de philosophie politique, l'hédonisme politique[1]. Cette interprétation séduisante n'en est pas moins inexacte, car elle néglige totalement le rôle de la théologie dans l'infléchissement des principes stoïciens[2].

1. *Conservation de soi : amour-propre ou amour de l'humanité ?*

À la différence de Grotius, qui suit d'assez près l'argument du livre I du *De officiis* de Cicéron, en montrant comment le soin de la conservation de soi se prolonge en souci de sociabilité[3], Hobbes interprète le principe cicéronien de la conservation de soi d'une façon résolument individualiste. En mettant la conservation de soi et non pas la sociabilité au principe de son jusnaturalisme, il ne s'écarte toutefois pas tant de la lettre du texte de Cicéron que Leo Strauss a bien voulu le dire, car il en retient l'idée que la conservation de soi est, avant la sociabilité[4], le premier mobile de la nature *(principium naturae)*[5]. Pour s'en

1. « En rejetant ce postulat [de la sociabilité], Hobbes retrouve en somme la tradition épicurienne » (L. Strauss, *Droit naturel et histoire*, *op. cit.*, p. 155). Voir également A. Funkenstein, *Théologie et imagination scientifique du Moyen Age au XVIIe siècle*, *op. cit.*, p. 374-377.

2. Leo Strauss, qui défend cette position, remarque toutefois que « Hobbes parle plus nettement du désir de conservation que du plaisir et semblerait ainsi plus proche des Stoïciens que des Épicuriens » (*Droit naturel et histoire*, chap. V, n. 4, *op. cit.*, p. 293). Mais il ajoute que l'importance accordée par Hobbes au désir de conservation tient à sa science du mouvement – contrairement au plaisir, le désir relève en effet conjointement de l'apparence et du mouvement –, et que sa raison d'être est, par conséquent, « absolument différente de la conception stoïcienne » *(ibid.)*. Strauss reprend en fait l'interprétation courante, à partir du XVIIIe siècle, d'un Hobbes épicurien.

3. Cicéron, *De officiis*, I, trad. fr. M. Testard, Paris, Les Belles Lettres, 1965-1970, p. 110.

4. Cicéron, *De finibus*, III, trad. fr. J. Martha, Paris, Les Belles Lettres, 1967, p. 45.

5. *De finibus*, III, *op. cit.*, p. 17.

assurer, il suffit de comparer les définitions que chacun des deux auteurs donne du principe de conservation de soi. Hobbes précise que : « Chacun est porté à rechercher ce qui est bon pour soi, comme il est poussé à fuir ce qui est mauvais pour soi, et au premier chef le pire des maux naturels, à savoir la mort. »[1] Cicéron écrit que : « Dès que l'animal est né [...], il est spontanément approprié à lui-même, [...] il est intéressé à se conserver et à aimer sa constitution ; [...] au contraire, il répugne à la mort et à tout ce qui pourrait amener la mort. »[2] Ces définitions sont d'ailleurs d'autant plus proches qu'elles renvoient l'une et l'autre à des définitions parentes de l'amour-propre. Cicéron précise en effet que la tendance naturelle à la conservation de soi se transforme en amour de soi par le moyen de la conscience de soi : s'ils n'avaient pas la conscience d'eux-mêmes les hommes n'auraient pas « l'amour d'eux-mêmes »[3]. De la même façon, Hobbes pourrait dire avec Cicéron que « le premier mobile a été l'amour de soi-même »[4]. La différence entre les deux auteurs tient donc moins à l'énoncé du principe de conservation qu'à l'interprétation qu'ils en donnent. Alors que Cicéron considère que le souci de la conservation propre est indissociable du souci de la conservation du genre humain, Hobbes tend à dissocier ces deux problèmes. Essentielle pour comprendre la genèse de l'individualisme moderne, cette différence d'approche possède plusieurs explications possibles.

De nature logique, la première explication fournie par Cicéron consiste à dire que la conservation de soi comporte une dimension générique, car c'est l'espèce *(genus)*, et non pas l'individu, qui « a reçu de la nature de veiller sur elle-même, sur sa vie, sur son corps, d'éviter ce qui paraît nuisible, de rechercher et de se procurer tout ce qui est nécessaire à la vie »[5]. L'homme ne s'aimant pas tant comme individu qu'il n'aime à travers soi la constitution générique *(status suus)* qui est la sienne, l'amour qu'un individu a pour lui-même est une conséquence

1. *De Cive*, I, 7, p. 94 ; voir *Elements of Law*, I, XIV, 6, p. 71.
2. Cicéron, *De finibus*, III, *op. cit.*, p. 15, trad. modifiée.
3. *Ibid.*
4. *Ibid.*
5. Cicéron, *De officiis*, I, *op. cit.*, p. 109.

logique de l'amour qu'il porte à son espèce. De cet amour pour l'espèce découle également l'amour que les parents portent à leurs enfants, puisque la conservation des enfants contribue à la conservation des parents en tant qu'espèce[1]. Aimer autrui, c'est-à-dire contribuer à la conservation d'autrui, contribue ainsi, selon Cicéron, à la conservation de l'humanité tout entière.

Hobbes, pour sa part, n'accepte pas plus d'identifier la conservation de soi et la conservation du genre humain qu'il n'accepte de confondre l'individu et l'espèce. Le mot « humanité » ne correspondant à rien de réel indépendamment de l'opération d'abstraction qu'il désigne, la conservation du genre humain ne saurait avoir qu'une signification abstraite. Concrètement, il n'existe que des individus qui contribuent à leur propre conservation. L'affirmation d'une sociabilité du genre humain procède donc avant tout d'une erreur de logique, puisqu'elle suppose que l'on considère comme un nom concret le nom d'une abstraction[2]. Considérer qu'un individu puisse en aimer un autre en tant qu'homme, et non pas en tant qu'individu concret, suppose de fait que l'on accorde une réalité à la notion abstraite d'humanité. Refusant le réalisme des essences, Hobbes ne peut que nier la réalité d'un sentiment qui prendrait pour objet une espèce ou un genre : « Car si l'homme aimait l'homme naturellement, c'est-à-dire en tant qu'homme, on ne saurait expliquer pourquoi chacun ne porte pas autant d'amour à chacun de ses semblables, en tant qu'ils sont, les uns autant que les autres, des hommes ; ou encore, pourquoi chacun fréquente plus volontiers ceux en la compagnie desquels ils reçoit plus d'honneurs et d'avantages que d'autres. »[3] Dire qu'un homme en aime un autre « naturellement » signifie qu'il l'aime en raison de leur commune appartenance à une même nature, et que le sentiment qu'il ressent à son égard ne procède pas d'abord d'un intérêt particulier. Or ce sentiment s'adressant à l'espèce et non pas aux individus, il devrait valoir indifféremment pour n'importe quel homme : l'universalité du senti-

1. *Ibid.*
2. Sur les noms abstraits, voir *De Corpore*, III, 4, p. 28-29.
3. *De Cive*, I, 2, p. 90.

ment de sociabilité devrait ainsi induire, indépendamment de toute considération d'intérêt particulier, une égale amitié à l'égard de tous et de toutes. Une observation même superficielle suffit toutefois à montrer qu'il n'existe pas d'inclination générale envers autrui, mais seulement des inclinations particulières, motivées par des intérêts particuliers.

Le refus nominaliste du réalisme des essences rejoint ici l'analyse des moralistes du grand siècle, toujours prompts à déceler les ruses de l'amour-propre derrière l'amour prétendu d'autrui : « Ce que les hommes ont nommé amitié n'est qu'une société, qu'un ménagement réciproque d'intérêts, et qu'un échange de bons offices ; ce n'est enfin qu'un commerce où l'amour-propre se propose toujours quelque chose à gagner. »[1] D'accord par anticipation avec La Rochefoucauld pour reconnaître les faux-semblants de l'amitié, Hobbes fait œuvre de moraliste lorsqu'il montre que l'affirmation de la sociabilité procède manifestement d'un « examen trop superficiel de la nature humaine »[2]. Cherchant à établir que les exigences de l'amour-propre priment le désir de la compagnie d'autrui, il propose de raisonner à partir de ce que les hommes font lorsqu'ils sont assemblés. Des amitiés qui se forment pour le commerce, pour l'exercice d'une même fonction ou pour le divertissement, aucune n'échappe à la règle de l'amour-propre. S'il s'agit de faire du commerce, l'intérêt que l'on peut retirer de la transaction prime le souci de la compagnie d'autrui. S'il s'agit d'exercer des fonctions publiques, l'amitié varie avec les intérêts de chacun, et la crainte sert davantage de ciment à la sociabilité que l'amitié véritable. De cette amitié de façade peuvent naître des factions, mais pas de bienveillance *(benevolentia)*. S'il s'agit enfin de s'assembler en vue de se divertir, le plaisir que chacun prend à se moquer d'autrui suffit à établir qu'il y va ici encore de l'amour-propre. Prendre plaisir à se moquer des ridicules de son prochain peut certes passer pour un plaisir innocent. Toutefois, la nature de ce plaisir, qui réside dans la comparaison que l'on fait de ses qualités avec les défauts d'autrui, montre suffisamment

1. La Rochefoucauld, *Maximes*, Paris, Garnier-Flammarion, 1977, max. 83, p. 52.
2. *De Cive*, I, 2, p. 90.

que les gens qui se divertissent ensemble « ne se réjouissent pas en premier lieu de la société d'autrui, mais de leur propre gloire »[1]. Ces trois exemples montrent clairement que les rassemblements « spontanés » ne sont jamais véritablement tels, mais qu'ils dépendent toujours soit du besoin réciproque, soit de la recherche de la gloire. Cette constatation n'implique pas pour autant que les hommes soient condamnés à la solitude. S'il est vrai que les sociétés qui reposent uniquement sur le souci de la gloire sont destinées à une disparition rapide, il n'en est pas moins vrai qu' « une perpétuelle solitude est pénible à l'homme par sa nature, c'est-à-dire en tant qu'il est homme, donc dès sa naissance ; car les enfants ont besoin du concours d'autrui pour vivre, et les adultes pour bien vivre »[2]. Par cette remarque, qui fut ajoutée en 1647 lors de la seconde édition du *De Cive*, Hobbes montre que le besoin de société, aussi primitif soit-il, n'est jamais indépendant de l'amour-propre. Si les enfants désirent la société de leurs parents, c'est parce qu'ils en ont besoin pour vivre, si les adultes recherchent la société d'autres adultes, c'est parce que sans elle ils ne sauraient bien vivre. Dans ces deux cas, le désir de société s'explique sans qu'il soit besoin de faire appel à l'amour d'autrui.

Hobbes infléchit donc l'anthropologie stoïcienne dans un sens résolument individualiste. S'il n'ignore pas la notion même de conservation du genre humain, il en fait tout au plus le doublet rhétorique de la notion de conservation de soi[3]. Dans la mesure où chacun est seul juge de ce qui contribue à sa propre conservation, se conserver équivaut selon lui à rechercher ce qui paraît bon pour soi à l'exclusion de toute autre considération. Comme le bien apparent est identique à l'agréable, le souci de la conservation propre équivaut aussi – et là se fait incontestablement sentir l'influence épicurienne – à la recherche de

1. *De Cive*, I, 2, p. 90-91.
2. *De Cive*, I, 2, rem., p. 92.
3. C'est le cas, notamment, dans le passage suivant : « La *guerre* perpétuelle est fort peu propice à la conservation du genre humain et à celle de chacun d'entre nous *(vel humani generis, vel unius cuiuscumque hominis)* » (*De Cive*, I, 13, p. 96). L'influence de la terminologie stoïcienne est telle qu'il arrive à Hobbes, notamment lorsqu'il résume sa pensée, de recourir à la formule consacrée de *conservationem humani generis* (*De Cive*, XV, 5, p. 221). Mais, dans ce cas également, il s'agit de la conservation des hommes en particulier.

l'agréable. L'agréable se partage en deux espèces, dont l'une se rapporte aux organes des sens, l'autre à l'esprit. Ce qui est agréable aux sens relève de la catégorie des avantages matériels *(commodi),* c'est-à-dire de la catégorie de l'intérêt ; ce qui est agréable à l'esprit relève de la catégorie de la gloire, qui est une bonne opinion que l'on a de soi-même. La volonté d'entrer dans une société particulière dépend toujours de l'une ou l'autre de ces deux motivations : elle se fonde soit sur la recherche d'un « avantage matériel », comme dans le cas de la société commerciale, soit sur la recherche de la gloire, comme dans le cas de la société de divertissement[1].

Pufendorf s'emploie avec beaucoup de subtilité à montrer que la thèse individualiste de Hobbes n'est pas si éloignée qu'il y paraît de prime abord de la thèse stoïcienne de la sociabilité. S'il ne faut pas, dit-il, mésinterpréter Hobbes au point de lui faire dire que « toute société est contraire à l'institution de la nature »[2], c'est que le philosophe anglais soutient au fond que « l'amour-propre et la sociabilité ne doivent point être opposées l'une à l'autre »[3]. Remarquant que Hobbes déduit les lois de nature du seul principe de la conservation de soi, Pufendorf précise que cette ingénieuse déduction n'est pas contraire au principe de la sociabilité. Il faut en effet, dit-il, « se donner garde d'[...]inférer [de ce principe], que dès qu'on croit s'être suffisamment mis soi-même en sûreté, on ne doive plus penser à la conservation d'autrui »[4]. Pour bienveillante qu'elle soit, cette mise en garde relève toutefois davantage de l'extrapolation que de l'interprétation rigoureuse. Fondée sur une conception du droit naturel qui n'est pas celle de Hobbes, cette interprétation se trompe sur le sens qu'il faut donner à la critique hobbesienne du principe de sociabilité. Fidèle au principe stoïcien de l'*honestas*, Pufendorf rappelle, ce qui ne saurait valoir pour Hobbes, qu'il n'y a de mérite solide « qu'à proportion de ce que l'on

1. *De Cive*, I, 2, p. 90-91.

2. Pufendorf critique ici la thèse de Hermann Conring, *De civile prudentia*, XIV, Göbel (éd.), Brunschwic, 1730, rééd. Aalen, 1970, *in fine*. Pufendorf, *Le droit de la nature et des gens*, II, III, XVI, *op. cit.*, p. 198.

3. *Ibid.*

4. *Ibid.*

contribue à l'utilité d'autrui »[1]. Sous couvert d'interprétation, Pufendorf se livre en fait à une critique du principe hobbesien de l'intérêt individuel : « [...] si chacun pouvait légitimement ne se proposer que son intérêt particulier ; lors que plusieurs personnes feraient consister leur intérêt capital dans diverses choses opposées les unes aux autres, il faudrait nécessairement que ces vues contradictoires passassent toutes à la fois pour conformes à la droite raison ; ce qui est absurde : ou qu'un seul homme pût prétendre que ses vues particulières prévalussent à celles de tous les autres : or personne n'ayant ce droit, on ne saurait se dispenser de reconnaître qu'il est contre la raison de se proposer uniquement son intérêt particulier, sans avoir aucun égard à celui d'autrui. »[2] Cette critique repose sur deux présupposés indissociables, à savoir, premièrement, que la recherche de l'intérêt particulier est contraire à la dignité de l'homme, et, deuxièmement, que la droite raison rend possible une connaissance objective du bien. Le premier présupposé est un héritage cicéronien : s'il est vrai que les devoirs naturels ont pour point de départ la conservation de soi, ce point de départ est lui-même subordonné par Cicéron à la fin dernière de la moralité, à savoir à la recherche de l'harmonie, qui est aussi le principe de la dignité de l'homme[3]. Le second présupposé est également un héritage cicéronien : la droite raison est considérée comme un principe objectif de détermination de l'action bonne, c'est-à-dire pour Cicéron de l'action qui est en harmonie avec la nature[4]. Ces deux présupposés, loin de refléter la pensée de Hobbes, en fournissent au contraire l'exacte antithèse.

Concernant le premier point, Hobbes ne saurait vouloir subordonner la conservation de l'individu à une fin dernière, puisqu'il considère au contraire qu'il n'existe pas, dans cette vie du moins[5], de fin dernière de l'homme *(finis ultimus)*. Privée de toute justification téléo-

1. *Ibid.*
2. Pufendorf, *Le droit de la nature et des gens*, II, III, 16, *op. cit.*, p. 199.
3. Cicéron, *De finibus*, III, *op. cit.*, p. 19-20.
4. *Ibid.*
5. La version latine du *Léviathan* précise que la fin dernière et le bien suprême « ne trouvent pas leur place dans cette vie » (*Lév.*, XI, 1, 95, n. 5).

logique, la théorie du droit naturel ne pourra donc s'appuyer que sur cette première tendance qu'est le souci de la conservation de soi. L'absence de fin dernière conduit en outre à une compréhension réduite du principe de la conservation de soi, qui se trouve tout entier recentré sur l'individualité propre de l'homme. Le fondement de la doctrine jusnaturaliste de Hobbes est bien en ce sens un fondement individualiste. Faut-il pour autant en conclure, comme le fait Pufendorf, que la recherche de l'intérêt individuel soit contraire à la maxime de la droite raison ?

Cette conclusion n'est pas légitime, car elle ne tient pas compte de la transformation que Hobbes fait subir au concept de droite raison : « J'entends par "droite raison", à l'état de nature des hommes, non pas, comme le font bien d'autres auteurs, une faculté infaillible, mais l'acte même de raisonner *(ratiocinandi actum),* c'est-à-dire le raisonnement *(ratiocinationem)* vrai et propre à chacun, au sujet de ses propres actions, en tant qu'elles peuvent entraîner des conséquences utiles ou dommageables pour autrui. »[1] La raison n'est pas liée à un contenu particulier, à des valeurs particulières, qu'elle aurait pour tâche de dévoiler, mais elle est un instrument au service de la conservation propre d'un individu singulier. Bien qu'elle appartienne à la nature humaine, la raison n'est pas au service du genre humain. L'effort interprétatif de Pufendorf semble donc bien voué à l'échec, car Hobbes ne fonde pas sa science des lois de nature sur une norme rationnelle objective, mais sur un usage singulier de la raison. La droite raison n'a pas pour fonction de montrer aux hommes comment ils doivent agir pour être dignes de leur appartenance au genre humain, mais en quoi il leur est nécessaire « de respecter leurs devoirs à l'égard d'autrui *dans l'intérêt de leur propre conservation* »[2].

Malgré son caractère erroné, l'interprétation de Pufendorf est toutefois intéressante, car elle est révélatrice de la difficulté qu'il y a à comprendre que la conservation de soi puisse constituer à elle seule le principe de la théorie hobbesienne du droit naturel. Ni le point de vue

1. *De Cive*, II, 1, rem., p. 99.
2. *Ibid.*

logique de la critique des universaux, ni le point de vue moral de la critique des vertus apparentes ne sauraient, il est vrai, y suffire. La solution de cette difficulté ne relève de fait ni de la logique, ni de la critique morale, mais de la prise en compte du fondement théologique de la théorie du droit naturel. De même que le principe de sociabilité repose, dans la théorie de Pufendorf, sur une théologie spécifique, de même en va-t-il pour le principe de la conservation de soi dans la théorie de Hobbes. Dans les deux cas, le principe anthropologique dépend d'un principe théologique qui lui confère un caractère d'obligation. Pufendorf insiste pour sa part sur le fait que la sociabilité comme inclination naturelle de l'humanité ne suffit pas à fonder la théorie du droit naturel, mais qu'elle n'acquiert son caractère d'obligation qu'en tant qu'elle est voulue par l'auteur de la nature. De la même façon, le principe de la conservation de soi ne constitue le principe du droit naturel de Hobbes que dans la mesure où il peut être considéré comme une source d'obligation. L'alternative est donc claire : soit il y a un sens à parler d'une obligation naturelle de se conserver, et alors il est possible de considérer Hobbes comme un théoricien du droit naturel ; soit il n'y a pas de sens à le faire, et alors il faut considérer la prétention jusnaturaliste et morale de Hobbes comme une prétention sans fondement[1]. C'est à établir la validité de la première de ces deux options que nous allons nous employer à présent.

1. Cette alternative peut être acceptée par tous, y compris par les interprètes qui considèrent la philosophie morale de Hobbes comme un système prudentiel. Parmi ces derniers, David Gauthier reconnaît ainsi que le fait de considérer les lois de nature comme des règles de prudence interdit de les considérer comme des règles de morales. Jugeant que l' « idéologie est l'intérêt déguisé en moralité », il est conduit à soutenir que le vocabulaire moral et jusnaturaliste de Hobbes est un pur et simple alibi idéologique (D. P. Gauthier, *The Logic of Leviathan*, Oxford, Clarendon Press, 1969, p. 91). Cette thèse repose sur le présupposé suivant : « C'est uniquement le fait que les hommes sont naturellement portés à se préserver, ou plus généralement à faire prévaloir leur propre avantage, qui nous empêche de considérer le système de Hobbes comme un système moral » (Gauthier, *The Logic of Leviathan*, *op. cit.*, p. 98). Notre thèse est, à l'inverse, que l'on ne peut considérer le principe de conservation d'un point de vue seulement naturaliste, mais qu'il faut le considérer également comme un principe éthique, dont le caractère d'obligation dépend de considérations théologiques.

2. *Obligation naturelle et conservation de soi*

La difficulté à laquelle on se heurte d'emblée réside moins, en l'occurrence, dans l'interprétation des textes de Hobbes que dans le préjugé qui s'oppose à ce que l'on considère la conservation de soi comme une obligation morale. Puisque les hommes se conservent eux-mêmes en vertu d'un instinct que leur a donné la nature, pourquoi faudrait-il de surcroît que la raison leur fasse obligation de ce à quoi ils se portent déjà d'instinct ? Pufendorf a parfaitement bien formulé ce préjugé : « Il semble d'ailleurs que ce soit une chose superflue, de prescrire, par une loi, le soin & la conservation de nous-mêmes, à quoi un amour propre fort tendre & fort empressé nous porte déjà d'une manière si invincible, que quand même on le voudrait, on ne pourrait que très difficilement se résoudre à faire le contraire. »[1] Et il faut croire que ce préjugé est fortement enraciné, car, dans leur immense majorité, pour ne pas dire dans leur totalité, les commentateurs de Hobbes s'y sont laissé prendre. Des interprétations de la question de l'obligation morale aussi différentes que celles de Warrender et de Gauthier s'accordent en effet pour considérer que le principe de conservation est uniquement un principe psychologique ou physiologique. Warrender souligne, en outre, que la préservation de soi est si loin de constituer un élément central de la théorie hobbesienne de l'obligation qu' « elle ne fait pas partie de cette théorie en tant que telle, mais qu'elle constitue un postulat empirique utilisé pour son application »[2]. En distinguant le fondement de l'obligation et les conditions de validation de l'obligation[3], Warrender établit de fait une barrière infranchissable entre le principe de la toute-puissance de Dieu, qui fonde l'obligation, et le principe de la conservation de soi, dont procède la motivation des individus à accomplir leurs obligations. Que le principe de la conservation de soi ait été découvert par Hobbes au moyen d'une introspection psy-

1. Pufendorf, *Le droit de la nature et des gens*, II, IV, XVI, *op. cit.*, p. 247.
2. H. Warrender, *The Political Philosophy of Hobbes*, *op. cit.*, p. 93.
3. H. Warrender, *The Political Philosophy of Hobbes*, *op. cit.*, p. 14-17.

chologique ou d'une théorie physique des corps en mouvement[1], Warrender considère que ce principe n'entretient qu'un rapport extérieur et, pour tout dire « contingent », avec le fondement de l'obligation morale. Cette analyse ne saurait être jugée entièrement satisfaisante[2].

Si le désir de se conserver procédait uniquement d'un instinct, la raison ne pourrait blâmer celui qui renonce à la vie, car la question du suicide ne pourrait pas même être posée. Sachant parfaitement que la question du suicide est au cœur des questions abordées par les théoriciens antiques du droit naturel[3], Hobbes n'a pas la naïveté de croire que l'instinct suffit à rendre compte du principe de la conservation de soi. L'instinct peut parfois éviter à la raison de devoir répondre à une question embarrassante, mais il ne lui interdit pas de se la poser. De la même façon, l'instinct peut bien aider à la réalisation d'une obligation sans qu'il faille pour autant en conclure qu'il se substitue à elle. C'est ce que Pufendorf a parfaitement compris : « De plus, quoiqu'un instinct naturel nous porte assez fortement à tout ce qui est nécessaire pour notre conservation, il ne s'ensuit point que la loi naturelle ne nous prescrive rien là-dessus. Au contraire, il semble que cet instinct même nous ait été donné pour venir au secours de la raison, comme si elle n'avait pas eu toute seule assez de force pour nous engager à un devoir d'où dépend le salut du genre humain. En effet, lors qu'on pense attentivement aux incommodités & aux chagrins dont la vie humaine est accompagnée, & qui surpassent de beaucoup ce petit nombre de plaisirs peu solides, qui reviennent toujours de la même manière, mais d'ordi-

1. « Il faut remarquer, cependant, que cette condition de validation de l'obligation est partiellement un principe logique et partiellement un principe d'obligation. La supposition que l'agent doit avoir un motif adéquat pour accomplir l'action qu'il est obligé d'accomplir peut se déduire du concept hobbesien de l'obligation morale, et si l'on refuse cette supposition, on introduit un type différent d'obligation. Le second postulat, cependant, selon lequel nul homme n'a un motif suffisant de se suicider, est un principe psychologique et Hobbes semble l'avoir considéré comme étant fondé sur une preuve introspective, bien qu'il suggère occasionnellement qu'on puisse également le déduire des premiers principes du mouvement » (H. Warrender, *The Political Philosophy of Hobbes*, *op. cit.*, p. 93).

2. Warrender reconnaît lui-même l'inconvénient de son interprétation : « [...] elle ne fournit pas de relation satisfaisante entre les théories hobbesiennes de l'obligation et de la motivation humaine » (*The Political Philosophy of Hobbes*, *op. cit.*, p. 301).

3. Voir notamment, Cicéron, *De finibus*, III, *op. cit.*, p. 40-42.

naire avec quelque chose de languissant & même avec une espèce de dégoût : lors qu'on fait réflexion, que plusieurs personnes semblent ne vivre longtemps que pour être en butte à un plus grand nombre de maux : qui est-ce qui ne terminerait pas au plutôt le cours d'une si triste carrière, si l'instinct naturel ne nous rendait la vie extrêmement chère, & si l'idée de la mort ne renfermait quelque chose de fort affreux ? »[1] L'instinct vient au secours de la raison, qui à elle seule ne parviendrait pas à empêcher les hommes de mettre fin à leur vie. L'amour instinctif de la vie et la peur tout aussi instinctive de la mort constituent ainsi, selon Pufendorf, les corollaires indispensables de l'obligation naturelle de se conserver. Mais, à l'inverse, lorsque l'instinct ne suffit plus à leur rendre la vie désirable, les hommes ne peuvent pas pour autant choisir de se tuer. À côté de l'instinct de conservation, il faut donc reconnaître l'existence d'une obligation morale de se maintenir en vie, qui constitue un devoir fondamental de l'homme à l'égard de soi-même. Bien que les fondements de l'obligation morale ne soient pas les mêmes chez les deux auteurs, l'analyse que propose Pufendorf du principe de la conservation de soi comme obligation à l'égard de soi-même permet d'éclairer le sens véritable de ce principe dans la philosophie de Hobbes.

Lorsqu'il répond à l'objection selon laquelle un individu ne saurait être obligé à l'égard de soi-même, car une obligation suppose au minimum deux personnes, celle qui oblige et celle qui est obligée, Pufendorf nous donne les moyens de comprendre la proximité fondamentale qui unit chez Hobbes le principe de la conservation de soi et le principe de la toute-puissance divine. Le juriste allemand rappelle en effet, ce qui vaut également pour Hobbes, que l'obligation à l'égard de soi-même que constitue l'obligation de se conserver doit être comprise comme une obligation de soi-même par rapport à Dieu : « Pour répondre à ces difficultés, j'avoue bien que si l'homme n'était né que pour lui seul, il serait convenable de le laisser maître absolu de lui-même, en sorte qu'il puisse disposer, comme il lui plairait, de ses intérêts. Mais comme, de l'aveu de tous les sages, nous tenons notre exis-

1. Pufendorf, *Le droit de la nature et des gens*, II, IV, XVI, *op. cit.*, p. 247.

tence d'un créateur tout-puissant & tout-bon, [...], il est clair, que si, en négligeant entièrement le soin de soi-même, on ne se fait aucun tort, on en fait au genre humain, et en quelque manière au créateur même. »[1] Pufendorf montre ainsi que si les hommes ne sont pas libres de chercher ou non à se conserver, c'est qu'ils y sont obligés par la personne de Dieu. Redevables à leur Créateur du fait de leur existence, les hommes ne sauraient légitimement se considérer comme les maîtres absolus d'eux-mêmes ; ils ne sauraient de ce fait se considérer comme libres de quitter la vie quand bon leur semble.

Hobbes partage avec Pufendorf l'idée que la conservation de soi est une obligation fondée en Dieu. S'il s'en distingue, c'est, d'une part, par la compréhension du principe de conservation qui est la sienne et, d'autre part, par la compréhension de Dieu qui fonde chez lui l'obligation de se conserver. Concernant le premier point tout d'abord, il convient de rappeler que Hobbes considère le principe de la conservation de soi comme un principe résolument individualiste : « Chacun est porté à rechercher ce qui est bon pour soi, comme il est poussé à fuir ce qui est mauvais pour soi, et au premier chef le pire des maux naturels, à savoir la mort. »[2] Le souci de la conservation de soi n'implique donc pas chez lui, comme c'était le cas chez Pufendorf, le souci de la conservation du genre humain. Concernant le second point, Hobbes donne de l'obligation naturelle une double description : « Il existe donc deux espèces d'obligations naturelles *(obligationis naturalis)* : l'une, lorsque la liberté est supprimée par des obstacles corporels ; c'est en vertu de cette obligation que nous disons que le ciel et la terre, et toutes les créatures, obéissent aux lois commune de Sa création. L'autre, lorsque la liberté est ôtée par l'espoir et la crainte ; c'est en vertu de cette obligation que le plus faible ne peut qu'obéir au plus puissant dès lors qu'il désespère de pouvoir lui résister. Il résulte de la seconde sorte d'obligation, à savoir de la crainte ou de la conscience de sa propre faiblesse (au regard de la puissance divine), que dans le règne de Dieu par la nature, nous sommes obligés d'obéir à Dieu ; car la

1. *Ibid.*
2. *De Cive*, I, 7, p. 94.

raison dicte à tous ceux qui reconnaissent la puissance et la providence de Dieu qu' "il ne faut pas regimber contre l'aiguillon". »[1] Du point de vue de la première définition, le souci de la conservation de soi peut être présenté comme une nécessité : « C'est là une nécessité non moins naturelle que celle qui régit la chute d'une pierre. »[2] L'obligation de se conserver résiderait alors dans la privation de liberté qui procède des lois de la Création[3]. En première analyse, cette privation de liberté peut être comprise comme une sorte d'instinct de conservation, car l'instinct est censé accomplir ses opérations non moins nécessairement que les lois de la nature. Or l'instinct de conservation ne constitue pas en lui-même un principe d'obligation morale. Par conséquent, la nécessité naturelle de se conserver ne saurait davantage équivaloir à une telle obligation. Pour comprendre en quoi le principe de la conservation de soi peut constituer une obligation naturelle, il faut donc se tourner vers la seconde définition de cette dernière notion.

Selon cette définition, l'obligation naturelle repose sur la reconnaissance par l'homme de la faiblesse de sa puissance comparée à celle de Dieu, de son incapacité de résister à la puissance de Dieu. Si les conséquences de cette affirmation se comprennent assez bien[4], sa signification quant à elle demeure énigmatique. D'un point de vue purement théologique, il est difficile de comprendre en quoi la seule idée de la puissance divine est susceptible d'obliger les hommes à agir d'une façon plutôt que d'une autre. Aucun des sens généraux que l'on peut donner à l'expression « le plus faible désespère de résister au plus fort » n'est totale-

1. *De Cive*, XV, 7, p. 223.

2. *Ibid.*

3. Bien que son utilisation dans un texte de Hobbes soit quelque peu surprenante, l'utilisation de l'expression « obligation naturelle » pour désigner la nécessité naturelle peut se comprendre à partir de l'idée selon laquelle les lois qui régissent les phénomènes naturels procéderaient du commandement divin, du *fiat* de la Création. Dans un contexte théologique différent, Hooker formule une idée fort approchante, lorsqu'il déclare que « les choses naturelles qui ne sont pas au nombre des agents volontaires [...] observent [...] nécessairement leurs lois déterminées » (Hooker, *Of the Laws of Ecclesiastical Polity*, *op. cit.*, p. 67). Hobbes fait manifestement référence à la manière commune de parler, qui désigne la nécessité des phénomènes naturels à l'aide de l'expression « lois communes de la création *(communibus suae creationis legibus)* ». Il serait faux toutefois d'en conclure que la théorie hobbesienne de la nécessité constitue une théorie des lois de nature.

4. Sur ces conséquences, voir, plus haut, notre chapitre IV, p. 142-144.

ment satisfaisant. Si l'on considère en effet que cette expression signifie une contrainte psychologique, c'est-à-dire l'impossibilité pour le plus faible de concevoir qu'il pourrait résister au plus fort, alors l'obligation naturelle n'est plus qu'une nécessité naturelle ; si l'on considère que cette expression signifie une obligation rationnelle, c'est-à-dire le fait pour le plus faible d'estimer qu'il n'est pas raisonnable, bien qu'il en conçoive la possibilité, de résister au plus fort, c'est la même conclusion qui s'impose ; si l'on considère enfin que cette expression signifie une obligation politique, c'est-à-dire le fait que le plus faible abandonne son droit de s'opposer à Dieu, qu'il autorise Dieu comme il autoriserait un souverain humain, l'obligation naturelle cède alors le pas à l'obligation politique[1]. Aucune de ces interprétations n'est totalement satisfaisante, car aucune ne permet de comprendre le sens de la faiblesse *(imbecillitas)* qui oblige les hommes à obéir à Dieu.

3. *Obligation, faiblesse et athéisme*

Il est clair, tout d'abord, que la faiblesse des hommes par rapport à Dieu n'est pas immédiatement compréhensible dans le registre d'une anthropologie du rapport de force. Alors que le rapport de force humain repose toujours sur la possibilité que l'un ou l'autre des deux adversaires puisse supprimer la vie de l'autre, le rapport de force entre l'homme et Dieu repose sur l'impossibilité pour l'homme de tuer Dieu. La puissance de Dieu entretient de fait un lien étroit avec son immortalité ; la faiblesse de l'homme avec sa mortalité. La preuve en est que le rapport de force qui oppose l'homme à Dieu dans le royaume de Dieu par la nature se termine toujours par la mort de l'homme. On peut donc penser que la faiblesse de l'homme réside précisément dans sa mortalité naturelle[2]. De cela, il résulte que la mort naturelle n'est pas pensée ici par Hobbes comme un phénomène naturel, mais comme

1. D. P. Gauthier, *The Logic of Leviathan*, *op. cit.*, p. 191-194.
2. Une première formulation de cette hypothèse se trouve dans notre article « Obéissance politique et mortalité humaine selon Hobbes », *loc. cit.*, p. 283-305.

l'expression de la toute-puissance de Dieu. Cette interprétation est confirmée par le fait que la conscience de la faiblesse humaine n'est pas liée à l'espérance, mais à la crainte que la toute-puissance divine inspire aux hommes : « À metu, sive imbecillitatis propriae (respectu divinae potentiae). »[1] On conçoit mal en effet quelle espérance pourrait susciter chez un homme la conscience de sa mortalité. On conçoit fort bien, en revanche, quelle crainte peut susciter en lui la toute-puissance de Dieu, s'il comprend cette puissance comme la cause de sa mort : la crainte de la toute-puissance n'est rien d'autre alors que la crainte de la mort.

Dans son analyse de la figure de Job, Hobbes précise toutefois que cette crainte ne s'oppose pas, en elle-même, à la croyance en l'immortalité : « Tout le chapitre XIV de Job, qui rapporte un discours, non de ses amis, mais de Job lui-même, est une plainte suscitée par cette mortalité naturelle, plainte qui cependant ne nie aucunement l'immortalité d'après la résurrection. »[2] Dans le royaume de Dieu par nature, la fonction de la toute-puissance n'est pas comparable à ce qu'elle est dans le royaume de Dieu par la promesse. Dans le premier cas, la toute-puissance rend raison de la mortalité naturelle, dans le second cas, elle rend raison de l'immortalité surnaturelle. Si notre interprétation est exacte, on comprend parfaitement pourquoi la toute-puissance divine est source en l'homme tout à la fois d'une crainte de la mort et d'une obligation naturelle de se conserver. Qu'il proteste tant qu'il veut contre la rigueur de sa condition d'être mortel, l'homme ne peut en effet échapper au dilemme suivant : soit il met fin volontairement à ses jours, et il échappe, grâce à la mort, à l'obligation naturelle de vivre ; soit il accepte de vivre, et, ce faisant, il se reconnaît obligé de respecter les lois qui régissent la condition des êtres mortels.

Dire que les hommes sont obligés d'obéir à Dieu de par sa toute-puissance équivaut ainsi à dire que la vie ne relève pas d'abord d'un instinct, mais d'une obligation. Celui qui accepte de vivre – ce qui n'a pas besoin pour être signifié d'autre chose que de vivre – est de ce simple fait obligé de vivre. Il pourrait, certes, sembler étrange de vouloir

1. *De Cive*, XV, 7, p. 223.
2. *Lév.*, XXXVIII, 4, p. 477.

fonder une obligation morale sur un fait. Aussi n'est-ce pas non plus ce que Hobbes entend faire. Le fondement de l'obligation de se conserver ne réside pas, selon lui, dans le fait biologique de vivre, car, en tant que tel, ce fait n'oblige à rien, mais dans le fait de vivre en sachant que l'on est mortel. Autrement dit, l'homme qui ignore sa propre mortalité ignore également qu'il est obligé par nature : c'est le cas des enfants, des fous et des athées. L'athéisme, en effet, ne réside dans l'ignorance de l'existence et de la providence de Dieu que pour autant que cette ignorance s'accompagne de l'ignorance du fait que la mortalité des hommes est l'effet de la volonté divine. Il est de ce point de vue hautement significatif que Hobbes caractérise le péché de l'athée comme un « péché d'imprudence *(peccatum imprudentiae)* »[1]. En l'absence de la connaissance du principe de l'obligation naturelle, il ne saurait en effet y avoir que des règles de prudence. Imprudent, parce qu'il néglige une connaissance qui est déterminante pour la conduite de sa vie, l'athée n'est pas pour autant injuste à l'égard de Dieu, car il ignore ce en quoi il lui est obligé. Est-il possible cependant que l'athée se comporte avec prudence, alors même qu'il pèche par imprudence à l'égard de Dieu ? On peut douter qu'il le puisse, car il semble bien que, aussi étonnant que cela puisse paraître, l'ignorance de Dieu aille de pair chez l'athée avec une ignorance de sa propre mortalité. De fait, si Hobbes n'accorde pas de place à la figure de l'athée prudent, c'est sans doute parce qu'il considère que la négation de la toute-puissance de Dieu s'accompagne toujours d'une ignorance de la signification théologique de la mortalité naturelle de l'homme. La nature même de l'obligation morale implique donc qu'il n'est pas possible de soutenir, comme certains commentateurs l'ont fait, que le système moral et politique de Hobbes soit une théorie de la prudence[2].

L'obligation morale n'obligeant à rien d'autre qu'à se conserver soi-même, elle n'est pas distincte du principe qui sous-tend de part en part la philosophie morale et politique. Si la théologie et la philosophie de Hobbes se séparent sur la question de la méthode, elles se rejoignent

1. *De Cive*, XIV, 19, p. 215.
2. D. P. Gauthier, *The Logic of Leviathan*, *op. cit.*, p. 89-98.

donc sur la nature du principe à partir duquel elles développent leurs réflexions. La théorie du droit naturel, ainsi que l'anthropologie politique qui la sous-tend portent la marque de ce principe commun.

II. LA LOI NATURELLE, LE DROIT NATUREL ET L'OBLIGATION DE SE CONSERVER

Le *Léviathan* propose la définition suivante de la loi naturelle : « Une loi naturelle *(lex naturalis)* est un précepte, une règle générale découverte par la raison, par laquelle il est interdit aux gens de faire ce qui mène à la destruction de leur vie ou leur enlève le moyen de la préserver, et d'omettre ce par quoi ils pensent qu'ils peuvent être le mieux préservés. »[1] Deux éléments caractérisent cette définition : le fait que la loi naturelle possède un caractère d'obligation ; le fait que la loi naturelle soit dictée par la droite raison[2]. Bien qu'articulés l'un à l'autre, ces deux éléments n'ont pas la même signification : l'obligation est une obligation de se conserver soi-même ; la droite raison a pour fonction de découvrir les moyens qui permettent d'accomplir cette obligation. La droite raison, qui a une fonction purement instrumentale, ne saurait donc être considérée comme le principe d'une quelconque obligation.

1. *Loi naturelle : sens propre, sens figuré*

Les prescriptions de la raison ne sont pas à proprement parler des lois : « Elles ne sont en effet que des conclusions ou des théorèmes concernant ce qui favorise la conservation et la défense des hommes. »[3] L'obligation morale n'a donc pas, selon Hobbes, un fondement rationnel, car il n'est pas plus rationnel de vouloir se conserver que de

1. *Lév.*, XIV, 3, p. 128.
2. Sur la problématique du *dictamen naturale rectae rationis* dans la seconde scolastique, et plus particulièrement chez Vasquez et Suarez, voir Jean-François Courtine, *Nature et empire de la loi. Études suaréziennes*, Paris, Vrin-EHESS, 1999, chap. IV, p. 110-114.
3. *Lév.*, XV, dernier paragraphe, p. 160.

ne pas le vouloir. Lorsque la raison intervient pour déterminer les moyens qui sont les plus favorables à la conservation de soi, elle présuppose toujours déjà le bien-fondé de la conservation de soi. C'est en ce sens que Hobbes peut dire que des préceptes rationnels ne constituent pas en eux-mêmes des lois, mais seulement des théorèmes. Toutefois, « si l'on considère ces théorèmes en tant que nous les tenons de la parole de Dieu qui de droit commande à toute chose »[1], ils acquièrent indéniablement un statut de loi, car « la loi est proprement la parole de celui qui de droit commande aux autres »[2]. La position de Hobbes dans le *De Cive* a pu paraître ambiguë à certains[3], car elle comporte une précision concernant le statut de la loi naturelle qui ne se trouve plus dans le *Léviathan* : « En tant qu'elles ont été consignées dans l'Écriture par Dieu lui-même, elles [*i.e.* les lois de nature] méritent éminemment le nom de lois. »[4] Néanmoins, Hobbes reconnaissait déjà dans le *De Cive* la raison comme parole naturelle de Dieu[5] : on peut donc penser que la référence explicite à la parole révélée de Dieu, dans le dernier paragraphe du chapitre III du *De Cive*, a moins pour fonction d'exclure la parole naturelle de Dieu que de faciliter la transition avec le chapitre suivant, dans lequel il s'agit de montrer « que la loi naturelle est une loi divine ». L'identification de la loi naturelle et de la loi divine, qui rappelle certes la définition du droit naturel par Guillaume d'Ockham[6], ne vise pas comme chez ce dernier à réduire la loi naturelle à la loi révélée. Tout au contraire, Hobbes insiste sur la fonction de la raison comme mode de détermination du contenu de la loi de nature. La référence à la parole divine ne sert donc pas tant à connaître le contenu de la loi de nature qu'à montrer que la signification du principe de conservation

1. *Ibid.*
2. *Ibid.*
3. Pufendorf considère que Hobbes se contredit en soutenant à la fois que « les maximes du droit naturel [n'acquièrent] force de loi, qu'en vertu de la publication qui en est faite dans l'Écriture », et que la raison est une parole de Dieu (Pufendorf, *Le droit de la nature et des gens*, II, III, XX, *op. cit.*, p. 205).
4. *De Cive*, III, 33, p. 121.
5. *De Cive*, IV, 1, p. 122.
6. G. d'Ockham, *Dialogus de potestate papae et imperatoris*, III, II, III, Goldast (éd.), 1614, réimpression, Turin, 1966, p. 6.

n'est pas d'abord une signification naturaliste mais une signification théologique. Les lois de nature ne sont donc des lois à proprement parler que parce que l'obligation dont elles procèdent est une obligation à l'égard de Dieu.

2. *Droit naturel*

La prise en compte de la signification théologique du principe de la conservation de soi modifie en profondeur la compréhension du jusnaturalisme de Hobbes. Nous venons de le voir en ce qui concerne la définition générale de la loi naturelle. Cela est vrai également en ce qui concerne la définition du concept de droit naturel : « Le droit de nature, que les auteurs appellent généralement *jus naturale*, est la liberté que chacun a d'user comme il le veut de son pouvoir propre, pour la préservation de sa propre nature, autrement dit de sa propre vie, et en conséquence de faire tout ce qu'il considérera, selon son jugement et sa raison propres, comme le moyen le mieux adapté à cette fin. »[1] En faisant référence, dans la version anglaise du *Léviathan,* à la locution latine qui désigne la notion de droit naturel, Hobbes entend montrer qu'il n'ignore pas les travaux de ses prédécesseurs jusnaturalistes. Toutefois, les emprunts qu'il leur fait ne sont pas toujours aisément repérables. Les trois définitions du droit proposées par Grotius dans le *De jure belli ac pacis*, à savoir le droit comme ce qui est juste[2], le droit comme qualité morale de la personne[3] et le droit comme loi[4], peuvent de ce fait fournir des éléments de comparaison fort utiles. De la première défini-

1. *Lév.*, XIV, 1, p. 128.

2. « Car le mot de droit ne signifie ici autre chose que *ce qui est juste*, & cela dans un sens négatif, plutôt que dans un sens positif » (Grotius, *Le droit de la guerre et de la paix*, I, I, III, 1, *op. cit.*, p. 39).

3. « En ce sens, le *droit* est une *qualité morale, attachée à la personne, en vertu de quoi on peut légitimement avoir ou faire certaines choses* » (Grotius, *Le droit de la guerre et de la paix*, I, I, IV, 1, *op. cit.*, p. 41).

4. « Il y a un troisième sens du mot droit, selon lequel il signifie la même chose que celui de loi, pris dans sa plus grande étendue, c'est-à-dire, lorsqu'on entend par la loi, une règle des actions morales, qui oblige à ce qui est bon et louable » (Grotius, *Le droit de la guerre et de la paix*, I, I, IX, 1, *op. cit.*, p. 47).

tion, Hobbes semble fort proche lorsqu'il déclare, dans le *De Cive*, qu' « on s'accorde pour dire que ce qui n'est pas contraire à la droite raison est juste, et par là même fait "à bon droit" *(jure)* »[1]. À la seconde, il emprunte l'idée selon laquelle le droit naturel est un droit de la personne : s'il ne reprend pas le terme même de *qualitas moralis*, il reprend bien l'idée qui lui est attachée, puisque le droit naturel correspond selon lui à la qualité d'une personne qui est libre d'utiliser les facultés qui sont les siennes. Enfin, à la troisième définition du droit selon Grotius, celle qui identifie le droit et la loi, Hobbes n'emprunte rien, l'identification de *jus* et de *lex* faisant de sa part l'objet d'un rejet sans équivoque : « En effet, encore que ceux qui parlent de ce sujet aient coutume de confondre *jus* et *lex*, *droit* et *loi*, on doit néanmoins les distinguer, car le droit consiste dans la liberté de faire une chose ou de s'en abstenir, alors que la loi vous détermine et vous lie à l'un ou à l'autre. »[2] Cette distinction stricte des domaines de la loi et du droit est indéniablement une critique de Grotius. Toutefois, cette critique ne va pas, là encore, sans un certain accord. Après avoir précisé en quel sens il convenait d'identifier la loi et le droit, Grotius ajoute en effet une remarque qui sera reprise par Hobbes, quasiment à la lettre : « Je dis, *qui oblige* : car les conseils, & tels autres préceptes, qui, quelque honnêtes et raisonnables qu'ils soient, n'imposent aucune obligation, ne sont pas compris sous le nom de loi ou de droit. »[3] Hobbes, qui se souviendra de cette mise en relation de la loi et de l'obligation, s'en servira pour justifier, contre Grotius, l'opposition de la loi et du droit : « La loi et le droit diffèrent exactement comme l'obligation et la liberté, qui ne sauraient coexister sur un seul et même point. »[4]

La distinction générale du droit et de la loi s'exprime en particulier sous la forme d'une opposition entre le droit naturel et la loi naturelle, et plus spécifiquement, entre la liberté qui fait le droit et l'obligation qui fait la loi. Indépendamment du contenu des lois naturelles, le droit de nature se définit en effet par rapport à l'obligation qui fonde ces lois,

1. *De Cive*, I, 7, p. 94.
2. *Lév.*, XIV, 3, p. 128.
3. Grotius, *Le droit de la guerre et de la paix*, I, I, IX, 1, *op. cit.*, p. 47.
4. *Lév.*, XIV, 3, p. 128.

à savoir par rapport à l'obligation naturelle de se conserver. La liberté par laquelle se définit le droit naturel semble ainsi devoir se comprendre comme la liberté qui est laissée à chacun par le silence de l'obligation naturelle. Autrement dit, libre à chacun de faire l'usage qu'il veut de ses facultés pourvu que cet usage ne soit pas contraire à l'obligation où il se trouve de se conserver en vie. Cette interprétation permet de comprendre la présence, dans la définition du droit naturel, du principe de la conservation de soi. Malgré la tournure quasi téléologique employée dans le *Léviathan*[1], le droit naturel a moins pour but d'assurer la préservation de chacun que de définir la liberté qui est laissée à chacun par l'obligation naturelle de se conserver. On comprend mieux de ce fait que le droit naturel hobbesien ne se limite pas uniquement au droit classique de protéger « sa vie et ses membres »[2]. Le droit de se défendre soi-même constitue davantage un cas particulier du droit naturel que sa définition la plus générale : si les hommes ont le droit de lutter contre ce qui menace leur vie, c'est qu'ils ont auparavant l'obligation de se conserver en vie. Le droit de nature définit donc un champ d'action beaucoup plus large que le champ de la seule légitime défense, puisqu'il englobe toute action qui n'est pas contraire à l'obligation de se conserver.

3. *Obligation et nécessité*

La définition de la liberté que Hobbes propose dans le *Léviathan* s'accorde toutefois assez mal avec le sens qui semble être celui du mot qu'il emploie dans la définition du droit naturel : « On entend par liberté, selon la signification propre de ce mot, l'absence d'obstacles extérieurs, lesquels peuvent souvent enlever à un homme une part du pouvoir qu'il a de faire ce qu'il voudrait, mais ne peuvent l'empêcher d'user du pouvoir qui lui est laissé, conformément à ce que lui dicte-

1. « The right of nature [...] is the liberty each man hath, to use his own power, as he will himselfe, *for the preservation of his own nature* » (*Lev.*, XIV, 1, p. 189 ; nous mettons en italiques) ; « Jus naturale est libertas, quam habet unusquisque potentia sua ad naturae suae *conservationem* suo arbitrio utendi » (*Lev.*, XIV, 1, *OL III*, p. 102).

2. *De Cive*, I, 7, p. 94.

ront son jugement et sa raison. »[1] Dans la définition du droit naturel, la liberté doit se comprendre comme une liberté par rapport à l'obligation ; dans la définition du mot liberté, elle se comprend par rapport à la nécessité. La différence est grande, car, s'ils sont susceptibles de produire de la nécessité, des obstacles extérieurs ne sauraient obliger. De fait, la liberté qui est laissée à l'homme d'user de son pouvoir selon sa raison ne dépend pas directement des obstacles extérieurs, mais bien de la droite raison elle-même. En voulant identifier la liberté par rapport à l'obligation avec la liberté par rapport à la nécessité, Hobbes laisse penser que l'obligation naturelle est identique à la nécessité. Cette impression est encore renforcée par l'analogie qu'il établit entre l'obligation de se conserver et la nécessité qui régit la chute des corps : « Car chacun est porté à désirer ce qui est bon pour lui, et à fuir ce qui est mauvais pour lui, et surtout le pire des maux naturels, la mort ; et ce, par une nécessité naturelle aussi forte *(non minore quam)* que celle qui fait chuter une pierre. »[2] Cette comparaison doit être bien comprise : elle ne signifie pas que l'obligation de se conserver soit de même nature que la nécessité qui régit la chute des corps, mais elle signifie que, tout en étant de nature différente, l'obligation de se conserver possède une force comparable à celle de la nécessité. L'usage du comparatif *non minore quam* indique que la nécessité naturelle est invoquée, non pas pour définir la nature de l'obligation, mais pour déterminer son degré. C'est donc par l'effet d'un glissement de sens que la liberté par rapport à l'obligation en vient à être définie comme une liberté par rapport à la nécessité. De fait, plus l'écart entre l'obligation et la nécessité naturelles se réduit, plus l'écart entre la liberté par rapport à l'obligation et la liberté par rapport à la nécessité se réduit lui aussi.

On ne saurait toutefois abolir tout à fait cet écart sans aboutir à des conclusions erronées concernant la signification véritable du jusnaturalisme de Hobbes. Ainsi Leo Strauss, qui franchit le pas, conclut-il que la loi de nature se déduit de la nécessité de la conservation de soi, et que cette nécessité « est la seule source de toute justice et de toute

1. *Lév.*, XIV, 2, p. 128.
2. *De Cive*, I, 7, p. 94.

moralité »[1]. Cette conclusion le conduit à affirmer, d'une part, que « le fait moral essentiel n'est pas un devoir mais un droit »[2], et, d'autre part, que « Hobbes est le fondateur et le porte-parole classique de la doctrine typiquement moderne de la loi naturelle »[3], parce qu'il fait d'un « droit naturel inconditionnel le fondement de tous les devoirs naturels »[4]. Pour séduisante qu'elle soit, cette affirmation n'en est pas moins fausse, car le droit naturel hobbesien n'est nullement un droit inconditionné, mais un droit conditionné par l'obligation naturelle de se conserver. En effet, si chacun possède la liberté d'user de sa puissance selon sa raison en vue de sa conservation, c'est parce que l'obligation naturelle interdit à quiconque de se tuer. L'obligation naturelle de se conserver précède donc le droit naturel, qui se définit par rapport à elle.

Toutefois, si le droit naturel n'est pas le principe de la théorie de la loi naturelle, il n'en joue pas moins un rôle essentiel dans la mise en évidence des implications morales de l'obligation de se conserver, c'est-à-dire dans la détermination du contenu de la loi naturelle.

III. LA DÉDUCTION DES LOIS DE NATURE

La détermination du contenu des lois de nature dépend à la fois d'une anthropologie politique et d'une théorie du droit naturel. Le lien entre ces deux théories n'est pas un lien fortuit, mais un lien essentiel qui tient à la nature même des conditions théologiques qui président à l'une et à l'autre.

1. *Les hommes sont égaux par nature*

La thèse fondamentale de l'anthropologie politique de Hobbes, selon laquelle l'égalité naturelle des hommes est un état de guerre de tous contre tous, repose sur deux éléments principaux, à savoir, d'une

1. Leo Strauss, *Droit naturel et histoire, op. cit.*, p. 165.
2. *Ibid.*
3. *Ibid.*
4. *Ibid.*

part, sur une démonstration de l'égalité naturelle des hommes et, d'autre part, sur une description des passions qui naissent dans un tel état d'égalité. Concernant le premier point, il convient de préciser que l'égalité des hommes par nature n'est pas conçue par Hobbes comme une égalité de droit, mais comme une égalité de puissance. L'argument que l'on trouve dans *De Cive* établit de fait que les qualités dont peut se prévaloir un homme pour prétendre à une supériorité naturelle reposent en dernier ressort sur sa constitution corporelle, car, cette constitution se caractérisant par une très grande fragilité[1], l'homme le plus faible est toujours assez fort pour porter un coup mortel à l'homme le plus fort. Faisant ainsi valoir la puissance homicide que l'on trouve en tout homme, ce raisonnement montre clairement que l'égalité naturelle n'est pas une égalité dans la capacité de bien faire, mais une égalité dans la capacité de nuire. Sont égaux ceux qui sont capables de se nuire également. Il en résulte que « nul ne peut penser, se fiant à ses seules forces, que la nature l'a fait supérieur aux autres »[2]. Le *Léviathan* parvient à cette même conclusion à partir de la notion de différence : « La différence d'un homme à un autre n'est pas si considérable qu'un homme puisse de ce chef réclamer pour lui-même un avantage auquel un autre ne puisse prétendre aussi bien que lui. »[3] S'il existe bien des différences entre les hommes, ces différences ne constituent jamais que des différences de degré. Pour qu'une différence de nature puisse exister, il faudrait qu'existe un être susceptible de ne jamais être tué. Or un tel être ne serait plus un homme, mais Dieu. Seul Dieu, en effet, échappe par nature à la mort. On comprend dès lors que Dieu entretienne avec les hommes une relation naturellement inégale, et que les hommes entretiennent entre eux une relation d'égalité par nature. La supériorité naturelle de Dieu sur les hommes, que Hobbes justifie à l'aide de la notion de toute-puissance, repose en fait sur l'opposition entre l'immortalité divine et la mortalité humaine, la faiblesse des hommes dépendant fondamentalement de leur mortalité naturelle. Les

1. « Quam fragilis sit compages humani corporis » (*De Cive*, I, 3, p. 93).
2. *Ibid.*
3. *Lév.*, XIII, 1, p. 121.

arguments qui établissent, d'une part, l'inégalité entre Dieu et les hommes et, d'autre part, l'égalité des hommes entre eux, reposent, par conséquent, sur des principes identiques : dans un cas, Dieu domine les hommes parce qu'il est susceptible de les tuer, tout en étant lui-même à l'abri de leurs coups[1] ; dans l'autre cas, les hommes sont égaux entre eux, parce qu'ils constituent les uns pour les autres la source d'un égal danger mortel. La démonstration de l'égalité naturelle porte donc incontestablement la marque de la relation qui unit les hommes à la toute-puissance divine : si nul homme ne peut l'emporter durablement sur un autre, c'est qu'aucun homme n'est immortel, c'est que la toute-puissance appartient à Dieu et non pas aux hommes.

L'égalité ne suffit pas, toutefois, à expliquer la guerre qui règne parmi les hommes dans l'état de nature. Il convient, en outre, de tenir compte de la volonté de nuire que font naître en l'homme ses passions, et notamment celles d'entre elles qui procèdent de l'égalité naturelle. À cette volonté de nuire, Hobbes assigne trois causes passionnelles. La première tient à un commun désir d'obtenir une même chose, chez deux compétiteurs conscients d'avoir une égale aptitude à atteindre leurs fins. De fait, si l'un des deux rivaux se considérait comme plus faible que son adversaire, il ne s'opposerait pas à lui, mais lui céderait au contraire la chose qu'il convoite. Le conflit procède en l'occurrence de deux causes distinctes, qui sont, d'une part, une égale prétention à la chose convoitée, et d'autre part, un égal besoin de cette chose. Dans le *De Cive*, Hobbes précise que le désir de posséder un même bien est la cause la plus courante de la volonté de nuire[2]. Toutefois, il est permis de penser que cette cause n'est pas la plus déterminante, car elle présuppose, outre l'égalité des hommes, un état de pénurie qui ne se déduit pas logiquement des prémisses du système. Ce point faible de l'argumentation de Hobbes n'a pas échappé à Robert Filmer, qui s'en prévaut dans sa critique de la thèse de la guerre de tous contre tous : « Mais même si l'on accorde (rien pourtant n'est plus faux) qu'un

1. Hobbes reproche à Bramhall d'avoir oublié qu'à la fin du monde « Dieu a, ou aura tué, tous les hommes du monde, tant coupables qu'innocents » (*Questions*, XIV, p. 199).
2. *De Cive*, I, 6, p. 94.

groupe d'hommes fut d'abord sans pouvoir commun pour les tenir en respect par la crainte, je ne saisis pas pourquoi une telle condition devrait être appelée un état de guerre de tous contre tous : en effet, si une telle multitude humaine devait être créée de sorte que la terre ne pût les bien nourrir, cela pourrait être une raison pour que les hommes se détruisent les uns les autres plutôt que de périr de manque de nourriture ; mais Dieu ne fut pas un tel avare dans Sa création, il y a abondance d'aliments et de place pour chaque homme et, comme il n'y a nulle cause de guerre tant qu'un homme n'est pas entravé dans la préservation de sa vie, il n'y a donc pas de nécessité absolue de guerre en l'état de pure nature. »[1] Bien que Hobbes ne fasse pas explicitement référence à la dimension économique de l'état de nature, Filmer a raison de souligner que l'argument de la rivalité présuppose un état de rareté des biens[2]. Si les hommes s'opposent pour la possession des choses, c'est, peut-on penser, parce que les ressources naturelles ne suffisent pas à assurer la subsistance de tous. Dans cette hypothèse, par conséquent, le motif du conflit ne réside pas avant tout dans les passions, mais dans les choses qui suscitent ces passions. C'est aussi la raison pour laquelle cette première voie ne suffit pas à rendre compte de l'inférence de Hobbes, qui est « une inférence tirée des passions »[3]. Le motif de la rivalité pour la possession d'un même bien n'intervient de fait que dans une seule des trois causes de guerre, cause qui n'apparaît de surcroît qu'à la fin de l'énumération, dans les *Elements of Law*[4] et dans le *De Cive*[5]. C'est le *Léviathan* qui inverse l'ordre des priorités en plaçant la rivalité objective en première position[6]. Sans doute cette transformation n'est-elle pas sans effet, puisque, en valorisant les causes

1. R. Filmer, *Observations concerning the Original of Government*, in *Patriarcha ou du pouvoir naturel des rois & observations sur Hobbes*, V, trad. fr. P. Thierry *et al.*, Paris, ENS Fontenay-Saint-Cloud/L'Harmattan, 1991, p. 189.

2. Cette critique est reprise également par Pufendorf : « Enfin, la bonté du Créateur n'a pas fourni aux hommes avec tant d'économie de quoi satisfaire à leurs besoins, qu'il doive toujours y avoir inévitablement quelque concurrence pour la possession d'une même chose » (Pufendorf, *Le droit de la nature et des gens*, II, II, III, *op. cit.*, p. 164).

3. *Lév.*, XIII, 10, p. 125.

4. *Elements of Law*, I, XIV, 5, p. 71.

5. *De Cive*, I, 6, p. 94.

6. *Lév.*, XIII, 3, p. 122.

réelles du conflit, elle contribue à en estomper les motivations passionnelles. Dans ce cas de figure, le désir de domination semble bien procéder du défaut des richesses naturelles : « Si deux hommes désirent la même chose alors qu'il n'est pas possible qu'ils en jouissent tous les deux, ils deviennent ennemis : et dans la poursuite de cette fin (qui est, principalement, leur propre conservation, mais parfois seulement leur agrément), chacun s'efforce de détruire ou de dominer l'autre. »[1] Cette rivalité objective conduit à une lutte permanente pour les richesses et à une méfiance non moins permanente à l'égard d'autrui, qui apparaît alors sous les traits d'un agresseur potentiel ; des groupes se forment pour enlever à l'individu isolé « les fruits de son travail, mais aussi la vie ou la liberté »[2]. Cette explication de l'origine des conflits repose sur un postulat, celui de la rareté des biens, qui ne se comprend pas directement à partir des conditions théologiques du système. Tel n'est pas le cas pour les deux autres causes de guerre.

Abstraction faite du motif de la rareté des biens, la guerre naît avant tout du conflit entre deux conceptions antagonistes que les individus peuvent se faire de leur propre puissance, la conception selon laquelle la puissance de l'un est par nature égale à celle de l'autre et la conception selon laquelle une telle égalité n'existe pas[3]. Les hommes que guident la première conception accepteraient volontiers de « vivre tranquilles à l'intérieur de limites modestes »[4], mais les hommes orgueilleux les en empêchent, emportés qu'ils sont par leur désir de domination. Alors que les premiers sont d'accord pour soumettre leur désir de puissance aux limites du principe de réciprocité[5], les seconds désirent ne suivre que la seule règle de l'accroissement indéfini de la puissance[6]. Si

1. *Ibid.*
2. *Ibid.*
3. Concernant la conception de l'individualisme que cette opposition sous-tend, voir notre article « L'esprit individualiste et la passion de la puissance selon Hobbes », in *L'individu dans la pensée moderne, XVIe-XVIIe siècles*, G. M. Cazzaniga et Y. C. Zarka (éd.), Pise, Edizioni ETS, 1995, p. 541-557.
4. *Lév.*, XIII, 4, p. 123.
5. « L'un [de ces hommes], par exemple, suivant en cela l'égalité naturelle, permet à autrui de faire tout ce qu'il se permet à lui-même de faire [...] » (*De Cive*, I, 4, p. 93).
6. « L'autre, au contraire, s'estimant supérieur aux autres, veut être le seul à qui tout soit permis [..] » (*De Cive*, I, 4, p. 93).

ces deux conceptions conduisent l'une et l'autre à une égale volonté de nuire, ce sera donc pour des raisons diamétralement opposées. Dans le cas de l'orgueilleux, la volonté de nuire procède d'une fausse estimation du rapport des puissances, à savoir d'une conscience de soi erronée ; dans le cas de l'homme modeste, la volonté de nuire provient de la « nécessité de défendre son bien et sa liberté »[1] contre les prétentions démesurées des orgueilleux. L'opposition classique entre la guerre juste et la guerre injuste se trouve ici reprise dans le contexte de l'état de nature[2], et sa signification fortement déplacée, car l'état de nature ignore la différence du juste et de l'injuste. Plus essentiel est le fait que la guerre défensive de l'individu modeste et la guerre offensive de l'individu orgueilleux reposent sur une appréciation contradictoire de la puissance de Dieu : les hommes modestes, qui ont compris que leur puissance était radicalement limitée par la puissance absolue de Dieu, en ont tiré les conséquences dans leur rapport à autrui ; les orgueilleux, qui ont refusé de tenir compte d'une telle limitation, considèrent à l'inverse qu'ils peuvent établir une domination durable sur autrui.

Une compréhension spécifique des principes de la relation à autrui sous-tend de fait la troisième cause de guerre, celle qui résulte de la comparaison des esprits. Si la rivalité pour la possession de biens identiques est la cause la plus fréquente des conflits, la rivalité pour la prééminence intellectuelle ou spirituelle est la plus violente des rivalités. De cela, une première raison est que, « se montrer en désaccord avec quelqu'un sur un sujet donné, c'est l'accuser tacitement d'être dans l'erreur sur ce point ; et de même, le fait de lui refuser l'assentiment sur de nombreux points revient à le tenir pour sot »[3]. La violence des guerres de religion ou des guerres qui ont pour objet la « prudence politique *(prudentia politica)* »[4] trouve de fait dans l'amour-propre l'une de ses sources principales. Mais il y a également une autre raison de la violence de ces guerres, qui est qu'elles ont pour enjeu la détermination du principe à partir duquel devient pensable la distinction du juste et de

1. *Ibid.*
2. Grotius, *Le droit de la guerre et de la paix*, I, II, I, 5, *op. cit.*, p. 68.
3. *De Cive*, I, 5, p. 94.
4. *Ibid.*

l'injuste. L'absence d'un accord *a priori* sur la nature du juste, à savoir sur le principe suprême à partir duquel deviennent pensables la morale et la politique, est en elle-même source de conflit. D'un point de vue plus général, toutefois, la guerre qui naît dans l'état de nature procède toujours de la non-reconnaissance de l'égalité entre les hommes, et celle-ci procède elle-même de la non-reconnaissance de la toute-puissance de Dieu considérée comme la cause de la mortalité naturelle des hommes.

2. *Signification juridique de l'état de nature*

Juridiquement, cette non-reconnaissance se traduit par la transformation du droit de nature en un droit sur toute chose *(jus in omnia)*. Cette transformation comporte trois étapes. Premièrement, si un homme possède un droit de se conserver en vie, il doit également posséder « le droit d'employer tous les moyens nécessaires à cette conservation, ainsi que le droit d'accomplir toutes les actions qui lui sont indispensables »[1]. Deuxièmement, chacun est seul juge des moyens qui sont requis par sa conservation, car, en vertu de l'égalité naturelle, il n'y a pas plus de raison qu'autrui juge de ce qui me convient qu'il n'y en a que je juge de ce qui lui convient. Troisièmement, il résulte des prémisses précédentes que, dans l'état de nature, chacun possède un droit sur toute chose. Parce que chacun est pour lui-même seul juge de ce qui est nécessaire à sa conservation, et que dès lors qu'il désire une chose celle-ci lui paraît bonne, il n'y a pas une seule chose à quoi il ne puisse prétendre dans l'état de nature[2]. Les passions belliqueuses trouvent ainsi dans la raison de chacun le principe de leur justification, et la guerre son statut juridique.

De cela, il serait toutefois faux de conclure que, dans l'état de nature, la raison ne peut rien interdire, et qu'en l'absence de conventions, elle entérine nécessairement toutes les inclinations de la passion.

1. *De Cive*, I, 8, p. 94.
2. *De Cive*, I, 10, p. 95.

Loin d'être dépourvue de toute normativité, la droite raison est au contraire soumise à l'obligation naturelle qui exige de chacun qu'il se conserve en vie. Il faut donc dire que, dans l'état de nature, les hommes ont la liberté de faire tout ce qui n'est pas contraire à la droite raison, à savoir tout ce qui ne contredit pas l'obligation première de se conserver. Comme la volonté de nuire à autrui n'est pas, en première analyse tout au moins, contraire à l'obligation de se conserver en vie, la raison n'est pas non plus tenue de l'interdire.

Lorsqu'il reproche à Hobbes de bannir la raison de l'état de nature, Pufendorf ne semble donc pas comprendre la signification véritable du droit sur toute chose : « Si quelque passion déréglée les [*i.e.*, les hommes] sollicite à une guerre comme celle qu'on suppose de chacun contre tous, la raison peut les en détourner, en leur représentant, entre autres choses, qu'une guerre entreprise sans avoir été attaqué est en même temps deshonnête et pernicieuse. En effet, chacun peut aisément se convaincre qu'il n'existe point par lui-même, mais qu'il tient la vie et l'existence d'un être supérieur, qui par conséquent a autorité sur lui. Cela posé, comme l'on sent en soi-même deux principes de ses actions, dont l'un ne s'attache qu'au présent, et l'autre porte ses vues sur ce qui est absent, et sur l'avenir le plus reculé ; l'un pousse à des choses périlleuses, incertaines et deshonnêtes ; l'autre, à des choses sûres et honnêtes : on peut conclure évidemment, que le Créateur veut qu'on suive les mouvements de ce dernier principe, et non pas ceux du premier. »[1] Hobbes n'aurait pas été d'accord pour considérer la raison, ainsi que Pufendorf le fait dans ce texte, comme le principe de détermination de l'honnête et du deshonnête. En effet, la droite raison ne constitue pas pour lui « une faculté infaillible, mais l'acte même de raisonner, c'est-à-dire la ratiocination vraie, propre à chacun, au sujet des actions qui peuvent servir l'intérêt propre ou conduire au dommage d'autrui »[2]. Il n'est donc pas pertinent d'invoquer la raison comme un principe supérieur à l'obligation de se conserver, puisque la droite raison formule ses règles à

1. Pufendorf, *Le droit de la nature et des gens*, II, II, IX, *op. cit.*, p. 165.
2. *De Cive*, II, 1, rem., p. 99.

partir du seul principe de la conservation de soi. Il n'est pas non plus pertinent de vouloir distinguer, comme Pufendorf le fait, entre des motifs légitimes et des motifs illégitimes de la guerre : le fait de ne pas avoir été attaqué par autrui ne suffit pas à interdire que l'on attaque autrui, car, dans l'état de nature, chacun est seul juge du danger qui le menace. Aussi la distinction entre deux types d'individualité – les modestes et les orgueilleux – ne vise-t-elle pas, dans l'argumentation de Hobbes, à établir une distinction entre guerre juste et guerre injuste, mais à rendre compte rationnellement de la volonté de nuire qui, dans l'état de nature, est celle de tous les hommes, qu'ils soient modestes ou orgueilleux. La théologie de la toute-puissance, dont on a montré qu'elle informait le rapport de l'individu hobbesien à la puissance[1], s'oppose par avance au raisonnement théologique que Pufendorf met au principe de sa critique. Si Hobbes pourrait à la rigueur accepter de dire que « chacun peut aisément se convaincre qu'il n'existe point par lui-même, mais qu'il tient la vie et l'existence d'un être supérieur »[2], il n'accepterait nullement les conclusions que Pufendorf prétend en tirer. La puissance de Dieu n'enjoint pas tant aux hommes de se méfier de leurs passions qu'elle ne les oblige à en faire un bon usage pour leur conservation propre. Alors que la théologie de Pufendorf sert de façon fort classique à opposer raison et passion, la théologie de Hobbes fournit un principe de sélection des passions. Dans l'état de nature, toutes les passions sont légitimes, à l'exception de celles qui pourraient s'opposer au principe de la conservation de soi. La raison n'a donc pas pour fonction d'interdire telle ou telle passion en fonction d'un critère *a priori* de distinction entre ce qui est honnête et ce qui ne l'est pas, mais elle a pour fonction de déterminer, à partir de l'obligation première de se conserver en vie, le contenu de la loi naturelle. La raison calculatrice est en ce sens un instrument au service d'une obligation qui ne relève pas en elle-même d'une justification rationnelle.

1. Voir, plus haut, dans le chapitre V, p. 202-207.
2. Pufendorf, *Le droit de la nature et des gens*, II, II, IX, *op. cit.*, p. 165.

3. *Les lois de nature*

La thèse selon laquelle l'état de nature est un état de guerre de tous contre tous possède une fonction argumentative majeure dans l'œuvre de Hobbes, car, dans les trois textes où elle se trouve exposée, la déduction des lois de nature en dépend directement. Il est nécessaire de suivre les commandements de sa raison, car il n'est pas possible de vouloir tout à la fois se conserver en vie et vivre dans un état – le *state of nature* – qui rend cette conservation impossible. Cependant, cette démonstration ne serait pas complète, si l'on ne tenait pas compte de la thèse théologique interdisant le suicide, qui lui sert de prémisse implicite. De fait, si les hommes avaient le droit de choisir la mort plutôt que la vie, il n'y aurait pas lieu de dire que « celui qui désire vivre dans un état qui soit celui de la liberté et du droit de tous à toute chose se trouve [...] en contradiction avec lui-même »[1]. Risquer sa vie dans l'état de nature ne constituerait pas alors une contradiction, mais l'expression d'une position philosophique cohérente. Pour comprendre le raisonnement de Hobbes, il importe donc de ne pas omettre, comme on le fait trop souvent, le postulat théologique dont dépend sa théorie de la conservation de soi, et pour cela, il convient de ne pas mésinterpréter la référence à la nécessité naturelle[2], cette dernière notion ne permettant pas d'appréhender la nature de la raison qui interdit aux hommes de préférer la mort à la vie.

La position adoptée par Hobbes dans le *Léviathan* est de fait fort éclairante, car elle substitue au motif de la nécessité naturelle[3] le motif de l'obligation. Aussi longtemps que la liberté naturelle n'apparaît pas en contradiction avec l'obligation de se conserver, elle continue à

1. *Elements of Law*, I, XIV, 12, p. 73.

2. « Quiconque penserait qu'il faille demeurer dans un état où tout est permis à tous se contredirait lui-même. Chacun, en effet, recherche par une *nécessité naturelle* ce qui est bon pour soi ; or, personne ne peut estimer que cette guerre de tous contre tous, qui s'attache naturellement à un tel état, soit bonne pour lui-même » (*De Cive*, I, 13, p. 96-97 ; nous mettons en italiques).

3. *Lév.*, XIV, 4, p. 129.

valoir comme droit naturel. Dans l'état de nature, il en va ainsi tant que les hommes n'ont pas réalisé que l'exercice de leur droit sur toute chose met leur vie en danger, à savoir tant qu'ils n'ont pas perçu la contradiction qu'il y a entre la revendication d'un droit sur toute chose et l'obligation naturelle de se conserver. Les hommes ne sauraient en effet être obligés de se conserver et, dans le même temps, avoir le droit d'agir d'une façon qui contredit à l'évidence cette obligation. La contradiction qui sert de ressort à l'argument de Hobbes ne prend ainsi tout son sens que si on l'interprète comme une contradiction entre le droit sur toute chose et l'obligation naturelle de se conserver, et non pas entre ce droit et la nécessité naturelle de se conserver, car un droit ne saurait être opposé à une nécessité. Sans doute l'obligation naturelle peut-elle parfois sembler prendre la forme de la nécessité, tant elle paraît contraignante, mais elle ne s'y réduit pas, sauf à dénier à l'homme la capacité de se soustraire volontairement à la nécessité de vivre.

La théorie des lois de nature procède directement de l'analyse de la contradiction qu'il y a entre l'obligation naturelle de se conserver et le droit sur toute chose. Puisqu'il est contradictoire de conserver sa vie dans un état de guerre de tous contre tous, il faut donc chercher à vivre en paix avec autrui : c'est la formule générale de la loi de nature. L'obligation de se conserver se transforme plus précisément en une obligation de « s'efforcer à la paix, aussi longtemps qu'il y a un espoir de l'obtenir » ; et le droit de nature se transforme en un droit « de rechercher et d'utiliser tous les secours et tous les avantages de la guerre », lorsqu'on ne pense pas pouvoir obtenir la paix[1]. La théorie hobbesienne des lois de nature est, par conséquent, une théorie de la paix, car la paix est la condition première de la conservation de soi contre les dangers qui procèdent de la discorde. Toutefois, les hommes ne doivent pas rechercher la paix pour elle-même, mais seulement comme un moyen de réaliser l'obligation où ils sont de se conserver en vie. L'obligation de rechercher la paix procède donc de l'obligation

1. *Lév.*, XIV, 5, p. 129.

première de se conserver en vie, et non pas, comme le soutient Leo Strauss[1], de la nécessité naturelle ou du droit naturel.

Il en va de même pour la seconde loi de nature, qui se formule de la façon suivante : « Que l'on consente, quand les autres y consentent aussi, à se dessaisir, dans toute la mesure où l'on pensera que cela est nécessaire à la paix et à sa propre défense, du droit qu'on a sur toute chose ; et qu'on se contente d'autant de liberté à l'égard des autres qu'on en concéderait aux autres à l'égard de soi-même. »[2] De même qu'il est nécessaire de rechercher la paix afin de parvenir à se conserver, de même il est nécessaire de renoncer au droit que l'on a sur toute chose si l'on veut vivre en paix. L'originalité de ce précepte ne réside pas dans son contenu même, car Grotius avant Hobbes avait déjà souligné la nécessité pour parvenir à la paix de savoir « relâcher de son droit »[3], mais elle réside dans la façon dont cette seconde loi se déduit de la précédente. Céder de son droit sur toute chose apparaît, en effet, comme une condition de la réalisation de la paix. De la même façon, la troisième loi de nature, celle qui enjoint « que les hommes s'acquittent de leurs conventions, une fois qu'ils les ont passées »[4], apparaît-elle comme un moyen de réaliser la seconde loi de nature. S'il n'était pas obligatoire de respecter la parole donnée, les conventions qui président à l'échange des droits seraient sans aucune valeur, puisqu'il demeurerait toujours possible de reprendre un droit auquel on aurait renoncé. L'enchaînement des trois premières règles est donc parfaitement déductif.

Il importe toutefois de bien comprendre la fonction de cette déduction. Exclusivement méthodologique, cette déduction ne saurait rendre compte du caractère d'obligation qui est attaché aux lois de nature. Il importe donc de lever l'ambiguïté attachée à la formulation suivante, que l'on trouve dans les seuls *Elements of Law* : « Et il est très

1. Leo Strauss considère que, pour Hobbes, « le fait moral essentiel n'est pas un devoir mais un droit », puisque « tous les devoirs dérivent du droit fondamental et inaliénable à la vie » (*Droit naturel et histoire*, *op. cit.*, p. 165).

2. *Lév.*, XIV, 6, p. 129.

3. Grotius, *Le droit de la guerre et de la paix*, II, XXIV, I, 1, *op. cit.*, p. 683.

4. *Lév.*, XV, 1, p. 143.

certain que, de même que la vérité d'une conclusion n'est pas plus grande que celle des prémisses qui la composent, de même, la force du commandement *(the force of the command)* ou loi de nature, n'est pas plus grande que celle des raisons qui y conduisent. »[1] De fait, le sens de ce passage n'est pas que c'est la force des raisons qui fait l'obligation de la loi de nature, ou que la rationalité de la loi est le fondement de sa légalité. Il est que le précepte de se départir de son droit dépend logiquement de l'obligation de respecter les conventions que l'on a passées : « En conséquence, la loi de nature mentionnée au chapitre précédent section 2, à savoir *que chacun doit se départir du droit,* etc., serait totalement vaine et sans effet si ce n'était aussi une loi de cette même nature *que chacun est dans l'obligation de respecter, et d'exécuter, les conventions qu'il passe.* »[2] Malgré l'ambiguïté de la formulation, Hobbes n'identifie donc pas dans ce texte obligation et rationalité, mais considère que la force d'un commandement particulier – se dessaisir de son droit sur toutes choses – réside dans la présupposition de l'obligation de respecter la parole donnée. Autrement dit, l'obligation préexiste bien à la déduction formelle du contenu de la loi naturelle. Pufendorf, qui remarque avec raison que la « manière donc Hobbes déduit toutes les lois naturelles du seul principe de notre propre conservation est assez ingénieuse »[3], s'est lui-même laissé abuser. Ainsi remarque-t-il qu' « il y a bien des choses à remarquer sur cette démonstration. Et d'abord, il faut avouer qu'elle nous découvre bien l'intérêt manifeste que chacun a que tout le monde vive conformément à ces maximes de la raison [*i.e.*, les lois de nature] : mais de cela seul que l'homme a droit d'employer tel ou tel moyen pour se conserver, il ne s'ensuit pas qu'il y soit indispensablement obligé. Ainsi, ces maximes ne sauraient acquérir force de loi qu'en vertu d'un autre principe »[4]. Pufendorf reproche ici à Hobbes de confondre le principe en fonction duquel les lois de nature se déduisent les unes des autres et le principe qui nous oblige à respecter ces lois. Cette critique tombe toutefois dès lors que l'on considère, comme

1. *Elements of Law*, I, XVI, 1, p. 81-82.
2. *Ibid.*
3. Pufendorf, *Le droit de la nature et des gens*, II, III, XVI, *op. cit.*, p. 198.
4. *Ibid.*

nous l'avons fait, le principe de la conservation de soi comme une obligation, et non pas comme un droit. Le principe de la conservation n'étant pas premier, mais second, puisqu'il dépend en fait d'une obligation première de se conserver, il faut bien chercher ailleurs que dans ce principe le fondement des lois de nature. Contrairement au reproche que Pufendorf lui fait, Hobbes a donc parfaitement compris que le principe de la conservation de soi dépend d'un second principe, qui n'est autre que la toute-puissance de Dieu.

CHAPITRE VII

La puissance absolue du souverain

Son interprétation des arguments *de potentia Dei* conduit Hobbes à conférer au principe de la conservation de soi le statut d'une obligation naturelle, obligation qui constitue le fondement véritable de l'obligation d'obéir aux lois de nature. La situation de guerre qui règne dans l'état de nature fait toutefois obstacle à l'application de ces lois, car celui qui voudrait les respecter se mettrait à la merci d'autrui, risquant ainsi sa vie, « contrairement au fondement de toutes les lois de nature, qui tendent à la préservation de sa nature »[1]. En l'absence d'une condition suffisante de sécurité, les lois de nature obligent donc *in foro interno*, mais pas *in foro externo* : elles obligent les hommes à vouloir qu' « elles prennent effet »[2], mais elles ne les obligent pas « à les mettre en application »[3]. La paix civile ne saurait donc procéder des seules règles de la moralité : elle suppose, en outre, l'existence d'une puissance humaine supérieure susceptible de garantir aux hommes qui désirent agir conformément aux lois de nature qu'ils ne seront pas les victimes de la malveillance d'autrui. C'est à déterminer l'origine, la nature et la fonction de cette puissance que s'emploie la philosophie politique de Hobbes.

Les concepts utilisés par Hobbes pour décrire la puissance publique ne sont pas, il est vrai, réductibles à l'historicité d'un contexte politique déterminé. Hobbes affirme, en effet, qu'il n'entend pas décrire à l'aide

1. *Lév.*, XV, 36, p. 158.
2. *Ibid.*
3. *Ibid.*

d'une méthode historique les républiques imparfaites qui ont existé jusqu'à lui, mais qu'il souhaite établir « les principes rationnels, sur lesquels appuyer [l]es droits essentiels qui rendent la souveraineté absolue »[1]. Il convient cependant de reconnaître que le seul raisonnement philosophique ne suffit pas à rendre compte du choix de l'expression *potentia absoluta* pour décrire la puissance politique suprême.

Nous chercherons donc tout d'abord à montrer que la théorie hobbesienne de la souveraineté absolue introduit une inflexion remarquable dans la longue histoire de la théologie politique du pouvoir absolu des rois. Cette mise en perspective historique nous permettra de mieux comprendre l'analogie qui unit, dans la pensée de Hobbes, la théologie de la toute-puissance et la théorie du pouvoir absolu du souverain. Il s'agira notamment de souligner que la conception que Hobbes se fait de la toute-puissance de Dieu est à l'origine de certaines de ses thèses politiques. Nous établirons enfin que la subordination de la puissance du souverain à la toute-puissance de Dieu informe en profondeur la conception que Hobbes se fait de l'art de gouverner.

I. POUVOIR SOUVERAIN ET PUISSANCE ABSOLUE

L'invention moderne du concept de souveraineté ne revient pas à Hobbes, mais à Bodin[2]. Dans *Les six livres de la République*, Bodin précise en effet qu'il est « besoin de former la définition de la souveraineté, par ce qu'il n'y a ni jurisconsulte, ni philosophe politique, qui l'ait définie »[3]. La souveraineté se définit selon lui comme « la puissance absolue et perpétuelle d'une République »[4]. Cette définition peut se ramener de fait à celle de la puissance absolue, car une puissance ne saurait être absolue, c'est-à-dire sans « autre condition que la loy de Dieu et de nature ne

1. *Lév.*, XXX, 5, p. 358-359.

2. Il ne s'agirait pas d'en conclure pour autant à une anticipation bodinienne des thèses de Hobbes, car, contrairement à la théorie hobbesienne, la théorie bodinienne de la souveraineté absolue s'accorde parfaitement avec une conception traditionnelle de la loi naturelle. Sur ce point, voir J.-F. Spitz, *Bodin et la souveraineté*, Paris, PUF, 1998, p. 103-121.

3. Bodin, *Les six livres de la République*, I, VIII, *op. cit.*, p. 179.

4. *Ibid.*

commande »[1], si elle n'est aussi une puissance perpétuelle, c'est-à-dire si elle ne vaut pour la durée entière de la vie du monarque. Hobbes l'a bien compris, qui ne retient de la définition bodinienne de la puissance souveraine que son caractère absolu[2] : la souveraineté étant le pouvoir *(imperium)* « le plus grand que les hommes puissent transférer, ou encore le plus grand qu'un mortel puisse lui-même détenir »[3], ce pouvoir « nous l'appelons absolu »[4]. Ce pouvoir absolu *(potestas absoluta)* consiste en ce que celui qui le détient peut « à sa guise et en toute impunité agir, légiférer, juger des litiges, administrer des châtiments, utiliser les forces et les biens de tous, et tout cela à bon droit »[5]. Un souverain pourra donc être dit absolu lorsqu'il n'a de comptes à rendre à personne et qu'il n'est limité par les droits de personne.

1. *Puissance absolue et puissance ordinaire du roi*

Pour bien cerner la conception hobbesienne du pouvoir absolu, il ne suffit cependant pas de rappeler ce qu'il retient de la définition qu'en avait donnée Bodin, mais il faut encore montrer comment elle rompt avec la conception que l'on trouve exprimée dans de nombreux textes juridiques et politiques anglais de la période antérieure. La conception à laquelle Hobbes s'oppose se trouve particulièrement bien illustrée par le jugement rendu par le Chief Baron Fleming dans l'affaire Bate : « Le pouvoir du roi est double, ordinaire *(ordinary)* et absolu *(absolute)*, et ces pouvoirs ont des lois et des finalités différentes. Le pouvoir ordinaire a pour but le profit des sujets, la mise en œuvre de la justice civile, la détermination du mien [et du tien] ; et ce pouvoir

1. Bodin, *Les six livres de la République,* I, VIII, *op. cit.*, p. 188.
2. L'unique référence explicite de Hobbes à la *République* de Bodin est la suivante : « Et si par impossible il existait quelque république où les droits de la souveraineté fussent divisés, il faut avouer avec Bodin (*De Republica,* Lib. 2, chap. I) qu'en toute justice le nom à lui donner serait non pas celui de république, mais de corruption de république » (*Elements of Law,* II, VIII, 7, p. 172-171).
3. *De Cive,* VI, 13, p. 141.
4. *Ibid.*
5. *Ibid.*

s'excrce à travers l'équité et la justice rendues dans les cours ordinaires, c'est ce que les légistes romains nomment *jus privatum,* et que nous appelons *common law.* Ces lois ne peuvent être modifiées sans l'intervention du parlement [...]. Le pouvoir absolu du roi n'est pas celui qui sert à l'usage privé, au bénéfice d'une personne particulière, mais c'est celui qui vise le bien du peuple, le *salus populi* ; de même que le peuple est le corps, le roi est la tête. »[1] La conception du pouvoir royal qui se trouve formulée dans ce texte atteste de l'attachement des jurisconsultes anglais, en l'occurrence de Fleming, à une théorie de la puissance limitée du roi. Cette conception est d'ailleurs partagée par Jacques Ier, qui ne conçoit pas sa prérogative comme la négation explicite des droits et des libertés de ses sujets. Bien que l'on ait pris l'habitude de considérer *The Trew Law of Free Monarchies*, comme un manifeste de l'absolutisme naissant, Jacques Ier n'a jamais remis en cause le fait que le roi se doit de respecter les lois fondamentales de son royaume. La revendication de la prérogative royale n'équivaut donc nullement à l'affirmation de la souveraineté absolue du monarque : comme les libertés des sujets, les droits du roi procèdent, chez la plupart des théoriciens du temps, de la constitution fondamentale de l'État. La distinction de la puissance ordonnée et de la puissance absolue du roi correspond de fait à la reconnaissance de l'existence de lois fondamentales au-dessus du pouvoir royal. La puissance ordinaire du roi, qu'il exerce à travers la *Common law,* constitue ainsi une limite à l'extension de sa puissance absolue qui se confond avec sa prérogative. John W. Gough a fort bien montré en quoi cette conception d'un pouvoir royal limité dépendait de la doctrine de la loi fondamentale : « À l'aube du XVIIe siècle, les juristes comme les politiciens concevaient encore la Constitution, en des termes semi-féodaux, comme un réseau de droits privés réglementés et adaptés par la loi, et qui relevait en grande partie de la tradition et de la coutume, bien qu'il fût renforcé par la loi votée. D'une part, le roi jouissait de sa prérogative, sa *potestas*, son pouvoir "absolu" – comme l'appela le Chief Baron Fleming dans l'affaire Bate –

1. *A Complete Collection of State Trials*, T. B. Howell (éd.), Londres, 1816-1826, vol. 2, p. 389.

que "l'on appelle très justement politique et gouvernement". Face à cela, les sujets avaient leurs droits, en particulier le droit de propriété qui recouvrait non seulement, au sens strict, leurs terres, biens, cheptels, mais aussi (dans le sens où Locke et d'autres employaient le mot) leur vie et leur liberté. »[1] La distinction de la puissance absolue et de la puissance ordinaire du roi trouve donc, dans la doctrine constitutionnelle anglaise du début du XVIIe siècle, une justification extrêmement forte, que les troubles précurseurs de la première révolution anglaise ne remettent pas fondamentalement en cause. Les débats, qui opposent les partisans du parlement et les partisans du roi, portent sur l'interprétation de la loi fondamentale, mais ne prétendent pas mettre en question cette dernière[2].

L'affirmation du caractère absolu de la souveraineté modifie en profondeur ce fragile équilibre théorique. Hobbes cesse, en effet, de considérer que la puissance absolue du souverain puisse être limitée par une loi fondamentale, ou par la puissance ordonnée exprimée dans la *Common law*. La loi fondamentale signifie désormais pour lui, non plus une loi supérieure à la souveraineté, mais une loi « par laquelle les sujets sont tenus de soutenir tout pouvoir donné au souverain (qu'il s'agisse d'un monarque ou d'une assemblée souveraine) et sans lequel la République ne saurait subsister »[3]. Pareille loi ne vaut donc que pour les sujets, et nullement pour le souverain, dont elle ne limite en rien la puissance. La loi fondamentale cesse d'entretenir une relation privilégiée avec la *Common law* pour s'identifier avec la « loi de nature qui nous oblige tous à obéir à celui, quel qu'il soit, à qui nous avons promis, légitimement et pour notre propre sécurité, d'obéir »[4]. En identifiant les concepts de *soveraigne power*[5] et de *potentia absoluta*[6],

1. J. W. Gough, *L'idée de loi fondamentale dans l'histoire constitutionnelle anglaise*, trad. fr. C. Grillou, Paris, PUF, 1992, p. 64-65.

2. Cela est particulièrement exact pour la période qui s'achève en 1641. Nous suivons sur ce point le jugement de J. W. Gough, *L'idée de loi fondamentale dans l'histoire constitutionnelle anglaise, op. cit.*, p. 89.

3. *Lév.*, XXVI, troisième paragraphe à partir de la fin, p. 310.

4. *Béhémoth*, II, p. 107.

5. *Lév.*, XVIII, 4, p. 230.

6. *De Cive*, VI, 13, p. 142.

Hobbes modifie radicalement la signification politique du concept de *potentia absoluta*. La puissance absolue devient sous sa plume la condition même de l'existence de l'État : « Bien que l'on puisse quelquefois se demander quel homme ou quelle assemblée détient dans un État le pouvoir souverain, cependant ce pouvoir existe toujours et il est exercé, sauf dans les temps de sédition et de guerre civile, lorsque le pouvoir souverain se dédouble. »[1] Au lieu de signifier les droits réservés au roi par la constitution du royaume, la *potentia absoluta* désigne désormais le principe même de l'État. Il ne saurait plus, dès lors, y avoir de raison d'opposer la puissance ordinaire du roi à sa puissance absolue, car sans la puissance absolue du souverain, la puissance ordinaire qui s'exprime à travers les lois n'a aucune efficacité. De cette compréhension nouvelle de la puissance absolue, Hobbes tire trois conséquences majeures quant à la nature des lois qui régissent les sujets.

Premièrement, le souverain est le seul législateur de la République. En identifiant le détenteur de la puissance absolue et le détenteur de la puissance de faire les lois, cette affirmation renverse toutes les bornes que les théoriciens de la monarchie limitée, comme Philip Hunton par exemple[2], avaient voulu opposer aux prétentions excessives des rois. En outre, cette thèse vaut également quelle que soit la nature de la république considérée : le pouvoir de légiférer n'est pas moins absolu, en effet, lorsque le souverain est un individu (monarchie) que lorsqu'il est une assemblée (démocratie/aristocratie), l'essentiel étant que le souverain, quel qu'il soit, ait le pouvoir de faire la loi et le pouvoir corrélatif de l'abroger. Il importe donc de ne pas se tromper sur le sens de la révolution anglaise : le but de celle-ci n'était pas tant de supprimer la puissance absolue du roi que de transférer cette dernière au parlement, car « une fois cette puissance supprimée, l'État est du même coup supprimé, et on revient à la confusion de toutes choses »[3]. Cette analyse ne vaut, toutefois, que si l'on accorde, ce que ne faisaient pas les théori-

1. *Ibid.*
2. Philip Hunton, *A Treatise of Monarchy*, Londres, 1643.
3. *De Cive*, VI, 13, p. 142.

ciens anglais contemporains de la publication du *De Cive,* que la loi n'a d'autre source que le souverain.

Deuxièmement, et cela contrairement aux légistes de la *Common law* qui considèrent que la puissance de la loi dépend du savoir accumulé par les spécialistes de la loi, Hobbes estime que cette puissance réside seulement dans la puissance du souverain. À ce titre, il s'oppose vigoureusement à Edward Coke, l'un des plus célèbres défenseurs de la *Common law* : « Sir Edward Coke lui-même, déclare-t-il, n'était pas juge parce qu'il avait, plus ou moins, d'usage de la raison, mais parce que le roi l'avait fait juge. »[1] L'âme de la loi résidant dans la puissance royale de faire les lois, il est faux de prétendre qu'elle résiderait dans une science propre aux juges. L'usage, que revendiquent les juges de la *Common law,* ne saurait donc avoir la valeur d'une loi que pour autant « que le souverain garde le silence à son sujet »[2]. Mais dès qu'un conflit surgit qui oblige à départager les coutumes raisonnables et celles qui ne le sont pas, c'est à la raison du souverain, et non pas à celle des juges, qu'il revient de dire ce qui est raisonnable et ce qui ne l'est pas.

Un troisième trait de la conception hobbesienne du pouvoir absolu réside dans le fait que le souverain ne saurait être assujetti aux lois civiles. Dans la mesure où il dispose du pouvoir de faire les lois et de les abroger, le détenteur de la souveraineté « peut quand cela lui plaît se libérer de cette sujétion [des lois] en repoussant les lois qui le dérangent et en en faisant de nouvelles »[3]. Conformément au principe selon lequel nul ne saurait être obligé à l'égard de soi-même[4], le souverain ne saurait être obligé par les lois qu'il a lui-même adoptées. Il n'y a donc pas de sens à vouloir opposer la puissance ordonnée du souverain à sa puissance absolue, puisque la première n'est rien sans la seconde.

1. *Dialogue des common laws,* II, p. 39.
2. *Lév.,* XXVI, 7, p. 284.
3. *Lév.,* XXVI, 6, p. 283.
4. Concernant l'importance de ce principe dans la théorie hobbesienne de la toute-puissance, voir, plus haut, notre chapitre I, p. 41-44.

2. *Pouvoir absolu, droits et libertés des sujets*

En modifiant la compréhension du pouvoir absolu, cette théorie de l'*imperium absolutum*[1] modifie également en profondeur la compréhension des droits et des libertés qui étaient traditionnellement accordés aux citoyens par les partisans des lois fondamentales du royaume. En ce qui concerne les droits, tout d'abord, il convient de privilégier l'analyse du droit de propriété, car c'est lui que les lois fondamentales avaient pour finalité première de protéger. Or, loin de protéger la propriété contre les empiétements du pouvoir absolu, Hobbes affirme au contraire qu'il ne saurait exister de propriété là où n'existe pas de puissance absolue. L'état de nature ne connaît que la possession – « cela seul dont il peut se saisir appartient à chaque homme, et seulement pour aussi longtemps qu'il peut le garder »[2] –, et nullement la propriété. Par l'effet d'un renversement complet de la problématique antérieure, la puissance de l'État n'est plus perçue comme une menace pour la propriété des sujets, mais comme la condition même de son existence, car « est attaché à la souveraineté l'entier pouvoir de prescrire les règles par lesquelles chacun saura de quels biens il peut jouir et quelles actions il peut accomplir sans être molesté par les autres sujets »[3]. En ce qui concerne la liberté des sujets, la conception hobbesienne du pouvoir souverain conduit également à un renversement radical de la perspective traditionnelle. Au lieu de faire dépendre la liberté des sujets d'une loi fondamentale indépendante de la prérogative royale, Hobbes la définit par rapport aux lois civiles qui ont été édictées par le souverain. Puisque les lois civiles sont sources d'obligation, et que la liberté s'oppose à l'obligation, la liberté des sujets résidera « dans les choses qu'en réglementant leurs actions le souverain a passées sous silence, par exemple la liberté d'acheter, de vendre, et de conclure d'autres contrats les uns avec les autres »[4]. La liberté ne procède donc pas d'un droit que

1. *De Cive,* VI, 13, rem., p. 143.
2. *Lév.*, XIII, avant-dernier paragraphe, p. 126.
3. *Lév.*, XVIII, 10, p. 185.
4. *Lév.*, XXI, 6, p. 224.

les sujets auraient soustrait à l'emprise de la souveraineté, mais d'une franchise que leur accorde le souverain lorsqu'il n'édicte pas de loi. De même, par conséquent, que la puissance absolue fonde le droit de propriété, de même elle rend possible la liberté des citoyens.

L'affirmation de la puissance absolue comme fondement de l'État modifie donc profondément la conception du politique qui prévalait en Angleterre avant Hobbes. Il convient, toutefois, de ne pas mésinterpréter cette transformation théorique, qui s'inscrit certes dans une conjoncture théologico-politique particulière, mais qui procède aussi de la volonté de rendre compte rationnellement de cette dernière, en intégrant à une philosophie politique rigoureuse la notion fortement connotée de puissance absolue des rois.

II. DE LA THÉOLOGIE POLITIQUE À LA SCIENCE : GÉNÉALOGIE DU CONCEPT DE PUISSANCE ABSOLUE

Indépendamment de la méthode de la science politique, la théologie fournit à Hobbes un modèle théorique pour penser la puissance absolue du souverain. Bien que la détermination de la puissance divine comme absolue ne procède pas, comme c'est le cas pour la puissance souveraine, d'une convention, il existe néanmoins entre ces deux déterminations une réelle analogie, qui n'a pas échappé à l'analyse d'un théologien aussi chevronné que John Bramhall : « Ce même privilège que T. H. attache ici à la puissance absolument irrésistible [*i.e.*, celle de Dieu], un de ses amis, dans son livre *De Cive*, chap. VI, p. 70, l'attribue à la puissance relativement irrésistible, ou aux magistrats souverains, à qui il prête une puissance aussi absolue que l'est la puissance d'un homme sur lui-même, puissance qui ne peut être limitée par rien d'autre que par leur force. »[1] Par-delà le caractère ironique de sa formulation, cette remarque montre combien l'analogie entre le modèle théologique et le modèle politique de la puissance est aisément perceptible à un contemporain de l'auteur du

1. *Questions*, XII, p. 160.

De Cive. Aux yeux de Bramhall, la transformation que Hobbes introduit au nom de la science moderne est aussi, et peut-être surtout, une transformation dans le champ de la théologie politique. Logiquement, sa critique de la thèse politique hobbesienne sera donc tout à la fois théologique et politique. D'un point de vue théologique, Bramhall conteste ainsi que l'on puisse considérer la puissance absolue de Dieu indépendamment de sa puissance ordonnée, c'est-à-dire indépendamment des lois éternelles auxquelles elle s'ordonne. D'un point de vue politique, il refuse que l'on puisse mettre la puissance du souverain au-dessus de la loi. En soutenant cette dernière thèse, Hobbes s'oppose, selon Bramhall, aux « plus grands défenseurs de la puissance souveraine », qui « considèrent comme suffisant que les princes exigent d'être protégés de la puissance coercitive, mais reconnaissent que la loi a sur eux une puissance directrice »[1]. De même qu'il échappe aux distinctions classiques de la théologie de la toute-puissance, Hobbes échappe donc aux catégories utilisées par les théoriciens « absolutistes » qui l'ont précédé. Néanmoins, pour atypiques qu'elles soient, ses thèses n'en trouvent pas moins leur place dans l'histoire des arguments *de potentia Dei*. L'intérêt de la remarque de Bramhall est de le rappeler à ceux qui ne voudraient voir dans la théorie politique de Hobbes qu'une architecture rationnelle sans aucun fondement historique.

La fonction de la démonstration ne doit certes pas être minorée, car c'est en elle que réside l'effort philosophique de Hobbes, mais il convient de ne pas se tromper sur sa nature. Hobbes a incontestablement été frappé par les capacités démonstratives de la science moderne, et l'on ne saurait mettre en doute sa volonté d'inscrire la philosophie politique dans la postérité des découvertes de Galilée, de Copernic et de Harvey[2]. Il n'en reste pas moins vrai que l'objet de ses démonstrations, à savoir la thèse de la puissance absolue du souverain,

1. *Ibid.*

2. « Mais la philosophie politique est beaucoup plus jeune [que la physique, l'astronomie, la physiologie], étant donné qu'elle n'est pas plus vieille (je le dis parce que j'ai été provoqué, et afin que mes détracteurs sachent combien peu ils m'ont fait changé d'avis) que mon livre *De Cive* » *(De Corpore, Epistola Dedicatoria)*.

possède une histoire, et que cette histoire porte davantage la marque de la théologie que celle des sciences naturelles. Afin de saisir l'originalité, mais aussi les limites du projet de Hobbes en matière de philosophie politique, il importe donc de comprendre que cette philosophie décrit la genèse d'une puissance politique qui trouve dans la théologie son véritable modèle spéculatif. L'analogie repérée par Bramhall, dans le *De Cive*, entre la puissance du souverain et la puissance de Dieu n'est pas propre à Hobbes ; on en trouve des exemples très anciens dans la pensée occidentale. Dans un article pionnier, Francis Oakley a ainsi pu montrer que les concepts de *potentia absoluta* et de *potentia ordinata* employés par des théoriciens politiques à l'époque de Jacques Ier trouvaient leur origine, non pas dans la distinction politique de la *jurisdictio* et du *gubernaculum* comme le pensait MacIlwain[1], mais dans une distinction théologique passée dans le champ du droit canon[2]. Avant de servir à caractériser le pouvoir des rois, la distinction des puissances avait servi à caractériser le pouvoir des papes. L'un des premiers à utiliser cette distinction fut d'ailleurs un théologien, Gilles de Rome (Ægidius Romanus), qui, dans le troisième livre de son *De ecclesiastica potestate*, qu'il écrivit en 1301, déclarait que le pape doit, bien qu'il dispose d'une *potestas absoluta*, gouverner l'Église d'après sa *potestas regulata*[3]. Bien que sa puissance le place au-dessus des lois positives, le pape doit gouverner l'Église d'après les lois ordinaires, prenant ainsi « exemple sur Dieu lui-même, dont il est le vicaire »[4]. Or, pour étayer son propos, Gilles de Rome fait explicitement référence à la distinction théologique des deux puissances de Dieu. Le gouvernement de l'Église par le pape se fait selon des modalités comparables au gouvernement du monde par Dieu. La *plenitudo potestatis* papale est à l'image de la *potentia absoluta* divine, qui peut faire directement, sans recourir aux causes secondes, ce qu'elle fait indirectement au moyen des causes secondes. L'usage politique de

1. C. H. McIlwain, *Constitutionalism : Ancient and Modern*, Ithaca, 1947², p. 125.
2. F. Oakley, « Jacobean political theology », *loc. cit.*
3. Gilles de Rome, *De ecclesiastica potestate*, liv. IV, c. 7, R. Scholz (éd.), Weimar, 1929, p. 181-182 ; cité par F. Oakley, « Jacobean political theology », *loc. cit.*, p. 332.
4. *Ibid.*

la notion de *potentia absoluta* possède donc une origine théologique, qui remonte au moins à la *Disputatio* de Pierre Damien[1]. De fait, la définition de cette notion s'est progressivement élaborée dans un jeu de reprises, de modifications et d'échanges, entre théologiens, canonistes et romanistes, aussi bien en France qu'en Angleterre. La distinction de la puissance absolue et de la puissance ordonnée, telle qu'on la rencontre dans les écrits des juristes sous Jacques Ier, provient directement de ces échanges multiples, qui débordaient largement le cadre de la seule Angleterre[2]. On peut dès lors penser que la définition de la puissance absolue par Hobbes, par-delà l'influence immédiate de Bodin, doit beaucoup à cette réflexion multiséculaire sur la *potentia absoluta* de Dieu, du pape et des rois. La réflexion de Hobbes emprunte certes à la définition bodinienne de la souveraineté comme puissance absolue, mais Bodin doit lui-même énormément à l'histoire antérieure de la théologie politique de la toute-puissance[3]. Toutefois, s'il importe au plus haut point de réinscrire Hobbes dans cette histoire, ce n'est pas seulement par un légitime souci d'exactitude historique, mais c'est aussi parce que cette perspective historique permet de comprendre certains aspects de la puissance absolue du souverain qui ne s'expliquent pas entièrement par les seules analyses de la philo-

1. Pierre Damien, *Lettre sur la toute-puissance divine*, *op. cit.*, p. 191, *passim*.

2. Concernant l'influence de la littérature politique française sur le débat politique en Angleterre au début du XVIIe siècle, voir J. H. M. Salmon, *The French Religious Wars in English Political Thought*, Oxford, Oxford University Press, 1959.

3. Dans son analyse de la théorie politique de Bodin, O. Beaud semble bien contredire, ou du moins nuancer ce jugement : « Autrement dit, la naissance de la souveraineté comme celle de la loi moderne montrerait que la formation de la pensée juridique moderne serait davantage le fruit de la pensée juridique romano-canoniste que celui de la pensée théologique comme le pensent Michel Villey et ses élèves » (O. Beaud, *La puissance de l'État*, Paris, PUF, 1994, p. 58). Il convient toutefois de ne pas oublier, comme F. Oakley l'a fort bien montré, que le droit canon porte lui-même la marque de la théologie. La transformation du « pouvoir "législatif" médiéval, conçu comme uniquement dérogatoire » en « pouvoir ordinaire permanent » (Beaud, *La puissance de l'État*, *op. cit.*, p. 59) de faire et de défaire la loi correspond autant à une transformation de la théologie de la toute-puissance qu'à une mutation dans la sphère juridique ; « l'institutionnalisation de l'exceptionnel » dont parle le sociologue Herbert Krüger à propos de l'État moderne (cité par O. Beaud, *La puissance de l'État*, *op. cit.*, p. 59) correspond parfaitement à la détermination de la puissance absolue comme principe de l'ordre naturel, que l'on rencontre dans le courant de la théologie de la toute-puissance, dont s'inspire la théologie de Hobbes.

sophie politique. Les thèses politiques que Hobbes démontre avec une grande originalité dépendent de conditions qui ne relèvent pas toutes de la seule argumentation philosophique.

III. L'INSTITUTION DE L'ÉTAT DANS L'HORIZON DE LA TOUTE-PUISSANCE

Le premier argument à propos duquel cette remarque s'avère pertinente est l'argument par lequel Hobbes démontre que la puissance du souverain doit être une puissance absolue. Entre la puissance absolue et l'anarchie de l'état de nature, il ne saurait y avoir selon lui de moyen terme, la moindre limitation de la puissance souveraine emportant avec elle le risque d'une disparition complète de la capacité normatrice de l'État.

1. *Souveraineté absolue et contrat*

À ceux qui pensent, comme Philip Hunton, qu'une monarchie mixte devrait permettre d'éviter les abus d'un pouvoir absolu, Hobbes s'efforce de démontrer qu'une division réelle du pouvoir conduit à la guerre civile : « Or, même si un tel État [une monarchie mixte] pouvait exister, il ne garantirait pas mieux la liberté des citoyens. Car, tant qu'ils sont d'accord, la sujétion des particuliers est aussi forte qu'elle peut l'être ; mais si des dissensions apparaissent, alors on revient à la guerre civile et au droit du glaive privé *(jus gladii privati),* qui est pire que la sujétion. »[1] Bien que l'affirmation du caractère indivisible du pouvoir souverain soit clairement utilisée ici contre les théories de la division des pouvoirs, le ressort premier de la position de Hobbes n'est pas polémique mais anthropologique. C'est parce que les hommes ne sont pas capables de coopération dans l'état de nature qu'il est nécessaire à leur conservation qu'ils se soumettent à une puissance absolue,

1. *De Cive,* VII, 4, p. 152.

c'est-à-dire qu'ils se soumettent absolument à la législation d'un souverain. De fait, si les hommes respectaient spontanément les lois de nature, il n'y aurait pas lieu de les soumettre à la puissance législatrice de l'État. Les inconvénients qui peuvent découler de l'exercice d'une puissance souveraine ne tiennent donc pas tant à son caractère absolu qu'à ce que « tout ce qui est humain comporte quelque inconvénient »[1]. Mais « cet inconvénient lui-même vient des citoyens, et non pas du pouvoir »[2]. On ne saurait dire plus clairement que c'est la nature humaine qui requiert l'existence d'un pouvoir absolu. Or, la conception que Hobbes se fait de la nature humaine dépend, pour une part importante, de sa théologie de la toute-puissance : la faiblesse des hommes, les passions de la puissance qui en découlent, l'égalité qui règne dans l'état de nature, ces différents traits de l'anthropologie procèdent d'une conception de l'absolu divin comme absolu de la puissance[3]. Une autre théologie n'eût pas conduit à la même anthropologie, qui n'eût pas conduit à la même politique. Pufendorf fournit un bon exemple d'une telle alternative, car l'importance qu'il accorde à la bonté divine détermine pour partie sa théorie de la sociabilité, et cette théorie le conduit à son tour à concevoir l'état de nature comme un état de paix[4]. Dès lors que l'on considère les hommes comme des êtres sociables, c'est-à-dire comme des êtres capables de coopérer naturellement les uns avec les autres, l'état de nature n'est plus nécessairement un état de guerre, et l'alternative dramatique entre absolutisme et anarchie cesse de s'imposer. La radicalité théorique de Hobbes ne résulte donc pas des seules exigences du système, mais aussi de la nécessité de penser dans l'ordre politique une instance comparable à celle que constitue dans l'ordre théologique la puissance absolue de Dieu. La difficulté est dès lors la suivante : dans quelle mesure est-il possible de penser de façon rationnelle la genèse d'une puissance absolue parmi les

1. *De Cive*, VI, 13, rem., p. 143.

2. *Ibid.*

3. Sur ce point, voir, plus haut, notre chapitre V, p. 202-207, et notre chapitre VI, p. 248-251.

4. « De tout cela je conclus, que l'État de nature par rapport à ceux mêmes qui vivent hors de toute société civile n'est point la guerre, mais la paix » (Pufendorf, *Le droit de la nature et des gens*, II, II, IX, *op. cit.*, p. 165).

hommes, alors même que le modèle de cette dernière est un modèle théologique ?

L'exigence d'un pouvoir absolu semble de prime abord une exigence démesurée. Comment un homme ou une assemblée d'hommes pourraient-ils être investis d'un pouvoir illimité, alors même que leur puissance naturelle est fort limitée et que le droit naturel qui est le leur équivaut à celui de n'importe quel homme ? Faire de la *potentia absoluta* le concept central de la science politique moderne n'est pas chose facile. De cette difficulté, l'évolution de la théorie politique de Hobbes fournit une bonne illustration. Dans les *Elements of Law* et dans le *De Cive,* le philosophe procède de façon synthétique en définissant la puissance du souverain par l'association de trois caractéristiques essentielles : la détermination d'un principe d'unité ; l'instauration d'un principe de contrainte (l'épée de justice) ; la mise en place d'un principe de défense face aux attaques venues de l'étranger (l'épée de guerre). Le premier point est le plus délicat à établir, car il y a une grande différence entre l'assentiment *(consensio)* qui réunit quelques personnes en vue d'une action déterminée et l'union des sujets sous un même souverain[1]. Aussi longtemps que chacun reste libre de choisir de participer ou de ne pas participer à la défense commune, aucune sécurité véritable ne sera obtenue. Il faut donc « qu'il y ait une volonté unique, qui soit celle de tous, pour tout ce qui est nécessaire à la paix et à la défense »[2]. La formation de cette volonté unique constitue le premier moment de la genèse de la puissance souveraine. Or, sur ce point décisif, les *Elements of Law* et le *De Cive* n'apportent pas la même réponse. Dans les *Elements of Law,* Hobbes fait consister l'union des citoyens dans un pacte par lequel chacun s'oblige « par convention envers un seul et même homme, ou envers un seul et même conseil, nommément désigné par tous »[3] ; dans le *De Cive,* « la soumission des volontés de tous à la volonté d'un seul [...] se forme au moment où chacun d'entre eux s'engage envers tous les autres par un pacte »[4]. D'un

1. *Elements of Law,* I, XIX, 3, 4, p. 101-102 ; *De Cive,* V, 3, 4, p. 131-132.
2. *De Cive,* V, 6, p. 133.
3. *Elements of Law,* I, XIX, 7, p. 103.
4. *De Cive,* V, 7, p. 133.

texte à l'autre, le contrat qui fonde la souveraineté change manifestement de nature : à la verticalité du contrat passé par chaque individu avec le souverain qu'il institue succède l'horizontalité du contrat passé par les sujets entre eux. Ce changement correspond au souci de rendre la volonté souveraine indépendante de celle des sujets : alors que dans un contrat passé avec le peuple le souverain peut être implicitement considéré comme obligé à l'égard de ses sujets, il n'en va plus de même dans un contrat passé par les sujets entre eux. La seconde solution renforce à l'évidence l'indépendance, et donc le caractère absolu, du souverain.

Dans sa critique de la théorie contractualiste du *De Cive,* Pufendorf montre bien comment c'est la volonté d'assurer le caractère absolu de la puissance souveraine qui conduisit Hobbes à nier l'existence d'un contrat entre les sujets et le souverain. Son analyse est, en premier lieu, de nature historique : Hobbes voulait, dit-il, détruire l'argument de ceux qui « pour colorer leur rébellion, disaient, qu'y ayant une promesse réciproque entre les sujets et le roi, du moment que celui-ci viole ses engagements, les autres sont déchargés de l'obéissance qu'ils lui doivent »[1]. En refusant l'idée d'un contrat passé entre le souverain et ses sujets, Hobbes se donnait le moyen de réfuter les prétentions de ses adversaires. Toutefois, à ce premier argument Pufendorf en ajoute un autre selon lequel il faut aussi prendre en compte l'attachement de Hobbes à l'idée même de la puissance absolue des rois : « Comme il voulait d'ailleurs donner aux rois, véritablement tels, un pouvoir absolu et sans bornes, il fallait nécessairement qu'il les dégageât du lien de toute convention entre eux et leurs sujets, qui est la chose la plus capable de limiter leur pouvoir. »[2] Bien qu'associés l'un à l'autre, les deux arguments ne sont pas de même nature. La volonté de penser la puissance du souverain comme une puissance absolue apparaît ici, indépendamment de toute volonté polémique, comme un argument à part entière. Pufendorf reconnaît ainsi, ou du moins nous aide à reconnaître le caractère spécifique de la nécessité qui conduit Hobbes à vou-

1. Pufendorf, *Le droit de la nature et des gens*, VII, II, IV, *op. cit.*, p. 234-235.
2. *Ibid.*, p. 235.

loir penser la puissance souveraine comme puissance absolue. Mais cette reconnaissance ne va pas sans une critique, qui souligne le manque d' « évidence » de la position de Hobbes. Sans doute l'idée d'un double contrat, telle que Pufendorf la suggère, est-elle plus « évidente » ; sans doute aussi faut-il « admettre une convention là où il y a manifestement une promesse réciproque de faire des choses, auxquelles on n'était pas obligé auparavant »[1]. Le refus d'accepter l'idée d'un contrat qui pût lier le souverain n'en est que plus significative. Elle traduit la volonté de Hobbes de justifier coûte que coûte l'idée théologico-politique de puissance absolue.

La prise en compte de cette volonté possède, en outre, un intérêt théorique majeur dans la mesure où elle permet de rendre compte d'une série de difficultés liées au contractualisme hobbesien[2]. De fait, Hobbes se doit de montrer que le recours à la notion de contrat ne constitue pas une menace pour la puissance absolue du souverain : dans la mesure où les citoyens instituent le pouvoir souverain au moyen de pactes réciproques, ne peut-on concevoir qu'ils puissent remettre en cause cette puissance en défaisant les pactes qu'ils ont passés les uns avec les autres ? D'un point de vue juridique, force est de constater que rien ne s'oppose à ce que des contrats puissent être annulés d'un commun accord par ceux qui les ont passés. Néanmoins, cette possibilité théorique ne constitue pas une menace réelle pour la souveraineté, car, chacun étant obligé envers chacun, l'opposition d'un seul des contractants suffit à faire obstacle à la volonté de renonciation de tous les autres[3]. Négliger l'obligation contractée envers le citoyen qui refuse de dénoncer le contrat reviendrait à commettre un tort à son égard, car cela équivaudrait à négliger la loi de nature qui enjoint le respect des contrats. Or, négliger cette loi conduirait à négliger l'obligation naturelle qui nous enjoint de faire ce qui contribue à notre conservation. Il n'en demeure pas moins, cependant, que les citoyens pourraient, d'un commun accord, vouloir renoncer au contrat par lequel ils instituent le

1. *Ibid.*
2. Sur ce point, voir J. Hampton, *Hobbes and the Social Contract Tradition*, Cambridge, Cambridge University Press, 1986.
3. *De Cive*, VI, 20, p. 148.

souverain sans commettre d'injustice à son égard, puisqu'ils n'ont pas passé de contrat avec lui. À supposer qu'on veuille bien l'accorder, cette possibilité ne saurait toutefois constituer un grand risque, car « il est inconcevable que tous les sujets s'accordent unanimement, sans une seule exception, contre le pouvoir souverain »[1]. Le danger qu'une telle possibilité fait courir à la souveraineté ne tient pas tant par conséquent aux chances quasi nulles de sa réalisation qu'à ce qu'elle semble autoriser l'idée que les sujets n'auraient pas d'obligation à l'égard de leur souverain. Or, si les sujets pensent qu'ils n'ont pas d'obligation de cette sorte, ils penseront qu'ils ont des droits, et ces droits, ils voudront les faire valoir, soit dans le cadre d'assemblées réunies par ordre du souverain, soit dans le cadre d'assemblées séditieuses. Ils feront valoir que l'adhésion de la majorité devra être tenue pour l'adhésion de tous, et la règle majoritaire deviendra alors le principe du renversement de la puissance absolue. Afin d'établir le caractère sophistique de ce raisonnement, Hobbes montre que la règle de la majorité n'est pas une règle naturelle, mais un principe institué par une autorité civile désireuse de permettre à un grand nombre de citoyens assemblés de s'exprimer au sujet des affaires que cette autorité a soumises à discussion. La réputation dont jouit le suffrage universel procède donc de l'erreur qui consiste à considérer ce suffrage, à savoir une règle artificielle dérivée du contrat originaire, comme ce contrat lui-même. C'est seulement parce que les hommes ont contracté une première fois et se sont dessaisis en commun de leur droit sur toute chose que le souverain ainsi institué peut décider de recourir, sur certaines questions, au suffrage universel. En aucun cas ce suffrage ne saurait donc valoir comme contrat fondateur. *A fortiori*, la majorité conquise dans une assemblée plus restreinte ne saurait posséder un pouvoir constituant[2], si du moins l'on entend par ce terme la constitution originaire du lien civil. Afin d'éviter cette dernière erreur, il importe particulièrement de souligner que le contrat passé entre les particuliers implique également que chacun

1. *Ibid.*
2. Sur la théorie du pouvoir constituant, voir O. Beaud, *La puissance de l'État*, *op. cit.*, p. 223-243.

s'engage à l'égard du souverain institué par le contrat. Tout citoyen qui pactise avec un autre s'engage à obéir à un troisième par la formule suivante : « Moi, je transfère mon droit à celui-ci, à condition que tu transfères ton droit à la même personne. »[1] Cette formule montre clairement que l'absence de contrat passé entre les citoyens et le souverain n'exclut nullement que les citoyens aient contracté une obligation à l'égard de ce dernier. À l'obligation envers les autres contractants « s'ajoute l'obligation envers celui qui détient le pouvoir »[2]. Hobbes fait ainsi apparaître une double obligation au fondement de l'État : d'une part, l'obligation réciproque qui lie les citoyens les uns aux autres dans leur commun projet de se dessaisir de leur droit naturel, et d'autre part, l'obligation singulière qui lie chacun au souverain qui le protège. Il y a ici une théorie politique du *double-bind* avant la lettre : si un citoyen pense pouvoir se libérer de sa sujétion en s'accordant avec ses concitoyens et cocontractants, il se trouve rappelé à l'ordre par une seconde obligation, celle qui le lie au souverain. S'il espère pouvoir se libérer de sa sujétion au souverain, en contestant l'obligation qu'il lui doit, il en est dissuadé par l'obligation qui le lie à ses associés. Le moment démocratique que comprend l'institution du souverain ne constitue donc pas une objection à l'indépendance de ce dernier.

2. *La fonction de la représentation*

L'introduction de la théorie de la représentation dans le *Léviathan* ne modifie pas sur ce point les conclusions du *De Cive*. Bien au contraire, d'ailleurs, puisque la théorie de la personne qui se trouve développée dans le chapitre XVI du *Léviathan* permet à Hobbes de mieux articuler le rapport qu'il établissait dans le *De Cive* entre le contrat passé par les particuliers entre eux et l'obligation qui lie ces derniers au souverain. La théorie de la personne permet en effet de comprendre l'obligation politique comme un rapport d'autorisation. Dire qu'un homme

1. *De Cive,* VI, 20, p. 149.
2. *Ibid.*

en autorise un autre à être son souverain équivaut à dire qu'il reconnaît pour siennes les paroles et les actions de ce dernier[1]. Le sujet est alors l'auteur des paroles et des actions de la personne qui le représente, qui sera nommée pour cette raison l'acteur : « En ce cas l'acteur agit en vertu de l'autorité qu'il a reçue. »[2] L'autorisation qu'un ensemble de particuliers peut donner à son représentant souverain est de deux sortes : les représentés peuvent conférer à leur représentant soit une « autorité sans restriction », soit une autorité restreinte aux « limites du mandat qu'ils lui ont donné »[3]. Pour montrer que l'autorisation qui accompagne le contrat fondateur de l'État est une autorisation sans limite, et non pas une autorisation sous condition ou un mandat, Hobbes introduit le concept d'autorisation dans la formulation du contrat d'institution. La république sera dite instituée lorsque des hommes en grand nombre auront passé chacun avec chacun une convention aux termes de laquelle ils acceptent d'autoriser toutes les actions et tous les jugements de l'homme qu'ils auront désigné, par un suffrage majoritaire, comme leur représentant[4]. Cette formulation permet de préciser les raisons pour lesquelles la souveraineté ne saurait être soumise à aucune condition limitative.

La première raison en est, ce qui était déjà le cas dans le *De Cive,* que le contrat d'institution étant un contrat passé entre les sujets, et non entre les sujets et le souverain, « il ne saurait y avoir infraction à la convention de la part du souverain »[5]. De fait, si le souverain était tenu par un contrat passé avant son avènement, ce contrat serait soit un contrat passé avec la multitude entière, qui serait alors l'une des parties contractantes, soit un contrat passé avec chacun de ses membres. Mais cela est impossible, parce que, dans le premier cas, la multitude ne forme pas encore une personne, et que, dans le second cas, les citoyens n'entretiennent pas un rapport contractuel avec leur représentant, mais

1. Pour une analyse de la théorie de la personne, voir F. Lessay, « Le vocabulaire de la personne », in *Hobbes et son vocabulaire,* Y. C. Zarka (éd.), Paris, Vrin, 1992, p. 155-186 et L. Jaume, *Hobbes et l'État représentatif moderne,* Paris, PUF, 1986, p. 82-107.

2. *Lév.,* XVI, 4, p. 163.

3. *Lév.,* XVI, 15, p. 167.

4. *Lév.,* XVIII, 1, p. 179.

5. *Lév.,* XVIII, 4, p. 181.

un rapport d'autorisation. Après son institution, les conventions qui auraient été antérieurement passées par le futur souverain avec ses futurs sujets deviennent nulles, car « toute action que l'un d'entre eux peut alléguer comme enfreignant l'une de ces conventions est l'acte de cet homme même, en même temps que de tous les autres, puisqu'accompli au nom de chacun d'eux en particulier, et en vertu de son droit »[1]. Il convient donc de bien dissocier représentation et convention : pour que le souverain représente les citoyens, il n'est pas nécessaire qu'il ait passé avec eux un contrat. La relation de représentation suppose uniquement que le représenté reconnaisse comme siennes toutes les actions et toutes les paroles de son représentant. Supposer qu'une convention passée puisse limiter les droits du souverain réintroduit de fait une division là où la représentation tendait à établir une identification. Si des sujets étaient amenés à contester l'action ou les paroles de leur représentant, il n'existerait pas entre lui et eux de tierce instance susceptible de trancher le différend. Penser contractuellement la relation entre le représentant et le représenté contredit donc, selon Hobbes, la finalité première de l'institution politique : « L'opinion selon laquelle un monarque reçoit son pouvoir d'une convention, autrement dit sous condition, vient de ce qu'on ne comprend pas cette vérité facile, que les conventions, n'étant que paroles et souffle, n'ont pour obliger, contenir, contraindre, ou protéger, aucune autre force que celle qu'elles tiennent du glaive public, c'est-à-dire des mains non entravées *(untyed hands)* de cet homme ou assemblée d'hommes qui détient la souveraineté, et dont les actions sont ratifiées par tous, et exécutées par la vigueur de tous, unis dans le souverain. »[2] Vouloir soumettre le souverain au jugement des citoyens, c'est le priver *de facto* de sa souveraineté. S'il importe, en effet, que le monarque n'ait pas les mains entravées, c'est que de sa liberté dépend sa puissance de trancher les différends entre les hommes, et de mobiliser leurs forces contre d'éventuelles agressions étrangères. Sans cette liberté, il ne saurait donc disposer ni du droit de glaive pour assurer la paix intérieure, ni du droit

1. *Ibid.*
2. *Ibid.*, p. 181-182.

de guerre pour défendre le pays contre les ennemis du dehors. Le caractère absolu de la souveraineté constitue donc la condition de sa puissance. Toutefois, pour penser l'absolu politique de la puissance, il ne suffit pas de contester la soumission du souverain à toute convention préalable ; il faut encore comprendre en quoi une convention passée par les citoyens entre eux peut être susceptible de conférer à leur souverain une puissance analogue à la puissance absolue de Dieu.

3. *Institution politique et droit de résistance*

Malgré la différence qui les sépare quant à la forme, les *Elements of Law* et le *De Cive* se rejoignent sur la réponse à donner à cette question. Dans ces deux textes, en effet, la puissance du souverain procède d'un renoncement des hommes à une partie de ce qu'ils possèdent dans l'état de nature. La nature exacte de ce à quoi il leur convient de renoncer varie quant à elle à l'intérieur d'un même texte : tantôt c'est à la puissance elle-même qu'il leur faut renoncer, tantôt au droit de résister à la puissance du souverain. Dans le *De Cive,* Hobbes précise toutefois que le transfert de la puissance individuelle au souverain correspond en fait à un transfert du droit de lui résister : « La puissance ou pouvoir de gouverner consiste en ceci que chaque citoyen a transféré toute sa force *(vim)* et sa puissance *(potentiam)* à cet homme ou cette assemblée. Or par-là, il n'a fait autre chose que se défaire de son pouvoir de résister – personne ne pouvant transférer sa force à un autre de manière naturelle. »[1] Comme il n'est pas possible d'aliéner son droit de résistance, il ne saurait s'agir ici d'autre chose que de renoncer au droit de faire obstacle au droit naturel du souverain, lorsque ce droit n'est pas directement contraire au nôtre. De ce fait, le droit de régner n'est pas un droit nouveau, mais le droit naturel du souverain étendu *de facto* en raison de l'absence de résistance des sujets. Le droit souverain de recourir à la force apparaît ainsi comme le corollaire de la renonciation des sujets à leur droit de résistance. Dans le *De Cive* et dans les *Elements of Law,*

1. *De Cive,* V, 11, p. 134.

Hobbes semble ainsi considérer que le simple fait de renoncer à son droit de résistance suffit à rendre compte de l'obéissance politique. Au droit de l'un correspond, comme son envers, l'obéissance de tous les autres, une obéissance qui doit être « assez grande pour que ce droit n'ait pas été accordé en vain »[1]. Pour comprendre la puissance d'un État, il faut donc comprendre la nature de l'obéissance des sujets, qui en est la condition. Ainsi, pour que la puissance soit absolue, il faut que l'obéissance ne puisse pas, sauf cas de légitime défense, à savoir lorsque la conservation du sujet est directement menacée par le souverain, être refusée. Cette obéissance, telle qu'il n'en peut pas exister de plus grande, Hobbes l'appelle une obéissance pleine et entière *(obedientiam simplicem)*[2]. Néanmoins, entre l'obligation d'obéir des sujets et le droit de commander du souverain, il n'y pas une pure et simple complémentarité : le droit du souverain procède directement du pacte par lequel les sujets transfèrent leur droit à l'État ; l'obligation politique des sujets en procède indirectement, à titre de condition d'effectivité du droit, « du fait que sans l'obéissance le droit de gouverner *(jus imperii)* serait vain »[3]. Il y a bel et bien une dissymétrie entre le droit de commander et l'obligation d'obéir : « Ce n'est pas en effet la même chose de dire "je te donne le droit de commander n'importe quoi", ou "je ferai tout ce que tu commanderas". »[4] Cette distinction permet de faire le partage entre le renoncement au droit de résister qui résulte des termes mêmes du contrat politique et le droit de résister à la mort et aux douleurs qui est un droit inaliénable. Rendue nécessaire par le caractère absolu de la puissance de l'État, cette distinction n'est plus, dans le cas où cette puissance est limitée, et selon la remarque de Pufendorf, qu'une raison « vaine et de nulle force »[5]. Si l'on considère en effet que le souverain a

1. *De Cive,* VI, 13, p. 142.
2. L'affirmation du caractère simple de l'obligation s'oppose notamment à l'opposition entre une obéissance passive et une obéissance active. Concernant cette distinction, voir *De Cive,* XIV, 23, p. 218 et « Réponse à la capture de Léviathan », in *Liberté et nécessité*, p. 258. Pour l'analyse du concept d'obéissance passive, nous renvoyons à la présentation que D. Deleule a faite du discours de Berkeley intitulé *De l'obéissance passive*, trad. fr. D. Deleule, Paris, Vrin, 1983, p. 7-29.
3. *De Cive,* VI, 13, p. 142.
4. *Ibid.*
5. Pufendorf, *Le droit de la nature et des gens*, VII, II, XI, *op. cit.*, p. 237.

passé une convention avec ses sujets, « le roi ne commande rien légitimement, en quoi les sujets puissent légitimement refuser d'obéir »[1].

Non sans paradoxe, l'affirmation du caractère absolu de la souveraineté de l'État conduit donc à reconnaître que le refus d'obéir au souverain peut, dans certains cas, ne pas remettre en cause le principe même de l'obéissance civile. Refuser de se tuer sur ordre du souverain ne saurait ainsi remettre en cause l'obéissance qui est due à ce dernier, « car même si je refuse, le droit de gouverner n'est pas vain, puisque d'une part on peut trouver d'autres gens qui, si on leur ordonne de faire cela, ne refuseront pas, et que d'autre part, moi-même je ne refuse pas de faire ce que j'ai accordé par un pacte »[2]. Les droits du souverain étant intacts et les droits des sujets préservés, on ne saurait donc confondre le droit de résister que les sujets conservent de façon inaliénable, et le droit de résister qu'il leur faut céder au souverain afin que celui-ci puisse jouir de ses droits. Résister au bourreau ou refuser de servir de bourreau à ses proches ne saurait donc constituer un crime de lèse-majesté, car ces actes de résistance ne correspondent nullement à un refus généralisé de rendre au souverain l'obéissance qui lui est due. Dans le premier cas, le sujet continue de reconnaître la nécessité d'obéir à son souverain ; dans le second cas, celui du crime de lèse-majesté, il manifeste « qu'il n'a plus la volonté d'obéir au prince ou à l'assemblée que l'État a élevée à la souveraineté, ou dont il lui a confié l'administration »[3]. Le droit de résister qui est cédé lors du contrat d'institution n'est donc pas le droit de résister à la violence de l'État, lorsque cette dernière prend pour objet nous-mêmes ou des êtres qui nous sont proches, mais le droit de résister aux punitions qui sont infligées à autrui, car, « dans l'institution de la république, chaque homme abandonne le droit de défendre autrui, mais non de se défendre lui-même »[4].

1. *Ibid.*
2. *De Cive,* VI, 13, p. 142.
3. *De Cive,* XIV, 20, p. 216.
4. *Lév.,* XXVIII, 2, p. 331. Concernant le fait que l'introduction de la théorie de l'autorisation ne suffit pas à résoudre cette difficulté, voir D. P. Gauthier, *The Logic of Leviathan, op. cit.,* p. 146-148.

4. *Le droit de punir*

L'insistance avec laquelle Hobbes rappelle le caractère inaliénable du droit de résister traduit de sa part une conscience certaine des risques liés à l'institution d'une souveraineté absolue. De fait, l'absence de toute condition au principe de l'institution du souverain fait qu'il n'est pas possible de vouloir limiter *a priori*, c'est-à-dire à partir des termes du contrat politique, l'exercice de la puissance souveraine. Cette remarque est d'une importance particulière en ce qui concerne le droit de punir du souverain[1] : nulle clause ne saurait définir par avance comment un souverain doit punir ses sujets, sans remettre en cause le caractère absolu de sa puissance. Si le souverain était obligé de respecter une échelle des peines déterminée avant son institution, sa puissance serait de fait limitée. Hobbes reconnaît certes que des excès peuvent procéder de cette liberté laissée au souverain dans la détermination des peines. Mais il insiste sur le fait que « les plus grandes incommodités dont on peut imaginer affligé l'ensemble du peuple, sous quelque forme de gouvernement que ce soit, sont à peine sensibles au regard des misères et des calamités affreuses qui accompagnent soit une guerre civile, soit l'état inorganisé d'une humanité sans maîtres, qui ignore la sujétion des lois et le pouvoir coercitif capable d'arrêter le bras qui s'apprêtait à la rapine ou à la vengeance »[2]. Cette affirmation frappante de l'illimitation de la puissance souveraine en matière de droit pénal prend très précisément pour modèle l'illimitation de la puissance pénale de Dieu : de même que c'est en vertu de sa « puissance qu'il appartient naturellement au Dieu tout-puissant d'exercer la royauté sur les hommes, et le droit de les affliger à son gré *(the right of afflicting men at his pleasure)*[3], de même c'est en vertu de sa puissance qu'il appartient au souverain humain de punir ses sujets.

1. Sur l'absence d'un « fondement *a priori* du droit de punir », voir Y. C. Zarka, « Droit de résistance et droit pénal chez Hobbes », in *Hobbes oggi*, A. Napoli (éd.), p. 183-192, repris *in* Id., *Hobbes et la pensée politique moderne*, chap. 10, Paris, PUF, 1995, p. 228-250.

2. *Lév.*, XVIII, dernier paragraphe, p. 191.

3. *Lév.*, XXXI, 5, p. 381. Concernant la signification théologique de cette affirmation, nous renvoyons à l'analyse que nous en avons donnée, plus haut, dans notre chapitre IV, p. 147-155.

Ce rapprochement se justifie, en outre, par la difficulté que Hobbes éprouve à penser le droit de punir du souverain autrement qu'à la façon d'un droit naturel. Alors qu'il dispose dans le *Léviathan* d'une théorie de la personne qui pourrait lui permettre de concevoir une autorisation par le sujet de la punition qui lui est infligée[1], il continue de fonder dans ce texte le droit de punir sur le *jus in omnia* dont dispose chacun dans l'état de nature : « Il est donc évident que le droit de châtier que possède la République (c'est-à-dire celui ou ceux qui la représentent) n'est pas fondé sur quelque concession ou quelque don de la part des sujets. Mais j'ai aussi montré plus haut, qu'avant l'institution de la République chaque homme avait un droit sur toute chose, c'est-à-dire le droit de faire tout ce qu'il jugerait nécessaire à sa préservation, et donc, en vue de cette préservation, de soumettre tout autre homme, de lui nuire, de le tuer. Tel est le fondement du droit de châtier qui s'exerce dans toute République. »[2] L'évocation de l'état de nature peut sembler assez mal venue pour justifier un droit qui appartient à une personne artificielle : les autres droits de la souveraineté ne sont pas des droits naturels, mais des droits artificiellement produits par le contrat. Cette exception ne saurait donc se justifier par les seules nécessités de la déduction : de toute évidence, Hobbes conserve ici un élément du modèle théologique qui l'a guidé dans la détermination des traits de la puissance de l'État.

Parce qu'ils en ont fait une lecture anachronique, certains historiens du droit ont pu vouloir caractériser la doctrine politique du *Léviathan* comme décisionniste plutôt que comme absolutiste[3]. De fait, dès lors que l'on définit le décisionnisme par l'idée que le pouvoir souverain ne saurait être exercé que par une seule personne juridique, il faut bien reconnaître que la pensée de Hobbes relève de cette catégorie. Il est également vrai que Hobbes justifie sa conception du politique, comme les théoriciens décisionnistes du politique le feront après lui,

1. *Lév.*, XVIII, 3, p. 180.
2. *Lév.*, XXVIII, 2, p. 331-332.
3. « Il vaut mieux employer selon nous ce terme de "décisionnisme" plus précis et moins péjoratif que celui d' "absolutiste" qui renvoie souvent à une légitimation divine du pouvoir, alors que la doctrine de l'absolutisme de droit divin est postérieure à Bodin » (O. Beaud, *La puissance de l'État, op. cit.*, p. 135).

par la menace de la guerre et par la crainte de la dissolution fatale du pouvoir qui suit la division des instances de décision[1]. Il n'en demeure pas moins vrai, toutefois, que c'est le concept de *potentia absoluta* que Hobbes utilise, et que ce terme possède une signification théologico-politique spécifique qui interdit de le réduire à n'être que le précurseur de la théorie moderne de la décision. Cette réduction serait d'autant plus paradoxale d'ailleurs que Carl Schmitt, l'un des représentants majeurs de la théorie décisionniste au XXe siècle, a lui-même souligné l'importance de la théologie dans la formation des concepts juridiques et politiques modernes[2]. Il importait donc, comme nous venons de le faire, de souligner que l'incidence de la théologie de la toute-puissance sur la formation du concept moderne de l'État ne doit pas être considérée d'un point vue seulement historique, mais également d'un point de vue théorique. Cette incidence théorique se traduit également à travers la définition d'une théorie originale de l'art de gouverner.

IV. TOUTE-PUISSANCE ET PROVIDENCE GÉNÉRALE DE L'ÉTAT

Les termes de la convention que les hommes passent entre eux pour instaurer un État n'impliquent aucune obligation de l'État à l'égard des citoyens. Cette absence d'obligation contractuelle est mise par Hobbes en rapport direct avec la puissance de l'État : semblable en cela à Dieu tout-puissant, le souverain possède le droit d'utiliser sa puissance comme il l'entend. Il possède de fait un droit spécifique d'user de la puissance de tous les citoyens en fonction de son seul jugement, sans avoir à en référer à quiconque. Cette indépendance et cette

1. *Ibid.* Voir *Lév.*, XIX, 3, p. 193.

2. « Tous les concepts prégnants de la théorie moderne de l'État sont des concepts théologiques sécularisés. Et c'est vrai non seulement de leur développement historique, parce qu'ils ont été transférés de la théologie à la théorie de l'État – du fait, par exemple, que le Dieu tout-puissant est devenu le législateur omnipotent –, mais aussi de leur structure systématique, dont la connaissance est nécessaire pour une analyse sociologique de ces concepts » (C. Schmitt, *Théologie politique*, trad. fr. J.-L. Schlegel, Paris, Gallimard, 1988, p. 46).

omnicompétence, qui sont au principe de la théorie politique moderne, confèrent à l'État une plénitude de droit et de puissance à laquelle répondent seulement les devoirs des citoyens : l'État sera d'autant plus puissant que les citoyens seront plus obéissants.

1. *Art de gouverner,* *souveraineté et mortalité de l'État*

Illimitée dans son rapport aux citoyens, la puissance de l'État rencontre cependant des limites, du point de vue du droit des gens *(jus gentium),* car elle est limitée par la puissance des États voisins et, du point de vue du droit divin, car elle est limitée par la puissance de Dieu que Hobbes définit aussi comme le « roi des rois »[1]. Ces deux limitations se rejoignent de fait, car « le droit des gens et la loi naturelle sont une seule et même chose »[2]. Les États étant les uns par rapport aux autres comme les individus à l'intérieur de l'état de nature, il n'existe au-dessus d'eux aucune instance susceptible de leur imposer des lois positives communes. De même que les individus naturels sont obligés par rapport à Dieu de se maintenir en vie, de même les individus artificiels que sont les États sont eux aussi tenus de se conserver. Les droits dont jouit un État sont, comme les droits naturels dont jouit un individu, l'envers de l'obligation par laquelle il est tenu de se conserver. Cette obligation, qui vaut aussi bien pour les corps naturels que pour les corps artificiels, procède dans les deux cas d'une détermination de la toute-puissance de Dieu.

Comme dans le cas des individus humains, la faiblesse de l'État par rapport à Dieu dépend essentiellement de sa mortalité : l'État est en effet un « *dieu mortel*, auquel nous devons, sous le *Dieu immortel*, notre paix et notre protection »[3]. L'État est un dieu dans la mesure où il jouit d'une puissance absolue sur les sujets qui sont les siens, mais c'est un dieu mortel, car sa puissance est soumise à la condition du temps. Or

1. *Lév.*, XXX, dernier paragraphe, p. 377.
2. *Ibid.*
3. *Lév.*, XVII, 13, p. 178.

cette condition, qui ne dépend pas de la volonté des citoyens, est comprise par Hobbes, non dans les termes d'une philosophie de l'histoire, mais dans les termes d'une théologie de la toute-puissance. La soumission de l'État à la condition du temps, c'est-à-dire aussi à la puissance de l'histoire, est encore comprise dans le *Léviathan* comme une soumission à la puissance de Dieu. La différence majeure qui sépare la puissance divine de la puissance politique est ainsi une différence temporelle : Dieu possède une puissance telle qu'il n'est pas soumis aux aléas du temps ; les États possède une puissance qui n'est pas à l'abri des changements de l'histoire. La prise en compte de la puissance du temps n'implique cependant pas, dans la perspective de Hobbes, que l'histoire dicte sa loi à la politique des États ; elle impose, au contraire, que les gouvernements mettent leur raison au service de la permanence de l'État : « Encore que rien ne puisse être immortel, de ce que fabriquent les mortels, néanmoins, si les hommes avaient cet usage de la raison auquel ils prétendent, leurs républiques pourraient au moins être mises à l'abri du danger de périr de maladies internes. En effet, par la nature même de leur institution, elles sont conçues pour vivre aussi longtemps que l'humanité, ou aussi longtemps que les lois de nature ou que la justice elle-même, de laquelle elles tirent leur vie. »[1] Si la mortalité naturelle des institutions n'implique pas leur disparition effective, elle permet toutefois d'établir comme règle du bon gouvernement de tout faire pour éviter que la faiblesse des institutions humaines ne conduise l'État à sa ruine. De même que les individus trouvent dans leur mortalité naturelle le fondement de leur obligation naturelle, de même les États trouvent dans leur faiblesse institutionnelle le principe de leur gouvernement. Dans les deux cas, l'obligation de se conserver est la source de droits analogues, car « chaque souverain jouit des mêmes droits, quand il s'agit de veiller à la sûreté de son peuple, que ceux dont peut jouir chaque particulier quand il s'agit de veiller à la sûreté de son propre corps »[2]. Avant d'être un droit, se soucier de la conservation de l'État constitue toutefois pour le souverain un devoir.

1. *Lév.*, XXIX, 1, p. 342.
2. *Lév.*, XXX, dernier paragraphe, p. 377.

Veiller à la sûreté de son peuple constitue pour un souverain la finalité première de son gouvernement. De fait, s'ils ne sont plus en sécurité, les citoyens ont le droit de chercher protection auprès d'un autre État, menaçant par là même la sécurité de leur souverain. Les devoirs d'un souverain ne procèdent donc pas d'une convention passée avec son peuple, mais de l'obligation qui lui est faite de maintenir sa souveraineté. S'il ne remplit pas ses devoirs, le souverain ne risque pas tant une punition dans l'autre monde que la dissolution de sa souveraineté, car la « souveraineté est l'âme de la République » et « une fois séparée du corps, cette âme cesse d'imprimer son mouvement aux membres »[1]. La réflexion sur les moyens de prévenir la dissolution de la souveraineté procède ainsi d'une conscience aiguë de la mortalité de l'État : « Et encore que la souveraineté, dans l'intention de ceux qui la fondent, soit immortelle, elle n'en est pas moins, non seulement sujette, par sa nature propre, à la mort violente *(violent death)* du fait de la guerre étrangère, mais aussi habitée, dès son institution, du fait de l'ignorance et des passions des hommes, par de multiples germes de cette mortalité naturelle *(naturall mortality)* qu'apporte la discorde intestine. »[2] Le devoir du souverain est, par conséquent, d'éviter le plus possible que ne se développent les germes de mortalité naturelle qui résident dans l'ignorance et les passions des hommes. De fait, dès son premier traité politique, Hobbes faisait de la mort éternelle la peine encourue par le souverain qui ne respecte pas la loi suprême de salut public[3]. Dans le *Léviathan*, cette mort éternelle est présentée comme un effet de la dissolution de l'État. Privés de la protection du souverain qui est l'âme de la République, les citoyens sont comme les membres d'un corps privé d'âme.

La fonction de l'art de gouverner sera par conséquent, dans une

1. *Lév.*, XXI, 21, p. 234.
2. *Ibid.*
3. « [...] encore que les actes du pouvoir souverain ne constituent en aucun cas un tort vis-à-vis des sujets, qui y ont consenti par leurs volontés implicites, pourtant, lorsque ces actes tendent à porter préjudice au peuple de manière générale, ils constituent autant de violations de la loi de nature et de la loi divine ; par suite, les actes contraires définissent les devoirs des souverains, et Dieu tout-puissant requiert d'eux qu'ils s'y efforcent de leur mieux, sous peine de mort éternelle » (*Elements of Law*, II, IX, 1, p. 179).

stricte subordination à la théorie de la souveraineté[1], de fournir au souverain les règles qui lui permettront de s'opposer à la mort de l'État. De l'obligation de se conserver, dont on a vu que le fondement était théologique, procède par conséquent un art de gouverner, qui est aussi un « art de ménager les intérêts » des princes, « car la puissance des citoyens et celle de l'État ne font qu'une avec la puissance de celui qui détient, dans l'État, le pouvoir suprême »[2]. Il n'y a pas lieu, dès lors, de vouloir séparer radicalement théorie de la loi naturelle, devoir du souverain et art de gouverner, car « ces trois éléments – 1 / la loi qui régit ceux qui ont le pouvoir souverain ; 2 / le devoir qui leur incombe ; 3 / leur intérêt – forment une seule et même chose contenue dans cette maxime, *Salus populi suprema lex* »[3]. Bien qu'il utilise en l'occurrence un vocabulaire fort proche de celui de la raison d'État, à savoir celui de la conservation et de l'intérêt[4], Hobbes s'inscrit toutefois dans une perspective théorique très différente, car il fait dépendre l'art de gouverner d'une obligation naturelle de conserver la souveraineté, et non pas d'un impératif d'efficacité. La recherche par l'État de son intérêt propre tient au fait que ce dernier, comme n'importe quel autre individu doué de raison, est obligé de par la limitation de sa puissance par la toute-puissance divine de pourvoir lui-même à sa propre conservation.

2. *La fonction politique d'une analogie théologique*

Le fondement théologique de l'obligation faite au souverain de conserver l'État détermine également deux caractéristiques majeures de l'exercice de sa puissance. Premièrement, Hobbes observe qu'il se peut fort bien qu'un monarque n'exerce pas lui-même les droits de la souve-

1. Sur la nature des relations entre théories de la souveraineté et arts de gouverner à l'époque moderne, voir notre article, « De Machiavel à Hobbes : efficacité et souveraineté dans la pensée politique moderne », *in* A. Renaut (éd.), *Histoire de la philosophie politique*, t. 2, *Naissances de la modernité*, Paris, Calmann-Lévy, 1999, p. 203-279.

2. *De Cive*, XIII, 2, p. 195.

3. *Elements of Law*, II, IX, 1, p. 179.

4. Sur ce point, voir M. Senellart, *Les arts de gouverner. Du « regimen » médiéval au concept de gouvernement*, Paris, Seuil, 1995, p. 34-40.

raineté, comme c'est le cas lorsque « les rois se trouvent incapables du maniement des affaires par l'incommodité de l'âge » ou que, « se contentant du choix de quelques ministres et conseillers fidèles, ils exercent par eux la puissance souveraine »[1]. Or, lorsque le droit et l'exercice de la souveraineté sont ainsi séparés, « le gouvernement de l'État *(regimen civitatis)* est semblable au gouvernement ordinaire du monde, dans lequel Dieu, premier moteur de toutes choses, produit les effets naturels à travers l'agencement des causes secondes *(effectus naturales producit per ordinem causarum secundarum)*. Mais lorsque le détenteur du droit de régner veut présider à tous les jugements, consultations et actions publiques, alors l'administration des affaires s'exerce comme si Dieu, indépendamment de l'ordre naturel, s'appliquait directement Lui-même à toute la matière *(ac si Deus, praeter ordinem naturalem, se ipsum ad materiam omnem applicaret)* »[2]. L'analogie ainsi établie entre l'ordre politique et l'ordre de la nature voulu par Dieu n'est pas fortuite, car la volonté du souverain est dans l'ordre politique comme la volonté divine dans l'ordre naturel, à savoir le principe de l'ordre existant. Pour être comprise, cette comparaison exige toutefois que l'on rappelle l'une des caractéristiques majeures de la théologie de Hobbes, à savoir que la toute-puissance de Dieu n'est pas au service d'interventions extraordinaires, mais au principe même de l'ordre naturel[3] ; elle suffit, par conséquent, sans qu'il soit besoin de recourir à la distinction de la puissance absolue et de la puissance ordonnée, à rendre compte du cours ordinaire de la nature. De même que la puissance absolue de Dieu assure seule la régularité de l'ordre de la nature, de même la puissance absolue du souverain suffit à elle seule à fonder l'ordre politique. S'il faut distinguer entre droit et exercice de la souveraineté, ce n'est donc pas pour opposer art de gouverner et droits du souverain, mais afin que le premier puisse être mis au service des seconds. Des droits inusités risquant à la longue de perdre toute efficacité pratique, le premier devoir du souverain est de mettre en accord

1. *De Cive*, XIII, 1, p. 195.
2. *Ibid.*
3. Sur ce point, voir, plus haut, notre chapitre I, p. 47-48.

son art de gouverner, qui peut être aussi celui de ses ministres, avec les droits qui lui reviennent, car « il est du devoir du souverain de maintenir intact[s] »[1] les droits qui sont les siens.

De cette définition générale procède un corollaire important : l'art de gouverner ne doit pas consister en « une sollicitude qui s'exercerait à l'endroit des individus », mais dans l'adoption de mesures valant pour tous. Gouverner ne doit pas être pensé selon le modèle pastoral de l'attention portée à l'âme de chacun, mais selon le modèle législatif de la loi bonne. Si la définition même de la loi comme parole de celui qui de droit commande aux autres exclut par principe l'idée qu'une loi puisse être injuste, il n'en existe pas moins de bonnes et de mauvaises lois. Une bonne loi est une loi qui est à la fois nécessaire au bien du peuple et claire. Une loi est nécessaire au bien du peuple lorsqu'elle remplit correctement sa fonction qui est « de diriger et de contenir les mouvements des gens, de manière à éviter qu'emportés par l'impétuosité de leurs désirs, leur précipitation ou leur manque de discernement, ils ne se fassent du mal »[2]. Une loi est claire lorsqu'elle fait l'objet d'une présentation succincte et que les raisons pour lesquelles le législateur l'a adoptée sont clairement formulées. Dans la mesure, en effet, où l'édiction de lois est le principal ressort de l'action du gouvernement, il importe au plus haut point que la finalité de la loi soit comprise de tous et que sa formulation soit si claire qu'elle ne puisse prêter à aucune discussion.

L'art de gouverner étant pour l'essentiel un art de légiférer à bon escient, il est de fait analogue au gouvernement divin de l'univers. Dans le *Léviathan*, Hobbes déclare ainsi que les gouvernants doivent prendre soin des citoyens par une « providence générale »[3] qui consiste essentiellement dans l'art de faire de bonnes lois. Cette providence générale de l'État, qui s'oppose à la providence particulière du pasteur, rappelle très clairement la providence générale par laquelle Dieu gouverne le monde. De même, en effet, que Dieu édicte ses lois pour

1. *Lév.*, XXX, 3, p. 357-358.
2. *Lév.*, XXX, 21, p. 370.
3. *A generall providence / providentia universali* (*Lev.*, XXX, 2, p. 376 ; *Lev.*, *OL III*, p. 240).

régler au mieux le cours des choses, de même un État bien gouverné édicte des lois pour régler au mieux les actions des hommes. Le lien que Hobbes établit entre les droits et l'exercice de la souveraineté permet en outre de comprendre que, loin d'entraîner la servitude irrémédiable des sujets, l'affirmation de la puissance absolue du souverain est une condition de la providence de l'État. Libre de ses actes, dégagé du carcan des lois fondamentales et des pesanteurs de la coutume, mais à condition de faire de bonnes lois, le souverain moderne joue à l'égard de ses administrés le rôle d'une providence générale. Parce qu'il possède une puissance incommensurable à la leur, il peut, telle une providence, déterminer par des lois générales les conditions de l'action des hommes. Cette fonction est d'autant plus providentielle qu'elle vise non seulement la « simple conservation de la vie en tant que telle, mais celle d'une vie autant qu'il se peut heureuse »[1].

3. *La providence de l'État*

Cette dimension providentialiste de la politique de l'État se traduit, tout d'abord, à travers une politique économique spécifique. Pour autant que sa capacité législatrice le lui permet, il faut en effet que le souverain veille à ce que ses sujets puissent accéder aux biens et aux services qui sont nécessaires à une vie heureuse. La prospérité du peuple repose sur trois interventions spécifiques de l'État : « La bonne réglementation du commerce, la fourniture de travail, et l'interdiction de toute consommation superflue de nourriture et de vêtements. »[2] Considérées par Hobbes comme des principes naturels de gouvernement, ces règles s'imposent à tout souverain soucieux du salut de son peuple. Elles sont, de fait, d'autant plus nécessaires que la pauvreté est susceptible de disposer les esprits à la sédition. Or, bien que la pauvreté ait souvent pour cause la négligence des particuliers, l'État peut en être également pour partie responsable. C'est le cas, notamment, lorsqu'il

1. *De Cive*, XIII, 4, p. 196.
2. *Elements of Law*, II, IX, 4, p. 180.

ne répartit pas équitablement les impôts qu'il prélève sur le peuple. Hobbes souligne à ce propos que la plus grande cause de discorde n'est pas tant le montant de l'imposition que l'inégalité de sa répartition, en particulier l'exemption dont bénéficient certains privilégiés. La loi de nature qui prescrit l'équité « oblige les souverains à répartir également sur leurs sujets les taxes et les impositions »[1]. La responsabilité de l'État se trouve également engagée, lorsqu'il s'agit d'édicter des mesures permettant l'enrichissement des particuliers. Cet enrichissement peut reposer sur le travail, l'épargne, les fruits de la mer et de la terre ou le brigandage, mais le dernier de ces quatre moyens est trop aléatoire pour pouvoir faire l'objet d'une législation conséquente, l'art du brigandage militaire, qui fut abondamment pratiqué par Rome et Athènes, étant « comme un jeu de hasard où quantité de personnes se ruinent, et fort peu en profitent »[2]. En ce qui concerne les trois autres sources de richesse, des lois adéquates sont susceptibles de permettre aux citoyens de les développer. Pour accroître le revenu des terres, des étangs, des mers et des rivières, il convient ainsi de favoriser l'agriculture et la pêche. Pour encourager le travail, il faut des lois qui interdisent la paresse et favorisent l'industrie et les sciences, car les techniques nécessaires au travail humain sont des sciences appliquées. Pour promouvoir l'épargne, il faut des lois qui restreignent les dépenses excessives.

Toutefois, cette « providence matérielle » ne suffit pas au bon gouvernement de la République. Il convient, en outre, de tenir compte des principes qui concernent plus spécifiquement l'éducation, la discipline et la culture des citoyens. Ces principes reçoivent de la part de Hobbes une attention de plus en plus soutenue au fur et à mesure que progresse la rédaction de son œuvre. Dans les *Elements of Law*, le souci d'éduquer les esprits prend la forme essentiellement négative de la réfutation des erreurs préjudiciables à l'obéissance des citoyens : il faut, explique-t-il, « extirper de la conscience des hommes les opinions qui paraissent justifier et fonder prétendument en droit les actes de rébellion »[3]. Cette

1. *De Cive*, XIII, 10, p. 199.
2. *De Cive*, XIII, 14, p. 202.
3. *Elements of Law*, II, IX, 8, p. 183.

extirpation se fera par la persuasion, « parce que les opinions, acquises par l'éducation et devenues habituelles à la longue, ne [pouvant] pas être ôtées par la force ni d'un seul coup, il faut [...] qu'elles soient également ôtées peu à peu et par l'éducation »[1]. Dans le *De Cive,* cette analyse est reprise, mais placée avant l'analyse des conditions économiques de la paix civile. Le changement principal concerne toutefois la fonction que Hobbes accorde désormais à la rhétorique au service de l'éducation du peuple. Alors que, dans les *Elements of Law*[2] et dans le *De Cive*[3], la rhétorique est opposée à la logique comme l'art de l'illusion l'est à la science, dans le *Léviathan,* la rhétorique est envisagée comme un moyen possible de persuader les hommes de la vérité de la science[4]. Ce changement d'accent marque, sinon un tournant dans la réflexion de Hobbes sur la rhétorique[5], du moins un tournant dans sa conception de l'art de gouverner. S'il maintient que le bon gouvernement des hommes suppose une prise en compte des conditions matérielles de leur félicité, il accorde désormais une place prépondérante aux opinions qui sont les leurs. À côté des lois qui encouragent le travail et l'épargne, il fait ainsi leur

1. *Ibid.*

2. « L'éloquence n'est rien d'autre que le pouvoir de gagner la croyance de l'auditeur à ce qu'on dit ; à cette fin, il faut prendre appui sur ses passions. Or la démonstration et l'enseignement de la vérité exigent de longues déductions et une grande attention, ce qui n'est pas pour plaire à l'auditeur ; c'est pourquoi ceux qui ne cherchent point tant la vérité que d'être crus doivent procéder autrement, et non seulement tirer ce qu'ils voudraient faire croire de ce qui est déjà objet de croyance, mais aussi, à grand renfort d'amplification et d'exténuation, faire apparaître le bien et le mal, le juste et le faux, plus ou moins grands ou petits selon qu'ils y verront avantage » (*Elements of Law,* II, VIII, 14, p. 177).

3. « Car, puisque la coutume fait recevoir certaines propositions, dont on nous a battu les oreilles dès notre enfance, quoiqu'elles soient fausses, et aussi peu intelligibles que si l'on en avait tiré les paroles au hasard, les rangeant en l'ordre qu'elles sortiraient de l'urne ; combien plus de force aurait cette même coutume de persuader aux hommes des doctrines véritables, conformes à la raison et à la nature des choses ? » (*De Cive,* XIII, 9, p. 199).

4. « Enfin, dans toutes les délibération, dans tous les plaidoyers, la faculté de raisonner de façon solide est nécessaire : car sans elle, les résolutions des hommes sont inconsidérées, et leurs sentences injustes ; et pourtant, en l'absence d'une éloquence puissante, qui obtienne l'attention et le consentement, la raison sera de peu d'effet. Or, ce sont là des facultés contraires : la première est fondée sur les principes de la vérité, la seconde sur les opinions antérieurement reçues, vraies ou fausses, et sur les passions et intérêts des hommes, choses soumises à la diversité et au changement » (*Lév.,* Révision et conclusion, p. 713).

5. Concernant l'hypothèse d'un tournant rhétorique dans l'œuvre de Hobbes, voir Quentin Skinner, *Reason and Rhetoric in the Philosophy of Hobbes, op. cit.,* p. 352-353, *passim.*

place aux lois qui promeuvent l'enseignement des principes véritables de la politique. La puissance de la souveraineté dépendant de l'obéissance des citoyens, il est normal que le philosophe se soucie de l'opinion que ces derniers se font des raisons de leur obéissance. La fonction de la rhétorique n'est donc plus de persuader des idées fausses, mais de faire accepter des idées vraies. Loin de s'opposer à la logique, la rhétorique est donc mise à son service[1].

Dans le *Léviathan*, Hobbes approfondit l'analyse de la culture politique que requiert un État souverain. L'existence d'une culture politique saine est d'autant plus nécessaire que le souverain ne peut pas compter, pour défendre ses droits, sur la vertu de la loi civile ou sur la frayeur du châtiment. Le respect de la loi civile reposant sur la reconnaissance préalable de la souveraineté, la rébellion contre le souverain ruine le principe même de l'obéissance civile. Il en va de même pour le châtiment, qui ne peut être considéré par un rebelle comme l'expression de la loi, mais seulement comme un « acte d'hostilité »[2]. Pour prévenir toute velléité de rébellion, il faut donc que les citoyens puissent comprendre les fondements rationnels de la souveraineté. À cette thèse, l'on peut faire toutefois deux objections principales. La première consiste à soutenir qu' « il n'existe pas de fondements, de principes rationnels, sur lesquels appuyer ces droits essentiels qui rendent la souveraineté absolue »[3] ; la seconde consiste à dire que les raisons de la philosophie politique excèdent les capacités des gens ordinaires[4]. À la première objection, Hobbes oppose les conclusions de son propre travail ; à la seconde, il répond que les gens puissants ont plus intérêt que les gens du peuple à ne pas comprendre des principes qui ne présentent en eux-mêmes aucune difficulté théorique particulière. Ces réponses se trouvent étayées par deux arguments de nature théologique. Le premier se présente sous la forme d'une concession : même si l'on admet que les principes de la théorie politique du *Lévia-*

1. Sur ce point, voir D. Johnston, *The Rhetoric of Leviathan*, chap. 2 et 3, Princeton, Princeton University Press, 1986, p. 26-91.
2. *Lév.*, XXX, 4, p. 358.
3. *Lév.*, XXX, 5, p. 359.
4. *Lév.*, XXX, 6, p. 360.

than ne sont pas « effectivement des principes rationnels », il est certain « que ce sont des principes qui découlent de l'autorité de l'Écriture »[1]. Cette certitude, qui autrement pourrait surprendre, prend sens dès lors que l'on tient compte des conditions théologiques spécifiques qui sous-tendent la science politique du *Léviathan*, à savoir que, derrière la science du politique et la politique chrétienne, il existe un même principe, celui de la toute-puissance divine. Le second argument consiste à comparer la difficulté relative qu'il y a à enseigner les vérités du christianisme et les vérités de la science : il n'y a pas lieu de croire qu'il soit plus difficile d'enseigner aux hommes des principes rationnels sous la protection de la loi que de « faire acquiescer des nations entières aux grands mystères de la religion chrétienne, qui dépassent la raison »[2]. Cette comparaison ne doit pas être interprétée en un sens sceptique : la conviction qu'elle exprime, à savoir que la logique de la science est parfaitement capable d'être comprise de tous, ne remet pas en cause les principes du christianisme. Il faut donc conclure qu'il est du devoir du souverain de promouvoir l'enseignement des principes rationnels du politique, à travers notamment une politique culturelle centrée sur la puissance de l'État.

4. *L'État et la culture*

De façon significative, le concept politique de culture est introduit par Hobbes à l'occasion d'une réflexion sur le culte que les hommes doivent à Dieu dans son royaume par nature[3]. Pour préciser la nature du culte divin, Hobbes établit la distinction suivante : « Le culte que nous rendons à ceux, tels que les rois et les gens investis d'une autorité, que nous tenons seulement pour des hommes, est un *culte civil*.

1. *Lév.*, XXX, 5, p. 359.
2. *Lév.*, XXX, 6, p. 360.
3. Pour une première formulation de cette idée, voir notre article, « La transcendance de l'État dans la philosophie de Hobbes », in *L'État, philosophie morale et politique*, Actes du Colloque franco-brésilien de novembre 1990 à Saint-Cloud, Les cahiers de Fontenay, Publications de l'ENS, Fontenay/Saint-Cloud, septembre 1992, p. 141-160.

Mais le culte que nous rendons à ce que nous jugeons être Dieu, quels que soient les paroles employées, les rites, les gestes ou autres actions est un *culte religieux*. Se prosterner devant un roi n'est, de la part de celui qui pense se trouver seulement devant un homme, qu'un culte civil ; mais celui qui enlève son chapeau à l'église, parce qu'il juge que c'est la maison de Dieu, rend un culte religieux. »[1] Dans les deux cas, celui qui rend un culte signifie par des signes extérieurs le respect dans lequel il tient la personne de celui à qui il le rend, et au-delà de cet honneur qu'il lui fait, il signifie l'obéissance qu'il lui doit. Le culte est un acte externe, signe de l'honneur interne[2]. Cette relation de signification caractérise aussi bien les rapports de l'homme à Dieu que les rapports « culturels » du citoyen à l'autorité de l'État : il existe un culte qui est le signe de la confiance des citoyens dans la puissance du souverain, et ce culte peut être désigné comme un culte civil. De même qu'à travers le culte religieux s'exprime la volonté du croyant d'obéir à Dieu[3], de même à travers le culte civil s'exprime la volonté des citoyens d'obéir à l'État. Si le culte civil se distingue du culte religieux, c'est, d'une part, parce que ces deux cultes visent des personnes distinctes et, d'autre part, parce que le culte civil trouve son fondement immédiat dans la philosophie, alors que le culte divin trouve son fondement dans la croyance. Alors que le culte rendu à un prince ou à un souverain en général vise la personne qu'il représente et non pas sa personne naturelle, le culte rendu à Dieu vise uniquement sa personne naturelle. Il est donc permis de dire que le culte rendu à la personne civile signifie l'acceptation par le citoyen de la puissance de l'État, et que le culte religieux signifie l'acceptation par le croyant de la toute-puissance de Dieu. Entre ces deux attitudes cultuelles, la différence

1. *Lév.*, XLV, 13, p. 664.

2. *De Cive*, XV, 9, p. 224 : « CULTUS autem est actus externus, Honoris interni signum. »

3. On trouve dans le *Léviathan* un rapprochement intéressant entre l'obéissance monastique et l'obéissance civile : « [...] nul n'appelle bien ou mal autre chose que ce qui est tel à ses propres yeux, sans nul égard aux lois publiques, à la seule exception des moines et des religieux *qui sont tenus par leurs vœux d'accorder à leurs supérieurs cette obéissance absolue que tout sujet devrait s'estimer tenu, par la loi de nature, d'accorder au souverain civil* » (*Lév.*, LXVI, 31, p. 689 ; nous mettons en italique).

n'est donc pas dans le mode de soumission[1], mais dans l'intention de celui qui rend le culte.

Interpréter les rapports du citoyen à l'État en termes de culte n'implique ainsi nulle confusion : il ne s'agit pas de confondre les genres, et de transformer le souverain en un Dieu. Il s'agit seulement de trouver le moyen de maintenir présent à l'esprit des citoyens le contrat d'obéissance qui les lie à leur prince. Certes, une confusion est toujours possible, et les citoyens ne sont pas toujours à l'abri d'un ordre irrationnel leur enjoignant de considérer leur souverain comme un Dieu. Néanmoins, une telle aberration ne constitue de l'idolâtrie à proprement parler que si les citoyens se persuadent de la vérité de cette identification. Si leur aveu procède de la contrainte, comme c'était le cas chez les Romains au temps de Caligula, ce n'est ni de l'idolâtrie, ni un culte scandaleux, car personne n'ignore que le motif de la révérence est alors la peur du châtiment et non pas le sentiment de l'honneur. En temps ordinaire, il n'est donc nullement nécessaire de tomber dans ces extrémités pour fonder rationnellement le culte du souverain.

De cette idée d'un culte civil, condition de la puissance étatique, découle une première conséquence concernant la nature du rapport des citoyens à l'État : ce rapport repose sur un usage de la raison distinct de l'exercice public de la raison que préconisent les penseurs des Lumières. S'il y a bien une rationalité du culte de l'État, celle-ci exclut de fait la médiation de l'opinion publique conçue comme l'exercice public de la raison des citoyens. Le culte du souverain, qui est une reconnaissance du droit du gouvernement civil, soumet à ce dernier le droit de la raison naturelle, qui est aussi celui de la science et de la culture. On peut citer à ce propos un texte singulier dans lequel, en s'appuyant sur l'étymologie du terme latin *cultus*, Hobbes opère la genèse conjointe des concepts de culte et de culture : « En effet, dans son sens propre et invariable, *cultus* désigne les efforts qu'on consacre à quelque objet, avec le dessein d'en tirer un avantage. Or, de ces objets dont

1. Hobbes critique la conclusion de ceux qui « cherchent la distinction entre culte religieux et culte civil, non dans l'intention de celui qui le rend, mais dans les mots δουλεία et λατρεία » (*Lév.*, XLV, 13, p. 664). Le premier mot désigne l'esclavage et le second tout service en général.

nous tirons avantage, les uns nous sont assujettis, et l'avantage qu'ils rapportent fait suite, comme un effet naturel, aux efforts que nous leur consacrons ; les autres ne nous sont pas assujettis et répondent à nos efforts au gré de leur volonté propre. Au premier sens correspondent les efforts que l'on consacre à la terre, et qui sont appelés *culture*, de même aussi, l'éducation des enfants, qui est la *culture* de leurs esprits. Dans le second sens, quand il s'agit, non par violence, mais à force de prévenances, d'amener la volonté des hommes à concourir à nos desseins on parlerait aussi bien de courtiser, ce qui signifie gagner la faveur de quelqu'un par de bons offices : par exemple, par des louanges, par la reconnaissance de sa puissance, et en général par tout ce qui peut plaire à celui dont on attend un avantage. C'est cela qui est à proprement parler un *culte*. »[1] Hobbes, qui se souvient ici de Cicéron[2], propose, par-delà l'étymologie latine, une articulation conceptuelle des concepts de culture et de culte, qui nous permet de comprendre la subordination de la première au second. Le culte et la culture sont définis l'un et l'autre comme un travail *(labour, labor)*, dont l'objet est, dans un cas, en notre pouvoir *(subject to us, in nostra potestate)*, et dans l'autre, ne l'est pas. De ce point de vue, l'agriculture, comme culture de la terre et la pédagogie, comme culture de l'esprit, font partie de la même catégorie, celle qui relève du travail dont nous maîtrisons les effets grâce à une pratique méthodique. Il n'en va plus de même en ce qui concerne la politique. Pour penser le rapport politique en termes de culture, il faudrait en effet qu'il y ait entre les acteurs politiques soit une relation de maître à élève, par laquelle la volonté de l'un pourrait servir de règle à l'entendement de l'autre, soit une relation de réciprocité par laquelle le même serait tour à tour enseignant et enseigné. S'il n'en est rien, c'est

1. *Lév.*, XXXI, 8, p. 383-384, traduction modifiée.

2. Cicéron propose une définition de la culture qui repose sur le modèle agraire du soin qu'il faut apporter à la nature : « De plus, pour m'en tenir à la même comparaison *(la comparaison de l'âme et du champ)*, un champ, si fertile qu'il soit, ne peut être productif sans culture, et c'est la même chose pour l'âme sans enseignement, tant il est vrai que chacun des deux facteurs de la production est impuissant en l'absence de l'autre. Or la culture de l'âme, c'est la philosophie [...] » (*Tusculanes*, II, 13, trad. fr. J. Humbert, Paris, Les Belles Lettres, 1970, p. 84). Cicéron emploie aussi, en différents endroits, le terme *cultus* au sens de culte. Mais il n'intègre pas comme le fait Hobbes les deux acceptions à une théorie d'ensemble de la culture.

que la politique ne repose ni sur un rapport de volonté à entendement, ni sur un rapport d'entendement à entendement, mais sur un rapport de volonté à volonté : le politique n'est pas plus un pédagogue qu'un savant, même si par accident il peut paraître emprunter le rôle de l'un ou de l'autre. Sa fonction spécifique consiste, en revanche, à discipliner les volontés de ses sujets en les conformant à la volonté commune qu'il représente, tantôt par la persuasion, tantôt par la contrainte.

Le culte civil se distingue du culte religieux en tant que la volonté que le citoyen doit révérer n'est autre que sa volonté propre, devenue volonté représentée. La fonction du culte civil sera donc de rappeler au citoyen, d'une part, qu'il veut ce que veut le souverain pour autant qu'il l'a autorisé à le représenter, et, d'autre part, que la puissance du souverain est incommensurable à la sienne, même si la puissance naturelle de son représentant ne l'est pas. Aussi n'est-ce pas un hasard si Hobbes présente les droits particuliers du souverain sur le modèle des tables de la loi mosaïque, car il importe que les citoyens soient instruits des droits de leur souverain comme les Hébreux l'étaient de ceux de Dieu. Le culte civil, rationnel en ce sens qu'il repose sur l'énoncé des raisons de la souveraineté, a pour fonction de rappeler aux citoyens leurs devoirs particuliers à l'égard du souverain. Énoncés sur le modèle des dix commandements, les quatre premiers devoirs sont les suivants : les citoyens ne doivent pas honorer d'autre régime politique que le leur, ils ne doivent pas se faire des idoles de concitoyens éminents, ni mésuser du nom du souverain, mais instituer un jour pour s'instruire de leurs devoirs à son égard[1].

Le culte civil consiste donc essentiellement en une instruction civique, dans la mesure où l'instruction y vise seulement à renforcer l'obéissance des citoyens, en leur rappelant ce à quoi ils se sont engagés. De fait, il s'agit bien d'un culte, car le but de cette instruction n'est pas de développer l'entendement des citoyens, mais de conformer leur volonté à la volonté du souverain. Le rapport des citoyens à l'État ne peut donc être fondé sur le progrès de la raison, car un tel progrès supposerait une communauté de droit qui n'existe pas, selon Hobbes,

1. *Lév.*, XXX, 7-10, p. 361-362.

entre les citoyens et l'État. Dans l'ordre politique, en effet, la raison naturelle et la démonstration ne font pas le droit. Par conséquent, loin de chercher à établir une adéquation entre l'ordre savant et l'ordre politique, Hobbes entend défendre le droit de la puissance nécessaire, celle de l'État, face aux droits de la raison naturelle, celle des savants. Certes, il ne désire pas réduire à rien la raison naturelle, ce qui serait un paradoxe extrême chez un philosophe féru de mathématique et d'optique, mais il conçoit la nécessité d'en circonscrire l'usage. Comme la raison scientifique ne supporte pas une telle délimitation *a priori* du champ de ses recherches, la forme que revêt l'enseignement des droits du souverain ne peut être celle de la libre culture de l'entendement. Et pourtant, le culte civil repose bien sur une science, celle du politique, qui est la justification de tous les efforts du philosophe.

Troisième partie

THÉOLOGIE POLITIQUE

Les textes que Hobbes a consacrés à la révélation divine sont d'autant plus embarrassants pour le commentateur qui désire en minorer l'importance qu'ils deviennent de plus en plus longs et argumentés au fur et à mesure que l'œuvre se constitue. Alors qu'ils ne représentent dans les *Elements of Law* qu'une très petite partie de l'œuvre, ces textes occupent dans le *De Cive* une section entière, et dans le *Léviathan* deux parties complètes, à savoir la moitié du texte intégral[1]. De cet intérêt porté aux Écritures saintes, plusieurs explications ont été proposées par les commentateurs. Certains n'y ont vu que le souci de recouvrir d'une « superstructure d'expression religieuse pour ainsi dire ornementale »[2] une structure rationnelle en tout point étrangère à la théologie. Mais cette explication ne permet guère de rendre compte de l'importance accrue du travail interprétatif dans l'œuvre de Hobbes. Pour rendre justice à ce travail, il fallait de toute évidence adopter d'autres principes de lecture. C'est ce que fit J. G. A. Pocock dans un texte pionnier[3], où il défendait l'idée selon laquelle les deux dernières parties du *Léviathan* ne sont pas tant subordonnées aux deux

1. Sur ce point, voir M. Malherbe, *Thomas Hobbes ou l'œuvre de la raison*, *op. cit.*, p. 217-218.

2. R. Polin, *Hobbes, Dieu et les hommes*, *op. cit.*, p. 46.

3. J. G. A. Pocock, « Time, history, and eschatology in the thought of Thomas Hobbes », *in* Id., *Politics, Language, and Time*, New York, Atheneum, 1973, p. 148-201.

premières qu'elles ne développent une perspective entièrement nouvelle. Alors que la première moitié de l'ouvrage concerne seulement le champ de la raison et de la nature, la seconde moitié investit selon ce commentateur un champ entièrement distinct, celui de l'histoire de la prophétie et de la foi. Bien qu'elle ait contribué à ouvrir des perspectives méthodologiques fécondes, cette interprétation risquait toutefois de faire perdre de vue l'unité fondamentale de la pensée de Hobbes. Afin de sauvegarder cette unité compromise, David Johnston proposa de lire la deuxième moitié du *Léviathan* comme un exercice de rhétorique visant à critiquer les superstitions qui très tôt envahirent le christianisme[1]. Contrairement aux *Elements of Law* et au *De Cive*, les deux dernières parties du *Léviathan* ont, selon lui, pour fonction d'opérer une transformation culturelle des sociétés humaines[2] afin d'introduire une plus grande rationalité dans la conduite des hommes. Ces deux dernières parties, qui ne reposeraient « en aucune manière sur des concepts théologiques ou sur des croyances religieuses »[3], seraient directement liées, contrairement à ce que soutient Pocock, à la science politique à laquelle elles ajouteraient une sorte d'appendice rhétorique.

Cette dernière interprétation est à la fois séduisante et inexacte. Elle est séduisante, car elle accorde une fonction essentielle à un thème, celui de la rhétorique, et à des textes, ceux de la deuxième moitié du *Léviathan*, qui furent trop longtemps tenus pour négligeables par les commentateurs ; elle est inexacte, car elle considère l'exégèse biblique du *Léviathan* comme totalement indépendante de la théologie de son auteur. À l'origine de cette erreur se trouve une ignorance des conditions théologiques qui président à l'élaboration de la philosophie morale et politique de Hobbes. Parce qu'il ignore l'histoire de la théologie de la toute-puissance, Johnston se voit en effet conduit à concevoir la philosophie hobbesienne comme un système atemporel, sans

1. D. Johnston, *The Rhetoric of Leviathan*, *op. cit.*, p. 118-119.

2. « La seconde moitié du *Léviathan* a pour but de modeler les pensées et les opinions de ses lecteurs de telle sorte que ces derniers puissent être convaincus par l'argumentation de la première moitié » (D. Johnston, *The Rhetoric of Leviathan*, *op. cit.*, p. 120).

3. D. Johnston, *The Rhetoric of Leviathan*, *op. cit.*, p. 119.

rapport interne avec l'interprétation biblique qui doit la réconcilier avec les opinions et les passions des citoyens.

Dès lors que l'on reconnaît, comme nous l'avons fait précédemment, que les « principes naturels » qui servent de fondement à la science du politique ont eux-mêmes pour condition une conception spécifique de la toute-puissance de Dieu, le développement exégétique de la deuxième moitié du *Léviathan* cesse d'apparaître comme un simple appendice, fût-il essentiel, à la science du politique. Ainsi que Pocock l'avait suggéré, il convient de lire les deux dernières parties du *Léviathan* comme un développement indépendant, à condition toutefois de reconnaître, ce que Pocock ne faisait pas, que cette indépendance n'équivaut pas à une absence de tout rapport, puisque la science politique et l'exégèse biblique se rejoignent en leur source commune, qui est une conception identique de la toute-puissance divine. Hobbes a fort bien compris que s'il est possible de retrouver dans l'Écriture la vérité démontrée par la science politique, c'est que l'une et l'autre entretiennent un rapport essentiel avec le concept d'omnipotence. Ce rapport ne s'établit certes pas de la même façon dans les deux cas : dans le cas de la science, la thèse de la toute-puissance constitue en effet une condition négative de la pensée anthropologique, puisque la moindre puissance des hommes se comprend comme l'envers de la toute-puissance de Dieu ; dans le cas de l'exégèse, la thèse de la toute-puissance doit être retrouvée derrière les errements de la superstition et les corruptions infligées à l'Écriture sainte par des générations de commentateurs. Par conséquent, s'il importe de reconnaître le caractère critique de l'exégèse effectuée par Hobbes, il importe tout autant, sinon plus, de reconnaître que cette critique procède elle-même d'une conception théologique spécifique. Les « lumières » de Hobbes trouvent ainsi leur source dans l'obscurité présumée de sa théologie.

C'est ce que nous chercherons à montrer dans les trois prochains chapitres. Il s'agira d'établir tout d'abord que la critique à laquelle Hobbes soumet la révélation biblique tient pour une part non négligeable à la différence qui sépare sa conception de la toute-puissance divine de celle qui se trouve exposée dans les textes bibliques où sont évoquées prophéties et miracles. Il conviendra ensuite de montrer que la lecture que le *Léviathan* propose de l'histoire politique des Hébreux et des chrétiens s'oppose, sur la question de la toute-puissance divine, à la lecture qui en est faite par certains théologiens calvinistes de l'Alliance. Nous montrerons enfin qu'il existe des motifs théologiques, et non pas seulement culturels, de la critique que Hobbes adresse à la scolastique catholique.

CHAPITRE VIII

La toute-puissance de Dieu et la critique de la révélation

En guise de préalable à son exposition des principes de la politique chrétienne, Hobbes constate que la réflexion sur la république chrétienne dépend pour beaucoup des « révélations surnaturelles de la volonté de Dieu »[1], mais que ces révélations ne doivent pas conduire à renoncer « à ce qui est indubitablement la parole de Dieu, à savoir notre raison naturelle »[2]. Ce préalable met en lumière deux modalités distinctes de l'action divine. Dans un cas, Dieu agit en fonction d'une puissance extraordinaire, contraire à l'ordre naturel et moral ; dans l'autre, il agit en fonction d'une puissance ordinaire, conforme à la nécessité de la nature et à l'ordre moral. En tant qu'elle rend possible une critique des conceptions imaginaires de la toute-puissance divine, à savoir ces conceptions qui accompagnent souvent l'interprétation de la parole révélée, cette distinction commande aussi l'exégèse hobbesienne dans son ensemble. S'il n'entend pas mettre en doute la toute-puissance de Dieu, Hobbes entend en effet contester une certaine façon de concevoir cette puissance comme puissance extraordinaire de manifestation.

Bien que la conception de l'omnipotence qui sous-tend la philosophie politique de Hobbes soit une lointaine héritière de l'omnipotence du Dieu de la révélation, elle n'en est pas moins au principe de sa

1. *Lév.*, XXXII, 2, p. 395.
2. *Ibid.*

critique. Cette filiation paradoxale n'apparaît toutefois dans toute son évidence que si l'on accepte d'examiner la question des miracles à la lumière de la notion de toute-puissance. La position complexe adoptée par Hobbes sur ce sujet ne saurait être tenue pour une esquive : s'il est vrai qu'il tend à minorer l'idée d'une intervention extraordinaire de Dieu dans la nature, il n'en est pas moins vrai que sa conception de la toute-puissance provient d'un texte révélé qui présuppose la croyance au miracle. L'examen de son interprétation des Écritures permettra donc de démêler ce double rapport d'héritage et de critique qu'entretiennent dans sa pensée la toute-puissance comme condition de la philosophie et la toute-puissance comme principe de la révélation.

Nous chercherons, en un premier temps, à rendre compte de la critique hobbesienne de la notion de révélation. Nous montrerons ensuite que cette critique trouve son accomplissement dans une interprétation de la Bible autorisée. Enfin, afin de mieux saisir l'articulation de la théologie et de la politique dans l'herméneutique biblique du *Léviathan*, nous nous interrogerons sur les rapports de la théologie de la toute-puissance et de la théorie politique de la représentation.

I. LA CRITIQUE DE LA RÉVÉLATION

Hobbes lie sa critique de la révélation à une critique implicite de la conception biblique de la toute-puissance divine comme puissance d'intervention miraculeuse. Refusant de nier ouvertement que Dieu ait la puissance de se manifester immédiatement aux hommes, il impose toutefois à cette possibilité une restriction majeure en limitant de façon radicale la portée du témoignage de qui prétend avoir reçu une révélation divine. En soumettant à caution les témoignages d'inspiration surnaturelle, il limite de fait la portée de l'affirmation selon laquelle « Dieu Tout-puissant [peut] parler à un homme au moyen de songes, de visions, de voix et d'inspiration »[1]. Il importe toutefois de bien comprendre que les arguments avancés par Hobbes n'ont pas pour but de

1. *Lév.*, XXXII, 6, p. 398.

développer le scepticisme religieux. Critiquer la conception commune de l'omnipotence divine comme puissance d'intervention extraordinaire dans le cours de la nature sert, en l'occurrence, à affirmer la fonction de la toute-puissance à l'horizon de la philosophie naturelle et politique.

1. *Raison et révélation*

Le point de départ de la réflexion de Hobbes sur la révélation réside dans la distinction de deux modalités de la parole de Dieu, la révélation et la raison. La parole révélée de Dieu se distingue tout d'abord de sa parole naturelle par son caractère indirect : alors que la raison parle immédiatement à l'esprit de chaque homme, la révélation parvient aux fidèles au moyen d'une ou de plusieurs médiations. Contrairement à ce qu'elle prétend être, la parole révélée ne saurait être selon Hobbes une parole immédiate. Pareille caractérisation constitue déjà en elle-même une critique, car, parmi les contemporains de Hobbes, nombreux sont ceux qui réclament pour eux-mêmes le droit à l'inspiration et prétendent que Dieu leur parle directement. En se plaçant résolument du point de vue des sujets « qui n'ont pas de révélation surnaturelle »[1], Hobbes veut montrer que la révélation immédiate revendiquée par certains ne saurait être un argument convaincant pour autrui. Si quelqu'un me déclare que Dieu lui a parlé directement, il ne possède aucun moyen de me prouver la vérité de son propos, et donc aucun moyen de me forcer à le croire : mon scepticisme à l'égard de son témoignage est rendu légitime par le caractère excessif de la prétention qui est la sienne. De fait, les modalités supposées de la révélation immédiate peuvent toutes faire l'objet d'une explication naturelle. Ainsi, ceux qui prétendent que Dieu leur parle en songe ne font-ils jamais que rêver que Dieu leur parle : la révélation n'est alors rien d'autre qu'un songe. Ceux qui prétendent avoir des visions ou entendre des voix sont les victimes d'une illusion relativement cou-

1. *Lév.*, XXXIII, 1, p. 404.

rante, liée à l'état de demi-veille : leur révélation supposée n'est autre qu'un rêve, qui s'est produit entre deux périodes de veille[1]. Ceux qui prétendent être inspirés de Dieu témoignent seulement de la haute opinion qu'ils ont d'eux-mêmes[2]. Des trois modalités supposées de la révélation immédiate, aucune ne trouve donc grâce aux yeux de Hobbes. À l'exception du souverain qui possède sur ses sujets une autorité fondée en raison, personne ne peut donc obliger autrui à croire qu'il a reçu une révélation particulière de Dieu[3].

2. *Prophétie*

L'analyse de la prophétie permet de mieux comprendre les médiations qui sont au principe de la révélation. La prophétie se définit en effet comme une parole que Dieu adresse à l'homme par l'intermédiaire « d'un autre homme auquel il a antérieurement parlé lui-même immédiatement »[4]. Mais comme un prophète peut en tromper un autre, on ne peut « connaître avec certitude la volonté de Dieu par une voie autre que celle de la raison »[5]. Puisque l'on ne saurait faire confiance à la parole d'un homme qui se prétend lui-même prophète, il convient de déterminer rationnellement les signes qui sont susceptibles de valider sa prétention. Parmi ces derniers, il y a tout d'abord le miracle, qui est un signe extérieur que Dieu fait exécuter par son prophète pour manifester la vérité de sa parole. À ce titre, le miracle participe d'une mise en scène de la volonté divine qui s'inscrit dans une logique générale de la communication. Il se trouve soumis de ce fait aux aléas de toute communication, et notamment à la surenchère qui risque à terme de remettre en cause son efficacité. Hobbes rappelle ainsi opportunément que, bien que les œuvres des magiciens d'Égypte « ne fussent point aussi grandes que celles de Moïse, [elles] étaient cependant de grands miracles »[1]. La capacité de réaliser des miracles ne

1. *Lév.*, XXXII, 6, p. 397.
2. *Ibid.*
3. *Lév.*, XXXII, 5, p. 397.
4. *Ibid.*
5. *Ibid.*

peut donc être l'unique caractéristique d'un prophète : il convient, en outre, que le message prophétique soit conforme à la religion établie. Les miracles sans la vérité de la doctrine ne prouvent rien, l'enseignement de la doctrine sans les miracles n'est pas une prophétie. La prophétie a donc besoin d'une double confirmation, par la conformité de la doctrine et par les signes miraculeux. Toutefois, cette exigence d'une attestation de la parole révélée par le miracle n'a plus lieu d'être dès lors que cette parole se trouve identifiée avec le texte des Écritures.

3. *Écritures*

La mise par écrit de la révélation constitue une étape essentielle dans le procès de sa médiatisation. Cette mise par écrit est bien sûr antérieure au christianisme, mais elle n'acquiert tout son sens qu'avec la fin de la prophétie qui suit pour les chrétiens la mort du Christ, car depuis cet événement, les Écritures « remplacent toute autre prophétie et en compensent adéquatement le manque »[2]. La disparition des miracles qui caractérise selon Hobbes l'ère chrétienne enferme définitivement la révélation dans la forme d'un texte. Dieu ne parle plus aux hommes au moyen de la parole prophétique, mais par l'intermédiaire d'un livre dont les termes sont définitivement fixés. Et si des Écritures « peuvent être aisément déduits, sans possession divine ou inspiration surnaturelle, toutes les règles et tous les préceptes nécessaires à la connaissance de nos devoirs tant envers Dieu qu'envers les hommes »[3], alors l'interprétation suffit. Pour comprendre la volonté de Dieu, il n'est donc plus besoin d'inspiration particulière, ni de révélation spéciale : il suffit de pouvoir interpréter correctement le texte des Écritures. Mais au problème de l'attestation de la prophétie succède alors le problème de la validité de l'interprétation.

Avant d'interpréter les Écritures, il convient en effet d'en déterminer le corpus. Cette détermination est complexe dans la mesure où

1. *Lév.*, XXXII, 7, p. 399.
2. *Lév.*, XXXII, 9, p. 401.
3. *Ibid.*

elle concerne à la fois le statut général de la Bible, prise en tant que texte, et son statut particulier en tant que parole de la révélation. En ce qui concerne l'étude historique de la Bible, il est indéniable que Hobbes procède de façon très novatrice, car, contrairement à la plupart des interprètes qui l'ont précédé, il n'oublie pas de se poser, à propos du texte sacré, les questions préalables qui se posent à propos de n'importe quel texte : quels sont les livres qui composent les Écritures ? À quelle date ces différents livres ont-ils été écrits ? Quelle est l'identité de leurs auteurs ? Quelle est la signification des Écritures ? Quelle en est l'autorité ? Qui a le droit de les interpréter ? Parmi ces questions, celles qui sont relatives à l'identité des auteurs et à la date de rédaction des différents livres bibliques sont sans nul doute les plus originales. Cependant, ces questions doivent être correctement comprises : elles n'ont pas pour fonction d'annoncer la critique biblique que nous connaissons, mais elles visent à souligner le caractère médiat de la transmission de la parole révélée. De fait, Hobbes se soucie moins de dater les différents livres bibliques que de souligner pour chacun d'eux l'écart temporel qui sépare les événements qu'il rapporte de la période de sa rédaction. Les données de l'analyse interne lui permettent ainsi de montrer que les livres du *Pentateuque* ne peuvent pas avoir été écrits, comme on le pensait jusqu'alors, par Moïse lui-même. Si Moïse, en effet, avait été l'auteur du *Pentateuque*, il n'aurait pas pu écrire ce qui est écrit « au dernier chapitre du *Deutéronome* (verset 6) », à propos de son propre sépulcre, « à savoir que *nul homme ne connaît son sépulcre jusqu'à ce jour*, c'est-à-dire jusqu'au jour où ces paroles furent écrites »[1]. Quant au plan d'ensemble de la Bible, il témoigne lui aussi de médiations historiques repérables : les titres des livres de Joël et de Malachie montrent que « l'ensemble des Écritures de l'Ancien Testament furent disposées sous la forme où nous les possédons après le retour des *Juifs* de leur captivité de *Babylone*, et avant le temps de *Ptolémée Philadelphe*, qui les fit traduire en grec »[2]. Esdras est nommément désigné comme l'auteur de cette mise en forme.

1. *Lév.*, XXXIII, 3, p. 405.
2. *Lév.*, XXXIII, 18, p. 411.

Ce que Hobbes dit de la rédaction du Nouveau Testament permet en outre de mieux comprendre le sens de l'attention qu'il porte aux médiations historiques. Précisant que le concile de Laodicée est le premier concile « qui recommanda la Bible aux Églises chrétiennes d'alors, comme étant les écrits des Prophètes et des Apôtres »[1], il ajoute qu'à cette date, à savoir en 364, les docteurs de l'Église, qui étaient devenus ambitieux, « comptaient comme de pieuses fraudes celles qui tendaient à rendre le peuple plus obéissant à la doctrine chrétienne »[2]. Toutefois, malgré l'intérêt que les ecclésiastiques d'alors eussent pu avoir à falsifier le texte de la révélation pour accroître leur pouvoir temporel, Hobbes s'affirme persuadé qu'ils n'en firent rien. Les vicissitudes historiques que connurent, comme n'importe quel livre, les livres bibliques ne suffisent pas selon lui à ruiner la confiance que le chrétien peut accorder au message qu'ils sont chargés de transmettre. Cette remarque confirme de façon éclatante que l'analyse historique ne saurait constituer pour Hobbes une fin en elle-même. Lorsqu'il souligne le rôle ambigu des clercs dans la transmission matérielle du texte sacré, Hobbes a pour souci de préparer son lecteur à accepter la fonction régulatrice de l'instance politique en matière d'interprétation biblique.

En tant que « règles de la vie chrétienne »[3], les Écritures ont valeur de lois à l'intérieur des républiques chrétiennes. Cette transformation de la Bible en lois est fortement soulignée par l'auteur du *Léviathan*, qui y voit une condition nécessaire de la reconnaissance de la parole de Dieu par des sujets qui n'ont pas eu de révélation particulière. Avant même de procéder à son interprétation de la Bible, Hobbes subordonne donc clairement la parole révélée à la parole du souverain. Pour savoir « quand Dieu a parlé, et ce qu'il a dit », les sujets qui n'ont pas de révélation extraordinaire doivent se fier, déclare-t-il, « à cette raison naturelle qui les a conduits, pour obtenir la paix et la justice, à obéir à l'autorité de leurs républiques respectives, c'est-à-dire de leurs souverains légitimes »[4]. La constitution ultime de la parole révélée en texte

1. *Ibid.*, p. 412.
2. *Ibid.*
3. *Lév.*, XXXIII, 1, p. 403.
4. *Ibid.*, p. 404.

canonique passe donc nécessairement par la parole du souverain : la parole révélée que doit suivre le chrétien est celle que lui indique son souverain légitime. Au stade encore préliminaire où en est l'analyse dans le chapitre XXXIII du *Léviathan*, Hobbes ne peut certes affirmer que le message des Écritures est en tout point conforme aux conclusions de la philosophie politique : il se contente alors de préciser que c'est au souverain qu'il revient de désigner les textes qui doivent être soumis à interprétation. La légitimité des textes de la Bible ne procède donc pas de leur révélation, mais du fait que le souverain les reconnaît comme textes révélés. En affirmant qu'il ne peut « reconnaître comme Écriture sainte aucun livre de l'Ancien Testament, si ce n'est ceux que l'autorité de l'Église d'Angleterre a ordonné de reconnaître comme tels »[1], Hobbes ne fait somme toute que s'appliquer à lui-même la règle générale qui régit selon lui l'interprétation du texte sacré.

Toutefois, en désignant les livres canoniques, à savoir les livres qui ont force de loi, le souverain n'indique pas encore l'interprétation qu'il convient d'en donner[2]. Profitant des incertitudes doctrinales de la période révolutionnaire, Hobbes peut ainsi se permettre, dans le *Léviathan,* de s'appuyer sur la version autorisée de la Bible pour en proposer une interprétation qui tienne compte davantage des conditions théologiques de sa philosophie que des débats ecclésiologiques du moment.

II. INTERPRÉTER L'*AUTHORIZED KING JAMES VERSION*

L'histoire de la rédaction de la Bible ne suffit pas à rendre compte de sa signification, car « quoique ces livres aient été écrits par des hommes différents, il est néanmoins manifeste que les rédacteurs étaient tous animés d'un seul et même esprit *(Spirit)*, en ce qu'ils conspirent tous à une seule et même fin, qui est l'exposition des droits du royaume

1. *Ibid.*
2. Concernant le droit à l'interprétation du souverain, voir, plus bas, notre chapitre IX, p. 356-358.

de Dieu, Père, Fils et Saint-Esprit »[1]. Par-delà la diversité des rédacteurs et des circonstances historiques, l'unité des Écritures réside dans l'unité d'un sens. L'enquête historique possède donc une portée limitée : elle manifeste, comme nous l'avons vu, le caractère médiat de la révélation, mais elle ne permet pas en tant que telle de comprendre le sens de la Bible. Pour comprendre ce sens, il convient de déterminer l'esprit général qui a présidé à la rédaction des Écritures.

1. *Interprétation*

Les rédacteurs des différents livres bibliques avaient pour unique but de faire connaître aux hommes les droits du royaume « que Dieu exerce sur ses sujets pour l'avoir acquis par leur consentement »[2]. Cette interprétation radicale, qui s'oppose à celle des théologiens qui considèrent que le terme de royaume de Dieu s'applique soit « à la félicité éternelle »[3], soit à la sanctification[4], n'est pas toutefois sans précédent. Considérer le « royaume de Dieu » comme une forme politique de la souveraineté inscrit Hobbes dans la postérité des interprétations du pouvoir divin qui furent données par certains canonistes médiévaux. L'application au pouvoir du pape, à partir du XIIIe siècle, de la distinction entre puissance absolue et puissance ordonnée contribua à estomper les frontières conceptuelles qui séparaient jusque-là les domaines du droit canon et de la théologie[5]. Appliquée à la puissance papale, la notion de puissance absolue change alors de sens : elle ne désigne plus le domaine du pur possible par opposition aux décisions effectives de la volonté, mais une manière d'agir indépendante de la loi, un principe de dérogation. Repris ensuite par les théologiens, et

1. *Lév.*, XXXIII, 19, p. 413.
2. *Ibid.*
3. *Lév.*, XXXV, 1, p. 433.
4. La sanctification est l'état du chrétien qui a été choisi par Dieu pour vivre dans le ciel le plus élevé.
5. La première mention de l'application de cette distinction au pouvoir papal se trouve dans Hostiensis, *Lectura in quinque decretalium* (env. 1270). Sur ce point, voir W. J. Courtenay, *Capacity and Volition, op. cit.*, p. 93.

notamment par Duns Scot, ce concept juridique de la *potentia* ou *potestas absoluta* servira à désigner la souveraine puissance de Dieu[1]. Cette mise en relation d'une conception théologique de la toute-puissance avec une conception juridique de l'action dérogatoire ouvre la voie aux interprétations juridico-politiques de la souveraineté divine, au nombre desquelles il faut ranger l'interprétation de Hobbes. L'originalité de Hobbes consiste, toutefois, à faire de la notion du Dieu souverain le ressort principal de l'interprétation de la Bible.

Ce principe herméneutique sert d'abord à déterminer les droits attachés au royaume que Dieu exerce sur les hommes en vertu de sa révélation. Dans le *Léviathan*, Hobbes souligne, plus fortement qu'il ne le faisait dans le *De Cive,* la différence qu'il y a entre le royaume de Dieu par nature et le royaume de Dieu par la prophétie, car ses réflexions sur le royaume de Dieu par nature ne sont pas incluses dans la partie intitulée « De la république chrétienne »[2]. Cette distinction ne signifie pas pour autant que le Dieu de la toute-puissance ne soit en rien redevable au Dieu de la révélation, le Dieu de la Bible étant bien évidemment le modèle du Dieu tout-puissant du royaume par nature. Cela signifie, en revanche, que le droit du royaume par nature est le droit de la toute-puissance *(jus omnipotentiae)*[3], et que le droit du royaume prophétique découle du consentement des sujets. Hobbes entend ainsi dissocier le sens premier de la domination divine de ce qui n'en est qu'une conséquence indirecte. Il importe, par conséquent, de ne pas se tromper sur la nature de l'interprétation que Hobbes donne de la Bible : la dimension politique de cette dernière dépend d'une détermination théologique préalable de Dieu comme toute-puissance. Aussi ne peut-on se contenter de considérer la troisième partie du *Léviathan* comme une confirmation par les Écritures de la science du politique exposée dans la seconde partie de ce même ouvrage. Plus

1. Duns Scot est le premier théologien à avoir introduit en théologie la signification juridique de la distinction *potentia absoluta / potentia ordinata.* Voir Jean Duns Scot, *Ordinatio,* I, dist. 44, qu. un., in *Opera omnia,* vol. VI, p. 363-369 ; cité par W. J. Courtenay, *Capacity and Volition, op. cit.,* p. 112, n. 53.

2. Dans le *De Cive,* le chapitre intitulé *De regne Dei per naturam* est inclus dans la troisième section de l'ouvrage, section qui est consacrée à la religion.

3. Voir *Leviathan,* XXXV, 1, *OL III,* p. 292.

fondamentalement, cette confirmation dépend en effet de la possibilité de mesurer le discours de la révélation à l'aune de la condition théologique qui commande la science morale et politique. C'est aussi pourquoi l'interprétation des Écritures prend souvent le ton de la critique : non pas parce que Hobbes aurait anticipé la pensée des Lumières et le règne de la critique, mais parce qu'il entend juger de la politique chrétienne exposée dans la Bible à partir d'une détermination de Dieu qui a acquis une indépendance spéculative par rapport au texte de la révélation. Or, paradoxalement, dès lors que l'on veut la penser à partir de la conception hobbesienne de la toute-puissance, la révélation ne présente plus de caractère d'évidence.

L'interprétation des Écritures procède donc selon Hobbes, non seulement de la volonté de montrer que la Bible ne contredit pas les conclusions de la science du politique, mais encore de la volonté de tirer les conséquences herméneutiques de la théologie de la toute-puissance. En soulignant la signification politique du royaume prophétique de Dieu, Hobbes montre clairement qu'il ne s'agit pas là d'une expression directe de la toute-puissance divine, mais d'une structure politique régie par des principes qui sont communs à toute république. La distinction entre le royaume de Dieu par nature et le royaume de Dieu par la prophétie permet ainsi d'établir que la révélation, si elle suppose bien une intervention de la puissance divine, ne constitue pas pour autant une révélation aux hommes de la nature même de cette toute-puissance. La révélation de la volonté divine ouvre certes la possibilité de fonder l'ordre politique au moyen d'une représentation de la toute-puissance, mais elle ne saurait être considérée pour autant comme l'expression la plus claire de l'idée de toute-puissance.

2. *Royaume de Dieu*

Ce point est confirmé par l'analyse de l'expression « royaume de Dieu » que l'on trouve dans les Écritures : « *Royaume de Dieu* dans l'Écriture désigne le plus souvent un *royaume au sens propre*, un royaume constitué selon un mode particulier par les suffrages du peuple d'Israël ; consistant en ce que les Israélites choisirent Dieu comme leur roi, par un pacte conclu avec lui sur la promesse faite par Dieu de leur donner possession du pays de Canaan. »[1] L'originalité de cette interprétation consiste bien évidemment dans le fait qu'elle privilégie le sens propre de l'expression « royaume de Dieu » par rapport à son sens figuré. Mais elle réside également, et cela a été moins souligné, dans l'interprétation qui est donnée de ce sens propre, à savoir que le royaume de Dieu qui fut révélé par Moïse et par les prophètes est un royaume « constitué sur un mode particulier »[2]. Contrairement au règne de Dieu par la toute-puissance, le règne prophétique ne fonde pas en effet un royaume universel, mais un royaume particulier. Pour souligner la particularité de ce royaume, Hobbes rappelle le caractère médiat de la révélation. Dès la création du monde, la domination de Dieu sur Adam ne reposait pas seulement sur sa puissance, mais également sur sa parole, puisque c'est par des paroles qu'il interdit à Adam de manger de l'arbre de la connaissance du bien et du mal. Dans son principe même, il semble donc que la révélation de la parole divine ait eu pour effet de particulariser le royaume que Dieu exerçait sur les hommes. Cette particularisation est susceptible d'une double lecture. L'interprétation courante y voit la marque de l'élection du peuple juif dans l'Ancien Testament et la marque de l'élection des chrétiens dans le Nouveau Testament. L'interprétation de Hobbes insiste moins pour sa part sur l'élection que sur la particularité. La particularité du peuple élu est d'avoir consenti à se reconnaître soumis, non seulement à la puissance, mais aussi à la parole prophétique de Dieu. Cette reconnaissance d'une obligation spécifique d'obéir à la révélation est illustrée de façon originelle par la figure d'Abraham, car ce dernier « promet, pour lui-même et pour sa postérité, de reconnaître comme Dieu le Seigneur qui lui a parlé et de lui obéir, et Dieu pour sa part promet à Abraham le pays de Canaan pour le posséder éternellement »[3]. Par cette reconnaissance, qui est au principe de l'Ancien Testament, Abraham fait de Dieu son roi, et de ce roi le roi de sa descendance. L'absence de recours à un vocabulaire politique spéci-

1. *Lév.*, XXXV, 2, p. 434.
2. *Lév.*, XXXV, 3, p. 434.
3. *Lév.*, XXXV, 4, p. 435.

fique n'enlève rien à « la chose elle-même, à savoir l'institution par une convention, de la souveraineté particulière de Dieu sur la descendance d'Abraham »[1]. Le fondement de l'obligation d'Abraham ne réside donc pas directement dans la toute-puissance de Dieu, mais dans une représentation de celle-ci, à savoir, en l'occurrence, dans le fait qu'Abraham reconnaisse comme Dieu celui qui s'est présenté à lui comme étant le Tout-Puissant.

La confusion entre le concept de toute-puissance et sa représentation procède d'une utilisation indue de la métaphore dans les traductions de la Bible. Parmi ces traductions, Hobbes entend donc procéder à une sélection sévère. Celle qu'il retient pour introduire la parole que Dieu adresse à Moïse est la suivante : « If you will obey my voice indeed, and keep my Covenant, then yee shall be a peculiar people to me, for all the earth is mine. »[2] Cette traduction anglaise s'appuie sur le texte de la Vulgate, qui donne pour *a peculiar people to me, peculium de cunctis populis*, mais s'éloigne du texte de l'*Authorised Version*, qui donne *a Peculiar treasure unto me above all Nations*[3], ainsi que du texte de la Bible de Genève, qui a « le joyau le plus précieux parmi toutes les nations ». Confirmée par saint Paul, en Tite, II, 14, la traduction proposée par Hobbes souligne bien le caractère particulier de la royauté que Dieu exerce sur son peuple. Comme le dit la Vulgate dans le même passage de l'Exode, Dieu exerce sur son peuple un royaume sacerdotal ou un sacerdoce royal, ce qui ne signifie pas un royaume de prêtres, mais un royaume saint. Et puisque la sainteté d'un royaume ne dépend pas tant de la disposition d'esprit de ceux qui le composent que du fait que ce royaume appartient à Dieu par un droit spécial, l'expression « royaume sacerdotal » ne souligne donc pas tant l'élection que la particularité de la royauté exercée par Dieu sur son peuple.

Pour mieux comprendre la nature de ce royaume, il importe toutefois d'interpréter les termes bibliques qui servent à le désigner, en

1. *Ibid.*

2. « Si vous obéissez vraiment à ma voix et gardez mon alliance, vous serez pour moi un peuple particulier, car toute la terre m'appartient » (*Lév.*, XXXV, 5, p. 435).

3. « Trésor particulier pour moi au-dessus de toutes les nations » (*Lév.*, XXXV, 5, p. 435-436).

commençant par l'expression « parole de Dieu », car c'est au moyen de sa parole, et non de sa puissance, que Dieu gouverne les hommes dans son royaume prophétique. Lorsqu'il souligne la particularité de la royauté prophétique de Dieu, Hobbes souligne de fait la particularité d'un royaume qui se conquiert par ce que nous pourrions appeler une rhétorique divine. Les religions juive et chrétienne mettent selon lui au premier plan une rhétorique spécifique que les prophètes de l'Ancien Testament, le Christ et les apôtres ont en commun d'avoir utilisée et dont le principe majeur consiste à présenter ce qui est dit comme étant la parole de Dieu. Les prophètes, le Christ et les apôtres doivent en effet déployer les ressorts d'une rhétorique spécifique pour convaincre leurs auditoires qu'ils parlent au nom de Dieu.

L'examen de l'expression « parole de Dieu » présente, de ce fait, une importance considérable pour l'interprétation que Hobbes donne de la Bible. Cet examen repose principalement sur la mise en œuvre de distinctions grammaticales et logiques. D'un point de vue grammatical tout d'abord, il convient de préciser deux choses : premièrement, le mot « parole » dans l'expression « parole de Dieu » ne désigne pas une partie d'un discours, mais un discours complet, par lequel quelqu'un « affirme, nie, ordonne, promet, menace, souhaite ou interroge »[1] ; deuxièmement, le génitif dans l'expression « parole de Dieu » vaut tantôt comme un génitif objectif, lorsqu'il sert à désigner ce que l'on dit de Dieu, et tantôt comme un génitif subjectif, lorsqu'il sert à désigner ce que Dieu lui-même dit. D'un point de vue logique ensuite, et dans le cas où il est fait usage du génitif subjectif, il faut distinguer entre sens propre et sens figuré. Quand la Bible rapporte les paroles tenues par Dieu à ses prophètes, « parole de Dieu » doit s'entendre au sens propre ; quand elle désigne la création du monde, la sagesse, elle, doit s'entendre au sens figuré.

Ainsi, et c'est là un point capital pour notre analyse, quand l'expression « parole de Dieu » est prise pour la puissance divine, elle doit être entendue en son sens figuré. Hobbes se montre, en l'occurrence, fort soucieux de distinguer la puissance de la parole, qui se traduit par

1. *Lév.*, XXXVI, 1, p. 443.

des effets de conviction, et la toute-puissance elle-même, car cette distinction détermine la nature même de la distinction entre royaume de Dieu par nature et royaume de Dieu par la révélation. Un commentaire de Hébreux, I, 3, lui donne l'occasion de dissiper sur ce point toute espèce d'équivoque : « C'est dans le même sens qu'il est dit [...] en Hébreux I, 3 : *il soutient toute chose par la parole de sa puissance* : ce qui signifie par la puissance de sa parole, ce qui signifie, par sa puissance. »[1] La parole de Dieu ne désigne pas dans ce texte une parole au sens propre du terme, mais désigne au contraire une puissance qui ne passe pas par la parole, à savoir la puissance de conserver le monde. La réduction successive de la « parole de la puissance » à la « puissance » traduit une volonté très claire de distinguer la toute-puissance de Dieu de la parole qui se tient en son nom. L'usage de l'expression « puissance de la parole » est comparable en ce sens à l'usage du mot latin *fatum*, « parole dite », pour désigner l'ordre nécessaire de la nature[2]. La comparaison des modes de désignation de l'*omnipotentia* et du *fatum* n'est pas anodine : elle indique pour le moins que la toute-puissance, pas plus que le destin, n'est originellement de l'ordre du discours.

Cette précision est essentielle pour comprendre la signification critique que Hobbes confère à l'herméneutique biblique. Alors que les religions juive et chrétienne reposent sur l'idée qu'il y a un sens à vouloir tenir un discours au nom de la toute-puissance divine, la théologie de Hobbes souligne au contraire que la toute-puissance échappe fondamentalement à l'ordre du discours. Les conséquences de cette affirmation se traduisent de façon exemplaire dans l'analyse de la signification du mot « prophète ». Bien que ce mot signifie parfois dans la Bible celui qui prédit ou celui qui parle de manière incohérente, il désigne le plus souvent « celui qui parle au nom d'un autre, c'est-à-dire celui qui parle à l'homme de la part de Dieu ou à Dieu de la part de l'homme »[3]. Une politique religieuse repose de fait sur la possibilité pour un homme de parler au nom de Dieu, c'est-à-dire de se revendiquer du nom de

1. *Lév.*, XXXVI, 3, p. 445.
2. *Ibid.*
3. *Lév.*, XXXVI, 7, p. 447.

Dieu pour commander aux hommes. Dieu étant déterminé comme un être tout-puissant, la politique religieuse peut ainsi se comprendre comme une politique conduite au nom de la toute-puissance. Cette prétention apparaît à Hobbes comme irrecevable : le discours des hommes qui parlent au nom de Dieu n'exprime pas tant la toute-puissance divine qu'une certaine représentation que ces hommes s'en font. Dans l'analyse qu'il propose de la manière dont Dieu a parlé aux prophètes de l'Ancien Testament, Hobbes constate ainsi que parmi les significations du mot prophète, « la plus fréquente est celle par laquelle il désigne celui à qui Dieu a parlé directement, lui disant ce qu'il doit dire de sa part à un autre homme ou au peuple »[1]. Cet échange direct de parole entre Dieu et son prophète confère assurément à ce dernier une connaissance de Dieu que les autres hommes n'ont pas. Toutefois, cette connaissance n'est pas une connaissance de Dieu lui-même : ce n'est qu'une connaissance par représentation. L'interprétation des passages de l'Écriture où il est dit que Dieu parle avec ses prophètes permet de préciser ce point. Hobbes rappelle que les Écritures n'indiquent pas comment Dieu parlait avec Adam, Ève, Caïn et Noé. En revanche, elles précisent que Dieu apparut à Abraham à Sichem[2]. Cela signifie que Dieu se manifesta à lui par l'intermédiaire d'une vision. Ce n'est donc pas Dieu en personne qui lui parla, mais cette vision, à savoir « quelque chose qui signifiait la présence de Dieu [...], comme un messager de Dieu, pour parler avec lui »[3]. De la même façon, Dieu apparut à Abimélech en songe, à Loth par l'apparition de deux anges, à Moïse par l'intermédiaire d'un buisson ardent. Ces exemples peuvent être subsumés sous une règle commune : Dieu n'apparaît jamais à ses prophètes en personne, mais sous la forme d'une représentation, que celle-ci soit une vision ou une voix. Le caractère indirect ou médiat de cette manifestation est souligné par l'exemple des anges, le nom d'ange désignant, « d'une manière générale un *messager*, et, le plus souvent, un messager de Dieu »[4]. La présence de Dieu

1. *Lév.*, XXXVI, 9, p. 450.
2. Genèse, XII, 7.
3. *Lév.*, XXXVI, 10, p. 451.
4. *Lév.*, XXXIV, 16, p. 425.

n'étant jamais donnée comme telle, mais seulement signifiée, la révélation de Dieu à ses prophètes les plus proches n'échappe donc pas à la logique de la représentation signifiante. S'il est légitime de définir le prophète comme celui à qui Dieu a parlé « directement »[1], encore faut-il préciser, comme nous avons commencé à le faire plus haut, que ce discours « direct » n'est pas si direct que cela, puisqu'il passe par la médiation d'une représentation. Les textes bibliques qui relatent les différentes révélations prophétiques confirment tous cette affirmation.

Parmi les prophètes, Moïse possède certes une place privilégiée, puisqu'il est dit que « le Seigneur parla à Moïse face à face, comme un homme parle à son ami »[2]. Toutefois, ce privilège est difficilement compréhensible du point de vue de la révélation : on ne peut pas plus dire que Dieu parla à Moïse par des apparitions, car c'est contraire à la lettre de la Bible, qu'on ne peut dire « que Dieu parla ou apparut tel qu'il est dans sa nature propre », car « c'est nier son infinité, son invisibilité, son incompréhensibilité »[3]. Ne pourrait-on pas alors considérer le discours de Moïse comme un discours inspiré directement par la divinité ? Cela n'est pas non plus possible, car cela reviendrait à faire de Moïse l'« égal du Christ, en qui seul la déité (pour parler comme fait saint Paul en Colossiens II, 9) réside corporellement »[4]. Quant à considérer que Moïse parlait par le Saint-Esprit, cela ne se peut pas non plus, car cela reviendrait à dire qu'il ne parlait pas en raison d'une révélation surnaturelle. Lorsqu'on écarte le cas de la prophétie christique, qui consiste pour un être à parler à la fois en tant qu'homme et en tant que Dieu, la prophétie demeure impossible à comprendre : « On ne peut donc pas comprendre la manière dont il [*i. e.,* Dieu] parlait à ces prophètes souverains de l'Ancien Testament, dont la fonction était de le consulter. »[5] La révélation mosaïque, ainsi que la révélation de Dieu aux grands-prêtres qui le consultaient dans le Saint des Saints, constituent par conséquent autant d'énigmes.

1. *Lév.*, XXXVI, 9, p. 450.
2. Exode, XXXIII, 11 ; voir Nombres, XII, 6-8.
3. *Lév.*, XXXVI, 13, p. 454.
4. *Ibid.*
5. *Lév.*, XXXVI, 14, p. 454.

3. *Miracles*

L'énigme de la révélation est de fait redoublée par le mystère des miracles, dont on a vu qu'ils avaient pour fonction d'accréditer la prophétie auprès des hommes qui n'avaient pas reçu eux-mêmes la révélation divine. Toutefois, l'interprétation que Hobbes donne des récits miraculeux insiste moins sur leur caractère mystérieux que sur la relation qui est censée les unir à la toute-puissance divine : « Les miracles sont couramment appelés signes dans l'Écriture sainte, au sens où les Latins les appellent *ostenta* et *portenta*, parce qu'ils montrent et signifient par avance ce que le Tout-Puissant va faire arriver. »[1] Par la mise en relation signifiante d'une parole et d'une œuvre, le miracle atteste aux yeux d'un public de la véracité de la parole prophétique. Témoignage de la toute-puissance divine, le miracle dépend donc à la fois de son auteur, qui est Dieu, et d'un public, qui est composé par les hommes qu'il faut convaincre. Cette double dépendance suppose un double niveau d'interprétation. Hobbes insiste, tout d'abord, sur le fait qu'un miracle est relatif à un public. Un public de savants avertis des mécanismes de la nature sera beaucoup moins enclin qu'un public composé de personnes ignorantes à considérer comme miraculeux un phénomène naturel spectaculaire, comme une éclipse par exemple. Un miracle se définissant comme un signe chargé de donner du crédit à une prophétie, il n'est pas possible de parler de miracle pour désigner un événement, fût-il aussi admirable que la création du monde ou le déluge, qui n'est pas destiné à accréditer la parole d'un prophète auprès d'un public déterminé[2]. Hobbes souligne, ensuite, le fait qu'un miracle est considéré dans les textes bibliques comme une œuvre extraordinaire de Dieu, c'est-à-dire comme une œuvre qui s'opère de manière « distincte de la manière, fixée lors de la Création, dont elle s'opère selon la nature »[3]. Par le biais des miracles, Dieu est censé manifester son pouvoir d'une manière qui contrevient au cours ordinaire de la nature.

1. *Lév.*, XXXVII, 1, p. 462.
2. *Lév.*, XXXVII, 6, p. 464.
3. *Lév.*, XXXVII, 8, p. 466.

Pour désigner l'œuvre qui est censée procéder de cette puissance extraordinaire, Hobbes parle d'une « œuvre immédiate », ou d'une œuvre façonnée « directement par la main de Dieu »[1].

La prise en compte de ces deux aspects de la théorie du miracle ne suffit pas toutefois pour comprendre l'interprétation que Hobbes donne du passage controversé de Matthieu, XIII, 58, où il est dit que le Christ « n'opéra pas beaucoup de miracles dans son pays, à cause de l'incrédulité des gens ». Pour cela, il importe de tenir compte également du fait que la conception de la toute-puissance divine à laquelle Hobbes adhère s'inscrit dans une tradition théologique distincte de la tradition du scepticisme philosophique. De fait, loin de souligner les conséquences sceptiques qui pourraient être tirées du rapport que le texte de Matthieu, XIII, 58, semble établir entre l'abondance des miracles et la crédulité des gens, Hobbes s'appuie sur la version légèrement différente qui en est donnée en Marc, VI, 5, pour en proposer une interprétation que n'aurait pas renié un théologien du XIIIe siècle comme Pierre Damien[2]. Alors que Matthieu dit, à propos des miracles opérés par Jésus à Nazareth, qu' « il n'en opéra pas beaucoup », Marc déclare qu' « il n'en put opérer aucun »[3]. Concernant cette modification importante, la position de Hobbes est de refuser de corriger la lettre du texte comme le font ceux « qui, commentant ce passage de saint Marc, disent que cette expression, *il ne put pas*, est mise pour *il ne voulut pas* »[4]. Cette correction, qui repose sur l'hypothèse discutable d'une homonymie des verbes « pouvoir » et « vouloir », est selon lui

1. *Lév.*, XXXVII, 4, p. 464.

2. Edwin Curley rappelle utilement les interprétations que Érasme et Calvin ont données de Matthieu, XIII, 58 et de Marc, VI, 5. L'interprétation qu'il donne de la solution de Hobbes insiste cependant, à tort nous semble-t-il, sur le scepticisme que Hobbes autoriserait en voulant réfuter ce qu'aucun commentateur n'avait suggéré, à savoir que la capacité de Jésus à réaliser des miracles puisse dépendre de la crédulité de son public. Influencé par la théorie de Leo Strauss, selon laquelle le texte de Hobbes serait susceptible d'une lecture cryptée, Curley privilégie un sens implicite au détriment d'un sens explicite, et ne voit pas la dette de Hobbes à l'égard de la théologie de la toute-puissance (Edwin Curley, « "I durst not write so boldly" or how to read Hobbes' theological-political treatise », *in* D. Bostrenghi (éd.), *Hobbes e Spinoza. Scienza e Politica*, *op. cit.*, p. 545-551).

3. *Lév.*, XXXVII, 6, p. 466.

4. *Ibid.*

d'autant moins pertinente qu'elle ne peut s'autoriser d'aucun exemple dans la langue grecque. Loin de dissiper la difficulté, elle ne fait donc que renforcer le scepticisme qui surgit nécessairement de l'affirmation selon laquelle le Christ n'aurait pu faire de miracles que parmi les croyants. Quelle preuve, en effet, pourrait-on tirer de la persuasion obtenue auprès d'un public déjà convaincu ? La conclusion de Hobbes est qu'il faut interpréter le texte de Marc, VI, 5, en tenant compte du fait que ce texte parle de la puissance du Christ et non pas de sa volonté : « Ce n'est pas qu'il manquât de pouvoir : dire cela serait blasphémer Dieu ; ni que le but des miracles ne fût de convertir les incrédules au Christ : en effet, le but de tous les miracles de Moïse, des prophètes, de notre Sauveur et de ses Apôtres était d'ajouter des hommes à l'Église ; mais c'était parce que le but de leurs miracles était d'ajouter à l'Église, non pas tous les hommes, mais ceux-là qui devaient être sauvés, c'est-à-dire ceux-là que Dieu avait élus. En conséquence, étant donné que notre Sauveur était envoyé par son Père, il ne pouvait employer son pouvoir à la conversion de ceux que son Père avait rejetés. »[1] La question centrale de ce texte concerne le rapport de la puissance du Fils à la puissance du Père : il s'agit de savoir dans quelle mesure l'impuissance du Christ à convertir ses concitoyens peut être conciliée, d'une part, avec l'affirmation de sa toute-puissance, et d'autre part, avec l'affirmation de la toute-puissance de son père. À l'évidence, la formulation de ce problème relève plus d'une réflexion sur la toute-puissance de Dieu que de considérations sceptiques : il s'agit, en effet, de concilier une affirmation, qui si elle s'appliquait à un homme trahirait un manque de puissance, avec l'affirmation de la puissance de Dieu, à laquelle le Christ participe nécessairement. La réponse de Hobbes consiste à justifier l'apparente *impotentia* du Christ par la puissance supérieure à laquelle il participe en tant qu'il est le fils de Dieu : si le Christ n'a pas pu convertir les habitants de Nazareth, cela tient au fait que le décret éternel de Dieu le Père les a réprouvés de toute éternité. Cette réponse est parfaitement en accord avec la théorie de la puissance divine que Hobbes défend par ailleurs : étant donné que

1. *Ibid.*

la toute-puissance de Dieu ne correspond pas à un domaine de pures possibilités, mais coïncide avec la volonté effective de Dieu, il est logique que la puissance prophétique du Christ soit bornée par le décret éternel de Dieu. Hobbes privilégie ainsi, ce qui confirme notre thèse, la puissance qui s'exprime dans le décret divin par rapport à celle qui s'exprime sous la forme du miracle, ce miracle fût-il attribué au Christ. L'interprétation de Marc, VI, 5, montre ainsi que la puissance divine qui s'exprime dans le décret éternel fonctionne comme un principe de limitation de la puissance d'accomplir des miracles.

III. LA TOUTE-PUISSANCE DE DIEU ET LA THÉORIE POLITIQUE DE LA REPRÉSENTATION

Si la toute-puissance divine ne s'exprime pas directement dans le monde des hommes, elle s'y exprime toutefois indirectement par l'intermédiaire de ses représentants. Aux apories d'une théorie de la manifestation de Dieu, Hobbes ne répond pas par une doctrine sceptique, mais par une théorie politique de la représentation.

1. *L'idole et sa représentation*

Cette théorie est introduite dans le Léviathan à l'occasion d'une réflexion sur le concept de personne : « Est *une personne, celui dont les paroles ou les actions sont considérées, soit comme lui appartenant, soit comme représentant les paroles ou actions d'un autre, ou de quelque autre réalité à laquelle on les attribue par une attribution vraie ou fictive.* »[1] Contrairement au concept d'identité, le concept de personne présuppose la prise en compte d'un point de vue extérieur qu'indique assez bien le participe passé « considérées ». Cette idée d'une constitution de la personne à travers le point de vue d'autrui trouve son origine dans l'étymologie latine du terme : alors que le terme grec désigne le visage, « *persona*, en

1. *Lév.*, XVI, 1, p. 161.

latin, désigne le *déguisement*, l'*apparence extérieure* d'un homme, imités sur la scène : et parfois, plus précisément, la partie du déguisement qui recouvre le visage : le masque »[1]. Le terme latin souligne, ce que ne fait pas le terme grec, la distance qui sépare le masque du visage, le déguisement du corps. Cette distance se retrouve dans l'emploi élargi qui est fait du terme *persona* pour désigner tout homme qui « donne en représentation ses paroles et ses actions, au tribunal aussi bien qu'au théâtre »[2]. Grâce à cette extension de sa signification initiale, « personne » devient synonyme d'« acteur ». Cette transformation sémantique est essentielle, car elle permet de distinguer la personne naturelle *(persona propria, sive naturalis)* de la personne représentative *(persona repraesentativa)*. Quand les actes et les paroles d'une personne lui sont attribués au lieu d'être considérés comme les actes et les paroles d'une autre personne, on parle de personne naturelle. Quand les actes et les paroles n'appartiennent pas à celui qui les met en scène, on parle de personne représentative. De fait, la notion de personne représentative permet une extension considérable du champ de la représentation : de même qu'un acteur de théâtre peut jouer le rôle d'un autre homme, d'une foule, ou celui d'êtres inanimés, de même une personne représentative au sens de la théorie juridique peut représenter un autre homme, un ensemble politique et même des êtres inanimés. L'attribution qui fonde la représentation peut être elle-même vraie ou fictive. L'attribution sera dite vraie lorsque l'être représenté peut être considéré comme l'auteur des paroles et des actions qu'on lui prête ; elle sera dite fausse dans le cas contraire. Bien qu'il soit « peu de choses qui ne puissent être représentées d'une manière fictive »[3], trois catégories d'êtres particuliers relèvent tout particulièrement de ce type de représentation, à savoir les choses inanimées, les irresponsables (enfants, faibles d'esprit et fous) et les idoles. Considérons cette dernière catégorie : « Une idole, une pure fiction du cerveau, peut être personnifiée ; c'était le cas des dieux païens, qui étaient personnifiés par des fonctionnaires que

1. *Lév.*, XVI, 3, p. 161.
2. *Ibid.*
3. *Lév.*, XVI, 10, p. 164.

nommait l'État, et détenaient des biens de toute espèce et des droits qu'à l'occasion on leur dédiait et consacrait. Mais les idoles ne sauraient être auteurs ; car une idole n'est rien : l'autorité procédait de l'État ; par conséquent, avant l'introduction du gouvernement civil, les dieux des païens ne pouvaient pas être personnifiés. »[1] Les idoles ne se distinguent pas fondamentalement des êtres inanimés : comme eux, elles ne peuvent pas être considérées comme les auteurs des actions et des paroles qu'on leur attribue, puisqu'une idole n'est rien qu'une « pure fiction du cerveau ». Dans ce cas, l'attribution qui fonde la représentation est fictive, car le véritable auteur des paroles du culte et le véritable propriétaire des biens attribués aux idoles est l'État. Considérer ainsi les idoles comme des êtres personnifiés permet de comprendre comment les gouvernants des États païens ont pu mettre la religion au service de leur gouvernement. Représentées par des fonctionnaires, les idoles n'ont pas besoin d'agir par elles-mêmes pour agir sur l'imagination des fidèles dans un sens favorable à la conservation de l'État.

Dans les *Discours sur la première décade de Tite-Live*, Machiavel avait déjà remarqué que la fondation de Rome par Romulus n'avait pas suffi à asseoir la solidité de l'État romain, mais qu'il avait en outre fallu que le successeur de Romulus, Numa Pompilius, se tournât « vers la religion comme absolument nécessaire au maintien d'une société civile »[2]. Comparant l'importance respective pour une république de la vertu guerrière et du sens religieux, Machiavel soulignait que « où règne déjà la religion, on introduit aisément les armées, et [que] là où il y a des armées et pas de religion, on ne peut introduire que difficilement cette dernière »[3]. Par conséquent, la république romaine fut autant, sinon plus, redevable à Numa, qui ne concevait pas d'introduire des changements importants dans l'État sans invoquer l'autorité des dieux, qu'à Romulus, qui plaçait sa confiance dans les seules vertus guerrières. D'accord avec Machiavel pour reconnaître l'utilité politique de la religion des païens, Hobbes s'en distingue cependant par un souci plus

1. *Lév.*, XVI, 12, p. 165.

2. Machiavel, *Discours sur la première décade de Tite-Live*, I, XI, trad. fr. C. Bec, Paris, Robert Laffont, coll. « Bouquins », 1996, p. 213 ; nous abrégeons ce titre en *Discours*.

3. Machiavel, *Discours*, *op. cit.*, p. 214.

grand d'analyser le fonctionnement institutionnel de cette religion. Alors que Machiavel rappelle simplement que Numa « fit semblant d'avoir des relations avec une nymphe qui lui inspirait toutes les décisions qu'il avait à conseiller au peuple »[1], Hobbes montre en outre comment l'usage politique que les Romains faisaient de la religion reposait sur le principe de la représentation fictive.

2. *Histoire et Trinité*

La signification théologique de la théorie de la représentation n'acquiert cependant tout son sens que du point de vue des religions de la toute-puissance. Puisqu'il est clair que la plupart des fidèles ne peuvent comprendre à l'aide de leur seule raison comment Dieu a pu se manifester *en personne* à Moïse, il importe du moins qu'ils puissent comprendre, d'une part, que Dieu peut être considéré comme une personne et, d'autre part, qu'il peut être représenté politiquement. Concernant le premier point, Hobbes affirme que Dieu ne devient une personne que parce que des actions et des paroles ont été reconnues comme siennes par ses prophètes. Cette reconnaissance est essentielle, car elle opère la synthèse entre la détermination de Dieu comme être tout-puissant et sa détermination comme être qui se révèle aux hommes par l'intermédiaire de ses prophètes. Bien qu'elle ne soit pas formulée explicitement, cette synthèse est toutefois présupposée par la théorie de la personnification de Dieu : le prophète reconnaît le Dieu qui lui parle comme étant le même que celui qui détient la toute-puissance dans le royaume par nature.

Concernant le second point, Hobbes s'efforce de comprendre comment le Dieu tout-puissant a pu avoir des représentants politiques par l'intermédiaire desquels il a agi dans l'histoire. Nous avons décrit

1. *Ibid.* Hobbes utilise l'exemple de Numa Pompilius dans une perspective fort proche de celle de Machiavel pour illustrer ce qu'il dit du dessein des auteurs de la religion des païens : « C'est ainsi [*i. e.*, par une communication directe] que Numa Pompilius prétendait recevoir de la nymphe Égérie les rites qu'il instituait parmi les Romains » (*Lév.*, XII, 20, p. 114).

plus haut les médiations qui s'interposent entre la source de la révélation et ses destinataires[1]. Il convient de montrer maintenant de quelle façon ces médiations s'inscrivent à l'intérieur d'une théorie cohérente de la représentation politique de la toute-puissance divine. Cette théorie est formulée pour la première fois dans le chapitre XVI du *Léviathan* : « Le vrai Dieu peut être personnifié. Il le fut, en premier lieu, par Moïse, qui gouvernait les Israélites (alors que ceux-ci n'étaient pas son peuple, mais celui de Dieu) non pas en son nom, en disant *Hoc dicit Moses*, mais au nom de Dieu, en disant *Hoc dicit Dominus*. En deuxième lieu, par le Fils de l'Homme, son propre fils, notre Sauveur béni Jésus-Christ, venu pour ramener les Juifs et amener toutes les nations vers le royaume de son père, non comme de son propre chef, mais en qualité d'envoyé du père. En troisième lieu, par le Saint-Esprit, ou Consolateur, qui parlait et agissait dans les Apôtres ; lequel Saint-Esprit était un Consolateur qui ne venait pas de son propre chef, mais était envoyé par les deux autres personnes, dont il procède. »[2] Puisque l'idée du vrai Dieu comprend l'idée de la toute-puissance et que le vrai Dieu peut être représenté, il convient de reconnaître que Dieu peut agir dans l'histoire par l'intermédiaire des hommes qui le représentent. À la différence de l'Incarnation, la personnification du vrai Dieu possède une signification exclusivement politique, la personne de Dieu se confondant sans mystère avec la personne de son représentant, à savoir, successivement, Moïse, le Christ et le Saint-Esprit. De fait, cette théorie permet à Hobbes de penser une intervention politique du nom de Dieu dans l'histoire sans avoir à rendre compte du miracle de la révélation. Cette possibilité constitue déjà en elle-même un résultat remarquable, car elle permet de concilier une théorie de la toute-puissance comme fondement de l'ordre nécessaire de la nature et une théorie de la révélation qui suppose la rupture de cet ordre naturel.

Ce résultat important trouve son illustration la plus notable, mais aussi la plus controversée, dans l'utilisation paradoxale que Hobbes fait du concept juridique de personne dans son interprétation rationnelle

1. Voir, plus haut, dans ce chapitre, p. 308-312.
2. *Lév.*, XVI, 13, p. 165-166.

de la Trinité chrétienne : « Dieu ayant été représenté (c'est-à-dire personnifié) trois fois, on peut sans impropriété dire qu'il est trois personnes, encore que la Bible ne lui applique ni le mot de *personne*, ni celui de *Trinité.* »[1]. En dépit de cette réserve philologique, Hobbes s'efforce donc de montrer que le concept juridique de personne permet d'éclaircir le mystère de la Trinité. Au préalable, et pour parvenir à ce but, il faut toutefois renoncer à la substitution patristique de l'hypostase à la personne : « Comment les Pères grecs exprimèrent-ils donc le mot "personne", tel qu'employé dans la sainte Trinité ? Ils s'y prirent mal. À la place du mot "personne", ils mirent *hypostasis*, qui signifie substance ; d'où l'on pourrait déduire que les trois personnes de la Trinité sont trois substances divines, c'est-à-dire, trois Dieux. Ils ne pouvaient utiliser le mot πρόσωπον, parce que ni le visage ni le masque ne sont des attributs honorables pour Dieu, pas plus qu'ils n'expriment l'intention de l'Église grecque. Aussi l'Église latine (et anglaise, par conséquent) rend-elle *hypostasis*, tout au long du symbole d'Athanase, par "personne". »[2] La référence à l'étymologie latine du mot « personne » se veut une confirmation de la signification juridique que Hobbes confère à ce terme. Et bien que cette confirmation ne soit pas en tout point convaincante[3], on peut toutefois accorder à Hobbes que l'emploi juridique de *persona* évite les embarras liés à υπόστασις. Dire que Dieu fut représenté successivement par trois personnes n'implique nullement en effet l'existence de trois substances divines séparées les unes des autres, car Dieu fut « toujours une seule et même substance »[4]. Cette

1. *Lév.*, XLII, 3, p. 518.
2. *Réponse à la Capture de Léviathan*, in *Liberté et nécessité*, p. 188.
3. F. Lessay met bien en évidence le caractère ambigu de l'utilisation que fait Hobbes de l'étymologie du mot *persona* : « Plus important, quel est le reproche adressé par Hobbes aux Pères grecs ? D'avoir utilisé le mot équivoque d'"hypostase" pour désigner chacune des personnes de la Trinité, parce que le grec πρόσωπον, qui signifie masque ou visage n'eût pas été digne de qualifier Dieu. Pourquoi "hypostase" est-il équivoque ? Parce qu'il signifie substance, quand le mot "personne", lui, a l'avantage de n'avoir pas ce sens. Qu'écrivait Hobbes quelques lignes plus haut ? Qu'"une personne (en latin *persona*) est une substance intelligente". Quelle signification quasiment explicite donne-t-il maintenant au mot "personne" ? Visage ou masque » (F. Lessay, « Le vocabulaire de la personne », *loc. cit.*, p. 182-183). F. Lessay souligne par ailleurs, à juste titre, que Hobbes ne modifie pas fondamentalement sa position du *Léviathan* anglais au *Léviathan* latin et à la controverse avec Bramhall.
4. *Lév.*, XLI, 9, p. 516.

interprétation ne pouvait cependant satisfaire les tenants de l'orthodoxie anglicane.

Après avoir supprimé dans la traduction latine qu'il en donna en 1668 les passages incriminés dans son *Léviathan* anglais, Hobbes fit lui-même amende honorable dans le troisième chapitre de l'Appendice à son *Léviathan* latin. Il y déclare, en effet, qu'il n'aurait pas dû faire de Moïse « une des personnes de la Trinité », mais qu'il aurait dû dire que « Dieu a créé le monde dans sa propre personne, a racheté le genre humain dans la personne du Fils, a sanctifié l'Église dans la personne du Saint-Esprit »[1]. S'il avait dit cela, « il n'aurait rien dit d'autre que dans le catéchisme publié par l'Église »[2]. Il aurait même pu ajouter, sans crainte de se tromper, que « Dieu, dans sa personne propre, s'est constitué une Église par le ministère de Moïse »[3]. Pour rendre caduques les critiques qu'on lui avait adressées, il suffisait selon lui de ne pas dire « en la personne de Moïse », mais « par le ministère de Moïse »[4]. Ces corrections, qui manifestent un désir certain de conformité religieuse, changent pourtant moins le sens général que Hobbes ne le prétend. En dépit de ces modifications, l'exégèse hobbesienne demeure en effet dangereusement proche de deux hérésies antitrinitariennes que Alexandre Matheron[5] a identifiées comme étant le subordinationisme et le modalisme[6]. Alors que dans certains passages Hobbes semble subordonner la personne du Christ à celle de Dieu le Père[7], dans d'autres passages, il défend une variante juridique de l'hérésie des Sabelliens faisant du

1. *Lév.*, *Ap III*, p. 775.
2. *Ibid.* Voir *Réponse à La Capture de Léviathan*, in *Liberté et nécessité*, p. 193.
3. *Lév.*, *Ap III*, p. 775.
4. *Réponse à la Capture de Léviathan*, in *Liberté et nécessité*, p. 193.
5. A. Matheron, « Hobbes, la Trinité et les caprices de la représentation », in *Thomas Hobbes. Philosophie première, théorie de la science et politique*, *op. cit.*, p. 382-388.
6. L'hérésie monarchianiste, ou modaliste, apparaît en Asie à la fin du IIe siècle. Son premier représentant, Noët, prêche à Smyrne entre 180 et 200 une doctrine qui, afin de sauvegarder l'autorité monarchique de Dieu, conçoit Dieu le Père et Dieu le Fils comme deux aspects d'une même personne divine. Cette critique de la Trinité sera reprise par Praxeas, qui sera à son tour critiqué par Tertullien.
7. « Donc, étant donné que l'autorité de Moïse était seulement subordonnée, et qu'il n'était qu'un lieutenant de Dieu, il s'ensuit que le Christ, dont l'autorité comme homme, devait être semblable à celle de Moïse, n'était qu'un subordonné à l'égard de l'autorité de son père » (*Lév.*, XLI, 8, p. 516).

Christ une modalité de Dieu le Père. À propos de ces derniers passages, Matheron remarque qu' « à si bien supprimer toute hiérarchie entre les personnes divines [...] l'on finit par ne plus voir entre elles aucune différence ontologique – chaque personne étant Dieu lui-même en tant qu'il a parlé ou agi par l'intermédiaire de tel ou tel représentant »[1].

Quelque inquiétant qu'il ait pu être pour Hobbes lui-même[2], ce soupçon d'hérésie n'est sans doute pas déterminant pour l'interprétation de sa pensée. Plus essentielles sont les conclusions théoriques que l'on peut tirer de l'application de sa théorie de la personne au Dieu de la révélation. La première conclusion est que le concept de personnification permet d'éviter les embarras du concept de révélation, car il rend caduque la question de savoir comment Dieu a pu se manifester à un homme particulier. La deuxième conclusion est que ce concept permet de comprendre que Dieu ait pu être considéré comme un acteur politique de l'histoire des hommes. Puisque le Dieu de la révélation est un Dieu représenté, on peut comprendre qu'il puisse agir dans l'histoire par l'intermédiaire d'un homme dont la puissance est pourtant incommensurable à la sienne.

1. A. Matheron, « Hobbes, la Trinité et les caprices de la représentation », *loc. cit.*, p. 386.

2. « On a dit (et c'est sûrement vrai) qu'au Parlement, peu de temps après le rétablissement du roi [*i. e.*, Charles II], certains évêques avaient voté une motion afin que le vieux gentilhomme fût brûlé comme hérétique » (J. Aubrey, *Aubrey's Brief lives*, O. Lawson-Dick (éd.), Londres, Mandarin, 1992, p. 156).

CHAPITRE IX

Le droit à l'interprétation

L'interprétation que Hobbes propose de la Bible possède une indéniable valeur polémique que n'atténuent que fort peu ses protestations de soumission à l'autorité du souverain. Alors même qu'il déclare qu'il ne fait que proposer ses interprétations de la Bible « dans l'attente de l'issue que le glaive réserve à cette lutte encore indécise qui divise [ses] compatriotes »[1], il est permis de penser que sans l'indécision de cette lutte les interprétations bibliques du *Léviathan* n'auraient peut-être jamais vu le jour. Bien qu'il reconnaisse que « les points de doctrine touchant le royaume de Dieu ont sur le royaume de l'homme une telle influence qu'ils ne peuvent être tranchés que par ceux qui détiennent, premiers après Dieu, le pouvoir souverain »[2], il ne s'interdit pas pour autant, la guerre civile aidant, toute incursion dans ce domaine. Sa décision herméneutique est fondée sur des raisons essentielles qui relèvent de ce que l'on pourrait appeler une politique philosophique. Sans craindre de se contredire, Hobbes affirme donc simultanément que la philosophie n'a pas pour fonction de disputer mais de démontrer[3], et que la dispute est cependant parfois nécessaire. Bien que cela contrevienne à sa pratique habituelle, le philosophe doit savoir porter la critique contre les thèses théologiques qui sont des « ouvrages avancés de

1. *Lév.*, XXXVIII, 5, p. 478.
2. *Ibid.*
3. *De Cive, Praefatio ad lectores*, p. 82 : « Non enim dissero, sed computo. »

l'ennemi, à partir desquels [ce dernier] attaque le pouvoir civil »[1]. Hobbes formule ainsi tout à la fois la règle de son discours[2], qui est de ne pas recourir à la dispute[3], et l'exception à cette règle qui autorise un tel recours, lorsque le fondement de l'État se trouve menacé.

Indissociable de la controverse théologique, l'herméneutique correspond de fait à un engagement exceptionnel du philosophe. Cet engagement constitue à la fois un choix politique, puisqu'il prend la forme d'une prise de position en faveur de l'existence de la cité et un acte philosophique, puisqu'il vise, non pas à asseoir par des pamphlets le pouvoir de tel ou tel, mais à protéger par des arguments théoriques le fondement même du politique. Bien qu'à titre personnel le philosophe puisse prendre parti pour tel ou tel, sa politique n'est pas une politique partisane, mais une défense du fondement du politique. Dans l'épître dédicatoire du *Léviathan*, Hobbes déclare ainsi qu'il « ne parle pas des hommes, mais, dans l'abstrait, du siège du pouvoir », et, à ce propos, il précise que son engagement est comparable à celui de « ces simples et impartiales créatures qui, au Capitole de Rome, protégèrent par leur tapage ceux qui se trouvaient dedans, non à cause de ce qu'ils étaient, mais parce qu'ils étaient là »[4]. La tâche du philosophe n'est donc pas seulement d'établir démonstrativement la nature du fondement du politique, mais également, le cas échéant, de le défendre contre ceux qui voudraient le mettre à mal. Cette défense du fondement du politique est au principe de l'interprétation de la Bible que l'on trouve dans

1. *Lév.*, Épître dédicatoire, p. 2.

2. « Enfin, je me suis proposé dans tout mon discours de respecter cette règle [...] » (*De Cive*, praefatio, p. 83). Pour désigner cette règle, le latin utilise le terme « modum » (p. 83) et l'anglais le terme « rule » (p. 37). C'est dans le cadre d'une telle déclaration d'intention qu'est présentée par Hobbes la règle de ne pas recourir à la dispute, sauf quand l'État est menacé.

3. « Quatrièmement, je ne disputerai en aucune façon les doctrines des théologiens, sauf si elles suppriment l'obéissance des sujets et ébranlent la constitution de l'État. » Le latin a : « Quarto, de doctrinis Theologorum, praeterquam de illis quae civium obedientiam tollunt, & civitatis statum labefactant, ne quid in ullam partem disputarem » (*De Cive*, praefatio, p. 84). On retrouve l'expression « civitatis statum labefactare » presque à l'identique chez Cicéron, qui dit dans les *Catilinam orationes*, « rei publicae labefactare ». « Statum civitatis » devient en anglais « foundations of civil government » (*De Cive*, praefatio, p. 37).

4. *Lév.*, Épître dédicatoire, p. 1.

le *De Cive* et dans le *Léviathan* ; elle est également au principe de la critique que Hobbes adresse aux théologiens qui développent une herméneutique contraire à la souveraineté de l'État.

Afin d'en faire apparaître toute la complexité, nous établirons tout d'abord que la politique philosophique pratiquée par Hobbes se revendique, non seulement de la philosophie, mais également du style de la critique luthérienne. Nous montrerons, ensuite, que l'exégèse biblique de la troisième partie du *Léviathan* vise principalement l'herméneutique de ces théologiens calvinistes qui se sont fait connaître pour leur théologie de l'Alliance. Nous montrerons, enfin, que la critique de l'herméneutique des théologiens de l'Alliance s'accompagne d'une redéfinition de la conception réformée du droit à l'interprétation.

I. LA POLITIQUE PHILOSOPHIQUE ET L'ESPRIT DU PROTESTANTISME

Le style de la politique philosophique mise en œuvre par Hobbes évoque fortement le style de la critique luthérienne de la scolastique catholique[1]. La virulence du ton que Luther adopte contre la scolastique catholique possède indéniablement une valeur d'exemple. La forme de l'affirmation théologique luthérienne possède de fait un caractère singulier, qui se manifeste notamment dans la polémique avec Érasme sur le libre arbitre. Lorsque ce dernier lui demande de justifier le caractère dogmatique de ses assertions théologiques[2], Luther rappelle que le mot *assertio* désigne le fait de « s'attacher fermement à sa conviction, [de] l'affirmer, [de] la confesser et [de] la défendre jusqu'au bout avec persévérance »[3]. C'est cette puissance d'affirmation par laquelle Luther exprimait sa foi[4] face à l'orthodoxie de l'Église romaine que

1. Pour un examen dans son contexte historique du luthéranisme affiché par Hobbes, voir J. Overhoff, « The Lutheranism of Thomas Hobbes », *History of Political Thought*, 18-4 (1997), p. 604-623.

2. Érasme, *De libero arbitrio diatribe sive collatio*, Préface, I *a* 4, in *La philosophie chrétienne*, introduction, notes et trad. fr. P. Mesnard, Paris, Vrin, 1970, p. 3, l. 15 sq.

3. Luther, *Du serf arbitre*, Introduction, *op. cit.*, p. 603.

4. « [...] un chrétien doit être heureux d'affirmer sa foi » *(ibid.)*.

Hobbes entend mettre au service de sa politique philosophique de défense des principes de la souveraineté. Contre Bramhall, il brandit la référence à Luther : « Mais, parce qu'il [*i. e.*, Bramhall] prend avec tant de haine qu'un homme privé censure aussi durement la théologie scolastique, je serais heureux de savoir avec quelle patience il écoute Martin Luther et Philippe Melanchthon parler de ce même sujet. »[1] Ce texte montre clairement que Hobbes n'évoque pas tant le contenu doctrinal des thèses de Luther que la force d'affirmation qui les sous-tend, comme si l'évocation de la critique luthérienne était seule capable de contrebalancer la confiance que l'évêque de Derry place dans les principes de la théologie scolastique[2]. Parfaitement conscient des passions qui animent toute polémique théologique, Hobbes convoque les figures de Luther et de Melanchthon comme autant de réponses à l'assurance de Bramhall. Contre la lettre de l'anglicanisme, il évoque l'esprit du protestantisme, d'une façon qui n'est pas sans rappeler les thèses de Chillingworth[3]. Lorsqu'il fait référence aux principaux docteurs protestants (Luther, Melanchthon[4], Calvin), il n'entend donc pas revendiquer le droit de s'ériger en maître de théologie, car cette autorisation ne peut venir que du souverain, mais il entend revendiquer le droit de répondre en homme privé aux arguments théologiques avancés contre le principe de la souveraineté de l'État : « Cette expression, “des particuliers”, vient ici, à mon avis, mal à propos, surtout de la part d'un homme qui se prétend savant. L'Évêque pense-t-il qu'il est lui-même, ou qu'il existe, un homme universel ? Il se peut qu'il veuille dire un homme privé. Pense-t-il alors qu'il existe un homme qui ne

1. *Questions*, IV, p. 102.

2. Le passage cité répond au propos suivant de Bramhall : « Il est étrange de voir avec quel aplomb, de nos jours, des particuliers manquent d'égards envers tous les gens de l'École, les philosophes et les auteurs classiques des époques précédentes, comme si ceux-ci n'étaient pas dignes de délacer les chaussures d'un auteur moderne, ou comme s'ils attendaient, assis dans les ténèbres et dans l'obscurité de la mort, qu'un troisième Caton descende du ciel, vers qui tous les hommes devraient se tourner comme vers l'autel de Prométhée pour y allumer leurs torches » (*Questions*, IV, p. 98).

3. Voir William Chillingworth, *The Religion of Protestants a Safe Way to Salvation*, Oxford, 1638.

4. À propos de Melanchthon, Hobbes déclare que ce théologien était « autrefois très estimé dans notre Église [d'Angleterre] » (*Questions*, IV, p. 103).

soit pas un homme privé, en dehors de celui qui est revêtu du pouvoir souverain ? Mais il est très vraisemblable qu'il me traite de particulier, parce que je n'ai pas l'autorité qu'il possède d'enseigner toute doctrine que je juge correcte. »[1] Autrement dit, puisqu'il n'y a qu'une seule personne publique – le souverain –, tous les autres hommes, les évêques y compris, ne sont que des personnes privées. Face aux prétentions de la hiérarchie de l'Église anglicane en exil[2], Luther et les théologiens protestants constituent autant d'exemples d'une parole théologique tenue par des particuliers et reconnue par l'anglicanisme.

D'accord avec Luther pour accorder un droit d'interprétation aux laïcs, Hobbes ne reprend pas pour autant à son compte la thèse luthérienne de l'esprit seul interprète des Écritures[3]. S'il reconnaît la puissance d'assertion des thèses théologiques de Luther, il conteste que l'inspiration individuelle puisse suffire à fonder un droit à l'interprétation. De fait, il récuse tout autant le principe catholique d'interprétation qui réside dans l'affirmation de l' « infaillibilité de l'Église »[4] que le principe luthérien qui se fonde sur « le témoignage de l'inspiration personnelle »[5] : « Comment, en effet, connaît-on l'infaillibilité de l'Église, si ce n'est en connaissant précédemment l'infaillibilité de l'Écriture ? Et comment un homme connaît-il que sa propre inspiration personnelle est autre chose qu'une croyance fondée sur l'autorité et les arguments de ceux dont il a reçu l'enseignement, ou sur une confiance présomptueuse en ses propres dons. En outre, il n'est aucun passage de l'Écriture d'où puisse être inférée l'infaillibilité de l'Église, encore bien moins celle de quelque Église particulière, et moins encore

1. *Questions*, IV, p. 101-102.

2. L'exil de Bramhall, commencé en 1644, après la défaite des troupes royales à Marston-Moor, ne s'achèvera qu'à la restauration de la monarchie en 1660. L'essentiel de sa polémique avec Hobbes se déroule donc pendant cette longue période d'exil.

3. Hobbes n'épargne pas ses critiques aux docteurs protestants lorsqu'il estime qu'à leur tour ils se trompent. Ainsi, concernant la question centrale de la royauté du Christ, Hobbes est-il conduit à critiquer la position de Théodore de Bèze, qui fut le successeur de Calvin à Genève. Il critique notamment l'interprétation de Marc, IX, 1, dans laquelle Théodore de Bèze entend établir que le royaume de Dieu commence à sa résurrection (*Lév.*, XLIV, 18, p. 638-639).

4. *Lév.*, XLIII, 7, p. 609.

5. *Ibid.*

que tout le reste l'infaillibilité d'aucun individu. »[1] Si le dogme catholique de l'infaillibilité de l'Église est critiquable, car il dépend lui-même de l'infaillibilité supposée des Écritures, le dogme luthérien de l'esprit seul interprète des Écritures l'est tout autant, car il repose sur une confiance présomptueuse en la capacité individuelle. Ceux qui font dépendre la question du droit à l'interprétation de la question de l'infaillibilité de la croyance s'enferment dans un cercle dont il est très difficile de sortir, car le privilège accordé à la question de la validité de la croyance empêche de poser juridiquement la question du droit à l'interprétation. Cet empêchement se manifeste avec une netteté particulière dans la théologie calviniste de l'Alliance.

En tant que théoricien politique et exégète biblique, Hobbes connaissait fort bien l'utilisation que firent certains théologiens calvinistes de la notion d'alliance pour fonder l'herméneutique biblique. Les origines de cette théologie remontent aux premiers développements théoriques et pratiques du protestantisme : le protocole adopté par des anabaptistes à Schleitheim en février 1527 en vue de la constitution d'une communauté spirituelle en est l'un des témoignages les plus anciens[2]. Cette « Brüderlich ver/eynigung etzlicher Kinder gottes/ sieben Artickel betreffend »[3], influencée par la théologie de Zwingli, prouve à l'évidence que l'idée de contrat avait très vite pénétré la pensée protestante. Par ailleurs, il est remarquable que cette idée de contrat ait possédé, dès ses premières apparitions, une signification tant théorique que pratique : il s'agissait autant, pour ses initiateurs, de proposer une nouvelle pensée du rapport de l'homme à Dieu que de permettre une pratique religieuse adéquate à cette pensée. Les colons de la Nouvelle-Angleterre ne feront plus tard, à partir de 1620, que s'inscrire dans une tradition déjà longue, où le contrat d'association définit à la fois la finalité religieuse de la communauté et les moyens politiques de

1. *Ibid.*

2. Sur ce point, voir W. Förster, « Hobbes und der Puritanismus (Grundlagen und Grundfragen seiner Staatslehre) », *in* R. Koselleck et R. Schnur (éd.), *Hobbes Forschungen*, Berlin, Duncker & Humblot, 1969, p. 76 sq. L'auteur propose une interprétation de la théorie politique de Hobbes à partir de son opposition au puritanisme.

3. « Union fraternelle des vrais enfants de Dieu en sept articles. »

sa réalisation[1]. L'intérêt de cette idée théologique du contrat réside donc autant dans son caractère spéculatif, comme grille d'interprétation des textes sacrés, que dans son caractère pratique, comme moyen de mettre en œuvre une politique religieuse[2]. Cette collusion subversive d'une thèse herméneutique et d'une thèse politique rencontra la faveur des puritains anglais[3]. Connaissant l'opposition de Hobbes aux positions puritaines, on comprend qu'il ait pu vouloir critiquer le fondement de l'herméneutique qui sous-tend leur doctrine, à savoir la théologie de l'Alliance.

II. LA CRITIQUE DE L'HERMÉNEUTIQUE DES THÉOLOGIENS DE L'ALLIANCE[4]

L'opposition de Hobbes à la théologie de l'Alliance prend, dans le *De Cive,* la forme d'une interrogation sur les limites du droit à l'interprétation. Cette question, assurément, n'est pas nouvelle, indissociable qu'elle est du mouvement de la Réforme. Ce qui est nouveau, c'est la radicalité de la formulation : « De quel droit peut-on s'ériger en interprète du texte sacré ? », demande Hobbes ; « Ce droit fait-il, ou non, exception à la règle commune du droit civil ? » Cette question vise directement la thèse des théologiens de l'Alliance et leur affirma-

1. Certains des premiers colons de la Nouvelle-Angleterre, notamment ceux qui arrivèrent à Plymouth en 1620 à bord du *Mayflower* et que l'on désigne comme les *Old Comers* ou les *Pilgrim Fathers*, étaient des puritains radicaux qui appartenaient à l'*English Separatist Church*. Voir P. Miller, *The New England Mind : the 17th Century*, Cambridge, Mass., Harvard University Press, 1939, p. 432-462.

2. Le caractère pratique de la théologie, comme introduction à la piété véritable, constitue une constante de la théologie de l'Alliance. Voir J. Cocceius, *Aphorismi per universam theologiam breviores*, disp. I, § 7, in *Opera omnia*, Amsterdam, 1701, t. 7 : « Theologia practica est, quia informat ad pietatem, quae est πρᾶξις [...]. »

3. Le puritanisme anglais prend sa source dans une réaction à la conception absolutiste de l'État, théorisée et mise en pratique par Jacques Ier, puis reprise et développée par son fils Charles Ier. Le puritanisme se singularise, à l'intérieur de la tradition protestante, par un rejet radical de l'absolutisme politique, au nom de la prééminence absolue de Dieu. Sur ce point, voir P. Miller, *The New England Mind*, *op. cit.*, p. 398-431.

4. La suite de ce chapitre reprend, avec des modifications importantes, notre article, « Hobbes et l'herméneutique des théologiens du contrat », *in* G. Canziani et Y. C. Zarka (éd.), *L'interpretazione nei secoli XVI e XVII*, Milan, Franco Angeli, 1993, p. 565-585.

tion du primat de l'herméneutique. En accordant une fonction décisive à l'interprétation des Écritures, la théologie de l'Alliance affirme en effet que c'est dans l'Écriture correctement interprétée, et nulle part ailleurs, qu'il faut chercher, s'il le faut, le fondement du droit à l'interprétation. Cette fondation du droit à l'interprétation sur le seul texte de la Bible est, selon Hobbes, contraire aux principes de la souveraineté de l'État.

1. *L'herméneutique des théologiens de l'Alliance*

La théologie de l'Alliance se présente, chez Cocceius, l'un de ses représentants les plus éminents[1], à la fois comme un résultat de l'interprétation des Écritures et comme la condition de cette interprétation. Comme un résultat tout d'abord, puisqu'en tant que théologie scripturaire, elle se fonde sur la croyance en la véracité des textes bibliques ; comme sa condition ensuite, car la théologie a pour fonction d'ordonner le sens des textes à un projet, qui n'est pas seulement de nature théorique, mais encore et avant tout de nature pratique. De fait, la théologie de Cocceius se définit d'abord de façon fort classique comme une théologie scripturaire, ayant pour fin la consolation et le salut : « La théologie est une doctrine propice à la vraie piété, c'est-à-dire capable d'inculquer la piété ou la religion véritable en vue d'obtenir une certaine consolation en cette vie et le salut éternel dans l'autre, doctrine qui est révélée dans l'Ancien et le Nouveau Testament. »[2] Cette définition générale s'accompagne, en outre, d'une réflexion spécifique sur la fonction théologique des Alliances bibliques. Afin de permettre au chrétien d'orienter sa vie, le théologien se doit en effet de poser les césures remarquables qui scandent l'histoire du salut.

1. S'il ne fait pas de doute que Hobbes connaissait la théologie de l'Alliance, présente qu'elle était dans la tradition calviniste, dont l'anglicanisme n'est après tout qu'une branche dérivée, rien ne prouve en revanche qu'il ait lu directement le texte de J. Cocceius sur lequel nous nous appuyons. Publié en 1648, la *Summa doctrinae de foedere et testamento Dei* ne peut avoir exercé une influence directe sur le *De Cive* ou sur le *Léviathan*. Par conséquent, cette œuvre nous servira de point de repère et non pas de source.

2. J. Cocceius, *Aphorismi per universam theologiam breviores*, disp. I, § 1, *op. cit.*, p. 3.

La césure principale passe, selon Cocceius, entre le contrat des œuvres[1] *(foedus operum)* et le contrat de grâce[2] *(foedus gratiæ)*, c'est-à-dire entre un contrat qui fonde l'obéissance sur le respect de la Loi et un contrat qui fonde l'obéissance sur le don de la Foi. À partir de cette césure première, le discours théologique se développe comme la présentation des différentes façons d'abroger le contrat des œuvres. La *Summa doctrinae de foedere et testamento Dei* montre ainsi qu'il y a cinq façons d'abroger un tel contrat, l'abrogation par le péché (chap. III), par le contrat de grâce (chap. IV), par la promulgation du Nouveau Testament (chap. X), par la mort corporelle (chap. XV) et, enfin, par la résurrection (chap. XVI)[3]. Cette quintuple abrogation traduit plus qu'une insistance : elle montre que Cocceius vise avant tout à fonder sa théologie de la grâce sur une interprétation des conventions bibliques. Mais l'interprétation même de ces conventions ne dépend-elle pas déjà d'un présupposé herméneutique ?

De fait, la théologie de l'Alliance n'échappe pas à l'objection du cercle, puisqu'elle se fonde sur une interprétation qu'elle garantit en retour. Il ne faudrait cependant pas voir là une simple faute de logique. Dans la mesure où il a pour finalité de ne soumettre l'interprétation qu'à elle-même, le cercle coccéien est un véritable cercle herméneutique. Le théologien n'a de compte à rendre qu'à l'interprète, qui n'a lui-même de compte à rendre qu'au théologien : confondus en une seule et même personne, ces deux personnages conjuguent leur autorité respective, et s'arrogent *de facto* un véritable droit. Néanmoins, s'il en va ainsi, c'est

1. « Le contrat des œuvres *(Foedus operum)*, à savoir l'amitié avec Dieu et la justice, que l'on obtient à partir des œuvres, est connu à partir de ces deux sentences : "C'est en pratiquant ces préceptes que l'homme vivra par eux ; Maudit soit quiconque ne s'attache pas à tous les préceptes écrits dans le livre de La Loi pour les pratiquer", Gal. 3 : 12.10 » (J. Cocceius, *Summa doctrinae de foedere et testamento Dei*, chap. II, § 12, in *Opera omnia*, Amsterdam, 1701, t. 7, p. 47).

2. « Le contrat de grâce est le pacte *(conventio)* passé entre Dieu et l'homme pécheur, Dieu déclarant son libre bon plaisir [en donnant un médiateur pour la foi] [...], l'homme par la foi de son cœur s'engageant à la paix, à l'amitié et au droit d'attendre l'héritage en bonne conscience. Luc, 12 : 32. "Votre Père s'est complu à vous donner le Royaume" » (*Summa doctrinae de foedere et testamento Dei*, chap. IV, § 76, *op. cit.*, p. 57).

3. Voir *Summa doctrinae de foedere et testamento Dei*, chap. III, § 58, « Foederis Operum Abrogatio quintuplex », *op. cit.*, p. 54.

qu'il n'est laissé aucune place, à côté de la théologie scripturaire, pour une théologie rationnelle[1]. Cocceius l'affirme nettement, fidèle en cela à la tradition calviniste hollandaise : il est « inutile, quand on fait abstraction de la révélation, de vouloir conduire à la connaissance de Dieu par la seule lumière de la raison »[2]. Ainsi les lois de Dieu par nature ne peuvent-elles être connues indépendamment de leur révélation dans les Écritures[3]. Ces lois ne relèvent, en effet, ni de la seule raison, ni de la seule volonté de Dieu, mais d'un contrat spécifique que Cocceius appelle une alliance de nature *(foedus naturae)*. Baptisé ainsi, parce qu'il est le fondement des lois naturelles, ce contrat ne nous est lui-même connu qu'à partir de l'alliance des œuvres. Cette dernière, qui consiste pour Adam et sa postérité à connaître Dieu à partir de ses œuvres et à l'aimer et, pour Dieu, à donner à Adam la vie éternelle dans le jardin d'Éden, comprend en son sein le contrat de nature. Au fondement des lois de nature, on ne trouve donc pas l'activité de la raison mais la parole révélée[4] : l'alliance de nature est ainsi nommée, non parce qu'elle reposerait sur l'usage de la seule raison, mais parce qu'elle concerne l'homme à l'état de nature et Dieu comme créateur. La notion de contrat présuppose en effet un échange de paroles, qui présuppose lui-même, de la part

1. Le rejet de la théologie non scripturaire est commun à Cocceius et au parti de la réforme à l'intérieur de l'Église calviniste hollandaise. On ne saurait trop insister sur le fait que Cocceius fut, à Franecker, l'élève ou l'auditeur de William Ames, auteur d'un manuel de théologie intitulé *Medulla theologiae* qui marqua toute une génération de théologiens calvinistes. Or, conformément à la doctrine des puritains, Ames excluait la possibilité de penser une éthique ou une métaphysique indépendamment des Écritures. Voir, sur cette question, L. Kolakowski, *Chrétiens sans Église*, Paris, PUF, 1969, p. 298-299. Il convient, toutefois, de souligner que ce rejet de la théologie naturelle n'est pas un trait commun à toutes les théologies calvinistes du contrat. L'École de Saumur, et Moïse Amyraut en particulier, font une place à la théologie naturelle, en insistant sur l'autonomie du droit naturel à l'égard de la puissance de Dieu. Ce faisant, il est clair qu'Amyraut s'éloigne de la théologie de la *potentia absoluta Dei*, et se rapproche d'un certain intellectualisme théologique. C'est dans cette perspective que F. Laplanche a pu chercher à étayer l'idée d'une influence de Grotius sur la théologie d'Amyraut. Voir F. Laplanche, *L'écriture, le sacré et l'histoire*, Amsterdam, Holland University Press, 1986, p. 383-385.

2. J. Cocceius, *Summa theologiae ex Scripturis repetita*, chap. VIII, § 8, in *Opera omnia*, Amsterdam, 1701, t. 7.

3. Cocceius considère que sans la révélation la théologie naturelle est toujours obscure : « Per verbum Dei Theologia naturalis (in homine obscurata) illustratur & a falsis opinionibus expurgatur » (*Aphorismi per universam theologiam breviores*, disp. I, § 18, *op. cit.*, p. 3).

4. Voir *Summa doctrinae de foedere et testamento Dei*, chap. II, § 22, *op. cit.*, p. 48.

de Dieu, une révélation. On ne s'étonnera pas dès lors que l'alliance de nature puisse faire l'objet d'une interprétation, puisqu'elle est rapportée dans le texte de la révélation. De fait, lorsque Dieu s'adresse à Adam pour lui promettre une vie de félicité sans fin dans le jardin d'Éden, sa parole peut être interprétée comme ayant une valeur contractuelle. Parce qu'il fait dépendre les lois de nature d'un contrat de nature, à savoir d'un usage de la parole révélée à des fins contractuelles, Cocceius inscrit ces lois dans l'horizon de l'interprétation des Écritures, et parce qu'il inscrit ces lois dans un tel horizon[1], il fonde la possibilité d'une véritable théologie herméneutique. Sa contribution à l'histoire du droit naturel moderne est ainsi d'avoir subordonné le droit et la philosophie à l'herméneutique.

Afin de réfuter ce primat de l'herméneutique, Hobbes va très logiquement procéder à une critique radicale de la notion d'alliance de nature. Cette critique prend appui sur la distinction du règne de Dieu par la toute-puissance et du règne de Dieu par l'alliance : « Car, au commencement du monde, Dieu régnait sur Adam et Ève non seulement par nature, mais également en vertu d'un *pacte*, de sorte qu'il ne semblait vouloir être obéi, en dehors de l'obéissance prescrite par la raison naturelle, qu'en vertu de *ce pacte*, c'est-à-dire par le consentement des hommes eux-mêmes. »[2] Hobbes affirme ici très clairement que si le contrat est l'un des fondements de l'obéissance qu'Adam et Ève doivent à Dieu, il n'en est pas l'unique fondement, car cette obéissance dépend fondamentalement de la toute-puissance, et non pas de la promesse. On ne saurait donc penser contractuellement le rapport de Dieu au premier homme qu'à la condition de souligner, au préalable, la différence qu'il y a entre le fondement naturel et le fondement contractuel de cette obéissance.

L'analyse de l'interdit divin, dans l'épisode du jardin d'Éden, montre certes l'importance de la promesse divine : ce n'est pas par

1. Cette inscription passe également par la thèse de l'identité des lois naturelles et des lois du Décalogue, qui font elles-mêmes partie du contrat des œuvres : « Lex naturae & Decalogus continens praecepta, *in* quibus est vita, sive Lex scripta eadem est » (*Summa doctrinae de foedere et testamento Dei*, chap. II, § 13, *op. cit.*, p. 47).

2. *De Cive*, XVI, 2, p. 235.

nature que le fruit de l'arbre est mauvais, mais du seul fait de l'interdit, ou, plus exactement, en raison d'une convention qui a été passée[1]. Néanmoins, l'obéissance aux lois de nature ne dépend pas de la promesse faite à Dieu de ne pas manger de l'arbre de la connaissance. Respecter l'interdit divin et obéir aux lois de nature sont donc, pour Hobbes, – ce qui n'est pas vrai pour Cocceius – deux choses distinctes. L'emploi du terme *« foedus »* pour désigner l'interdit divin du jardin d'Éden pouvant prêter à confusion, il disparaît des passages du *Léviathan* où Hobbes reprend, en la corrigeant, son interprétation du *De Cive*. Il n'y est plus question de contrat, mais de commandement[2]. Autant dire que, plutôt que de parler d'un contrat naturel, Hobbes préfère désormais ne plus parler de contrat du tout.

De fait, s'il avait voulu déduire les lois de nature d'un contrat naturel, il n'aurait pas pu fonder comme il le fait sa théorie du contrat sur les lois de nature, sinon au prix d'une équivocité du terme même de contrat, en confondant alliance divine et contrat humain, ou alors au prix d'une pétition de principe, en déduisant le contrat du contrat. Mais refusant tout autant la pétition de principe que l'équivocité, Hobbes fonde l'obéissance aux lois de nature sur la toute-puissance de Dieu, et non pas sur un contrat naturel. Sa critique de l'herméneutique biblique contractualiste en procède directement, puisque celle-ci présuppose l'existence d'une alliance naturelle que la thèse de la toute-puissance rejette explicitement. De ce point de vue, on peut lire la thèse de la toute-puissance divine comme une antithèse : « Le droit de nature par lequel Dieu règne sur les hommes et châtie ceux qui enfreignent ses lois ne découle pas du fait qu'il les a créés (auquel cas il requerrait l'obéissance en remerciement de ses bienfaits), mais de sa *puissance irrésistible.* »[3] Si l'on veut restituer au propos de Hobbes toute sa force polémique, il convient de savoir à qui il pense lorsqu'il affirme que les hommes ne sont pas obligés d'obéir à Dieu par reconnaissance, parce qu'il les a créés, mais par force, parce qu'il les domine. Cette opposition de deux formes d'obéissance prend sens par rapport à la dis-

1. *Ibid.*
2. *Lév.*, XXXV, 3, p. 434.
3. *Lév.*, XXXI, 5, p. 380.

tinction plus générale entre l'obligation qui vient de la nature et l'obligation qui vient du contrat, car « tout droit sur autrui vient de la nature ou de quelque pacte »[1]. L'obligation provient de la nature, on l'a vu plus haut, lorsque la supériorité de puissance de l'un est telle qu'elle prive aussitôt autrui de toute possibilité de résistance[2]. On a vu également que Dieu est le seul être qui remplisse cette condition adéquatement, sa toute-puissance constituant en elle-même, indépendamment de toute alliance, le fondement de l'obligation d'obéir aux lois de nature. Reste, par conséquent, à déterminer la nature de l'autre fondement de l'obligation, celui que Hobbes place en regard de l'obligation qui procède de la puissance.

Il ne fait pas de doute que ce second fondement correspond très précisément à ce que Cocceius nomme *foedus naturae*. Caractérisé par la reconnaissance due aux œuvres divines, ce contrat naturel s'inscrit parfaitement dans la première partie de l'antithèse – « not as creator and gracious, but as omnipotent »[3] – par laquelle Hobbes définit contradictoirement le fondement de l'obligation morale. Bien qu'il désigne habituellement par le mot « grâce » le contrat aux termes duquel Jésus-Christ règnera lors de sa résurrection[4], le philosophe oppose en l'occurrence la grâce de la Création à la domination par la puissance. La thèse de l'obligation d'obéir à la toute-puissance de Dieu est donc indissociable d'une critique du contrat des œuvres, elle-même indissociable d'une critique de la notion de contrat de nature, à savoir d'un contrat qui exigerait l'obéissance à la loi divine en raison de bienfaits gracieusement dispensés par Dieu lors de la création de la nature[5].

1. *De Cive*, XV, 5, p. 221.

2. *Lév.*, XXXI, 5, p. 381. Voir, plus haut, notre chap. IV, p. 142-144.

3. « [...] non comme créateur et dispensateur de grâces, mais comme tout-puissant » (*Lév.*, XXXI, 5, p. 381, trad. modifiée).

4. « [...] cette régénération [*i. e.*, le temps de la prédication du Christ] était seulement la remise des arrhes du royaume (à venir) de Dieu à ceux auxquels Dieu avait donné la grâce d'être ses disciples et de croire en lui. C'est pour cela qu'on dit que les hommes pieux sont déjà dans le royaume de la grâce : ils sont naturalisés sujets de ce royaume céleste » (*Lév.*, XLI, 4, p. 512).

5. Il convient évidemment de rappeler que le contrat des œuvres *stricto sensu* repose sur l'obéissance aux lois du Décalogue, obéissance, qui, selon Cocceius, doit être la plus parfaite qui soit : « Le contrat des œuvres exige l'observance de *tous* les préceptes : à tel point

Cette critique est décisive, car, en libérant les lois de nature de toute herméneutique, elle permet à Hobbes de penser l'autonomie de la philosophie politique par rapport à la théologie politique. Dans quelle mesure, cependant, l'interprétation que Hobbes propose des Écritures parvient-elle à rompre le cercle où la théologie de l'Alliance prétendait enfermer toute interprétation de la Bible ?

2. *L'interprétation juridique de la notion d'alliance*

Bien qu'il critique sévèrement la notion de contrat naturel, Hobbes n'ignore pas le rôle essentiel joué par la notion d'alliance dans les Écritures. Une part importante de son interprétation politique de l'histoire biblique s'organise de fait autour de cette notion. Toutefois, l'originalité de son approche réside moins dans cette perspective, somme toute classique, que dans les limites qu'il lui impose. Alors qu'il propose une véritable exégèse de l'expression « royaume de Dieu », il omet tout simplement d'interpréter la notion d'alliance, se contentant de la définition juridique qu'il a donnée de la notion de « contrat » *(contract)* dans le chapitre XIV du *Léviathan*. Cette omission ne traduit pourtant nulle ignorance, car, si Hobbes ne connaissait pas l'hébreu[1], il lisait parfaitement le grec et le latin ; il aurait donc pu procéder à une interprétation des termes qui servent, dans les versions grecques et latines de la Bible, à désigner l'alliance divine. Cette omission manifeste, telle est du moins notre hypothèse, le refus délibéré d'une certaine forme d'herméneutique, à savoir celle des théologiens de l'alliance. Derrière la désinvolture apparente de cette omission, il est donc permis de lire l'affirmation polémique d'une thèse sur les limites de l'herméneutique biblique : tous les mots d'un texte, celui-ci fût-il aussi sacré que la Bible, ne doivent pas faire l'objet d'une interprétation, car l'interprète doit savoir se

qu'avoir péché contre un seul [précepte] fait qu'on est en dette à l'égard de tous (Jacques 2, vers 10), parce qu'évidemment en transgressant le moindre précepte, on s'écarte et on viole, ce que la loi tout entière nous a donné, *ibid.*, vers 11 » (*Summa doctrinae de foedere et testamento Dei*, chap. II, § 18, *op. cit.*, p. 47).

1. Voir A. Pacchi, « Hobbes e la filologia biblica al servizio dello Stato », *Annali di storia dell'esegesi*, 7-1 (1990), p. 278.

satisfaire des définitions du juriste et du philosophe. À l'affirmation d'un droit infini à l'interprétation, héritier de la Réforme, Hobbes entend donc opposer des limites intangibles au nom de la philosophie politique.

Vouloir interpréter la notion de contrat à la lumière de l'Écriture seule est aussi vain selon lui que de vouloir trancher la question de la prédestination à la lumière de la physique galiléenne. Afin d'éviter les fausses polémiques, il lui importe donc de respecter scrupuleusement la division des questions en questions qui portent sur les choses de la foi *(spiritualia)*, et questions qui relèvent des sciences humaines *(scientia humana)*. De toute évidence, la notion de contrat appartient à cette seconde catégorie : ainsi, « lorsque dans une question de droit l'on se demande s'il y a, ou s'il n'y a pas, promesse *(promissum)* ou pacte *(pactum)*, cela revient à se demander si les mots prononcés de telle ou telle manière reçoivent, dans l'usage commun accepté par tous, le nom de "promesse" ou de "pacte" ; si tel est le cas, alors il est vrai que l'on a passé un contrat ; dans le cas contraire, c'est faux. Ainsi, cette vérité dépend des pactes et du consentement des hommes [...]. Et ceux qui croient pouvoir statuer à partir de passages obscurs de l'Écriture, contre le consentement général sur les noms des choses, suppriment par là même l'usage du langage, et toute la société humaine »[1]. On ne saurait dire plus clairement, d'une part, que la notion de contrat relève de la sphère des définitions humaines et, d'autre part, qu'elle ne saurait être soumise à interprétation. Clairement défini par l'usage commun des hommes et les contrats de langue qui les unissent les uns aux autres, le sens du mot « contrat » ne relève pas de procédures herméneutiques. La difficulté n'est pas, en l'occurrence, de déterminer le sens d'un mot, mais d'établir les conditions de son usage dans un contexte déterminé. La question qu'il faut poser n'est pas : « Que veut dire le mot "contrat" ? », mais : « Un contrat a-t-il ou non été passé entre telle et telle

1. *De Cive*, XVII, 28, p. 278. Le mode d'argumentation appliqué dans ce passage à la notion de contrat vaut aussi pour la notion d'ubiquité : si l'on veut trancher la question de l'ubiquité par une interprétation des Écritures, on parvient à des conclusions juridiques absurdes. Par exemple, celle-ci : « En effet, celui qui aurait vendu un champ entier pourrait dire qu'il est tout entier dans une seule motte de terre, et par-là garder tout le reste, comme s'il n'avait pas été vendu » (*De Cive*, XVII, 28, p. 279).

personne ? » En droit, la question de l'interprétation cède donc la place à la question du jugement, qui se réduit elle-même à la question du fait : telle situation ou telles paroles constituent-elles le cas que l'on désigne juridiquement sous la catégorie de contrat ? On comprend, dès lors, le paradoxe qu'il y aurait à vouloir conférer à l'interprétation hobbesienne de la Bible un statut parfaitement autonome, puisque Hobbes n'interprète la Bible qu'en vue de la juger. Plus exactement, l'interprétation philosophique a pour tâche de défendre la Bible contre les dangers qu'une herméneutique jugée excessive pourrait faire courir au fondement rationnel du politique.

Dans la mesure où elle reprend à son compte en le radicalisant le souci exégétique des premiers Réformateurs, l'herméneutique des théologiens de l'Alliance s'écarte de fait de la définition juridique du contrat. Limitant à l'extrême les prérogatives des Églises, la règle d'interprétation proposée par Cocceius est l'expression radicale d'une volonté de revenir à l'esprit bibliste de la Réforme : « Les mots de la Bible signifient », déclare-t-il, « ce qu'ils peuvent signifier »[1]. Souvent mésinterprété, voire raillé, ce principe n'est pas une pure et simple tautologie : si les mots signifient ce qu'ils signifient, *quod valent*, c'est en tant qu'ils sont porteurs d'une signification, qui, bien qu'elle ne soit pas toujours immédiatement claire, doit cependant pouvoir le devenir au terme du travail herméneutique. Cette règle, qui s'applique principalement au discours révélé, s'applique aussi au discours ordinaire : la signification d'un discours en général n'est rien d'autre, de ce point de vue, que l'aptitude des mots qui le composent à susciter chez l'auditeur la pensée qui est celle du locuteur[2]. Cocceius ne dit donc nullement que la compréhension du texte biblique se fait dans l'élément de la transpa-

1. « Nam quis potest dubitare, hoc significare verba Sp. Sancti, quod valent, [...]. Quis neget, hoc voluisse Sp. S. ab eo, qui legit vel audit, cogitari & pro mente ipsius accipi, quod ut cogitet lector vel auditor, verba ipsa efficere possunt, nulla parte sermonis refragante, & sive intentione loquentis postulante ? » (J. Cocceius, *Summa theologiae ex Scripturis repetita*, chap. VI, § 46, *op. cit.*, p. 156).

2. « Profecto nihil aliud est significare, quum de sermone dicitur, quam constare verbis aptis ad excitandam in auditore eam cogitationem, quae est in loquente. Nam, si hoc valeant verba, signa sunt, & signa sunt cogitationis, quae est in loquente. Cujus autem mentis signa sunt, eam significant » (*Summa theologiae ex Scripturis repetita*, chap. VI, § 46, *op. cit.*, p. 156).

rence, mais qu'il n'y a de signification que parce que l'obscurité première du discours peut céder la place à une clarté, qui est le produit de l'activité interprétative de l'auditeur. D'inspiration augustinienne[1], cette définition de l'herméneutique se singularise cependant par son souci d'étendre les droits ou, du moins, les pouvoirs de l'interprète : indépendamment des symboles ecclésiastiques, l'Écriture doit suffire à sa propre interprétation ; celui qui met en œuvre les moyens exégétiques appropriés doit parvenir à dégager le sens véritable de la Bible, sans avoir besoin de se référer à une interprétation autorisée. Dans une telle perspective, la force du projet herméneutique se trouve donc considérablement accrue, puisque la mise en œuvre individuelle de l'interprétation permet à elle seule l'accès au sens de l'Écriture. Pour autant les excès des partisans enthousiastes de la libre inspiration par le Saint-Esprit sont écartés : Cocceius se veut, en effet, le défenseur d'une herméneutique rigoureuse. Or c'est précisément sur la base de cette rigueur renouvelée qu'il va procéder à l'interprétation du mot « alliance » dans la Bible. Le premier chapitre de sa *Summa doctrinae de foedere et testamento Dei* part ainsi d'une exégèse des termes *foedus*, διαθήκή, et de leur équivalent hébreu, afin de marquer la différence qu'il y a entre le pacte divin et le contrat humain : « L'alliance de Dieu avec l'homme doit se comprendre d'une autre façon que le contrat passé par les hommes entre eux. En effet, les hommes passent contrat en vue d'un bénéfice mutuel ; alors que Dieu ne le fait que pour son propre bénéfice. »[2] L'originalité de l'approche de Cocceius tient au fait qu'elle ne se réfère à aucun moment à la définition juridique de la notion de contrat, comme si cette définition n'avait pas sa place dans le champ de l'interprétation biblique[3]. Tout se passe comme si l'examen

1. Les références à saint Augustin sont nombreuses dans la *Summa theologiae*, principalement à *De doctrina christiana*, chap. VI.

2. *Summa doctrinae de foedere et testamento Dei,* chap. I, § 5, *op. cit.*, p. 45.

3. La référence à Grotius, peu suspect de privilégier l'interprétation par rapport à la définition philosophique, permet à Cocceius de marquer polémiquement la spécificité de son point de vue (voir *Summa doctrinae de foedere et testamento Dei*, chap. I, § 1, *op. cit.*, p. 45). Ce radicalisme herméneutique est déjà mis en œuvre, dans une moindre mesure cependant, dans le commentaire du *Catéchisme de Heidelberg* que Ursinus publia, en 1584, sous le titre, *Doctrinae christianae compendium*.

des occurrences bibliques suffisait à établir la signification spécifique du concept lui-même. L'interprète n'a donc pas à rendre de compte au juriste, puisque l'alliance divine n'a que fort peu en commun avec le contrat humain.

En outre, alors que Cocceius inscrit son herméneutique dans l'horizon d'une théologie de la révélation, Hobbes fait de la mise entre parenthèses de la révélation la condition de son interprétation des Écritures. De fait, si la révélation immédiate constitue bien pour Hobbes l'un des trois modes d'expression de la parole de Dieu, c'est la prophétie, comme nous l'avons vu au chapitre précédent, qui est au principe des Écritures[1]. En distinguant la parole prophétique de la parole révélée, Hobbes se donne les moyens de penser les Écritures, sinon comme un texte ordinaire, du moins comme un texte soumis aux règles habituelles de la compréhension. Or, sur ce dernier point également, Hobbes se sépare de Cocceius : le modèle du contrat de langue qu'il utilise pour penser la définition originaire des mots[2] exclut le principe coccéien d'une interprétation infinie des mots de la langue. Les mots signifient, non pas en fonction des capacités d'interprétation de l'auditeur, mais en fonction de leur définition, et du contrat de langue qui la fonde. Garantie par l'atemporalité du contrat linguistique, la transparence du mot à sa signification explique en partie les limites de la critique historique dans la philosophie de Hobbes[3]. Il faut certes distinguer, autant que possible, les différents auteurs de la Bible[4], corriger les absurdités manifestes, mais l'essentiel n'est pas là. Si Hobbes s'engage dans le champ exégétique, c'est de façon d'abord négative, pour corriger les métaphores indues introduites par le commentaire dans le sens des mots bibliques. La position de Hobbes se présente donc sous des allures paradoxales, puisque, tout en prenant ses distances par rapport à l'herméneutique théologique, elle n'accorde à l'interprétation histo-

1. *Lév.*, XXXI, 3, p. 396. Voir *ibid.*, p. 308-309.
2. Voir, plus haut, notre chapitre II, p. 54-59.
3. F. Laplanche s'est efforcé de mettre en évidence l'émergence d'une critique historique à l'intérieur de la tradition calviniste française, et notamment chez les théologiens de l'École de Saumur. Voir F. Laplanche, *L'écriture, le sacré et l'histoire*, *op. cit.*
4. *Lév.*, XXXIII, p. 403-417.

rique qu'une place subordonnée. Ce paradoxe n'est peut-être, cependant, que le fruit d'une illusion rétrospective : le problème de Hobbes n'est nullement en effet de constituer une critique historique autonome, mais de penser au contraire l'autonomie de la sphère juridico-politique par rapport aux prétentions de l'herméneutique biblique.

3. *Jus interpretandi*

La notion de « contrat naturel », celle que Hobbes critique chez les théologiens de l'Alliance, ne pose tant de problèmes que parce qu'elle est au cœur d'un débat plus général sur le droit à l'interprétation. Puisque grâce à ce contrat, la théorie des lois de nature, et donc la philosophie morale, sont strictement subordonnées à l'herméneutique, la défense du contrat naturel s'accompagne en effet d'une défense des droits de l'interprète. Puisque la validité des lois de nature dépend d'une convention passée entre Dieu et l'espèce humaine en la personne d'Adam[1], l'appréhension des termes de cette convention passe logiquement par une interprétation de la révélation. Pièce maîtresse de la théologie de l'Alliance, la thèse d'un contrat naturel assure à cette dernière une autorité qui va bien au-delà de l'interprétation de l'histoire biblique, dans la mesure où elle concerne également le champ des lois de nature, et par ce biais, le champ du droit et de la politique, tant ecclésiatiques que civils. À travers le concept de *foedus naturale*, les théologiens de l'Alliance donnent un fondement sans précédent au droit individuel à l'interprétation de la Bible. Le théologien-interprète n'a de compte à rendre à personne, et surtout pas au juriste, car le droit naturel est lui-même à interpréter. La théologie de l'Alliance fonde ainsi le droit théologique à l'interprétation, sans avoir jamais eu à invoquer une instance juridique, ecclésiastique ou civile. Il n'est dès lors guère étonnant qu'un théologien comme Cocceius ait pu tirer des

1. Dieu a passé le contrat des œuvres avec Adam lui-même, et à travers lui, comme à travers sa racine, avec le genre humain tout entier, à l'exception du Christ, car le Christ n'est pas seulement fils de l'homme, mais aussi fils de Dieu. Voir *Summa doctrinae de foedere et testamento Dei*, chap. II, § 45-46-47, *op. cit.*, p. 52.

conclusions théologico-politiques radicales de son herméneutique contractualiste : puisque l'interprète n'a de compte à rendre qu'à lui-même, ou plutôt qu'au seul texte qu'il interprète, il n'a pas lieu de mesurer son propos à l'aune d'une quelconque autorité. Ainsi, s'appuyant sur une interprétation de la thèse biblique selon laquelle le royaume du Christ n'est pas un royaume humain, Cocceius prédit la disparition de l'ordre politique humain, à savoir la disparition des Églises et des États. Fondamentalement subordonné à une herméneutique, l'ordre juridique et politique ne saurait prétendre, dans le cadre d'une telle théologie, à une consistance propre.

III. LES LIMITES DU DROIT À L'INTERPRÉTATION

Hobbes propose un concept de droit à l'interprétation qui s'oppose radicalement à l'interprétation du droit que suggèrent les théologiens de l'Alliance. Bien qu'il considère que la parole de l'interprète légitime soit la parole de Dieu[1], il refuse en effet de subordonner le droit du souverain au droit de l'interprète. S'il reconnaît qu'il est nécessaire de recourir à l'interprétation pour déterminer le canon de la doctrine chrétienne, cette nécessité ne fournit pas selon lui une réponse à la question de savoir comment l'Écriture devient un canon, c'est-à-dire une loi. Répondre à cette question n'est pas simple : cela suppose, d'une part, une interprétation de la Bible, et d'autre part, une analyse juridique et politique des limites de l'interprétation.

1. *Les limites du commentaire*

Concernant le premier point, on ne peut qu'être frappé à la lecture des chapitres XVI et XVII du *De Cive* par le nombre élevé des occurrences de l'expression *jus interpretandi verbum Dei*. À propos de tous les épisodes de la Bible, Hobbes s'efforce en effet de savoir qui possède le droit d'interpréter la parole de Dieu : Abraham, le premier[1], Moïse,

1. *De Cive*, XVII, 17, p. 264.

ensuite[2], Éléazar[3], le grand sacrificateur[4], etc. Cette question récurrente confirme ce que nous avons vu, à savoir que c'est en juriste, ou plutôt en philosophe du politique que Hobbes interroge les Écritures. Pour cohérente qu'elle soit, son herméneutique ne se suffit pas à elle-même, indissociable qu'elle est d'une réflexion philosophique sur les finalités et le fondement du droit à l'interprétation. Confronté au problème de l'identité de l'interprète autorisé dans un royaume chrétien, Hobbes est ainsi conduit à distinguer trois fondements possibles du droit à l'interprétation : la traduction savante, le commentaire et la souveraineté politique[5]. La traduction semble posséder les principales qualités scientifiques que l'on peut espérer trouver dans une interprétation, à savoir la rigueur historique et l'exactitude dans le choix des termes. Mais elle n'est pas pour autant source de droit : « Or, l'interprète, à qui l'on fait l'honneur de recevoir son jugement pour la parole de Dieu, n'est pas celui qui traduit de l'hébreu et du grec l'Écriture à ses auditeurs en latin, en français, ou en toute autre langue vulgaire ; car ce n'est pas cela interpréter. En effet, la nature du discours est telle en général, que bien qu'il mérite la première place parmi les signes par lesquels nous communiquons nos pensées à autrui, il ne peut pas cependant s'acquitter à lui seul de cette tâche, sans le secours de nombreuses circonstances. De fait, la vive voix dispose d'auxiliaires à l'interprétation, à savoir le temps, le lieu, le visage, le geste, l'intention de celui qui parle, et le fait que ce dernier peut exposer ses pensées en d'autres mots autant de fois qu'il le veut. Mais nous manquons de tous ces auxiliaires de l'interprétation en ce qui concerne les écrits des temps anciens, et ce n'est pas l'œuvre d'un esprit médiocre, sans érudition et sans une grande connaissance de l'Antiquité, que de les suppléer. Il ne suffit donc pas, pour interpréter les Écritures, de connaître la langue dans laquelle elles sont écrites. »[6] L'objection de Hobbes peut paraître à cer-

1. *De Cive*, XVI, 6, p. 237.
2. *De Cive*, XVI, 13, p. 242-243.
3. *De Cive*, XVI, 14, p. 244.
4. *De Cive*, XVI, 15, p. 244-246.
5. *De Cive*, XVII, 18, p. 265.
6. *Ibid.*

tains égards sophistique : est-ce parce qu'on ne peut pas procéder à une traduction parfaite qu'il faut pour autant rejeter le travail du traducteur-philologue ? Il est manifeste qu'il n'en est rien. Aussi n'est-ce pas non plus ce que Hobbes prétend dire. Le jugement particulier qu'il porte sur la science de l'interprétation dépend directement du jugement général qu'il porte sur la science : comprise de peu de monde, la science ne peut prétendre exercer par elle-même un grand pouvoir, ni prétendre à quelque droit[1]. Loin de rejeter la science de l'interprétation, Hobbes considère donc seulement qu'une telle science, comme toute autre science, ne peut fonder un droit à l'interprétation. De la même façon, mais pour des raisons différentes, le commentaire ne peut servir à fonder un tel droit : « Celui qui écrit des commentaires sur l'Écriture n'en est pas de ce fait un interprète canonique. Car les hommes peuvent se tromper ; ils peuvent aussi infléchir l'Écriture selon leurs ambitions, ou même la forcer et l'asservir, malgré elle, à leurs préjugés ; d'où il s'ensuivrait qu'il faudrait tenir pour la *Parole de Dieu* des opinions erronées. »[2] Le commentaire des Écritures, dont relève à proprement parler la théologie de l'Alliance, présente les défauts inhérents à tout commentaire : la subjectivité du commentateur, à savoir ses humeurs et ses préjugés, risque sans cesse de fausser le sens du texte commenté. La méfiance de Hobbes à l'égard de l'exégèse repose en outre sur deux raisons complémentaires : d'une part, en se superposant au texte commenté, le commentaire risque, sinon de faire disparaître ce dernier, du moins de le fausser ; d'autre part, le commentaire étant lui-même un texte, il est susceptible d'être commenté à son tour, et cela à l'infini, au risque d'une irréversible perte du sens[3]. Que l'on privilégie

1. « Les sciences constituent un faible pouvoir, parce qu'elles n'existent pas chez n'importe qui à un degré éminent, et qu'en conséquence, elle ne sont pas reconnues [...]. En effet, la science est d'une nature telle, que nul ne peut se rendre compte qu'elle existe, s'il ne l'a lui-même acquise dans une large mesure » (*Lév.*, X, 13, p. 83).

2. *De Cive*, XVII, 18, p. 265.

3. Ce processus infini du commentaire est mis en rapport par Hobbes avec l'obscurcissement du sens qui tient au caractère historique des écrits : « Dès la disparition des interprètes, leurs commentaires requièrent d'être expliqués, et, à mesure que le temps passe, ces explications deviennent des développements ; et ces développements deviennent à leur tour de nouveaux commentaires, à l'infini » (*De Cive*, XVII, 18, p. 265).

l'une ou l'autre raison, la conclusion sera toutefois la même : le commentaire ne peut fournir une compréhension certaine du texte biblique. Pas plus qu'il n'ignore les prémisses de la science historique de l'interprétation, Hobbes n'ignore donc le jeu infini du commentaire. Mais, dans les deux cas, son jugement est identique : ni le commentaire ni la traduction savante ne permettent de fonder un droit à l'interprétation.

Sans doute y a-t-il quelque paradoxe à vouloir séparer ainsi technique d'interprétation et autorité de l'interprète : ne serait-il pas plus légitime de vouloir mesurer le droit de l'interprète à sa puissance d'interpréter les textes ? Cette solution est néanmoins écartée par Hobbes, car elle présente deux inconvénients majeurs. Premièrement, en établissant la prééminence du texte écrit sur la parole de l'interprète, elle limite l'exercice du droit à l'interprétation à la production d'un commentaire fidèle au texte original. Or, Hobbes entend étendre le concept d'interprétation, non seulement au texte biblique lui-même, mais encore à la totalité des questions de théologie que ce texte a pu susciter et qui n'ont pas nécessairement pris la forme de l'écrit[1]. L'interprétation comprise dans l'horizon du *jus interpretandi* devra donc excéder la sphère du seul commentaire écrit, car « le canon ou la règle de la doctrine chrétienne par lequel sont résolues les controverses religieuses ne peut consister en aucune façon en une interprétation mise par écrit *(in interpretatione scripta)* »[2]. Écartant ce premier inconvénient, Hobbes est conduit à en écarter également un second : la dissociation du droit et de la puissance en matière d'interprétation permet, en effet, d'éviter la confusion de la fonction juridique de résolution des conflits et de la fonction exégétique d'explicitation d'un sens. Autrement dit, la clarté d'un commentaire ne peut à elle seule résoudre les conflits qui opposent les différentes interprétations.

Ainsi l'interprète, qu'on le prenne au sens du traducteur, du philologue ou du commentateur, ne peut-il être en même temps le juge de

1. Il convient de rappeler, en l'occurrence, l'importance des sermons *(predicts)* dans la diffusion des thèses du puritanisme.

2. *De Cive*, XVII, 18, p. 265.

ses interprétations. Le juge, qui doit trancher entre des interprétations opposées, n'a pas besoin d'être un technicien de l'exégèse. Il suffit qu'il soit capable de porter un jugement ayant force de loi. Celui qui détient le droit à l'interprétation n'a donc pas à s'illustrer par ses capacités d'exégète ; l'éminence de son autorité suffit. Hobbes identifie, en effet, l'*interpretatio* à la *potestas* : « L'interprétation dont nous parlons est la même chose que la puissance de se prononcer sur toutes les controverses qui doivent être décidées par la Sainte Écriture. »[1] Cette substitution de la figure du juge à la figure du savant présuppose évidemment la prise en compte de la dimension politique de l'interprétation biblique, à savoir le fait qu'un commentaire est une source potentielle de conflits, entre les commentateurs tout d'abord, mais aussi, ce qui est plus grave, entre les sectateurs de ces commentateurs. Fondamentalement, le conflit des interprétations relève d'une instance juridique et politique, et non pas d'une instance herméneutique. La bonne question est dès lors la suivante : qui possède légitimement le droit de juger les interprétations de l'Écriture sainte ? La réponse de Hobbes est à la fois simple et forte : « Reste donc que l'interprète canonique doive être celui dont la charge légitime est de mettre fin aux conflits, en expliquant dans ses jugements la *Parole de Dieu*. »[2] C'est l'autorité civile qui possède seule le droit d'interpréter la Bible, car elle possède seule le droit de trancher les conflits pouvant surgir à l'intérieur de la cité.

2. *L'interprétation souveraine*

Cette solution, où l'on a pu voir l'un des traits principaux de la doctrine, requiert cependant une preuve spécifique, qui n'est pas conforme à l'idée que l'on se fait habituellement de la méthode de Hobbes. Ce dernier prouve en effet l'identité de l'instance interprétative et de l'instance politique, non pas démonstrativement, mais dialectiquement, par la réfutation des thèses adverses : « Maintenant, il faut

1. *De Cive*, XVII, 27, p. 276.
2. *De Cive*, XVII, 18, p. 265.

que je montre que cette autorité appartient à chaque Église particulière, et qu'elle dépend de l'autorité de celui ou de ceux qui détiennent la souveraineté, à condition qu'ils soient chrétiens. En effet, si elle ne dépendait pas de l'autorité civile, il faudrait qu'elle dépendît, soit du jugement des particuliers *(arbitrio singulorum civium)*, soit d'une autorité étrangère *(authoritate externa)*. »[1] La justification de la thèse du *De Cive* passe ainsi par le jeu croisé d'une double réfutation, visant deux thèses en apparence fort éloignées l'une de l'autre : d'une part, la thèse protestante de l'Esprit seul interprète des Écritures, et d'autre part, la thèse catholique de la prééminence de l'autorité du pape en matière d'interprétation. Dans un cas, le ressort de la critique tient à la différence qu'il y a entre l'obéissance à l'État et l'obéissance à soi : si les particuliers possédaient un droit à l'interprétation, ou bien ils s'en serviraient pour fonder leur désobéissance civile, ou bien, s'ils maintenaient leur obéissance, ils le feraient au nom d'une obéissance à leur propre jugement qui est contraire à l'esprit de l'obéissance civile[2]. Le refus d'accorder aux particuliers un *jus interpretandi* est le corollaire de la critique de l'idée d'autonomie, comprise comme capacité à pactiser avec soi-même : puisqu'il n'y a pas de sens à s'engager par contrat avec soi-même, l'autonomie ainsi conçue ne saurait fonder l'obéissance à l'État. En formulant cette critique, Hobbes se rapproche indéniablement des théoriciens catholiques de la suprématie papale, qui récusent eux aussi tout droit individuel à l'interprétation. Cependant, loin de le conduire à abandonner la singularité de sa position, cette proximité de principe lui fournit au contraire le ressort d'une réfutation de la thèse adverse. En l'absence d'une commune appartenance à un même État, la prétention du pape à détenir en propre le droit à l'interprétation de la Bible prend une forme contradictoire : « Je suis l'interprète de l'Écriture pour toi, citoyen d'un État étranger. Et pourquoi donc ? En vertu de quels pactes entre toi et moi ? En vertu de l'autorité divine. Et d'après quoi la connaît-on ? D'après l'Écriture ; tiens, lis, voici le livre. C'est en vain que je le lirais, si ce n'est pas à moi de l'interpréter, et si le droit

1. *De Cive*, XVII, 27, p. 276.
2. *Ibid.*

d'interprétation ne m'appartient donc pas, pas plus qu'aux autres particuliers. Or, nous rejetons ce droit l'un et l'autre. »[1] Demander pour une autorité étrangère le droit à l'interprétation de la parole divine revient ainsi à justifier le droit à l'interprétation privée de l'Écriture, car, en l'absence d'un cadre juridique prédéterminé comme il en existe à l'intérieur d'un État, seul le jugement individuel peut fonder une requête de droit. La dynamique de la Réforme pourrait donc s'expliquer, du point de vue de Hobbes, par les contradictions inhérentes à la théorie catholique du *jus interpretandi* : si des individus ont pu historiquement revendiquer le droit de juger par eux-mêmes le texte des Écritures, c'est aussi parce que la suprématie revendiquée par le pape les obligeait à chercher dans la Bible une confirmation qui ne s'y trouvait pas.

La critique de l'herméneutique des théologiens de l'Alliance conduit ainsi à redéfinir, de l'intérieur, le principe réformé d'un droit individuel à l'interprétation. Hobbes n'exclut pas, bien évidemment, que le chrétien puisse se référer individuellement aux Écritures, puisqu'en ce qui concerne l'art d'interpréter, le souverain ne possède nul privilège par rapport à l'interprète savant ou ordinaire. Mais redoutant que la pluralité des interprétations scripturaires ne produise dans l'État une pluralité de lois contradictoires, le philosophe est conduit à n'accorder un droit à l'interprétation qu'à la seule puissance souveraine. Par conséquent, si la théorie du *jus interpretandi verbum Dei* ne vise pas à rompre avec la tradition bibliste de la Réforme, elle vise pour le moins à définir le cadre juridique de son accomplissement dans un État de droit[2].

1. *De Cive*, XVII, 27, p. 278.

2. La question de savoir si la théorie de Hobbes permet de penser l'achèvement de la Réforme a été posée dans l'un des derniers textes que C. Schmitt fit paraître sur Hobbes – une longue recension de trois ouvrages consacrés à la théologie de Hobbes –, texte intitulé de façon significative « Die vollendete Reformation (Zu neuen Leviathan-Interpretationen) », *Der Staat*, 4 (1965), p. 51-70. L'expression *die vollendete Reformation* – « Réforme achevée » – est tirée de l'un des livres recensés par Schmitt, à savoir celui de Dietrich Braun, *Der sterbliche Gott oder Leviathan gegen Behemoth*, Teil I, Zürich, EVZ-Verlag, 1963.

CHAPITRE X

La triple critique de la théologie scolastique

Hobbes n'ignore pas que la théologie s'est développée en Occident sous la forme d'une réflexion ontologique sur l'être le plus élevé, à partir notamment des commentaires de la *Métaphysique* d'Aristote. Il l'ignore d'autant moins que cette inscription de la réflexion théologique dans une ontologie est perçue par lui comme l'un des obstacles majeurs à la réalisation de son projet de refondation du politique. Le dilemme auquel il se trouve confronté est le suivant : si le souverain est autorisé à tenir un discours sur Dieu, alors la théologie se trouve dépendre de la politique ; si les théologiens sont seuls autorisés à tenir un tel discours, alors la politique se déduit de leur théologie. Libérée par la théorie politique de Hobbes, la parole du souverain ne peut être véritablement souveraine que si elle n'est soumise à aucune autre parole humaine, cette dernière fût-elle tenue au nom de Dieu. Comme la théologie scolastique se prévaut d'une structure institutionnelle, celle de l'École philosophique, d'une langue spécifique, le latin scolaire, et d'une ontologie, celle d'Aristote, pour promouvoir une théologie politique hostile au principe de la souveraineté, la réalisation du projet de Hobbes en philosophie politique implique nécessairement une triple critique, institutionnelle, linguistique et ontologique, de la théologie de l'École.

Définissant cette théologie comme le courant de pensée qui a cherché à exprimer les vérités de la foi chrétienne dans le langage conceptuel de la philosophie antique[1], Hobbes cherche en premier lieu à exposer les raisons d'une telle conjonction doctrinale. Telle est la fonction principale de la quatrième partie du *Léviathan*, intitulée « Du royaume des Ténèbres ». La méthode qu'il emploie pour cela ne relève pas, toutefois, de ce que l'on appellerait aujourd'hui une histoire des idées, mais bien plutôt d'une histoire des institutions, ce terme étant pris au sens large et précis à la fois que lui donne Hobbes quand il parle d'« organisations sujettes » *(systemes subject / systema civium)*. Ce concept, qui désigne « un nombre quelconque d'hommes réunis par le soin d'un même intérêt ou d'un même genre d'affaires »[2], permet en effet de décrire les différentes formes d'organisations que l'on peut trouver dans un État, depuis les institutions publiques jusqu'au rassemblement des badauds sur un marché. Il permet, notamment, de décrire la logique scolastique qui a présidé au rapprochement de la philosophie païenne et du dogme chrétien. Les scolastiques, comme l'indique l'étymologie de ce mot, sont des hommes qui appartiennent à une École, c'est-à-dire à une organisation chargée d'assurer un enseignement. Pour comprendre leurs doctrines, il faut donc tenir compte du fait qu'elles sont les produits d'institutions spécifiques qui sont prises elles-mêmes dans des logiques institutionnelles déterminées. Si l'on veut caractériser précisément l'approche de la scolastique que l'on trouve chez Hobbes, il faut donc dire qu'elle relève d'une histoire des institutions scolaires, et plus précisément d'une histoire des institutions universitaires[3].

1. Hobbes définit la théologie scolastique comme un mélange de la métaphysique aristolélicienne et des Écritures (voir *Lév.*, XLVI, 14, p. 683).

2. *Lév.*, XXII, 1, p. 237. Le texte latin offre une définition plus générale encore que le texte anglais : « Per *systema* intelligo *numerum quemcumque hominum in rem ipsorum communem congredientium* » (*Lev.*, XXII, 1, *OL III*, p. 170).

3. Hobbes n'ignore pas le rôle des autres institutions scolaires, telles que les écoles primaires, les Églises, etc. Mais il s'attache plus particulièrement aux universités, en tant qu'elles sont le lieu où est produit le savoir, et la source des erreurs qui sont ensuite propagées par les instituteurs du peuple, en particulier par le clergé. Hobbes est conscient de l'importance des sermons *(predicts)*, car c'est grâce à eux que les puritains ont pu étendre leur puissance. Il convient, en outre, de rappeler que les critiques formulées par Hobbes à l'encontre du système universitaire anglais n'étaient pas des critiques isolées, mais qu'elles s'inscrivaient dans un débat général. Voir Seth Ward, *Vindiciae academiarum Containing, Some brief Animadver-*

Afin d'interpréter correctement la critique de la scolastique catholique exposée dans la dernière partie du *Léviathan*, il importera donc d'insister d'abord sur sa dimension institutionnelle. Il faudra, ensuite, souligner le rôle que joue la langue latine dans la propagation de certaines absurdités conceptuelles avancées par les théologiens de l'École. Il conviendra, enfin, de montrer que la critique de l'onto-théologie dépend, chez Hobbes, de ces principes théologiques que l'on a mis en évidence au fondement de sa philosophie.

I. LA CRITIQUE INSTITUTIONNELLE DE LA SCOLASTIQUE

Hobbes ne se prive pas de formuler avec vivacité les critiques qu'il adresse à la théologie scolastique : celle-ci constitue de fait son principal ennemi dans le champ de la pensée théologique et c'est elle, à n'en pas douter, qui reçoit dans la préface au *Léviathan* le titre peu flatteur d'« ouvrage avancé de l'ennemi »[1]. Cette théologie est étudiée par Hobbes, dans la quatrième partie du *Léviathan*, à l'occasion d'une réflexion sur les « ténèbres qui procèdent d'une vaine philosophie et de traditions fabuleuses ».

1. *Royaume des ténèbres*

Le titre de cette quatrième partie, « Du royaume des ténèbres », mérite assurément explication. Dans la Bible, l'expression « royaume des ténèbres » *(kingdom of darkness)* désigne le royaume de Satan sur les

sions upon Mr. Websters Book, Stiled, The Examination of Academies. Together with an Appendix concerning what M. Hobbs, and M. Dell have published on this Argument, in Allen G. Debus, *Science and Education in the Seventeenth Century. The Webster-Ward Debate,* Londres/New York, 1970, p. 193-259.

1. Dans ce passage du *Léviathan*, Hobbes a en vue la doctrine de l'Église de Rome, dont il considère les représentants en Angleterre comme des ennemis de l'intérieur. Cet enjeu polémique immédiat ne doit pas, toutefois, faire oublier l'opération radicale de redéfinition du statut de la théologie qui le sous-tend.

démons[1], mais Hobbes la redéfinit en qualifiant les démons de fantasmes et en faisant de ces fantasmes des illusions qui obscurcissent l'esprit des hommes. De fait, il conçoit ce royaume plutôt comme un fantasme de royauté que comme un royaume véritable, car il n'existe en son sein nulle souveraineté qui ait été établie sur des sujets. Les sujets d'un tel royaume sont bien plutôt des sujets fantasmés que des sujets réels. Ainsi le royaume des ténèbres peut-il être défini à partir de différents passages de la Bible comme « une confédération de trompeurs, qui pour obtenir l'empire sur les hommes dans le monde présent, s'efforcent, par des doctrines ténébreuses et erronées d'éteindre en ceux-ci la lumière naturelle comme celle de l'Évangile, et ainsi de les rendre inaptes à faire partie du royaume de Dieu à venir »[2]. La définition des ténèbres et des lumières que propose Hobbes est à mi-chemin entre le Moyen Âge et le XVIIIe siècle : les lumières proviennent certes de la raison naturelle, mais elles empruntent également à l'Évangile, et les ténèbres désignent bien sûr, conformément à l'usage luthérien[3], les fausses interprétations de l'Évangile, mais aussi l'obscurcissement de l'entendement. En tant que les ténèbres sont référées explicitement à une intention de tromperie et à un dessein politique, elles se rapprochent en outre de la notion de préjugé chère au XVIIIe siècle. En ce dernier sens, le royaume des ténèbres est nommé d'après le moyen qui permet de le conquérir, puisqu'il s'acquiert grâce à un usage politiquement efficace des préjugés. L'utilisation que fait Hobbes de cette métaphore des lumières et des ténèbres s'inscrit donc, d'une part, dans la tradition chrétienne, inaugurée par saint Paul et continuée par Luther, et, d'autre part, dans la tradition philosophique du *lumen naturale*.

1. *Lév.*, XLIV, 1, p. 625. Voir *Matthieu*, XII, 26. L'argument par lequel le Christ prouve qu'il n'est pas Satan a pu intéresser Hobbes à plus d'un titre : d'une part, cet argument rappelle que la puissance de Satan est une puissance sur les démons ; d'autre part, il établit que l'unité est au principe de la royauté, car « Tout royaume divisé contre lui-même est dévasté et toute ville ou maison divisée contre elle-même ne peut subsister » (*Matthieu*, XII, 25, trad. Segond révisée).

2. *Lév.*, XLIV, 1, p. 625-626.

3. « 50. En bref, tout Aristote est à la théologie comme les ténèbres à la lumière. Contre les scolastiques » (Luther, *Controverse contre la scolastique*, in *Œuvres*, Genève, Labor & Fides, 1957, p. 99).

En ce qui concerne la tradition chrétienne, Hobbes reste fidèle à la signification que la Réforme a conférée au terme de « ténèbres ». Lorsqu'il met l'accent sur le fait que les ténèbres existent aussi à l'intérieur de la Chrétienté, il reprend une critique que l'on trouve souvent chez les réformateurs. Ainsi Luther pourrait-il être l'auteur des paroles suivantes : « La partie la plus ténébreuse du royaume de Satan est celle qui se trouve en dehors de l'Église de Dieu, c'est-à-dire parmi ceux qui ne croient pas en Jésus-Christ. Mais nous ne pouvons pas dire pour autant que l'Église jouisse, comme le pays de Gessen, de toute la lumière nécessaire à l'accomplissement de l'œuvre que Dieu nous a enjoint d'accomplir. »[1] L'originalité de Hobbes est ailleurs, à savoir dans la subordination des interprétations traditionnelles à l'idée de souveraineté. La lumière ne procède pas seulement de la raison ou de l'Évangile, mais aussi de la paix civile que rend possible la souveraineté ; les ténèbres ne procèdent pas seulement de la bêtise et de l'idolâtrie, mais également de la guerre civile. De fait, la guerre en général est la preuve la plus manifeste que les ténèbres règnent à l'intérieur de la Chrétienté[2].

Liées à des catastrophes politiques, ces ténèbres n'ont pas une source unique, mais quatre sources principales qui font chacune l'objet d'une étude détaillée dans les chapitres XLIV, XLV et XLVI du *Léviathan*. Le chapitre XLIV examine trois erreurs majeures qui ont été commises dans l'interprétation des Écritures ; le chapitre XLV étudie les illusions induites par la théorie païenne des phantasmes ; le chapitre XLVI analyse, dans une première partie, les erreurs occasionnées par la vaine philosophie des païens et, dans une seconde partie, celles qui procèdent de traditions erronées. De la théologie scolastique à proprement parler, il est question à propos de l'influence pernicieuse de la « vaine philosophie des païens », selon l'expression employée par saint Paul[3]. Néanmoins, alors que l'apôtre entend par-là les raisonnements

1. *Lév.*, XLIV, 2, p. 626.
2. *Ibid.*
3. Romains, I, 21 : « Ils se sont égarés dans de vains raisonnements, et leur cœur sans intelligence a été plongé dans les ténèbres. » Cette référence à saint Paul est citée en *Lev.*, XLVI, 17, *OL III*, p. 499 ; *Lév.*, p. 698.

qui, éloignant les hommes de la pensée de Dieu, constituent une perversion de la foi, Hobbes y voit un usage perverti de la raison naturelle. Si l'on définit la philosophie comme un bon usage de la raison, la vaine philosophie n'est donc pas à proprement parler de la philosophie. Pour prévenir toute confusion et montrer que ses critiques ne visent pas la vraie philosophie, Hobbes prend donc soin de commencer son chapitre en définissant la philosophie comme « la connaissance, acquise par raisonnement, qui, de la manière dont est engendrée une chose, conclut à ses propriétés ; ou, des propriétés, à quelque mode de génération possible de cette chose, afin de pouvoir produire, autant que le permettent la matière en cause et les forces humaines, les effets que requiert la vie humaine »[1]. Deux choses importent essentiellement dans cette définition, à savoir, premièrement, le fait que la philosophie est une connaissance par la raison seule qui porte sur les causes, et, deuxièmement, que la connaissance philosophique est utile à l'homme. La philosophie véritable est donc à la fois purement rationnelle dans ses moyens et pragmatique dans sa finalité. De ce fait, la prudence, qui est une connaissance par expérience, une connaissance de fait obtenue par les sens, n'est-elle pas philosophique, car elle ne peut prétendre à l'universalité des vérités de raison. Elle ne satisfait qu'à l'utilité, ce qui ne suffit pas. La connaissance surnaturelle qu'est la révélation n'est pas davantage philosophique, car elle ne repose pas sur le raisonnement. La philosophie se définissant comme un usage réglé des dénominations, les conclusions erronées et les emplois insensés des termes latins ne pourront être dits philosophiques. Plus généralement, « ce qui est obtenu par un raisonnement qui s'appuie sur l'autorité des livres, parce que cela ne s'acquiert pas en raisonnant de la cause à l'effet ni de l'effet à la cause, et n'est pas savoir, mais foi »[2], n'est pas non plus de la philosophie. Il en résulte évidemment que le projet scolastique, qui consiste à confronter les vérités de la révélation avec la philosophie antique, n'est pas compatible avec la conception philosophique de Hobbes. Inscrite à l'intérieur d'une réflexion sur l'utilité et la rationalité du dis-

1. *Lév.*, XLVI, 1, p. 678.
2. *Lév.*, XLVI, 5, p. 679.

cours scolastique, la narration historique à travers laquelle Hobbes retrace la formation de la théologie scolastique prend logiquement la forme d'une histoire politique du dévoiement de la philosophie.

2. *Histoire de la philosophie*

La préhistoire de la philosophie commence avec les sauvages de l'Amérique, qui, bien qu'ils disposent de la faculté de raisonner, ne savent pas en faire un usage méthodique, car s'ils « ne sont pas dénués de quelques bonnes sentences morales » et « possèdent aussi un peu d'arithmétique, assez pour faire des additions et des divisions sur des nombres pas trop élevés », ils « ne sont pas philosophes pour autant »[1]. Il ne faut pas, toutefois, vouloir rapporter ce manque de méthode à un défaut inhérent à la pensée sauvage elle-même, car celle-ci dispose de tout le nécessaire dès lors qu'elle dispose du langage, mais à l'absence d'une constitution politique originelle, et plus exactement à l'absence d'une grande république. L'étude de la philosophie requiert en effet la paix civile que permet l'existence de grandes cités, et le loisir que la paix rend possible : « Là où débutèrent de grandes et florissantes *cités*, là débuta l'étude de la *philosophie*. Les *gymnosophistes* de l'*Inde*, les *mages* de *Perse* et les *prêtres* de *Chaldée* et de l'*Égypte* sont comptés parmi les plus anciens philosophes : or ces pays furent les royaumes les plus anciens. »[2] Sur la nature de ces philosophies orientales, Hobbes ne s'étend guère. En outre, il est difficile de dire, tant elles sont brèves, si ces quelques indications s'inscrivent dans une vision personnelle de l'histoire de la philosophie, ou si elles sont des emprunts, à Juste Lipse par exemple, ou plus simplement aux auteurs de l'Antiquité. Probablement Hobbes se contente-t-il de répéter le lieu commun qui veut que les sagesses orientales aient été les premières manifestations de la philosophie avant son acmé grec. L'important est pour lui que la philosophie ne soit pas née en Grèce, qui perd de ce fait le privilège de l'origine. Si la philo-

1. *Lév.*, XLVI, 6, p. 679.
2. *Ibid.*

sophie grecque possède bien à ses yeux une singularité historique, c'est ailleurs qu'il la découvre. L'essor de la philosophie est contemporain des alliances qui unirent « beaucoup de petites cités *grecques* en cités moins nombreuses et plus grandes », puisque « alors, les *Sept*, issus de diverses parties de la *Grèce*, commencèrent à être réputés pour leur *sagesse*, quelques-uns d'entre eux à cause de leurs sentences *morales* et *politiques*, d'autres à cause de l'érudition des *Chaldéens* et des *Égyptiens*, qui portait sur l'*astronomie* et la *géométrie* »[1]. Ce moment de l'histoire grecque se caractérise par son statut intermédiaire entre l'absence de philosophie des premiers temps et l'apparition du phénomène des Écoles de philosophie[2]. L'apport original de la Grèce à l'histoire de la philosophie réside moins, en effet, dans l'invention même de la discipline que dans une certaine pratique scolaire qui lui sert de cadre institutionnel et social. Comme n'importe quelle autre pratique, l'action du philosophe possède en outre des conditions historiques déterminées, à savoir, en l'occurrence, le développement de l'hégémonie athénienne en Europe et en Asie. La pratique philosophique des Grecs est un effet indirect de leur politique expansionniste, car cette politique, et l'enrichissement qui l'a suivie, ont permis à certains citoyens de se consacrer à ce qui fut appelé hâtivement de la philosophie. En effet, l'activité ainsi nommée consistait, pour une part, à rapporter et à écouter des nouvelles, et, pour une autre part, à « discourir publiquement de *philosophie* devant la jeunesse de la cité »[3]. Dès sa naissance en Grèce, la philosophie scolaire possède ainsi les deux traits principaux qu'elle conservera dans la scolastique chrétienne, à savoir la pratique de la discussion et la pratique de l'enseignement. Afin de soustraire au mythe les écoles grecques de philosophie qu'il entend critiquer, Hobbes rappelle que les noms célèbres de l'Académie et du Portique proviennent très prosaïquement des lieux où se déroulait l'enseignement des philosophes de la Grèce antique. Pour annuler la déformation mythique produite sur l'esprit par l'éloignement des faits dans l'espace et dans le temps, il

1. *Ibid.*

2. « Mais à ce moment on n'entend pas encore parler d'aucune *école* de *philosophie* » (*Lév.*, XLVI, 5, p. 679).

3. *Lév.*, XLVI, 7, p. 680.

remarque que « ceux qui suivaient l'enseignement de Platon étaient appelés des académiciens [...] : comme si nous nommions des gens d'après les *Moor-Fields*, d'après la *cathédrale Saint-Paul* et d'après la *bourse* de Londres, parce qu'ils ont coutume de se rencontrer là pour bavarder et pour flâner »[1]. La philosophie grecque n'est pas la seule toutefois à avoir inventé la pratique scolaire de la philosophie, les Juifs ayant fondé des écoles bien avant la création de l'Académie et du Lycée. La synagogue porte en effet un nom trompeur, puisque ce terme veut dire, si l'on suit l'étymologie, « assemblée du peuple », alors qu'il désigne en fait un lieu où la loi est « lue, commentée et discutée », c'est-à-dire un lieu qui remplit la fonction d'une école publique.

À partir de cette réflexion historique, Hobbes en vient à s'interroger sur l'efficacité scientifique de l'organisation scolaire de la philosophie. Si la formation de républiques puissantes a rendu possible le développement du raisonnement méthodique, il est en effet légitime de se demander si ces associations de citoyens *(systemata civium)* que constituent les écoles ont facilité un tel progrès. La réponse de Hobbes est négative : loin de favoriser le progrès de la connaissance, la pratique scolaire de la philosophie a entraîné une stagnation, voire une régression, dans tous les domaines du savoir qu'elle a cherché à organiser. De ce point de vue, il faut donc considérer l'invention des écoles de philosophie comme un moment critique dans l'histoire de la philosophie. De fait, aucune des parties de la philosophie antique – physique, logique, morale – ne trouve grâce aux yeux de Hobbes.

Concernant la philosophie de la nature, Hobbes insiste sur le fait que son fondement mathématique, la géométrie, a progressé en parfaite indépendance par rapport aux écoles de philosophie : « Ce que nous possédons de la géométrie, mère de toute science de la nature, nous ne le devons pas aux écoles. Platon, qui fut parmi les Grecs le meilleur philosophe, interdisait l'entrée de son école à tous ceux qui n'étaient pas déjà, dans une certaine mesure, géomètres. Nombreux furent ceux qui étudièrent cette science, pour le plus grand profit du genre humain. Mais il n'est pas fait mention de leurs écoles, il n'existe aucune secte de

1. *Ibid.*

géomètres, et ils n'étaient pas alors qualifiés du nom de philosophes. »[1] Comme la mathématique exclut par principe la dispute et qu'elle n'a pas besoin de prendre la forme d'un exposé didactique, le mathématicien n'a nul besoin de l'Académie à l'intérieur de laquelle Platon désire l'enfermer. Si un recommencement de la philosophie est possible, ce sera donc sous la forme démonstrative et non dialectique, dont la géométrie fournit le modèle adéquat. Concernant la philosophie morale, Hobbes regrette que la philosophie scolaire de l'Antiquité ait totalement ignoré la différence entre état de nature et état civil. Enfin, il juge que la logique en usage dans les écoles philosophiques ne permet nullement de faire progresser la vérité : c'est une éristique et non pas une méthode, un art de convaincre et de réfuter et non pas un art de raisonner.

L'histoire de la philosophie antique permet de mieux comprendre la nature de la scolastique catholique, en tant que celle-ci est une philosophie qui se pratique, comme sa devancière, dans des institutions scolaires, selon les techniques de la dispute et de la leçon. En la matière, l'innovation de l'Occident chrétien réside uniquement dans le regroupement des écoles en universités : « Ce que de nos jours on appelle *Université* est l'union en une seule collectivité, sous un seul gouvernement, de multiples écoles publiques, dans une seule et même ville ou cité. »[2] On ne saurait toutefois s'en tenir là, car la philosophie scolastique n'est admise dans l'université « qu'en qualité de servante de la religion romaine »[3]. D'autant moins autonome qu'elle se réduit à l'enseignement de la seule philosophie d'Aristote, elle cesse du même coup de mériter son nom, n'étant « pas à proprement parler de la philosophie (celle-ci étant par nature indépendante des auteurs) mais de l'aristotélité »[4]. Au terme de cette analyse institutionnelle, la théologie scolastique apparaît ainsi comme un artefact théorique au service d'une

1. *Lév.*, XLVI, 11, p. 681.
2. *Lév.*, XLVI, 13, p. 682.
3. *Ibid.* F. Tricaud remarque que cette affirmation a été corrigée par Hobbes dans les *Six Lessons* (*EW VII*, p. 347), car, de façon surprenante, « cette phrase paraît dire que les universités anglaises du milieu du XVIIe siècle sont inféodées à Rome pour ce qui touche à leur enseignement philosophique » (*Lév.*, p. 682, n. 8).
4. *Ibid.*

cause politique déterminée, à savoir l'extension de la puissance de l'Église de Rome.

Toutefois, cette conclusion ne saurait être parfaitement établie tant que l'on n'a pas procédé à une étude des thèses particulières de la philosophie aristotélico-scolastique, car, si ces thèses s'inscrivent bien dans une structure scolaire, leur contenu propre dépend quant à lui d'une méthode et d'une métaphysique qui requièrent l'une et l'autre une critique spécifique. À la critique de l'institution scolaire, Hobbes associe donc, d'une part, une critique générale du discours et de la langue des scolastiques, et d'autre part, une critique particulière des thèses métaphysiques autour desquelles s'organise leur pensée.

II. LA CRITIQUE LINGUISTIQUE DE LA SCOLASTIQUE

Hobbes reproche à la philosophie scolastique de ne pas être fidèle aux principes de la traduction du discours mental en discours verbal qui est au principe de la philosophie[1]. Au lieu de traduire comme il se doit les représentations en dénominations, la scolastique procède en effet le plus souvent à l'opération inverse, qui consiste, à partir des mots d'une langue artificielle, à rechercher la représentation qui leur correspond, comme si cette dernière leur était intérieure. L'erreur induite par une telle opération consiste à naturaliser le lien de la représentation et de la dénomination, au lieu d'en dévoiler l'artifice : le sens des mots est alors pensé comme inhérent aux mots eux-mêmes ou du moins à leur usage[2], et la représentation, qui constitue ce sens, comme la projection de la forme du mot. À Bramhall, qui défend l'application du concept de commandement aux facultés de l'âme à l'aide de la distinction du terme mental et du terme vocal, Hobbes objecte qu'une telle distinction procède d'une illusion : « Dans ce passage, l'Évêque a dévoilé l'origine de toutes ses erreurs en philosophie, qui est celle-ci, qu'il

1. *Lév.*, IV, 3, p. 28. Concernant la théorie du langage selon Hobbes, voir, plus haut, notre chapitre II, p. 54-59.
2. *Questions*, XX, p. 278.

pense que, lorsqu'il répète les mots d'une proposition dans son esprit, à savoir, lorsqu'il imagine *(fancieth)* les mots sans les dire, alors il conçoit les choses que ces mots signifient. Là se trouve la source la plus générale des opinions fausses. »[1] Le terme mental, que Bramhall conçoit comme un mot que l'on repasse uniquement en pensée, n'est autre pour Hobbes qu'un terme verbal, auquel on associe aléatoirement la représentation que nous suggèrent les sons qui le composent[2]. L'arbitraire du signe n'est plus alors le produit d'une décision rationnelle, mais une illusion de la raison qui prétend découvrir dans les mots un sens préexistant[3]. L'usage scolastique du concept repose fondamentalement sur l'illusion consistant, pour le philosophe, à refuser de savoir ce qu'il fait, ou ce que font les hommes lorsqu'ils fixent le sens des mots. La critique que formule Hobbes contre la notion de terme mental, proposée par Bramhall, n'est donc rien d'autre qu'une critique de l'illusion naturaliste du langage. L'alternative est donc clairement posée : soit le langage est la traduction des représentations, et il procède d'une convention préjuridique, soit il est la traduction supposée d'un langage préexistant, et il est le fait de la nature. En optant pour la théorie de la traduction du langage mental en langage verbal, Hobbes s'inscrit en faux contre la dernière partie de l'alternative et réfute par là même les avatars tardifs du cratylisme. Ce choix possède une signification philosophique forte : la règle d'univocité, qui vaut pour la compréhension du langage ordinaire, vaut en effet *a fortiori* pour celle du discours de la philosophie. Semblables aux termes ordinaires, les concepts doivent donner lieu à une représentation assignable dans l'esprit de celui qui les entend : c'est à cette unique condition qu'ils peuvent être compris. Autrement dit, le philosophe n'a pas le droit de cacher l'imprécision de sa pensée derrière des expressions techniques *(terms of art)*. Intraduisibles en représentations déterminées, ces expressions rendent inintelligibles les discours philosophiques de ceux qui s'en prévalent. Hobbes trouve sur ce point matière à développer sa critique linguistique de la scolas-

1. *Questions*, XX, p. 292.
2. *Ibid.*
3. Bien que Hobbes ne le précise pas explicitement, on peut considérer cette illusion de la préexistence du sens comme un avatar du platonisme.

tique : nombre de philosophes qui se réclament de cette dernière ont en effet confondu la rhétorique de l'enseignement scolaire et les concepts de la philosophie[1]. Bien que cette rhétorique ne soit en elle-même nullement critiquable, il convient d'en borner rigoureusement l'usage à la finalité technique qui est la sienne, à savoir, faciliter l'apprentissage, grâce aux moyens mnémotechniques que sont *Barbara, Celarent, Darii, Ferio*, etc., des structures du raisonnement[2]. Mais les mots fondamentaux de la logique, par exemple les noms de *première* et de *seconde intention*, les noms *abstraits* et *concrets*, etc., ne constituent nullement des expressions techniques. Les mots de la philosophie ne sont pas des termes techniques, car ils appartiennent de plein droit à la langue ordinaire[3]. Cette affirmation doit se comprendre ainsi : les mots de la philosophie ne jouissent pas d'un statut spécifique qui les distinguerait des autres mots de la tribu, dans la mesure où tous les mots reposent en dernier ressort sur des définitions. Or, à moins de créer un idiolecte parfaitement autonome, c'est-à-dire une langue nouvelle, il n'est pas possible de ne pas définir les mots philosophiques à l'aide de mots qui ne le sont pas. Leur intégration au système de la langue fait des termes techniques de bien minces remparts contre l'intrusion de la langue ordinaire dans le discours du philosophe. Le philosophe est certes libre de donner aux mots le sens qu'il lui plaît, mais il est tenu de le faire dans un langage compréhensible par tous.

Cette exigence de compréhension partagée prend la forme d'un critère nouveau, auquel doit se soumettre le discours scolastique : « Les

1. La critique de Hobbes n'est pas dépourvue d'enjeux théologico-politiques, comme le montre clairement le fait que la distinction qu'il opère entre les scolastiques rhéteurs et les scolastiques philosophes recoupe étroitement la séparation de l'Église de Rome et des Églises réformées : « De la même façon, certains docteurs de l'Église, tels que Suarez, Duns Scot, et leur imitateurs, afin d'entretenir chez autrui les opinions que l'Église de Rome jugeait conforme à son intérêt, ont écrit des choses que ni autrui ni eux-mêmes ne comprenaient. Ceux-là, j'avoue les avoir quelque peu méprisés. D'autres docteurs de l'Église, tels que Martin Luther, Philipp Melanchthon, Jean Calvin, William Perkins et d'autres, qui ont clairement formulé par écrit leurs idées, je ne les ai jamais méprisés, mais je les ai toujours beaucoup respectés et admirés » (*Questions*, XIX, p. 266).

2. *Ibid.*

3. « Mais si l'Évêque pense que les mots de *première et deuxième intention*, que *abstrait* et *concret*, que *sujets* et *prédicats* [...] sont des termes de l'art, je ne suis pas de son avis » *(ibid.)*.

écrits des théologiens scolastiques ne sont rien d'autre, pour la plus grande part, qu'un enchaînement de mots étrangers et barbares, ou de mots employés dans un sens autre que ne le voudrait l'usage commun de la langue latine, et qui rendraient perplexes Cicéron, Varron, et tous les grammairiens de la Rome antique. Si quelqu'un voulait en avoir la preuve, *qu'il voie [...] s'il peut traduire aucun des théologiens scolastiques dans quelque langue moderne, telle que le français, l'anglais, ou n'importe quelle autre langue au vocabulaire étendu* : en effet, ce qui ne peut pas être rendu intelligible dans la plupart de ces langues n'est pas intelligible dans le latin. »[1] Traduire doit s'entendre dans ce texte au sens courant du terme, puisque l'exemple cité n'est autre que le passage du latin savant à l'anglais courant. Cependant, cette traduction ordinaire présuppose elle-même la traduction originaire des représentations en dénominations, le langage commun ne valant ici comme critère d'intelligibilité que parce qu'il permet habituellement de reconduire les noms à leurs représentations et parce qu'il représente davantage de choses que le langage savant. Lieu privilégié de la représentation, le langage ordinaire apparaît ainsi comme le milieu, ou plutôt, comme l'élément de la philosophie. Partagé par tous, il constitue en outre un critère d'intelligibilité aisément applicable. Ainsi, plutôt que de s'engager dans un examen interminable des distinctions scolastiques, il suffit pour les invalider de montrer que leur traduction en langage ordinaire n'a pas de sens : « Et quant à la distinction elle-même, comme ses termes sont latins et n'ont jamais été employés par aucun auteur de langue latine, j'en ai montré le caractère hors de propos, en les traduisant dans notre langue, et en laissant au jugement du lecteur le soin d'en trouver lui-même l'absurdité. »[2] La traduction a pour fonction d'exposer aux yeux de tous l'absurdité d'un discours que sa technicité extrême avait pour finalité de tenir cachée ; l'impossibilité de faire retour à la langue ordinaire, de se sortir du dédale des distinctions, est un

1. *Lév.*, XLVI, 36, p. 692-693 ; nous mettons en italiques.

2. *Questions*, XX, p. 289. Hobbes répète souvent à Bramhall que ses thèses scolastiques procèdent d'une mauvaise compréhension de la langue anglaise. Ainsi, dans le passage suivant : « Si bien que sa [*i.e.*, celle de Bramhall] réprimande ici est une réprimande à lui-même, qui provient du fait que la pratique du langage des scolastiques lui a fait oublier la langue de son pays » (*Questions*, XXV, p. 338).

critère formel suffisant pour établir l'inanité d'une philosophie. Ce critère vise notamment à critiquer un certain usage des langues anciennes, comme sources d'anomalies à l'intérieur des langues modernes[1] : « Aussi ne rencontrera-t-on guère de mot dépourvu de sens et de signification qui ne soit pas fait de quelques dénominations latines ou grecques. C'est rarement qu'un Français entendra notre Sauveur désigné par la dénomination de *Parole*, mais fréquemment par celle de *Verbe*. Et pourtant, toute la différence entre *Verbe* et *Parole*, c'est que l'un est latin et l'autre français. »[2] L'emploi d'une forme latine ou grecque produit chez le lecteur profane une impression de profondeur et d'étrangeté. Les concepts absurdes de la scolastiques, qui sont en réalité des termes indéfinis, trouvent dans l'étrangeté de leur forme linguistique un véritable alibi, le recours à un lexique latin forgé de toutes pièces étant un moyen efficace pour échapper à l'exigence de la définition préalable des termes. Dans ce cas, l'usage d'un vocabulaire inhabituel s'explique non pas par un louable souci de rigueur, mais par la volonté d'accroître artificiellement l'écart entre la pensée des savants et la pensée de l'homme du peuple. Rien d'étonnant, par conséquent, à ce que sa critique de la langue scolastique conduise Hobbes à affirmer l'identité de la langue ordinaire et de la langue savante : la langue ordinaire, même s'il lui arrive d'être infidèle à ses définitions initiales, relève en droit de l'univocité de la définition, et à ce titre comprend en elle les termes des savants[3]. Les nombreuses références de Hobbes à l'usage habituel de la langue anglaise ne visent donc nullement à mettre en lumière la singularité de cette langue par rapport à la langue des philosophes, mais soulignent au contraire que sans la première la seconde ne serait qu'un jargon[4].

1. La réflexion sur les anomalies de la langue latine, corrélat d'une détermination des principes de sa régularité, n'est pas nouvelle, puisqu'on en trouve déjà un exemple chez Varron, dans le *De lingua latina*, et que Varron se réfère lui-même à la réflexion de Chrysippe sur les anomalies de la langue grecque (voir Varron, *De lingua latina*, liv. V, IX, p. 5).
2. *Lév.*, IV, 21, p. 34-35.
3. *Questions*, XIX, p. 266-267.
4. À propos du langage ordinaire, la différence entre Hobbes et Wittgenstein tient au fait que, pour le premier, ce langage est une expression généralement fidèle à la logique de la représentation, alors que, pour le second, il constitue la limite sur laquelle vient échouer la logique de la représentation. Sur ce point, voir L. Wittgenstein, *Investigations philosophiques*, trad. fr. P. Klossowski, Paris, Gallimard, 1990, p. 102-103.

Cet emploi du mot « jargon » pour désigner un idiome scientifique incompréhensible surgit dans l'œuvre de Hobbes au moment même où il apparaît dans la langue anglaise. 1651 est en effet la date que mentionne le *Oxford English Dictionary* pour l'apparition de cette acception[1]. Hobbes qualifie de « jargon » les distinctions scolastiques entre *liberté d'exercice seulement*, de *spécification aussi*, de *contradiction* et de *contrariété*[2]. Bramhall, qui se déclare étonné de la critique de Hobbes, précise la signification du terme « jargon » : « Mais cela me trouble de voir un savant, quelqu'un qui est admis depuis longtemps au cœur le plus intime de la nature, et qui a vu les secrets cachés de la science la plus subtile, s'oublier au point de qualifier la science de l'École de rien moins que de vulgaire jargon, c'est-à-dire de charabia dénué de sens ou de langage ampoulé semblable au fracas des sabots. »[3] La réponse de Hobbes, qui constitue une réaffirmation de sa critique, spécifie l'usage qu'il fait du terme : « Il est fort ennuyé que je qualifie de jargon le langage de l'École. Je n'applique pas ce terme à toute la science de l'École, mais seulement à ce qui en elle le mérite ; savoir, à ce qu'ils disent pour défendre des contre-vérités et spécialement pour défendre le libre-arbitre, lorsqu'ils parlent de *liberté d'exercice, de spécification, de contrariété, de contradiction, d'actes élicites et exercites*, et d'autres choses semblables. Tout cela, bien qu'il y revienne dans ce passage, pour tenter de l'expliquer, n'est encore, ici comme là, que du *jargon* ou, s'il préfère, ce que l'Écriture, dans le chaos initial, nomme *Tohu* et *Bohu*. »[4] Hobbes ne se borne donc pas à faire un usage polémique du concept de jargon. La désignation par ce terme du langage des théologiens scolastiques repose sur une volonté philosophique de caractériser ce langage comme un cas particulièrement intéressant d'anomalie linguistique. Cependant, cette critique linguistique n'est encore qu'un préalable, qui ne peut avoir qu'une pertinence limitée en l'absence de l'analyse du principe théo-

1. Le *Shorter Oxford English Dictionary* présente la cinquième acception du mot « jargon », dans les termes suivants : « Applied contemptuously to the language of scholars, the terminology of a science or art, or the cant of a class, sect, trade, or profession 1651. »

2. *Questions*, IV, p. 96.

3. *Questions*, IV, p. 98.

4. *Questions*, IV, p. 102.

rique qui fonde la théologie scolastique. Ce principe, sans la prise en compte duquel il ne serait pas possible de critiquer la théologie scolastique, réside dans la théorie de l'analogie de l'être.

III. LA CRITIQUE DE L'ONTOLOGIE SCOLASTIQUE

Pour comprendre la nature des thèses de la théologie scolastique, il convient tout d'abord de rappeler que cette dernière est le produit du mélange de la métaphysique d'Aristote et de l'Écriture[1]. L'épître dédicatoire du *De Corpore* donne l'explication suivante de l'origine de cette synthèse : « Les premiers docteurs de l'Église après les apôtres [...], alors qu'ils s'efforçaient de défendre la foi chrétienne contre les Gentils à l'aide de la raison naturelle, commencèrent aussi à utiliser la philosophie, et à mêler aux décrets de l'Écriture sainte les sentences des philosophes païens. Et tout d'abord ils introduisirent quelques dogmes de Platon assez peu dangereux, mais ensuite également, tirés de la Physique et de la Métaphysique d'Aristote, de nombreuses thèses ineptes et fausses ; en introduisant les ennemis, ils trahirent la citadelle du christianisme. Depuis ce temps, à la place du culte de Dieu (θεοσεβείᾳ) nous avons une chose que la scolastique nomme la théologie (θεολογίαν), qui marche sur un pied fermement, qui est l'Écriture sainte, mais qu'entrave l'autre pied pourri, que l'apôtre Paul nomme une vaine philosophie et qu'il aurait pu appeler une philosophie pernicieuse. »[2] Alors qu'elle est supposée contribuer à la défense du christianisme, la philo-

1. « [...] cette métaphysique, qu'on mélange à l'Écriture pour en faire la théologie scolastique » (*Lév.*, XLVI, 15, p. 683). Les théologiens chrétiens ne sont pas les premiers à avoir mis en œuvre un tel mélange : les écoles judaïques avaient déjà pratiqué une synthèse analogue, dans la mesure où elles changèrent « l'enseignement de la loi en une sorte de philosophie fantastique relative à la nature incompréhensible de Dieu et des esprits, philosophie (que les Juifs) composèrent à partir de la vaine philosophie et de la vaine théologie des Grecs mélangée à leurs propres fantaisies, tirées tantôt des passages les plus obscurs de l'Écriture, et qui pouvaient le mieux être torturés pour servir leur dessein, tantôt des traditions fabuleuses de leurs ancêtres » (*Lév.*, XLVI, 12, p. 682).

2. *De Corpore, Epistola Dedicatoria.* Hobbes file la métaphore en comparant la théologie scolastique au spectre dont parle Aristophane, dans *Les Grenouilles* (v. 293 sq.), spectre qui avait une jambe de bronze et une jambe d'âne.

sophie païenne introduite dans l'Église à l'époque de la Patristique substitue au culte divin un discours sur l'être le plus élevé. Afin de pallier les conséquences néfastes de cette substitution, Hobbes précise qu'il importe de redéfinir la notion même de *philosophia prima* comme la science des définitions des termes les plus universels[1].

1. *La scolastique et l'absurdité métaphysique d'Aristote*

Ainsi définie[2], la philosophie première fournit un critère pour juger la définition que les théologiens scolastiques donnent de la métaphysique : « L'explication (c'est-à-dire l'établissement de la signification) de ces termes et d'autres termes semblables est communément appelée, dans les écoles, *métaphysique*, parce qu'elle fait partie de l'ouvrage philosophique d'Aristote qui porte ce titre, mais selon une acception différente ; en effet, dans l'œuvre d'Aristote, cette expression signifie simplement : *les livres rédigés, ou rangés, après sa philosophie naturelle*, alors que les écoles l'entendent au sens de *livres de philosophie surnaturelle*. En effet, le mot de *métaphysique* se prête à ces deux interprétations. Et, de fait, ce qui s'y trouve écrit est pour la plus grande partie si éloigné de toute possibilité d'être compris, si incompatible avec la raison naturelle, que quiconque pense que quoi que ce soit peut être compris par ce moyen doit nécessairement penser aussi que c'est une chose surnaturelle. »[3] Pour Hobbes, un double contresens résume à lui seul toute l'histoire de

1. « Il existe une certaine *philosophia prima*, dont toute autre philosophie devrait dépendre, et qui consiste principalement dans la délimitation correcte des appellations ou dénominations qui sont de toutes les plus universelles : ces délimitations servent à éviter l'ambiguïté et l'équivoque dans le raisonnement ; on les appelle communément définitions : telles sont les définitions du corps, du temps, du lieu, de la matière, de la forme, de l'essence, du sujet, de la substance, de l'accident, de la puissance, de l'acte, du fini, de l'infini, de la quantité, de la qualité, du mouvement, de l'action, de la passion, et de divers autres termes qui sont nécessaires quand on veut expliquer comment l'on conçoit la nature et la génération des corps » *(De Corpore, Epistola Dedicatoria)*.

2. Le but de cette philosophie première est de supprimer l'ambiguïté dans le métalangage de la science, afin de fournir un lexique univoque au philosophe et au savant. Malgré son anachronisme, l'emploi du terme « métalangage » se justifie, car les concepts de la *philosophia prima* se retrouvent dans les différentes sciences particulières, sans appartenir au lexique particulier d'aucune.

3. *Lév.*, XLVI, 14, p. 683.

la métaphysique[1]. Le premier contresens est d'avoir désigné la *philosophia prima* par le terme de métaphysique, alors que l'ouvrage d'Aristote connu sous ce nom n'est pas dans sa totalité un ouvrage de définition des termes les plus universels. La *Métaphysique* ne pourrait être considérée, selon Hobbes, comme un livre de philosophie première que si elle se bornait au livre Δ[2]. Le second glissement de sens tient à ce que les scolastiques ont délibérément confondu une dénomination taxinomique – sont dits métaphysiques les livres rédigés, ou rangés après les livres de physique – avec une désignation de contenu – est métaphysique la philosophie qui porte sur ce qui est au-delà de la nature. Alors que la notion de *philosophia prima* est univoque, celle de métaphysique est délibérément équivoque. Si les scolastiques sont bien responsables d'un contresens sur le titre de l'ouvrage d'Aristote, Aristote lui-même est toutefois responsable d'une erreur plus fondamentale encore. Pour comprendre le caractère équivoque de la théologie scolastique, il importe donc de remonter d'abord à cette erreur d'Aristote.

Pour être exact, il faudrait plutôt parler de l'absurdité d'Aristote que de son erreur, une absurdité désignant non pas « l'illusion, par laquelle on présume qu'une chose s'est passée ou doit arriver », mais le fait de proférer des propositions dépourvues de sens, c'est-à-dire « éloignée[s] de toute possibilité d'être compris[es] »[3]. L'erreur est toujours factuelle, et donc de peu de conséquence pour le philosophe, qui ne se soucie que de raisonner. L'absurdité, en revanche, concerne la possibilité même du discours, puisqu'elle réside dans l'absence du sens, et qu'il n'y a de sens que dans le discours[4].

1. Il ne peut pas y avoir, pour Hobbes, d'histoire de la philosophie, mais seulement une histoire des erreurs commises par les philosophes : la tâche de l'historien est alors de déterminer les causes de ces erreurs (l'invention des Écoles, par exemple). En outre, il y a encore moins de sens à parler d'une histoire de la métaphysique, puisque ce terme se réduit finalement à un double contresens, sur la nature de la *philosophia prima* d'une part et sur le sens qu'Aristote donne au mot « métaphysique », d'autre part.

2. Cependant, le titre même de ce livre, désigné par Aristote comme le *livre des acceptions multiples*, contredit déjà à lui seul le projet qui est celui de Hobbes, Aristote recherche la plurivocité, Hobbes s'efforce de penser l'univocité.

3. *Lév.*, V, 5, p. 39.

4. Le sens n'est pas défini rigoureusement par Hobbes, qui fournit pourtant des critères permettant de vérifier si un discours a du sens ou s'il n'en a pas : un discours a du sens quand il est possible de le faire comprendre réellement à autrui. En effet, « il ne peut pas y avoir de

L'absurdité fondamentale de la métaphysique d'Aristote tient à la doctrine absurde de l'existence des essences abstraites et des formes substantielles, qui affirme que des êtres de raison ou de parole (les formes ou les essences) peuvent exister absolument, sur un mode différent de celui des corps[1]. Une difficulté supplémentaire tient en l'occurrence au fait que le principe général qui définit une absurdité – « confondre les différents genres de dénominations » et « former des assertions en les mettant improprement en rapport »[2] –, ne s'applique pas à l'absurdité imputée ici à Aristote. Une position absurde d'existence ne relève pas en effet d'une confusion des différentes classes de dénominations[3]. On ne peut, en effet, rattacher le verbe « être » à aucune des quatre classes de dénominations répertoriées par Hobbes, car ce verbe n'est pas plus une dénomination de corps, d'accidents des corps ou de phantasmes qu'une dénomination de dénominations[4]. Paradoxalement, le verbe « être » constitue une classe à lui tout seul, car la classe de dénominations à laquelle il appartient se réduit en fait à une pure fonction logique : « D'autres [dénominations], enfin, servent à montrer la consécution ou l'incompatibilité qui peuvent exister entre deux dénominations. C'est ainsi que lorsqu'on dit qu'*un homme est un corps*, on veut dire que la dénomination de *corps* est nécessairement consécutive à celle d'*homme*, n'y ayant ici que différentes dénominations de la même chose : l'*homme*. Or, cette consécution s'exprime en accouplant les deux dénominations par l'intermédiaire du mot *est [is]*. Et de même que nous employons le verbe *est [is]*, les latins emploient leur verbe *est*, et les Grecs

compréhension des affirmations absurdes et fausses, au cas où elles seraient universelles, encore que beaucoup de gens pensent comprendre alors qu'ils ne font que répéter les mots à voix basse, ou se les repasser dans l'esprit » (*Lév.*, IV, 23, p. 35).

1. Il est surprenant que Hobbes attribue cette doctrine à Aristote et non pas à Platon. Cette attribution s'explique toutefois par le fait que ce qui est visé ici n'est pas tant la théorie des Idées que la théorie de la plurivocité de l'être. Dès lors que l'on admet que l'être peut se dire de multiples façons, il est en effet possible de soutenir l'existence séparée d'essences non corporelles.

2. *Lév.*, V, 9, p. 41.

3. Il est préférable de parler de classe plutôt que de genre, car cela prête moins à équivoque. En outre, Hobbes procède véritablement à un classement des dénominations, et non pas à leur définition.

4. La liste des absurdités qui peuvent procéder de la mise en relation indue de ces catégories est donnée en *Lév.*, V, 8-15, p. 41-42.

leur verbe ἔστι, dans toutes les formes de sa conjugaison. »[1] La thèse de Hobbes sur l'être est donc que ce terme n'a pas de signification, en tant qu'il ne désigne aucune réalité objectivable (corps ou dénomination), mais qu'il a seulement une fonction, à savoir, comme verbe, la fonction logique de copule[2], et, comme nom, la fonction de désigner la raison de telle ou telle dénomination. Or cette réduction de l'être à sa fonction logique est d'autant plus radicale que cette fonction peut être effectuée en l'absence du terme lui-même, car Hobbes se déclare certain que, quel que soit le résultat d'une enquête approfondie sur la présence ou l'absence du verbe « être » chez les différents peuples, « ils n'en ont pas besoin, car le fait de ranger deux dénominations à la suite l'une de l'autre pourrait, si c'était l'usage (car c'est l'usage qui donne leur force aux mots), servir à signifier leur consécution, aussi bien que les mots "est", "être", "sont", et leurs pareils »[3]. L'être, ou plus exactement ses différentes conjugaisons dans les différentes langues qui l'emploient, constitue donc une classe de dénominations, mais une classe paradoxale, puisqu'elle peut se réduire à une classe vide, l'ordre des termes propositionnels en l'absence du verbe « être » pouvant effectuer la même fonction que lui. L'emploi linguistique du terme « être » ne doit de remplir une fonction logique cardinale qu'à l'usage, qui ne vaut pas raison. L'hypothèse d'une langue ignorant ce verbe montre que sa disparition ne changerait pas fondamentalement les structures de la pensée logique : si le raisonnement dépend certes du langage, ce n'est pas en tant qu'il en exprimerait la structure[4], mais en tant que les mots sont les

1. *Lév.*, XLVI, 16, p. 684.

2. Y. C. Zarka montre comment sa théorie de la proposition permet à Hobbes de critiquer la doctrine des essences séparées, en tant que celle-ci résulte d'une confusion de l'ordre du discours et de l'ordre des choses : « Qu'on ne s'y trompe pas, l'essentiel de la critique hobbesienne consiste moins à dénoncer le fait qu'Aristote prendrait l'*être* pour un étant particulier, qu'à dénoncer le déplacement du statut logique du verbe *être* comme copule et de l'exigence linguistique des dénominations abstraites en statut ontologique, déplacement par lequel la notion d'*être* manifesterait quelque nature objective d'être qui rendrait possible une science "de l'être lui-même en tant qu'être" » (*La décision métaphysique de Hobbes*, *op. cit.*, p. 120).

3. *Lév.*, XLVI, 16, p. 684.

4. Dans le débat sur la signification des catégories d'Aristote, Hobbes ne se serait pas rangé aux côtés de Trendelenburg et de Benveniste, qui voyaient dans la table des catégories le reflet des structures de la grammaire grecque. Pour le philosophe anglais, la pensée n'est pas déterminée par les structures de la langue.

éléments qui entrent dans la *computatio* qu'est la pensée. Le résultat de cette première analyse est donc que le verbe « être », et *a fortiori* ses dérivés (par déclinaison ou substantivation), comme les termes « entité », « essence », « essentiel » et « essentialité », « ne sont pas [...] des dénominations de choses, mais des signes par lesquels nous faisons connaître que nous connaissons la consécution qui unit quelque dénomination ou quelque attribut à quelque autre »[1]. Autrement dit, ces termes relèvent d'une logique des propositions.

Comme il n'accepte pas qu'Aristote puisse faire du terme « être » un terme à signification multiple, Hobbes n'a de cesse de réduire la plurivocité supposée de ce terme à l'univocité de sa fonction logique. Pour cela, il lui faut critiquer les quatre sens généraux qu'Aristote confère à l'être dans le livre E de sa *Métaphysique*, à savoir l'être par accident, l'être par essence que désignent les catégories, l'être selon le vrai et l'être selon l'acte et la puissance.

Dans la mesure où l'acte et la puissance ne sont pour lui que des dénominations générales, dont le sens se comprend entièrement à partir des notions de cause et d'effet, Hobbes n'a pas de mal à montrer que ces concepts ne renvoient qu'indirectement à la notion d'être : « À la cause et à l'effet correspondent la puissance et l'acte. En effet, ceux-là et ceux-ci sont la même chose, bien que la diversité des points de vue fait qu'on les nomme différemment. »[2] Dans cette interprétation du vocabulaire d'Aristote, les termes « puissance » et « acte » perdent leur signification ontologique pour ne plus désigner que différents points de vue *(consideratio)* sur la causalité. De fait, Hobbes affirme que, « pour "ens" et "esse" », il utilisera « chaque fois "corps" et "acte" »[3].

La réduction de la signification de l'être comme essence et comme accident n'est pas aussi facile. Le terme *esse* possède, d'une part, une fonction de copule, comme nous l'avons déjà vu, et d'autre part, une fonction de désignation des accidents. Aussi n'est-ce pas l'être *(esse)* qui est ontologiquement premier, mais l'étant *(ens)* singulier, qui se définit

1. *Lév.*, XLVI, 16, p. 685.
2. *De Corpore*, X, 1, p. 113.
3. *Critique du De Mundo*, XXVII, 1, p. 314.

comme « tout ce qui occupe un espace, ou qui peut être mesuré selon la longueur, la largeur et la profondeur »[1], c'est-à-dire comme corps *(corpus)*. Il ne faut donc pas penser l'étant comme une détermination de l'être, à la façon dont Aristote pense la substance première comme une détermination de l'être en tant qu'être[2], mais par rapport à l'occupation d'un espace selon des dimensions. De plus, si le terme « étant » ne signifie rien d'autre que le terme « corps »[3], le terme « être » ne signifie rien d'autre qu'un mode de désignation des accidents des corps ; outre sa fonction verbale de copule, « être » participe à la formation des noms à l'aide desquels sont formulés les accidents des corps. L'accident se définissant comme « une façon de concevoir un corps »[4], l'être devra être défini comme la dénomination par laquelle nous désignons nos conceptions des corps : « Mais, bien qu'en effet les grammairiens nomment *ens* un nom et *esse* un verbe, cependant, étant donné la façon dont on en fait un sujet ou un prédicat de la proposition, *esse* est en fait un nom. Par exemple, dans cette proposition : "Être un homme c'est être un animal", *esse*, à la fois dans "être un homme" et dans "être un animal", est un nom. »[5] La compréhension de la proposition suppose une explicitation de ses composants à l'aide du terme « être », car ce terme sert à nommer la façon dont tel corps est perçu. « Être assis » désigne ainsi un mode de perception du corps de Socrate, mode de perception qui constitue à proprement parler un accident : « Le résultat est que *esse* n'est rien d'autre qu'un accident d'un corps par lequel on détermine et indique le mode selon lequel il est perçu. Ainsi, *être mû*, *être au repos*, *être blanc* et ainsi de suite sont appelés les *accidents* de corps, et nous croyons qu'ils sont présents dans les corps, parce qu'ils constituent différentes manières de les percevoir. [...]. Ainsi *esse* est-il la même chose qu'*accident*. »[6] Puisque tous les accidents des corps sont susceptibles d'être exprimés à

1. *Ibid.*, p. 312.
2. *Métaphysique*, Z, 1, 1028 *a* 10.
3. « Cette définition fait apparaître que *ens* et *corpus* sont la même chose, car une même définition est universellement acceptée pour *corps* ; c'est pourquoi nous désignerons toujours l'*ens* en question comme *corps* » (*Critique du De Mundo*, XXVII, 1, p. 312).
4. « Accidens esse concipiendi corporis modum » (*De Corpore*, VIII, 2, p. 92).
5. *Critique du De Mundo*, XXVII, 1, p. 312-313.
6. *Ibid.*, p. 313.

l'aide du mot « être », celui-ci est la condition de formulation d'un discours explicite sur les corps. Si l'on peut certes exprimer les accidents d'un corps à l'aide d'un verbe à l'infinitif, ce verbe lui-même est toujours exprimable à l'aide du terme « être ». Le verbe « vivre » peut ainsi être reformulé sous la forme, « être une créature vivante », et le substantif « vie » a le même sens que « vivre », car l'expression « se bien porter est la vie » peut être reformulée en, « se bien porter, c'est vivre ». Le verbe « être » *(esse)* possède, par conséquent, une fonction dans l'analyse philosophique du langage, puisqu'il permet de déterminer si un terme désigne un corps ou un accident[1]. Que le verbe « être », lorsqu'il sert à désigner le corps en lui-même, reçoive le nom d' « essence », ne doit donc pas nous surprendre, car Hobbes redéfinit le terme aristotélicien d' « essence » dans un cadre non aristotélicien. En tant que manière spécifique de parler des corps, ce terme n'atteste en rien la plurivocité du mot « être ». La reprise par Hobbes du mot « essence » s'accorde au contraire parfaitement avec l'utilisation univoque du mot « être » pour désigner les accidents, c'est-à-dire pour formuler notre point de vue sur les corps. Puisque considérer un corps en lui-même revient encore à adopter un point de vue sur lui et qu'un tel point de vue est précisément ce que Hobbes nomme un accident, force est de considérer l'essence comme un accident.

La critique hobbesienne de la métaphysique d'Aristote peut, de fait, se comprendre comme une réduction de la plurivocité de l'être au dualisme de l'être et de l'étant[2]. Cette réduction, que Hobbes croit percevoir chez Platon lorsque celui-ci distingue τὸ ὄν et τὸ εἶναι[3], mais aussi

1. « En effet, une grande partie de la philosophie consiste à distinguer, lorsqu'un nom a été proposé, s'il inclut virtuellement ou non le nom *esse* ; car cela revient à distinguer si la chose signifiée par ce nom est un corps ou un accident. Par exemple, celui qui détermine si le terme *(vox)* "lumière" contient en lui le terme *esse* détermine si "lumière" est un corps ou un accident » (*Critique du De Mundo*, XXVII, 1, p. 313-314).

2. Dans une étude lexicographique du vocabulaire de l'être, M. Pécharman a montré que Hobbes substitue à la plurivocité de l'être la double univocité de *ens* et de *esse*. Voir M. Pécharman, « Le vocabulaire de l'être dans la philosophie première : *ens, esse, essentia* », in *Hobbes et son vocabulaire, op. cit.*, p. 35-44.

3. *Critique du De Mundo*, XXVII, 1, p. 314. Hobbes fait peut-être référence au *Sophiste*. L'interprétation hobbesienne de Platon ne peut se comprendre que si l'on tient compte de l'influence très forte du stoïcisme dans la lecture de l'œuvre platonicienne

chez certains interprètes d'Aristote[1], conduit toutefois à inverser la position platonicienne. Ce que Hobbes a bien compris chez Platon, c'est le fait que celui-ci pense l'être comme soumis à l'ordre du discours, mais ce qu'il n'a pas compris, c'est la signification ontologique que Platon confère à cet être du discours. Feignant du moins de l'ignorer dans un but polémique, il opère une réduction radicale de l'ontologie à la logique, réduction qui implique un changement de sens fondamental du terme « être ». L'être n'est pas pour Hobbes l'horizon de la pensée, la référence ultime de tout discours, mais un outil indispensable à l'analyse philosophique du langage. L'être n'est pas un terme à la polysémie essentielle, mais le concept qui permet d'éviter la multiplication et la confusion du sens des mots. Ainsi le mal est-il devenu remède.

2. *La critique de l' « analogia entis »*

Ce détour par la pensée aristotélicienne de l'être est décisif pour comprendre la critique que Hobbes adresse à la théologie scolastique, car cette dernière est considérée par lui comme une fidèle héritière de la philosophie d'Aristote. De la plurivocité de l'être à l'analogie de l'être, il y a certes toute la distance de la métaphysique antique à la théologie chrétienne, mais, de cette distance qui retient l'attention de l'historien de la philosophie[2], Hobbes se soucie moins que de la continuité qu'il perçoit entre un thème métaphysique et une thèse théolo-

aux XVIe et XVIIe siècles. Juste Lipse, que Hobbes avait dû lire, présente dans sa *Physiologia stoicorum* une interprétation de Platon qui ressemble fort à la thèse dualiste des Stoïciens. Mais cette interprétation dépend elle-même de la lecture néo-platonicienne qu'Apulée avait faite de *Timée*, 52-54, dans *Platone et eius dogmate*, I, 6. On trouve des indications intéressantes concernant cette lecture néo-stoïcienne de Platon dans J. L. Saunders, *Justus Lipsius. The Philosophy of Renaissance Stoicism*, New York, The Liberal Art Press, 1955, p. 124.

1. « Et cette division des choses est la même que celle qui est *attribuée à Aristote* dans ces courts vers : *Le grand Aristote a divisé en deux, afin de percer les fins des choses, tout ce qui fait partie du monde*, [à savoir] qu'il distingue τὸ ὂν et τὸ εἶναι » (*Critique du De Mundo*, XXXIV, 2, p. 381 ; nous mettons en italiques). Voir également, *Critique du De Mundo*, XXXV, 1, p. 387-388.

2. P. Aubenque a montré que le sens scolastique de l'analogie n'avait pas d'équivalent chez Aristote. Hobbes ne semble pas s'en rendre compte. Voir P. Aubenque, *Le problème de l'être chez Aristote*, *op. cit.*, p. 198-206.

gique. C'est aussi la raison pour laquelle il accorde une très grande importance à la thèse de l'analogie de l'être, car il la rend responsable du fourvoiement scolastique de la théologie chrétienne. L'analogie de l'être se définit par le fait que les substances individuelles participent toutes de l'unité de l'être, alors même que cette unité n'est pas celle d'un genre[1], mais celle d'une multiplicité. Cette thèse se caractérise par le fait qu'elle pose à la fois une transcendance radicale de l'être le plus élevé et une immanence de l'être aux étants, qui se définissent par leur essence. Cette séparation entre l'être *(esse)* et l'essence *(essentia)* est étrangère, nous venons de le voir, à la pensée de Hobbes : l'essence n'étant rien d'autre que l'une des formulations de l'être, à savoir l'être en tant qu'il dit le corps, elle ne saurait appartenir, comme le veut Thomas d'Aquin, à un ordre différent de celui de l'être. Comme l'être est pour Hobbes le mode de l'énonciation philosophique des étants *(entia)*, il ne peut plus servir à penser le rapport de Dieu, l'acte pur d'exister selon saint Thomas, aux étants créés et aux essences.

Significativement, c'est à propos de la puissance de Dieu que Hobbes, discutant un argument de White, introduit le terme d'« analogie » : « Il est vrai que c'est seulement par analogie *(per analogiam)* ou par une équivoque délibérée *(aequivocatio ex consilio)* que l'on dit que Dieu est en puissance d'effectuer un acte extérieur à lui, et il est vrai aussi que la puissance de Dieu n'est pas comprise dans le sens habituel de puissance, à savoir que lorsque nous appliquons ce terme à Dieu nous ne comprenons ni ne concevons rien, car Dieu lui-même étant incompréhensible, tout ce qui appartient à sa nature est incompréhensible également. Nous lui attribuons cependant ce terme de façon équivoque *(aequivoce)*, parce que nous le tenons pour honorable, et qu'il n'est pas dans notre intention de philosopher sur Dieu, mais seulement de l'honorer. Aussi une telle locution est-elle qualifiée à juste titre d'équivoque délibérée, en tant qu'elle correspond à l'intention d'honorer Dieu (en effet, si, en philosophie, quelqu'un faisait délibérément usage d'une équivoque *(aequivocatione)*, nulle raison ne pourrait être donnée d'une telle intention, si ce n'est peut-être celle de paraître

1. Voir Thomas d'Aquin, *Somme théologique*, I, qu. 3, art. 5.

savoir ce que l'on ignore). »[1] Hobbes procède ici à une interprétation de l'analogie, qui est en rupture totale avec l'usage scolastique inauguré par saint Thomas : alors que Thomas White reprend l'acception thomiste, afin de développer un discours sur la nature de Dieu, Hobbes réduit l'analogie à l'équivocité nominale. Cette identification de l'analogie et de l'équivocité n'est certes pas absolument nouvelle, puisqu'on en trouve une première formulation sous la plume de Suarez[2]. Toutefois, à la différence de Suarez, Hobbes ne comprend pas l'analogie comme une analogie de l'être en tant que tel, ou ici, de la puissance en tant que telle, mais comme une équivocité relative aux modes de compréhension de l'être ou de la puissance. Ce qui disparaît, dans une telle interprétation, c'est l'équivocité réelle, en tant que distribution analogique de l'être, présent aussi bien dans les étants singuliers que dans la cause première. Conformément à l'étymologie, l'équivoque n'est pour Hobbes que dans les mots, et plus précisément, dans le jeu entre les différentes modalités du discours : si le terme « puissance » sert, chez l'homme, à désigner une réalité particulière, il est appliqué à Dieu selon des modalités différentes. Aussi, pour l'essentiel, l'analogie est-elle perdue[3].

Pour comprendre la raison de cette perte, qui relève moins, en l'occurrence, d'un oubli métaphysique que d'une critique politique, il importe de revenir à Thomas d'Aquin, et plus précisément au lien qu'il établit entre la question de l'analogie de l'être et la question de l'existence des essences séparées. Ce que Hobbes nomme, pour en contester l'existence, *separated essence*[4] ou *essentiis* et *formis substantialibus separatis*[5], traduit la *substantia separata* de Thomas d'Aquin, qui est aussi une substance sans matière[6]. Saint Thomas, qui de son propre aveu

1. *Critique du De Mundo*, XXXIV, 7, p. 384.
2. Suarez, *Disputationes metaphysicae*, XXVIII, s. 3, n. 1.
3. À propos d'une autre analogie perdue et pour une situation dans le contexte de la scolastique tardive de la question de l'analogie, voir J.-L. Marion, *Sur la théologie blanche de Descartes*, *op. cit.*, p. 70-110.
4. *Lev.*, XLVI, 19, p. 692.
5. *Lev.*, XLVI, 18, *OL III*, p. 499.
6. Les « philosophes, qui qualifient ces substances de séparées, [...] prouvent qu'elles sont dénuées de toute matière » (Thomas d'Aquin, *L'être et l'essence*, texte, trad. et notes par C. Capelle, Paris, Vrin, 1985, p. 50).

n'est pas l'auteur de cette doctrine, est toutefois le premier à la conjuguer avec une théorie de l'analogie. Puisque l'exister ne réside pas dans le fait de posséder des dimensions spatiales, à savoir dans le fait d'être un corps[1], mais dans le fait de participer à l'acte d'exister, rien ne s'oppose à ce que des substances non corporelles puissent exister. Le lien entre les doctrines des essences séparées et de l'analogie apparaît clairement dans la preuve que saint Thomas donne de l'immatérialité des substances séparées : « Il est facile de voir qu'il en est ainsi. En effet, chaque fois que des choses se réfèrent l'une à l'autre en sorte que l'une soit cause de l'autre, ce qui a valeur de cause *(quod habet rationem causae)* peut exister sans l'autre, mais non inversement. Or, telle est la relation de la matière et de la forme que la forme donne l'être à la matière, et c'est pourquoi il est impossible qu'il y ait matière sans forme, mais non qu'il y ait une forme sans matière. *La forme, en effet, en tant que forme n'est pas dépendante de la matière ; mais s'il se trouve des formes qui ne peuvent exister sans être incarnées dans la matière, c'est là une conséquence de la distance où elles sont du premier principe qui est acte premier et pur. De là suit que les formes les plus proches du premier principe sont des formes subsistantes par elles-mêmes sans matière.* La forme, en effet, n'a pas besoin de la matière selon tout son genre, comme il a été dit ; et de telles formes sont des intelligences. C'est pourquoi il n'est pas nécessaire que les essences ou quiddités de ces substances soient autre chose que la forme elle-même. »[2] L'analogie est interprétée dans ce texte de façon purement causale : mais de quel type d'analogie s'agit-il ? Il ne peut s'agir de l'analogie de proportion, qui exprime l'égalité mathématique de

1. Saint Thomas définit le corps de deux façons, en jouant là encore de l'équivocité : « Ce terme "corps" peut donc être pris en plusieurs sens. [...]. Ce terme "corps" peut donc signifier une chose qui a une forme impliquant la détermination des trois dimensions, mais de telle sorte que de cette forme, nulle perfection ultérieure ne dérive ; si quelque chose d'autre lui est surajouté, ce sera alors en dehors de la signification du mot "corps" ainsi entendu. De cette manière, le corps sera la partie intégrante et matérielle de l'animal [...]. Ce terme "corps" peut avoir encore une autre acception : il signifiera alors une chose possédant une forme de laquelle peuvent procéder trois dimensions quelle que soit cette forme, qu'une perfection ultérieure puisse en dériver ou non ; dans ce sens, le corps sera le genre de l'animal parce que l'animal ne comprend rien qui ne soit implicitement contenu dans le corps » (Thomas d'Aquin, *L'être et l'essence*, III, *op. cit.*, p. 28).

2. *L'être et l'essence*, V, *op. cit.*, p. 54 ; nous mettons en italiques.

deux rapports, car une telle analogie ne peut convenir à une relation causale reposant sur la disproportion infinie de la cause (Dieu) et de l'effet (créature)[1]. En revanche, il est possible de penser cette relation causale sur le mode d'une analogie conçue comme le rapport de plusieurs termes à un seul, à condition toutefois de penser ce terme comme intérieur à la série elle-même (analogie d'attribution *ad unum ipsorum*). Or la série des causes et des effets renvoie chaque terme à sa cause première, mais aussi chaque substance à sa place, en fonction d'une hiérarchie ontologique, qui est fonction de la distance qui sépare chaque substance de la *causa prima*. Dans une telle conception de l'analogie, la matérialité des substances corporelles peut être interprétée comme le signe de l'éloignement de ces dernières par rapport à Dieu *(sunt distantes a primo principio)*, alors que l'immatérialité des substances spirituelles est l'indice de leur proximité par rapport au premier principe *(sunt propinquissimae primo principio)*. L'analogie ainsi conçue permet non seulement de penser le rapport à Dieu des créatures en général, mais encore de justifier l'existence non matérielle de certaines substances. En outre, comme ces substances sont exemptes de matérialité, et que l'essence des substances corporelles réside dans l'union d'une forme et d'une matière, l'essence des substances non matérielles (ou séparées) résidera uniquement dans leur forme. En raison de la nature de cette analogie de proportionnalité, Thomas d'Aquin peut conclure qu' « il n'est pas nécessaire que les essences ou quiddités de ces substances soient autre chose que la forme elle-même ». On comprend dès lors pourquoi Hobbes a pu vouloir réduire le terme *esse* à l'univocité d'un nom : il lui fallait critiquer les conséquences ontologiques de la doctrine des essences séparées, à travers la thèse de l'analogie qui en constitue le fondement théorique. La distinction radicale entre *ens* et *esse*, et la redéfinition matérialiste, ou plutôt corporaliste, du terme *ens*

1. La critique de l'analogie de proportion proposée par saint Thomas, dans le *De veritate*, correspondrait, selon J.-L. Marion, à une analyse purement épistémologique de la notion, alors que la justification théologique proposée dans la *Summa theologiae* et le *Contra gentes*, montrerait qu'il existe une proportion non mathématique de la créature à Dieu, « en tant qu'elle s'y rapporte comme l'effet à la cause, comme la puissance à l'acte » (*Sur la théologie blanche de Descartes*, *op. cit.*, p. 88).

sont les remèdes choisis par Hobbes pour lutter contre les effets pervers de l'analogie des scolastiques.

Il convient toutefois de préciser que ces effets sont de nature politique et non pas ontologique : « Mais à quelle fin, dira-t-on peut-être, de telles subtilités interviennent-elles dans un ouvrage comme celui-ci, où mon propos se borne à ce qui est nécessaire à la doctrine du gouvernement et de l'obéissance ? Elles interviennent à cette fin que les hommes ne se laissent plus abuser par ceux qui voudraient, au moyen de cette doctrine des *essences séparées* construite sur la vaine philosophie d'Aristote, les écarter, par la peur de mots vides, de l'obéissance aux lois de leurs pays, comme on écarte les corbeaux du blé par la peur d'un doublet vide, d'un chapeau et d'un bâton tordu. »[1] En un raccourci saisissant, Hobbes établit la signification politique de cette question métaphysique majeure qu'est la question de l'analogie de l'être. Élaborée par les théologiens de façon extrêmement subtile, cette question possède en effet une signification politique fort concrète : suivant que les êtres soumis à un pouvoir politique sont définis par leur corps ou par leur essence séparée, le pouvoir politique s'exerce sur eux en fonction du principe de souveraineté ou en fonction d'un principe spirituel de supra-souveraineté. Parce que la séparation réelle des essences fournit un fondement théorique à la séparation de l'âme et du corps, elle permet de séparer pouvoir sur les âmes et pouvoir sur les corps. Ainsi le principe théorique de la subordination du pouvoir temporel au pouvoir spirituel réside-t-il dans une mésinterprétation de la théorie de l'être. De cette thèse, Hobbes donne une démonstration rigoureuse dans sa critique de la théorie, développée par le cardinal Bellarmin dans son *De summo Pontifice*, du pouvoir indirect des papes[2] : « Là où il est dit que le pape n'a pas (dans les territoires des autres cités) le pouvoir civil suprême *directement*, on doit comprendre qu'il ne le revendique pas, comme font les autres souverains civils, en vertu de l'acte par lequel

1. *Lév.*, XLVI, 18, p. 685 ; traduction modifiée.

2. Le *De summo Pontifice* constitue la « troisième controverse générale, en cinq livres », qui se trouve dans le tome premier de l'ouvrage de Bellarmin, *De Controversiis Christianae Fidei, adversus hujus temporis haereticos (Controverses de la foi chrétienne, contre les hérétiques de ce temps)*. Ces controverses furent publiées par Bellarmin entre 1586 et 1593.

ceux qui doivent être gouvernés se sont à l'origine soumis à ce pouvoir. [...]. Il ne cesse pas, pour autant, d'y prétendre par une autre voie, à savoir (sans le consentement de ceux qui doivent être gouvernés) par un droit qu'il aurait reçu de Dieu (c'est cette voie qu'il [*i.e.*, Bellarmin] appelle *indirecte*) en étant élevé à la papauté. »[1] La distinction entre un droit fondé sur le consentement des sujets et un droit conféré par Dieu maintient intacte la prétention de la papauté à exercer un pouvoir effectif sur les chrétiens, quel que soit le royaume auquel ils appartiennent. Cette prétention repose sur l'idée qu'il existe une distinction réelle entre l'âme et le corps, et que le pouvoir exercé sur les âmes est d'un ordre supérieur au pouvoir exercé sur les corps. La distinction entre le pouvoir temporel et le pouvoir spirituel procède donc bien de la distinction métaphysique de l'âme, considérée comme une essence séparée, et du corps, considéré comme une substance corruptible. De fait, cette distinction permet au pape de revendiquer un pouvoir éminent sur l'âme des chrétiens, tout en reconnaissant aux autres souverains un pouvoir subordonné sur le corps de leurs sujets. Ainsi doté du « pouvoir exclusif de juger » si une chose convient ou non « au salut des âmes », le souverain pontife peut « déposer les princes et les États aussi souvent qu'il le faudra pour le salut des âmes, c'est-à-dire aussi souvent qu'il le voudra »[2]. Le droit de déposer les princes infidèles, conséquence de l'attribution aux papes d'un pouvoir indirect, s'est exprimé sous la forme de décisions qui ont eu une incidence majeure dans l'histoire politique de la Chrétienté. Hobbes rappelle à ce propos la déposition de Chilpéric, roi des Francs, le transfert à Charlemagne de l'Empire romain et, plus récemment, l'excommunication d'Henri de Navarre par le pape Sixte-Quint en 1585[3]. La critique de la distinction entre pouvoir temporel et pouvoir spirituel procède ainsi directement de la critique de la métaphysique des essences séparées.

L'argument principal utilisé par Hobbes pour réfuter l'existence d'un double pouvoir consiste à dire que « gouvernement *temporel* et

1. *Lév.*, XLII, 13 paragraphes à partir de la fin, p. 595.
2. *Ibid.*
3. *Ibid.*

gouvernement *spirituel* » sont « deux mots qu'on a introduits dans le monde afin que les hommes voient double et se méprennent sur leur *souverain légitime* »[1]. Cette méprise qui avantage manifestement le pouvoir des papes repose toutefois sur une erreur préalable, qui consiste à considérer que « *l'Église présente, qui milite maintenant sur la terre, est le royaume de Dieu* (c'est-à-dire le royaume de gloire, la terre de la promesse, et non le royaume de grâce, qui n'est que la promesse de la terre) »[2]. Pour qu'il ne s'agisse pas là d'une erreur mais d'une vérité, il faudrait que les hommes sur lesquels s'exerce le pouvoir spirituel soient dès cette vie des corps spirituels et éternels. Or c'est là chose impossible, car les fidèles ne seront dotés d'un corps spirituel éternel qu'après la résurrection des corps. Ici-bas les corps des fidèles étant « grossiers et corruptibles »[3], il faut conclure qu' « il n'y pas d'autre gouvernement en cette vie, ni de l'État, ni de la religion, qui ne soient temporels »[4].

Le caractère temporel de la puissance publique est ici clairement mis en relation avec la corruptibilité du corps humain. À l'inverse, en faisant de l'immortalité de l'âme une dimension fondamentale de l'existence humaine, la thèse de l'existence des essences séparées apporte une caution métaphysique à la revendication papale d'un pouvoir spirituel autonome en ce monde. S'il existe en cette vie des êtres spirituels séparés, les papes sont en effet fondés à revendiquer un gouvernement de nature proprement spirituelle. De même que les princes exercent leur pouvoir sur des corps corruptibles, de même le pape exercerait son pouvoir sur des âmes incorruptibles. Le dédoublement des structures de pouvoir, en une structure temporelle et en une structure spirituelle, correspondrait alors au dualisme de la nature humaine, partagée entre une partie incorruptible et une partie corruptible.

Ce dédoublement est toutefois invalidé, d'une part, comme nous l'avons vu, par la critique métaphysique de la doctrine des essences séparées, et d'autre part, comme nous allons le voir maintenant, par l'interprétation que Hobbes propose des textes scripturaires relatifs à

1. *Lév.*, XXXIX, 5, p. 493.
2. *Lév.*, XLVII, 2, p. 701.
3. *Lév.*, XXXIX, 5, p. 493.
4. *Ibid.*

l'immortalité de l'âme. L'erreur métaphysique qui consiste à poser des essences éternelles immatérielles est en effet aggravée par l'erreur herméneutique qui consiste à chercher dans les Écritures une doctrine de l'immortalité de l'âme qui ne s'y trouve pas. Comme la doctrine des essences séparées, la doctrine de l'immortalité de l'homme possède une signification politique majeure : « La conservation de la société civile dépendant de la justice, et la justice du droit de vie et de mort, ainsi que du droit d'administrer d'autres récompenses et châtiments de moindre importance, droits détenus par ceux qui possèdent la souveraineté dans la République, il est impossible qu'une République subsiste là où quelque autre que le souverain a le pouvoir de conférer des récompenses plus grandes que la vie et d'infliger des châtiments plus grands que la mort. »[1] Deux éléments ressortent de ce texte avec une particulière netteté, à savoir tout d'abord que la théorie de la justice ne peut se comprendre pleinement qu'à partir de l'existence d'un droit sur la vie des citoyens, et, ensuite, que la détermination de ce droit politique dépend, dans les républiques chrétiennes, du statut que les Écritures confèrent à la vie humaine. De toute évidence, si les hommes disposaient dès cette vie d'une immortalité réelle, que ce fût celle de leur corps ou celle de leur âme, l'ordre des peines instituées par le souverain serait de bien peu d'effet sur leur conduite. Leur immortalité serait le meilleur garant de leur impunité et leur obéissance irait, sans nulle hésitation, à celui qui dispose du « pouvoir de conférer des récompenses plus grandes que la vie et d'infliger des châtiments plus grands que la mort »[2]. Si la mortalité avérée des corps diminue à n'en pas douter la confiance en un tel pouvoir, l'hypothèse d'une immortalité de l'âme lui redonne une légitimité. Il suffit de conférer à cette croyance un minimum de fondement pour qu'aussitôt resurgisse la possibilité d'une mise en cause théologique du pouvoir souverain par la constitution d'un contre-pouvoir ecclésiastique. L'interprétation des passages de l'Écriture relatifs à l'immortalité de l'âme sont donc d'une importance capitale : ils peuvent soit confirmer la théorie de la souveraineté, dont

1. *Lév.*, XXXVIII, 1, p. 472.
2. *Lév.*, XXXVIII, 1, p. 472.

on a vu qu'elle reposait sur l'affirmation de la corruptibilité des corps, soit l'infirmer, en accréditant l'existence de réalités spirituelles susceptibles de ressortir dès cette vie à un gouvernement spirituel.

L'interprétation que Hobbes propose de la doctrine chrétienne de l'immortalité peut sembler paradoxale, car elle suppose l'affirmation de la mortalité naturelle de l'homme. Elle appartient de fait à un courant de pensée que l'on qualifie de mortaliste et qui possède des origines très lointaines, puisqu'on en trouve une formulation complète dans l'*Adversus nationes* d'Arnobe de Sicca, apologiste chrétien du IIIe siècle[1]. À ce courant de pensée, Hobbes emprunte la thèse selon laquelle l'homme meurt corps et âme avant la résurrection et le jugement dernier. De cette thèse, il trouve la confirmation scripturaire dans les lamentations de Job : « Tout le chapitre XIV de Job, qui rapporte un discours, non de ses amis, mais de Job lui-même, est une plainte suscitée par cette mortalité naturelle, plainte qui cependant ne nie aucunement l'immortalité d'après la résurrection. »[2] Une deuxième thèse, qui suit immédiatement l'affirmation de la mortalité naturelle des hommes, consiste à affirmer l'immortalité des élus, en précisant toutefois que cette immortalité ne prendra effet qu'après la résurrection. Cette distinction temporelle est décisive, car elle permet de distinguer, selon l'ordre de l'avant et de l'après, le gouvernement qui s'exerce sur les hommes mortels et le gouvernement qui s'exerce sur les hommes immortels. Ainsi, puisqu'avant la résurrection tous les hommes sont naturellement mortels, nul ne peut prétendre exercer sur eux un pouvoir spirituel qui soit indépendant du pouvoir souverain. Que certains soient déjà dans le royaume de la grâce, en raison de leur conversion au Christ, ne modifie pas sur ce point les termes du problème, car si « le chrétien fidèle a regagné la vie éternelle par la passion du Christ », il n'en demeure pas moins qu' « il meurt de la mort naturelle et reste

1. Voir F. Lessay, « Mortalisme chrétien : l'étrange rencontre entre Hobbes et Milton », *Bulletin de la société d'études anglo-américaines des XVIIe et XVIIIe siècles*, 32 (1991), et Id., Introduction à *Réponse à La capture de Léviathan*, in *Liberté et nécessité*, p. 143-145. Voir également notre article, « Obéissance politique et mortalité humaine selon Hobbes », *loc. cit.*, p. 283-305.

2. *Lév.*, XXXVIII, 4, p. 477.

mort pour un temps, à savoir jusqu'à la Résurrection »[1]. L'immortalité de l'homme ne procède donc pas de l' « essence de la nature du genre humain, mais de la volonté de Dieu, qui s'est plu, de façon purement gracieuse, à conférer la vie éternelle aux fidèles »[2].

Cette affirmation trouve sa confirmation dans les passages de l'Écriture qui montrent que l'histoire du salut peut se lire comme l'histoire de l'immortalité, perdue en Adam à la suite du péché originel, retrouvée dans le Christ, « qui a satisfait pour les péchés de ceux qui croient en lui »[3]. Dans la lecture qu'il fait de l'épisode du jardin d'Éden, Hobbes souligne en effet qu'Adam ne jouissait pas avant la faute d'une immortalité naturelle, mais d'une immortalité soumise à la promesse. Il put accéder librement à l'arbre de vie « aussi longtemps qu'il s'abstint de manger du fruit de la connaissance du Bien et du Mal, chose qui ne lui était pas permise »[4]. Conformément à l'Épître aux Romains, Hobbes considère le péché d'Adam comme la cause de l'introduction de la mortalité dans le monde humain et la passion du Christ comme la condition de la restitution de l'immortalité : le Christ « a regagné pour tous les croyants cette vie éternelle qui avait été perdue par le péché d'Adam »[5]. Néanmoins, la vie éternelle que le Christ a restituée ne prendra effet que lors de son retour. Ainsi relue, l'histoire du salut exclut absolument la possibilité de conférer au pape un pouvoir autonome sur les âmes immortelles, car si certains appartiennent d'emblée au royaume de la grâce, il n'en demeure pas moins qu'ils sont mortels et que leur mortalité les soumet au seul pouvoir qui vaut sur terre, à savoir le pouvoir de leur souverain temporel.

Confirmée par l'interprétation des Écritures, la mortalité naturelle des hommes ne fait pas seulement sens à l'intérieur de l'herméneutique biblique, mais également dans la perspective de la théologie de la toute-puissance divine. Dans l'une de ses réponses à Bramhall, Hobbes déclare en effet qu'à la fin des temps, de par sa toute-puissance, « Dieu

1. *Lév.*, XXXVIII, 3, p. 475.
2. *Lév.*, XXXVIII, 4, p. 477.
3. *Lév.*, XXXVIII, 2, p. 473.
4. *Ibid.*, p. 472.
5. *Ibid.*, p. 473.

a ou aura tué tous les hommes du monde, tant coupables qu'innocents »[1]. L'amnésie de Bramhall, qui refuse de penser les conséquences politiques de la mortalité naturelle des hommes et qui s'en tient à une métaphysique de l'âme immortelle, est de fait constitutive de la plupart des grandes théologies chrétiennes. En rappelant aux chrétiens que la révélation n'a pas la puissance d'annuler leur mortalité naturelle, et qu'ils meurent aussi de par la volonté de Dieu, Hobbes conduit la théologie de la toute-puissance à la limite extrême de ses possibilités, au point où elle ouvre la voie à une pensée radicale des conséquences politiques de la finitude humaine.

1. *Questions*, XIV, p. 199. Il convient sur ce point de souligner l'ironie de cette formulation qui est la traduction quasi littérale d'une citation de saint Thomas d'Aquin : « Tous les hommes, tant coupables qu'innocents *(tam nocentes quam innocentes)*, meurent de mort naturelle. Cette mort est imposée par la puissance divine *(divina potestate)*, comme châtiment du péché originel, selon ce verset du Ier livre des Rois : "C'est Dieu qui donne la mort." C'est pourquoi la mort peut être infligée par un ordre divin, sans aucune injustice, à n'importe quel homme, fût-il coupable ou innocent *(vel nocenti, vel innocenti)* » (*Somme théologique*, 1*a*-2*ae*, qu. 94, art. 5, trad. fr. M.-J. Laversin, Paris, Desclée & Cie, 1995, p. 127-128).

CONCLUSION

Hobbes et la sécularisation de la toute-puissance

L'interprétation de l'œuvre de Hobbes a été marquée très directement par les débats qui ont divisé historiens et philosophes sur le thème de la sécularisation de la pensée moderne. Considérée par les uns comme annonciatrice de l'athéisme contemporain, rattachée par les autres à l'orthodoxie anglicane de son temps, il n'existe pas d'œuvre dont l'interprétation ait subi sur ce point d'aussi grandes fluctuations. Les thèses théologiques de Hobbes ont, il est vrai, de quoi surprendre : souvent distinctes des dogmes officiels de l'Église anglicane, étrangères aux méthodes de la *theologia naturalis* de la Renaissance, et tournée vers la science moderne, elles sont à n'en pas douter l'expression d'une pensée singulière. Cette singularité ne peut toutefois se comprendre que si on la réinscrit dans le mouvement plus général de réappropriation des concepts théologiques, auquel participent nombre de philosophes laïcs au tournant des XVIe et XVIIe siècles. Ce mouvement de réappropriation conceptuelle est un mouvement de sécularisation au sens limité où le recours à la théologie qui le caractérise n'est plus le fait de clercs patentés mais de laïcs, dont les préoccupations philosophiques sont tournées vers le monde des hommes[1]. Toutefois, ce mouvement n'est pas antithéologique, car il suppose une reprise philosophique des concepts de la théologie et le refus des frontières disciplinaires strictes

1. Pour une critique pertinente de certains usages de la catégorie de « sécularisation », voir Hans Blumenberg, *La légitimité des Temps modernes*, trad. fr. M. Sagnol, J.-L. Schlegel et D. Trierweiler, Paris, Gallimard, 1999, p. 11-131.

qui séparaient, depuis le XIIIe siècle, théologie et philosophie. Cette réappropriation s'exprime sous la forme d'une théologie séculière[1], où se mêlent aussi bien des thèmes classiques de la théologie chrétienne que des considérations plus singulières sur Dieu, la Trinité, les esprits et l'Église. Dans la mesure où il n'hésite pas à apporter des réponses à des difficultés théologiques, lorsque celles-ci concernent sa philosophie naturelle ou politique, Hobbes peut incontestablement être considéré comme un théologien séculier.

Dépassant le débat stérile entre partisans de l'athéisme et partisans du théisme de Hobbes, la prise en compte de cette théologie séculière nous a permis de reconsidérer la question déterminante des rapports entre théologie et philosophie à l'intérieur de l'œuvre du philosophe anglais. Le rapport entre ces deux modes de pensée n'est pas un rapport d'exclusion mutuelle, car la distinction des méthodes qu'ils mettent en œuvre indique davantage leur complémentarité que leur séparation. De fait, en se réappropriant des concepts majeurs de la théologie de la toute-puissance, Hobbes est parvenu à penser la toute-puissance divine comme la condition, au demeurant multiple, du déploiement de sa pensée philosophique. Au terme de ce livre, trois conclusions principales se dégagent.

Une première conclusion concerne les rapports de la théologie et de la philosophie naturelle. Bien qu'il adopte sur ce point une attitude nuancée, Hobbes semble bien avoir renoncé au projet d'une théologie naturelle rigoureuse. S'il affirme dans le *De Cive* que « l'on peut savoir naturellement que Dieu existe »[2], il se montre partout ailleurs déterminé à critiquer les preuves rationnelles de l'existence de Dieu. De fait, la *suppositio Dei* qui conclut sa réflexion théologique sur les causes des choses ne constitue pas une preuve à proprement parler. Cette supposition ne constitue pas en tout cas un fondement suffisant pour établir la toute-puissance de Dieu. Il semble plutôt, à l'inverse, qu'il faille partir de

1. Nous empruntons le concept de théologie séculière à A. Funkenstein (*Théologie et imagination scientifique du Moyen Âge au XVIIe siècle*, *op. cit.*, p. 1-9), car ce concept nous semble permettre de surmonter les critiques adressées par certains auteurs, dont H. Blumenberg que nous citons dans la note précédente, à la notion de sécularisation.

2. *De Cive*, XIV, 19, rem., p. 215.

l'attribut de la toute-puissance pour parvenir à penser le sens de cette *suppositio Dei*. Cette différence de nature entre la preuve rationnelle et la thèse de la toute-puissance trouve une illustration remarquable dans la théorie de la nécessité. La toute-puissance par laquelle se trouve déterminée la cause première de tout ce qui existe ne procède pas en effet d'une preuve à proprement parler. C'est bien plutôt l'impossibilité de fonder entièrement la nécessité sur la preuve, et donc sur la logique, qui conduit à combler les lacunes de la preuve en faisant appel à l'attribut de la toute-puissance. Si Dieu constitue bien ainsi « une sorte de garantie de la conception mécaniste que Hobbes se fait du monde »[1], cette garantie ne relève pas elle-même de l'ordre de la démonstration. Il n'y a pas plus de preuve cosmologique, contrairement à ce qu'affirme White, que de preuve métaphysique, contrairement à ce qu'affirme Descartes, du principe ultime de toutes choses. Tout au plus est-il permis de dire que la toute-puissance, comprise comme cause première, est requise par la clôture du système de la nécessité.

Une deuxième conclusion concerne les rapports de la théologie et de la philosophie morale et politique. Il importe tout d'abord de souligner qu'il n'existe pas de continuité parfaite entre l'usage que Hobbes fait de la toute-puissance en philosophie de la nature et l'usage qu'il en fait en philosophie morale. Dans un cas, l'attribut divin est requis, de l'extérieur, pour clore le champ de l'univers nécessaire ; dans l'autre, il constitue le principe en fonction duquel se trouvent conçues les hypothèses de la philosophie morale et politique. Cette différence de fonction de l'attribut de la toute-puissance confirme l'hétérogénéité relative, déjà soulignée par Leo Strauss[2], des principes de la science naturelle et de la science morale. La volonté de déduire la *scientia moralis* de la *scientia naturalis* témoigne toutefois d'une réelle unité de l'inspiration philosophique. Bien que la science du mouvement ne suffise pas à rendre compte des hypothèses anthropologiques à partir desquelles se développe la science morale et politique de Hobbes, une juste compréhension de la notion de toute-puissance permet en effet d'éclairer en pro-

1. A. Pacchi, *Filosofia e teologia in Hobbes*, *op. cit.*, p. 24.
2. L. Strauss, *La philosophie politique de Hobbes*, *op. cit.*, p. 23-25.

fondeur la détermination de la nature humaine qui commande cette dernière. De fait, la faiblesse de la puissance de l'homme comparée à l'excès de la puissance de Dieu permet de fonder à la fois l'obligation morale, comprise comme obligation de se conserver soi-même, et l'obligation politique que les citoyens ont contractée à l'égard de l'État. C'est parce que l'homme est un être soumis à la puissance divine, c'est-à-dire soumis à la mortalité, qu'il est un être obligé par nature ; c'est aussi pour cette raison qu'il se doit, en dernière instance, d'obéir à l'État. L'anthropologie politique ne fait ainsi qu'expliciter la présupposition fondamentale sur laquelle se fonde la théorie morale de l'obligation. En réponse à la menace de mort violente qui règne dans l'état de nature, la science politique décrit les modalités de la constitution d'une puissance terrestre susceptible d'assurer paix et protection aux individus qui s'y soumettent. Redevable à une conception spécifique de la toute-puissance, la conception de l'homme qui oriente l'anthropologie de Hobbes imprime clairement sa marque à la théorie morale et politique.

La mise en évidence des conditions théologiques de la philosophie conduit à une troisième conclusion concernant le statut ambigu de l'herméneutique biblique dans l'œuvre tout entière, et plus particulièrement dans le *Léviathan*. Bien qu'il invoque la Bible à de très nombreuses reprises pour corroborer le résultat de ses déductions, Hobbes ne semble pas accorder une valeur excessive à l'idée même de la révélation. S'il ne conteste pas directement le fait que Dieu puisse communiquer avec les hommes, il limite toutefois considérablement la possibilité de comprendre une telle communication. De cela, plusieurs explications sont possibles : nous nous contenterons ici de l'une d'entre elles. L'affirmation de la toute-puissance divine, telle qu'elle est formulée par Hobbes, s'accompagne nécessairement d'un obscurcissement de la parole de Dieu, car, s'il veut sauver la bonté divine, le philosophe qui affirme la toute-puissance se doit d'insister sur l'incompréhensibilité du Tout-Puissant[1]. C'est seulement à ce prix qu'il est possible de com-

1. Pour un exposé de cette aporie et une tentative de remise en cause théologique du primat de la toute-puissance divine, voir H. Jonas, *Le concept de Dieu après Auschwitz*, trad. fr. C. Challier, Paris, Payot, 1994, p. 30-33.

prendre, si tant est que cela nous importe encore, comment un Dieu bon et tout-puissant peut tolérer l'existence du mal. Or, dès lors que l'on accepte le principe de l'incompréhensibilité de Dieu, il est politiquement raisonnable de vouloir faire du souverain le seul interprète autorisé de la parole divine. Il importe alors de s'assurer qu'aucun autre homme ne puisse prétendre détenir, par l'effet d'une révélation personnelle, la clef de l'interprétation des Écritures. Ainsi l'affirmation de la toute-puissance de Dieu a-t-elle pu donner lieu à une limitation décisive de la portée politique de la révélation. Tel n'est pas, assurément, le moindre paradoxe de la pensée théologique et politique de Hobbes.

La théologie du Léviathan et les sciences sociales

Postface à l'édition 2021

Quand j'ai entrepris mes premières recherches sur Hobbes, en octobre 1986, j'étais loin de penser qu'un mémoire de DEA sur l'hérésie me conduirait à proposer une relecture, d'un point de vue théologique, du système philosophique dans son entier. Cette hypothèse m'aurait paru d'autant plus improbable que les commentateurs français, influencés pour certains d'entre eux par Leo Strauss[1], considéraient alors l'auteur du *Léviathan* comme un critique radical de toute théologie, aussi bien naturelle que politique[2]. Qu'on le considérât du point de vue de ses travaux scientifiques comme Jean Bernhardt[3], du point de vue de sa métaphysique comme Jean Terrel[4] et Yves Charles Zarka[5], ou du point de vue de sa théorie politique comme Franck Lessay[6], Lucien Jaume[7] et

1. Sur l'importance de la critique de la religion pour la philosophie politique de Hobbes, voir L. Strauss, *La critique de la religion chez Hobbes. Une contribution à la compréhension des Lumières (1933-1934)*, trad. fr. C. Pelluchon, Paris, Presses universitaires de France, coll. « Fondements de la politique », 2005.

2. Raymond Polin, *Hobbes, Dieu et les hommes* (Paris, Presses universitaires de France, coll. « Philosophie d'aujourd'hui », 1981), qui n'encourageait pas les étudiants français à adopter une autre perspective.

3. Jean Bernhardt, *Hobbes*, Paris, Presses universitaires de France, coll. « Que sais-je ? », 1989.

4. Jean Terrel, *Hobbes, matérialisme et politique*, Paris, Vrin, 1994.

5. Yves Charles Zarka, *La décision métaphysique de Hobbes*, Paris, Vrin, 1987.

6. Franck Lessay, *Souveraineté et légitimité chez Hobbes*, Paris, Presses universitaires de France, coll. « Léviathan », 1988.

7. Lucien Jaume, *Hobbes et l'État représentatif moderne*, Paris, Presses universitaires de France, coll. « Philosophie d'aujourd'hui, » 1986.

Pierre Manent[8], Hobbes apparaissait comme un philosophe ayant un rapport essentiellement critique à la théologie.

Dans les archives d'un projet de recherche

Un regain d'intérêt pour la question de l'hérésie chez Hobbes avait conduit Paulette Carrive à me suggérer de m'y intéresser : le motif de l'hérésie étant conjoncturel, il s'agissait de comprendre à la fois les arguments mis en avant par l'auteur pour échapper à une éventuelle condamnation, et le contexte politique et religieux qui avait pu alimenter sa crainte. Cette entrée en matière se révéla fructueuse, puisque, pour apprécier les arguments par lesquels Hobbes entendait se libérer de toute accusation d'hérésie, il me fallait prendre au sérieux la nature théologique des accusations dont il voulait s'innocenter. J'en vins ainsi à réaliser que, si Hobbes avait exclu la théologie de son système de philosophie[9], il lui avait pourtant consacré de nombreux écrits ; je découvris aussi que ses arguments théologiques, bien que situés à la périphérie du système, permettaient d'inscrire ce dernier dans un contexte intellectuel, celui de l'histoire longue de la théologie chrétienne, qui débordait assez largement le seul contexte politique d'écriture de ses œuvres.

Mon intérêt pour une telle approche avait été suscité par la lecture de deux types de travaux : d'une part, des travaux d'anthropologie historique du religieux, et, notamment, *Le désenchantement du monde*[10] dans lequel Marcel Gauchet proposait une réflexion au long cours sur les transformations politiques de la religion ; d'autre part, des travaux d'histoire de la théologie de la toute-puissance, notamment, ceux de William

8. Pierre Manent, *Naissances de la politique moderne. Machiavel – Hobbes – Rousseau*, Paris, Payot & Rivage, 1977. Mon premier compte-rendu a porté sur cet ouvrage, « Bulletin Hobbes », *Archives de Philosophie*, vol. 51, n° 2 (avril-juin 1988), p. 332-333.

9. Il le dit lui-même explicitement : « *Itaque excludit a se Philosophia Theologiam, doctrinam dico de natura et attributis Dei aeterni, ingenerabilis, incomprehensibilis, et in quo nulla compositio, nulla divisio institui, nulla generatio intelligi potest* » (*De corpore*, I, 1, 8, p. 16-17).

10. Marcel Gauchet, *Le désenchantement du monde. Une histoire politique de la religion*, Paris, Gallimard, 1985.

Courtenay[11]. N'étant ni anthropologue ni médiéviste, interroger la dimension théologique de la pensée de Hobbes m'était apparue comme un moyen de contribuer à une histoire de la philosophie classique informée par les sciences humaines et sociales. De fait, ce que je faisais relevait à la fois de l'histoire d'un système philosophique et de l'histoire de l'inscription de ce système dans une histoire longue de la théologie. Si je m'étais éloigné de la méthode de Martial Gueroult, employée au même moment par Christian Lazzeri pour comparer Hobbes et Spinoza[12], c'était dans la mesure où je m'intéressais moins à la structure interne du système philosophique qu'à ce qui se passe aux limites de ce dernier, lorsque la philosophie rencontre le droit, la politique, l'histoire et la théologie. Concernant les deux objets principaux de la philosophie de Hobbes, la nature et l'État[13], il m'avait semblé intéressant de montrer qu'il existe des *conditions théologiques* de leur production au sein du système[14].

Rencontré le 30 mai 1988, à la Sorbonne, Arrigo Pacchi[15] m'avait fourni un fil conducteur, celui de la distinction entre puissance absolue

11. W. J. Courtenay, *Capacity and Volition. A History of the Distinction between Absolute and Ordained Power*, Bergame, Pierluigi Lubrina Editore, 1990. Voir, aussi, A. Funkenstein, *Théologie et imagination scientifique du Moyen Âge au XVII*e siècle, trad. fr. J.-P. de Rothschild, Paris, Presses universitaires de France, 1995 ; M. Fumagalli (éd.), *Sopra la volta del mondo. Onnipotenza e potenza assoluta di Dio tra medioevo e età moderna*, Bergame, Pierluigi Lubrina Editore, 1986 et O. Boulnois (éd.), *La puissance et son ombre. De Pierre Lombard à Luther*, Paris, Aubier, 1994.

12. Christian Lazzeri, *Droit, pouvoir et liberté. Spinoza critique de Hobbes*, Paris, Presses universitaires de France, 1998.

13. Pour le passage des trois parties du système initial (corps, homme, citoyen) aux deux parties retenues dans le *De corpore*, voir *De corpore*, I, 1, 9, p. 17. Et pour une présentation de cette transformation, voir Ph. Crignon, « Introduction », in Hobbes, *Du citoyen*, Paris, GF Flammarion, 2010, p. 20-26.

14. « Les conditions théologiques de la philosophie morale et politique de Hobbes » est le sous-titre de ma thèse.

15. Voir Arrigo Pacchi, *Filosofia e teologia in Hobbes. Dispense del Corso di Storia della Filosofia per l'A.A. 1984-85*, Milan, Unicopli, 1985 ; voir, aussi, *Id.*, « Hobbes e la potenza di Dio », in Mariateresa Beonio-Brocchieri Fumagalli (éd.), *Sopra la volta del mondo. Onnipotenza e potenza assoluta di Dio tra Medioevo e Età Moderna, Atti del Convegno di Studi (Dipartimento di Filosofia dell'Università degli Studi di Milano, 9-10 maggio 1985)*, Bergame, Lubrina, 1986, p. 79-91. Organisé à l'occasion du quatrième centenaire de la naissance de Hobbes, du 30 mai au 1er juin 1988, ce colloque a été publié en 1990 en mémoire d'Arrigo Pacchi. Il contient mon premier article publié : L. Foisneau, « Les savants dans la cité », *in* J. Bernhardt et Y. Ch. Zarka (éd.), *Thomas Hobbes. Philosophie première, théorie de la science et politique*, Paris, Presses universitaires de France, coll. « Léviathan », 1990, p. 181-192.

et puissance ordonnée, pour lire les écrits théologiques de Hobbes. *Hobbes et la toute-puissance de Dieu* procède ainsi, dans une perspective historique et systématique, à la relecture de textes appartenant à des genres différents[16], avec un intérêt particulier pour la controverse entre Hobbes et Bramhall, dont j'avais traduit, avec Florence Perronin, la partie centrale[17], en même temps que je rédigeais ma thèse.

Hobbes a-t-il sa place dans l'anthropologie du monde moderne ?

La lecture, bien plus tard, de l'essai de Bruno Latour, *Nous n'avons jamais été modernes*[18], m'a aidé à mieux comprendre l'enjeu de la cartographie que j'avais réalisée. Les trois parties de mon livre, consacrées respectivement à la nature, à la politique et à la question théologico-politique, font écho à ce que le sociologue appelle la « Constitution moderne[19] », qui est, pour le dire vite, la description anthropologique de notre monde. Dans le cadre de l'anthropologie symétrique qu'il propose, le détour par les grands systèmes du XVIIe siècle s'impose comme une évidence dès lors que l'on peut y lire, grâce à des controverses, les divisions principales de l'anthropologie des Modernes. Latour insiste, pour sa part, sur la différence d'approche entre Thomas Hobbes et Robert Boyle, car ces deux savants ne voient pas le monde tout à fait de la même manière, ni, si l'on peut dire, au travers des mêmes lentilles. J'insiste, pour ma part, sur le fait que le grand partage entre la nature et la politique, si important pour l'anthropologie des Modernes, est déjà inscrit dans le projet de système conçu par Hobbes dans les années 1630, avant même que ne commence sa controverse avec Boyle. De fait, le *De homine* (1658)[20], qui constitue la

16. Voir A. Pacchi, « Introduzione » in Thomas Hobbes, *Scritti teologici*, trad. it. et notes de G. Invernizzi et A. Lupoli, Milan, Franco Angeli, 1988, p. 7-33.

17. Hobbes, *Les questions concernant la liberté, la nécessité et le hasard*, trad. fr. L. Foisneau et Fl. Perronin, Introduction, notes, glossaire et index L. Foisneau, Paris, Vrin, 1999.

18. Bruno Latour, *Nous n'avons jamais été modernes. Essai d'anthropologie symétrique*, Paris, La Découverte, 1991.

19. *Ibid.*, p. 23.

20. Hobbes, *De Homine/De l'homme*, texte latin, introduction, traduction et notes par J. Terrel *et alii*, Paris, Vrin, 2015.

partie centrale du système tripartite, se divise lui-même en deux parties, dont l'une se rattache aux corps naturels et l'autre aux corps artificiels.

Ce grand partage entre la nature et l'artifice, dont les anthropologues feront plus tard un partage entre « nature » et « culture », est redoublé chez Hobbes par l'invention, pour penser la morale et la politique, de l'opposition célèbre entre « état de nature » et « état civil ». À l'instar d'un autre sociologue, Norbert Elias[21], Hobbes affirme qu'il ne saurait y avoir d'état civil, à savoir, civilisé, que là où existe un État capable d'imposer ses normes. Que les ethnologues culturalistes ne l'aient pas suivi sur ce point ne change rien à l'importance de son invention conceptuelle. Distinguant rigoureusement nature et artifice, Hobbes pense, à l'écart de la Société Royale de Londres dont il ne fera jamais partie[22], la distinction entre science de la nature et science du politique. Or, dans cette division du savoir, où faut-il placer le texte de la Révélation, où situer ces textes qui jouent un rôle si important dans l'organisation morale et politique des sociétés modernes ? On connaît la réponse de Hobbes : il faut mettre les textes sacrés du côté de l'État, puisque c'est le souverain, et lui seul, qui est responsable de l'interprétation recevable de l'histoire du salut. La difficulté de cette opération d'inscription des textes de la Révélation dans le champ politique explique en grande partie les considérations théologiques très nombreuses que l'on trouve un peu partout dans l'œuvre de Hobbes.

Il me semble donc éclairant de lire la structure du système hobbesien comme renvoyant à une distinction fondamentale pour les Modernes, et sa théologie de la toute-puissance comme un opérateur permettant de faire entrer les Écritures dans ce schéma nouveau. Si la théorie hobbesienne de l'État repose sur une théorie de la représentation et non pas sur une théorie des réseaux dont il n'avait aucune idée[23], il peut être éclairant de considérer le système philosophique de Hobbes

21. Voir, en particulier, N. Elias, *Über den Prozess der Zivilisation*, Bâle, Haus zum Falken, 1939 ; trad. fr. P. Kamnitzer, *La civilisation des mœurs*, Paris, Pocket, 1990.

22. Voir N. Malcolm, « Hobbes and the Royal Society », in *Id.*, *Aspects of Hobbes*, Oxford, Oxford University Press, 2002, p. 317-335.

23. Voir, pour une tentative de rapprochement, M. Callon et B. Latour, « Le grand Léviathan s'apprivoise-t-il ? », in M. Akrich, M. Callon, B. Latour (éd.), *Sociologie de la traduction. Textes fondateurs*, Paris, Presses des Mines, 2006, p. 5-26. La théorie de l'acteur-réseau est aussi appelée « sociologie de la traduction ».

du point de vue d'une anthropologie symétrique. Pour prouver sa thèse que les Modernes sont finalement les membres d'un collectif (presque) comme les autres, Bruno Latour s'appuie sur l'idée de Steven Shapin et Simon Schaffer selon laquelle la controverse scientifique entre Hobbes et Boyle nous aide à comprendre la genèse de la mise en extériorité réciproque de la nature et de la politique[24]. J'ai tenté de montrer, pour ma part, le rôle de la controverse théologique autour du statut de la puissance divine, Boyle maintenant, en accord avec Descartes, que ce qui est impossible à la nature n'est pas impossible à Dieu, Hobbes voyant dans la nature l'expression de la volonté de Dieu et, dans la réalisation de cette volonté, la marque de la puissance divine[25].

Hobbes et la toute-puissance de Dieu nous invite, à sa manière, à interroger la double exclusion réciproque de la nature et de la politique dans l'anthropologie des Modernes. La question de la fermeture du système des objets naturels est abordée par Hobbes dans le cadre de sa polémique avec l'évêque John Bramhall[26] : faut-il penser l'univers matériel comme un système ouvert ou comme un système clos ? Dans quelle mesure cette clôture permet-elle de prouver la nécessité de ce qui arrive dans le monde ? S'il n'y a pas lieu de répéter ici les arguments que l'on trouve, plus haut, dans le chapitre III, il importe de souligner le rôle joué dans l'argument en faveur de la clôture par l'idée d'une cause divine capable d'unifier la totalité des séries causales. L'argument théologique est ainsi tout à la fois extérieur au système philosophique, puisque l'on ne

24. « Nous commençons seulement à entrevoir les problèmes posés par ces conventions de délimitation. Comment, historiquement, les acteurs scientifiques distribuaient-ils les éléments selon leur système de délimitation (pas selon le nôtre), et comment pouvons-nous étudier empiriquement leurs façons de s'y conformer ? Cette chose que l'on appelle "science" n'a pas de démarcation que l'on puisse prendre pour une frontière naturelle » (S. Shapin et S. Schaffer, *Leviathan et la pompe à air. Hobbes et Boyle entre science et politique* (1985), trad. fr. Th. Piélat, Paris, La Découverte, 1993).

25. Voir L. Foisneau, « Beyond the Air-Pump. Hobbes, Boyle and the Omnipotence of God », in L. Foisneau et G. Wright (éd.), *New Critical Perspectives on Hobbes's Leviathan*, Milan, Franco Angeli, 2004, p. 33-49 ; en version française, L. Foisneau, « La critique de la physico-théologie », in *Id.*, *Hobbes. La vie inquiète*, Paris, Gallimard, coll. « Essais », 2016, p. 364-389.

26. Pour une interprétation de la controverse autour de la liberté et de la nécessité, voir L. Foisneau, « Introduction » à Hobbes, *Les questions concernant la liberté, la nécessité et le hasard*, Paris, Vrin, 1999, en particulier la partie intitulée un « essai d'interprétation », p. 19-33.

saurait prouver qu'une telle cause divine existe, et nécessaire à sa structure, puisque, sans cette cause, le mouvement des corps ne pourrait être déterminé. L'analogie entre le monde et un « tonneau[27] » renvoie à cette condition topologique d'une clôture de l'ensemble des objets naturels.

Pour que la démonstration soit complète, nous montrons également que l'ordre normatif de l'État requiert, lui aussi, une condition de clôture de nature théologique. Cette condition se rencontre dans l'argument selon lequel le royaume de Dieu par nature repose sur la domination divine par la puissance seule (et non pas, comme dans les Écritures, par des conventions entre Dieu et les hommes). Cet argument, qui a suscité des controverses, renvoie, selon l'interprétation que nous en avons donnée, à la manière dont Hobbes pense la mortalité des hommes[28].

Quel est le sens, selon Hobbes, de la toute-puissance de Dieu dans son royaume par nature ? Ce sens n'est lisible ni dans les Écritures saintes, qui ne parlent pas de ce royaume-là, ni dans le projet de la Providence dont nous ignorons tout, mais dans la faiblesse des hommes attestée par leur mortalité. Hobbes ne disposant d'aucune théorie biologique établissant le caractère inéluctable de la mort « naturelle », son approche n'est pas naturaliste : la mortalité exprime selon lui une dissymétrie radicale de puissance entre Dieu et les hommes. Cette interprétation théologique de la mortalité humaine jette un jour nouveau sur les rapports, dans la pensée de Hobbes, entre une anthropologie naturaliste et une théologie de la puissance. Elle permet, notamment, de comprendre que la mort violente dont la crainte pousse les hommes à vouloir renoncer à une situation d'égalité radicale dans l'état de nature a pour condition une mort « naturelle » qui est tout aussi violente à sa manière, puisqu'elle exprime la volonté de Dieu que nous mourrions tous[29]. Le point de vue du royaume de Dieu par nature, que je privilégie

27. Voir, plus haut, p. 120.

28. Voir, plus haut, p. 233-234.

29. De ce point de vue, la phrase sur laquelle repose mon interprétation est celle par laquelle Hobbes dit de l'évêque Bramhall qu'« [i]l ne se souvient pas que Dieu a, ou aura tué, tous les hommes du monde, tant coupables qu'innocents » (*Questions*, XIV, p. 199), citée, plus haut, p. 244. Cette citation presque littérale de Thomas d'Aquin fait disparaître, toutefois, de la citation originale (*Somme théologique*, 1a-2ae, qu. 94, art. 5) l'idée que la mort serait la punition du péché originel.

dans ma lecture de la toute-puissance, permet d'éviter le détour par la promesse de l'immortalité et la question du péché originel. Dans ce royaume qui fait abstraction de la Révélation, l'inégalité radicale entre le Dieu immortel et les hommes mortels place l'humanité dans l'horizon d'une théologie de la domination, qui constitue, à sa manière, une condition du système moral et politique. L'ombre du Léviathan, dans laquelle nous vivons en tant que citoyens, nous enveloppe et nous protège, mais celle de la toute-puissance divine enveloppe à son tour le Léviathan, sans pouvoir dire si elle le protège ou non.

Au service de la clôture des systèmes de la nature et de la morale, les arguments qui font appel à la toute-puissance prennent, toutefois, des formes différentes. Dans le premier cas, la référence à la puissance absolue permet à Hobbes de réfuter l'idée que l'ordre des choses serait soumis à un contrat naturel, ou, plus précisément, à l'idée selon laquelle ce qui se produit dans le monde physique serait la mise en œuvre d'une obligation de Dieu à l'égard de lui-même. Nous ne pouvons revenir ici, en détail, sur le sens théologique d'une telle rupture du contrat naturel[30], mais il n'échappera à aucun lecteur attentif que cette rupture inaugure une ère, celle de la science moderne, qui ne connaît plus aucune forme d'obligation des hommes à l'égard de la nature. Dans une perspective théologique, l'obligation que Dieu s'impose librement à lui-même afin d'ordonner les phénomènes naturels, sa puissance ordonnée, ne va pas sans une obligation des hommes à l'égard de la nature. À l'inverse, libérer la puissance de Dieu de cette obligation fait disparaître toute limite dans l'action de l'homme sur la nature. L'idée d'un contrat naturel a bien sûr d'autres origines, notamment dans le *De rerum natura* de Lucrèce, qui parle à plusieurs reprises de *foedera naturae*[31], mais notre but était de retrouver la source théologique de cette idée. En critiquant l'idée d'une puissance ordonnée de Dieu – ordonnée, s'entend ici à un engagement de Dieu à l'égard de lui-même –, Hobbes nous aide à redécouvrir l'importance de l'idée de contrat naturel au moment même où il la rejette[32].

30. Voir, plus haut, le chapitre I.
31. Parmi d'autres occurrences, voir *De rerum natura*, v. 586.
32. Voir, plus haut, p. 233-236.

Dans le domaine moral et politique, l'idée d'une théologie de la puissance joue un rôle différent. S'il nous faut rechercher la paix en passant des accords avec nos semblables, c'est que nous n'avons pas la possibilité d'agir comme si autrui n'existait pas et que nous étions tout-puissants. De fait, si nous voulions ignorer nos limites, la vie dans l'état de nature nous rappellerait vite à la réalité, qui interdit toute relation de domination durable sur autrui. N'oublions pas que l'esclavage, qui a duré des siècles, était une institution politique. Mais, dans l'ordre naturel, en l'occurrence un « royaume par nature », seul Dieu peut instaurer une domination durable, celle qu'il exerce sur l'humanité au moyen de notre mortalité. Cette dernière nous rappelle qu'il n'y a pas d'échappatoire : pour éviter la mort violente, il nous faut créer les conditions morales et politiques d'une paix durable, que le Léviathan nous procure en mettant sa puissance au service des lois.

À ceux que gênerait l'introduction d'arguments théologiques aux limites d'une théorie de l'État, on peut répondre que cette lecture de Hobbes trouve un écho dans une sociologie, celle de Pierre Bourdieu, peu suspecte de sympathie pour la scolastique et ses distinctions.

Que faire de la théologie de l'État (quand on est sociologue) ?

Dans son cours au Collège de France de l'année 1990, Pierre Bourdieu nous explique pourquoi les sociologues ne peuvent pas ne pas s'intéresser à la théologie de l'État. Un premier rapprochement avec Hobbes concerne la question du consentement : « [O]n peut dire que l'État est le principe d'organisation du consentement comme adhésion à l'ordre social, à des principes fondamentaux de l'ordre social, qu'il est le fondement non pas nécessairement d'un consensus mais de l'existence même des échanges conduisant à un dissensus[33]. » Parler d'« organisation du consentement » s'applique parfaitement, en l'occurrence, au projet hobbesien : le contrat dont l'État-Léviathan procède ne

33. P. Bourdieu, *Sur l'État. Cours au Collège de France 1989-1992*, Paris, Raisons d'agir/Seuil, 2012, p. 16.

fait rien d'autre, en effet, que rendre possibles toutes sortes d'accords à l'intérieur de l'état civil, et, quand le désaccord l'emporte, permettre à ce dernier de s'exprimer dans des formes pacifiées. Le Léviathan est donc bien cette instance fondatrice du « consensus fondamental sur le sens du monde social[34] », « une institution destinée à servir le bien commun » et un « lieu neutre[35] ». L'épître dédicatoire du *Léviathan* ne dit pas autre chose : au moyen d'une anecdote célèbre qu'il emprunte à l'histoire romaine, Hobbes affirme que son ouvrage n'est pas de parti-pris, n'ayant d'autre ambition que d'« exalter le pouvoir civil[36] ». Quant à « ces simples et *impartiales* créatures, qui au Capitole de Rome protégèrent par leur tapage ceux qui se trouvaient dedans, non à cause de ce qu'ils étaient, mais parce qu'ils étaient là[37] », ne sont-elles pas la métaphore parfaite de la neutralité de l'État ? Le vacarme des oies du Capitole, qui défendent le lieu neutre du pouvoir romain, aide à penser la souveraineté comme n'étant ni d'un parti ni de l'autre, ni du côté de ceux qui « luttent pour une trop grande liberté », ni du côté de « ceux qui combattent pour une autorité excessive[38] ». Comme on ne saurait suspecter Bourdieu de vouloir apporter une caution sociologique à cette idée d'un État neutre, le fait qu'il évoque à ce propos une dimension théologique de l'État nous aide à prendre au sérieux cette idée. Pour baroque que puisse nous sembler aujourd'hui l'idée d'une théologie de la toute-puissance, Bourdieu nous rappelle que la sociologie de l'État est, elle aussi, obligée de tenir compte de la théologie de l'État, dont sa pratique devrait pourtant lui interdire la voie.

Pour comprendre ce point, il faut repartir des contrats par lesquels les individus, les uns avec les autres, créent une condition nouvelle, la condition politique étatique, et insister sur le fait que ces contrats possèdent également une signification sociologique. Que dit-on spontanément de l'État ? Qu'il est au service du bien commun et qu'il a pour tâche la résolution impartiale des conflits sociaux. Or, une telle

34. *Ibid.*
35. *Ibid.*
36. *Léviathan*, « Épître dédicatoire à Francis Godolphin », p. 1.
37. *Ibid.* Nous mettons en italiques.
38. *Ibid.*

conception de l'État érige le souverain en quasi-Dieu capable d'assurer à la société une intégration tant logique que morale. Si la notion d'une intégration morale nous est familière, puisque les États démocratiques font référence à des valeurs communes, la notion d'une intégration logique, moins évidente, est tout aussi essentielle : elle dit que l'État ne repose pas seulement sur des valeurs communes, mais sur le fait que nous ayons « les mêmes catégories de pensée, de perception, de construction de la réalité[39] », bref, sur une « logique ». Pour autant, en quoi cette double fonction de l'État relèverait-elle d'une théologie ? En ce que l'État constitue, selon Bourdieu, « une communauté illusoire[40] ». Derrière les actes d'État (procès-verbaux de gendarmerie, diplômes scolaires, titres divers, etc.) effectués par des fonctionnaires ayant une autorité symbolique se cache l'État comme « lieu ultime[41] », auquel on est renvoyé comme au « dieu d'Aristote[42] », si l'on cherche une justification du jugement ou de la qualification sociale dont on fait l'objet. Comment caractériser une telle « réalité illusoire, mais collectivement validée par le consensus[43] », ce « lieu où l'on est renvoyé quand on régresse à partir d'un certain nombre de phénomènes – titres scolaires, titres de profession ou calendrier[44] » ? « [C]ette illusion bien fondée, ce lieu qui existe essentiellement parce qu'on croit qu'il existe[45] », c'est l'État-Dieu.

Dans la sociologie de Bourdieu, il faut tenir ensemble, à propos de l'État, deux affirmations qui peuvent sembler contradictoires : d'une part, le fait que l'on ne connaît l'État qu'à travers les effets qu'il produit (les titres scolaires qu'il délivre, les calendriers qu'il valide, etc.), et, d'autre part, le fait que ce même État est perçu comme une « entité théologique, c'est-à-dire une entité qui existe par la croyance[46] ». Si

39. P. Bourdieu, *Sur l'État, op. cit.*, p. 15.
40. *Ibid.*, p. 29.
41. *Ibid.*, p. 28.
42. *Ibid.*
43. *Ibid.*, p. 26.
44. *Ibid.*
45. *Ibid.*
46. *Ibid.*, p. 26.

Bourdieu ne renvoie pas à Hobbes, mais à Leibniz[47], pour penser le point de vue étatique sur le social, il renvoie à Hobbes pour illustrer la « vision de l'État comme quasi-Dieu », « sous-jacente à la tradition de la théorie classique » et à la « sociologie spontanée de l'État[48] ». De fait, cette vision théologique nous saute aux yeux dès le frontispice du *Léviathan*[49]. Rappelons, pour mémoire, l'image composée par Abraham Bosse[50] représentant un géant dont la stature surplombe un paysage de campagne et une ville enserrée dans ses murailles et dont le corps est formé de petits hommes ; rappelons, aussi, que cette image illustre une citation biblique dont le lien avec la théologie de la toute-puissance est implicite, *Non est potestas super terram quae comparetur ei* (Job, 41, 24). Comme, sur la terre, il n'y a pas de puissance supérieure à celle de l'État, cette puissance politique ne saurait être comparée qu'à celle de Dieu. Cette comparaison explique, de fait, la thèse de Hobbes la plus connue en faveur d'une théologie de l'État. Lorsqu'il écrit que le grand Léviathan est un « Dieu mortel[51] », le philosophe indique à la fois la supériorité de l'État par rapport aux hommes ordinaires et sa fragilité par rapport à Dieu.

Si les références théoriques du sociologue et du philosophe ne sont évidemment pas les mêmes, les échos d'une œuvre à l'autre sont nombreux, dans l'anthropologie de l'intérêt et de la réputation[52], dans la

47. « [L]'État serait le lieu neutre ou, plus exactement – pour employer l'analogie de Leibniz disant de Dieu qu'il est le lieu géométrique de toutes les perspectives antagonistes –, ce point de vue des points de vue en surplomb, qui n'est plus un point de vue puisqu'il est ce par rapport à quoi s'organisent tous les points de vue » (*Ibid.*, p. 16).

48. *Ibid.*

49. Dans une première tentative, j'avais caractérisé cette propriété à l'aide du concept de « transcendance », auquel j'ai renoncé dans *Hobbes et la toute-puissance de Dieu*. Voir L. Foisneau, « La transcendance de l'État dans la philosophie de Hobbes », *Les Cahiers de Fontenay*, « Actes du colloque franco-brésilien de novembre 1990 à Saint-Cloud », n° 67/68, septembre 1992, p. 141-157.

50. Voir J.-C. Vuillemin, « Bosse, Abraham », in L. Foisneau (éd.), *Dictionnaire des philosophes français du XVIIe siècle*, Paris, Classiques Garnier, 2015, p. 304-309.

51. *Léviathan*, p. 177-178 : « Telle est la génération de ce grand LÉVIATHAN, ou plutôt pour en parler avec plus de révérence, de ce *dieu mortel*, auquel nous devons, sous le *Dieu immortel*, notre paix et notre protection. »

52. Voir B. Carnevali, « "Glory". La lutte pour la reconnaissance dans le modèle hobbesien », *Communications*, n° 93, 2013/2, p. 49-67.

réflexion de Bourdieu sur la délégation[53] et le fétichisme politique[54], où la théorie hobbesienne de la personne est mise en relation avec le travail des canonistes du XIIIe siècle[55], mais aussi, nous venons de le voir, à propos de la dimension théologique de l'État. Ces échos de la « théologie du Léviathan[56] » confirment ainsi sa longue postérité jusque dans la sociologie française du XXe siècle. Pour autant, les contemporains de Hobbes s'intéressaient-ils aux arguments théologiques qui ont retenu l'attention de la postérité ?

La théologie de la toute-puissance est-elle hors « contexte » ?

C'est l'objection que Quentin Skinner adressa, dans les années 1960[57], à des commentateurs de Hobbes qui avaient voulu interpréter de manière littérale sa théorie de la loi de nature, dont il est écrit qu'elle n'est une loi que si elle est le commandement de Dieu[58]. Quand Skinner s'en prend à ce courant, celui-ci, alors dominant en Angleterre, affirme que la puissance de l'État ne réside pas dans la domination d'un groupe au pouvoir, mais dans le fait que les citoyens obéissent à l'État en raison d'une obligation fondée en Dieu. La place centrale accordée au devoir

53. Voir P. Bourdieu, « Le mystère du ministère. Des volontés particulières à la "volonté générale" », *Actes de la recherche en sciences sociales*, vol. 240, décembre 2001, p. 7-11. On trouve, en exergue de cet article, une citation extraite du chapitre XVI du *Léviathan*.

54. Voir P. Bourdieu, « La délégation et le fétichisme politique », in *Id.*, *Langage et pouvoir symbolique*, Paris, Seuil, 2001, p. 259-279.

55. *Ibid.*, p. 267 : « On peut lire dans le passage du *Léviathan* où Hobbes décrit la "génération de la République" une des formulations les plus claires et les plus concises de la théorie de la *représentation unifiante* : la multitude des individus isolés accède au statut de personne morale lorsqu'elle trouve dans la représentation unitaire de sa diversité que lui donne son représentant l'image constitutive de son unité ; autrement dit, elle se constitue comme unité en se reconnaissant dans le représentant unique. »

56. Tel était le titre d'une recension de *Hobbes et la toute-puissance de Dieu* : Philippe Simonot, « Théologie du Léviathan », *Le Monde des livres*, 24 novembre 2000.

57. Voir Q. Skinner, « The Ideological Context of Hobbes's Political Thought », *The Historical Journal*, 9, 1966, p. 286-317, repris dans *Id.*, *Visions of Politics*, vol. III, p. 264-286 sous le titre « The context of Hobbes's theory of political obligation ».

58. La thèse refutée par Skinner a été soutenue par Howard Warrender, *The Political Philosophy of Hobbes*, Oxford, Oxford University Press, 1957. Pour en prendre la mesure, on peut lire en priorité la conclusion, au titre éloquent, « Might and Right » (p. 312-329).

d'obéissance a conduit à qualifier cette interprétation de « déontologique » : on aurait pu aussi parler d'une interprétation « théologique », puisque le fondement ultime de l'obligation politique y est rapporté au commandement divin d'obéir aux lois de nature. Pour résumer cette thèse en une phrase, elle dit que, s'il existe une obligation d'obéir à l'État, c'est qu'il existe une obligation d'obéir à Dieu en raison de sa toute-puissance. On retrouve ici quelques traits de l'interprétation que nous avons proposée dans la seconde partie de *Hobbes et la toute-puissance de Dieu* : l'importance du motif de la puissance divine ; le fait que cette puissance constitue un horizon de la philosophie morale et politique de Hobbes. La première partie de notre livre n'est pas concernée, toutefois, par les remarques qui vont suivre. Avant d'indiquer les points sur lesquels nous nous éloignons de la thèse de Howard Warrender, il convient toutefois de rappeler au préalable l'objection de Skinner[59].

Cette objection consiste à dire que la thèse de Warrender tend à faire de Hobbes un auteur de la tradition de la loi naturelle comme les autres, et qu'elle ignorerait la réputation d'hétérodoxie qui était celle de Hobbes dans le contexte idéologique de la première révolution anglaise. Après l'exécution du roi Charles 1er en janvier 1649, la discussion publique porta en effet sur la question de savoir si l'on pouvait accepter, ou non, d'obéir au nouveau régime républicain, et, si oui, pour quelles raisons[60]. Plusieurs arguments furent alors formulés, dont certains furent repris à l'occasion de la Glorieuse révolution d'Angleterre, en 1689. Une première raison de prêter allégeance au nouveau pouvoir, que l'on rencontre chez John Milton[61], était de dire que l'autorité du gouvernement républicain reposait sur le respect du droit du peuple souverain, et que le peuple obéissait au gouvernement parce qu'il n'était pas tyrannique[62].

59. Voir, aussi, pour une discussion approfondie de la thèse de Skinner, K. Hoekstra, « The *de facto* Turn in Hobbes's Political Philosophy », in L. Foisneau et T. Sorell (éd.), *Leviathan After 350 Years*, Oxford, Oxford University Press, 2004, p. 33-73.

60. On nomme *Engagement controversy* le débat qui eut lieu, en Angleterre, entre 1649 et 1652, pour savoir s'il était légitime, ou non, de faire allégeance au régime instauré après l'exécution du roi Charles 1er.

61. Voir, notamment, J. Milton, *The Tenure of Kings and Magistrates* (1649), in *Id.*, *Political Writings*, Martin Dzelzainis (éd.), Cambridge, Cambridge University Press, 1991, p. 1-48.

62. Voir Q. Skinner, *Visions of Politics*, *op. cit.*, p. 271.

Une seconde raison, que l'on rencontre chez des auteurs mineurs découverts par Skinner, est que disposer d'un pouvoir de fait constitue un motif légitime d'obéir à un gouvernement qui n'a pas été légitimement institué. Au sein de ce courant idéologique, Skinner distingue deux positions, l'une fondée sur une théorie providentialiste inspirée de saint Paul suggérant d'obéir aux pouvoirs en place[63], l'autre invoquant, pour obtenir l'obéissance des sujets, la thèse de l'asociabilité de l'homme par nature et l'idée que l'on doit obéissance à ceux qui nous protègent[64]. Après avoir établi que les défenseurs des deux thèses avaient été qualifiés de « hobbistes » par leurs adversaires, Skinner entend montrer qu'il existe une affinité véritable entre Hobbes et les tenants rationalistes de la théorie du pouvoir *de facto* et que cette affinité idéologique nous oblige à interpréter le *Léviathan* comme une théorie du pouvoir *de facto*. Pour cela, l'historien s'efforce de faire apparaître une proximité entre les thèses d'Anthony Ascham et deux thèses de Hobbes, l'asociabilité des hommes par nature et l'obligation d'obéir au pouvoir qui nous protège. La première thèse est aussi ancienne que le premier traité de Hobbes sur la politique (1640), qui venait d'être édité pour la première fois en 1650 en deux livres[65], mais la seconde, si elle n'est pas entièrement nouvelle, reçoit une formulation actualisée dans la « Révision et conclusion » du *Léviathan*[66]. Cette proximité entre Ascham et Hobbes

63. *Ibid.*, p. 271-273. Cette première catégorie, présentée comme la forme « providentialiste » de la théorie du pouvoir *de facto*, est représentée par Francis Rous, une figure presbytérienne éminente au sein du Long parlement.

64. *Ibid.*, p. 273. Cette seconde catégorie est présentée comme la forme « rationaliste et utilitariste » de la théorie du pouvoir *de facto*, et, parmi ses représentants, Skinner met en avant Anthony Ascham, qui publie, en 1648, un *Discourse* où il est question de *What is particularly lawfull during the Confusions and Revolutions of Governments*.

65. *Human Nature. Or, the Fundamental Elements of Policy* et *De corpore politico. Or the Elements of Law, Moral & Politic* paraissent chez deux éditeurs différents. Les *Elements of Law* n'ayant circulé que sous forme manuscrite en 1640, on peut dire que ses arguments ne sont véritablement découverts par le public lettré qu'en 1650.

66. « Aux lois de la nature énoncées au chapitre XV, je voudrais qu'on ajoute celle-ci : *chacun est tenu par nature, autant qu'il est en lui, de protéger dans la guerre l'autorité par laquelle il est lui-même protégé en temps de paix* » (*Léviathan*, p. 714). C'est l'interprétation qu'il donne de cette nouvelle loi de nature (p. 714-715) qui suscitera l'indignation des monarchistes restés fidèles à la dynastie des Stuart, ces derniers lui reprochant d'être un renégat ayant justifié l'allégeance au pouvoir républicain.

permet à Skinner d'avancer une thèse sur la réception de Hobbes dans le contexte de la controverse de l'engagement : le *Léviathan* constituerait une prise de position partisane aux côtés des théoriciens du pouvoir *de facto*. Si tel était le cas, l'interprétation de Warrender se trouverait disqualifiée, faute d'échos dans le contexte idéologique de l'époque. Autrement dit, aucun des lecteurs de Hobbes dans les années cruciales de la révolution anglaise n'aurait compris que l'on fasse de ce dernier un philosophe de la loi de nature, fondant l'obéissance politique, non sur la domination des maîtres du temps, mais sur l'obéissance à la puissance de Dieu. Si notre interprétation se situait dans la lignée directe de celle de Warrender et de ses successeurs, elle tomberait elle aussi sous le coup de la critique contextualiste : pourquoi accorder, en effet, de l'attention aux arguments théologiques de Hobbes si ses contemporains n'en accordaient aucun ?

Sur ce point crucial, à défaut de pouvoir présenter une réponse exhaustive, il est possible de s'appuyer sur l'article de Skinner pour montrer que les arguments théologiques qui sont au centre de notre travail apparaissent également chez les auteurs cités comme des « hobbistes » insensibles aux arguments théologiques. Dans le cas de Francis Rous, l'un des représentants de la variante providentialiste de la théorie du pouvoir *de facto*, les arguments théologiques sont présents à travers la référence à saint Paul, mais, dans le cas d'Anthony Ascham, représentant de la variante rationaliste, ils sont également présents à travers un argument de Hobbes sur la toute-puissance de Dieu. Désireux de prouver que la justification de l'obéissance réside dans la protection reçue du pouvoir en place, Ascham cite l'argument du *De Cive* selon lequel dans « l'hypothèse qu'il existe deux tout-puissants [...] aucun des deux ne serait obligé envers l'autre[67] ». Or, cet argument, jugé « très pertinent[68] » par Ascham, n'a de sens que dans un contexte théologique[69]. On pourrait

67. *Du citoyen*, trad. fr. Ph. Crignon, Paris, GF-Flammarion, 2010, p. 296-297.

68. « *Mr Hobbs his supposition (if there be two Omnipotents, neither would be oblig'd to obey the other) is very pertinent and conclusive to this subject* » (Ascham, *Of the Confusions and Revolutions of Governments*, Londres, 1649 ; cité in Skinner, *Visions of Politics*, *op. cit.*, p. 278-279).

69. Voir, plus haut, p. 136-144.

multiplier les exemples cités par Skinner lui-même montrant que les arguments théologiques hobbesiens sont présents dans le discours des théoriciens du pouvoir *de facto*, alors que ces derniers sont censés n'être attentifs qu'à la thèse de l'asociabilité naturelle des hommes et à celle de l'obéissance en échange de la protection. Les arguments théologiques sur lesquels nous avons fondé notre interprétation font bel et bien partie des discussions de l'époque, et méritent, à ce titre également, une analyse en profondeur. On pourrait compléter cette première réponse en rappelant que Hobbes et les acteurs politiques de son temps avaient une connaissance approfondie de la théologie, qui n'était pas pour eux ce qu'elle est devenue pour nous, un savoir inaccessible et, pour beaucoup, sans objet. Le travail historiquement informé de Hobbes dans son *Historia ecclesiastica*[70] montre à quel point il avait une connaissance exacte des controverses théologiques des débuts de l'ère chrétienne. Mais ses interlocuteurs n'avaient pas besoin d'un savoir historique comparable au sien pour mesurer la portée d'une thèse théologique comme celle de l'impossibilité que la toute-puissance puisse être partagée par deux personnes, ce savoir étant monnaie courante dans le débat public.

Il nous reste à répondre à l'autre partie de l'objection de Skinner contre la thèse de Warrender[71] : que faut-il faire de la théorie hobbesienne de la loi naturelle ? Dans quelle mesure lui reconnaître une place dans le système philosophique impliquerait-il, comme il le soutient, d'ignorer la lecture que les contemporains de Hobbes pouvaient en faire ? S'il est exact de dire que la théorie de la loi naturelle de Hobbes est singulière dans la tradition de la philosophie morale

70. La publication d'une édition critique de cet ouvrage a représenté l'apport le plus important à la connaissance de la théologie de Hobbes depuis les années 2000. Voir Hobbes, *Historia ecclesiastica*, édition critique, avec texte, traduction anglaise, introduction, commentaire et notes, P. Springborg, P. Stablein et P. Wilson (éd.), Paris, Honoré Champion, 2008.

71. Soulignons l'originalité du mode de réfutation de Skinner, qui, à propos de la thèse « déontologique » de A. E. Taylor, antérieure à celle de Warrender, écrit : « Car la vision des relations intellectuelles de Hobbes qu'impliquent ces analyses [i.e., celles de Taylor] me semble historiquement dénué de crédibilité. Je suggère que le poids de ce témoignage est peut-être suffisant (un peu comme Hume l'a fait pour les miracles) pour que cette interprétation soit discréditée » (*Visions of Politics*, *op. cit.*, p. 282).

chrétienne, il est impossible d'en minorer pour autant l'importance[72]. Il faut bien tenir compte des lois de nature, puisque Hobbes lui-même élabore une philosophie morale dont il reprend les termes inchangés (ou presque) dans chacun de ses traités de philosophie politique. Mais il importe aussi de montrer en quoi une interprétation des lois de nature du point de vue de la théologie de la toute-puissance n'implique pas de renoncer aux thèses de l'anthropologie, et, notamment, à celles qui avaient retenu l'attention des théoriciens du pouvoir *de facto* et choqué une partie de l'opinion publique du temps.

Dans une perspective exégétique, qui reconnaît à la fois les apports de l'histoire des idées, du contextualisme et de la philosophie morale, nous avons voulu montrer qu'il n'y avait pas lieu de choisir entre une lecture de la philosophie morale ignorante du contexte historique et une lecture « contextualiste » négligeant l'importance des lois de nature. *Hobbes et la toute-puissance de Dieu* est une tentative pour expliquer, du point de vue de l'histoire longue de la théologie, comment Hobbes est parvenu à accorder une anthropologie de l'intérêt et de la crainte d'autrui avec une théologie de la domination.

72. Pour une relecture de cette théorie à la lumière de la philosophie morale contemporaine, voir S. A. Lloyd, *Morality in the Philosophy of Thomas Hobbes. Cases in the Law of Nature*, Cambridge, Cambridge University Press, 2009.

Bibliographie sélective

L'existence d'outils bibliographiques fiables nous dispense de présenter ici une bibliographie générale des œuvres de Hobbes et des études qui lui ont été consacrées. En ce qui concerne les sources primaires, manuscrites et imprimées, on pourra consulter H. Macdonald et M. Hargreaves, *Thomas Hobbes, a Bibliography*, Londres, The Bibliographical Society, 1952 ; en ce qui concerne la littérature secondaire, on consultera A. Garcia, *Thomas Hobbes : Bibliographie internationale de 1620 à 1986,* Caen, Presses de l'Université de Caen, 1986, et le « Bulletin d'études hobbesiennes », qui paraît une fois par an dans la revue *Archives de philosophie.*

Les références des éditions que nous avons utilisées pour citer les œuvres de Hobbes sont indiquées dans les notes, lors de la première occurrence d'un titre. Les références des œuvres classiques que nous avons citées, elles aussi indiquées en notes, peuvent être aisément retrouvées à partir de l'*index nominum.*

La bibliographie qui suit rassemble la plupart des articles, des recueils collectifs et des livres consacrés entre 1870 et 1999, en totalité ou en partie, à la question de la religion, de la théologie ou de la théologie politique dans l'œuvre de Hobbes.

BAIER A., « Secular Faith », *Canadian Journal of Philosophy*, 10 (1980), p. 131-148.

BARNES W. H. F., « The Rational Theology of Hobbes », *Listening,* 10 (1975), p. 54-63.

BARNOUW J., « The Separation of Reason and Faith in Bacon and Hobbes, and Leibniz's *Theodicy* », *Journal of the History of Ideas*, 42-4 (1981), p. 607-628.

BARRY B., « Warrender and his Critics », *Philosophy*, 43 (1968), p. 117-137.

BARTHEL G., « La Bible dans le *Léviathan* », *Revue européenne des sciences sociales*, 18-49 (1980), p. 187-206.

BELLUSSI G., *La prospettiva religiosa nella filosofia civile di Thomas Hobbes*, Turin, Ed. di Filosofia, 1967.

— « Diritto e salvezza nella prospettiva di Thomas Hobbes », *Anales de la catedra Francisco Suarez*, Granada, 14 (1974), p. 141-157.

BERMAN D., *A History of Atheism in England from Hobbes to Russell*, Londres - New York - Sydney, Croom Helm, 1988, 254 p.

BERNHARDT J., *Hobbes*, Paris, PUF, 1989, 128 p.

— et Y. C. Zarka (éd.), *Thomas Hobbes. Philosophie première, théorie de la science et de la politique*, Paris, PUF, 1990, 418 p.

BERTMAN M. A. et MALHERBE M. (éd.), *Thomas Hobbes. De la métaphysique à la politique*, Paris, Vrin, 1989, 253 p.

BIANCHI L., « Tra religione e politica : Bayle lettore di Hobbes », *in* G. Borrelli (éd.), *Thomas Hobbes, op. cit.*, p. 409-440.

BOROT L., « "There is no power but of God". Avatars d'une citation et d'un concept chez Thomas Hobbes », *in* M. Péronnet et M.-M. Fragonard (éd.),*« Tout pouvoir vient de Dieu... »*, Montpellier, Sauramps, 1993, p. 242-262.

BORRELLI G. (éd.), *Thomas Hobbes. Le ragioni del moderno tra teologia e politica*, Naples, Morano Editore, 1990, 484 p.

— *Ragion di Stato e Leviatano. Conservazione e scambio alle origini della modernità politica*, Bologne, Il Mulino, 1993, 360 p.

BOSTRENGHI D. (éd.), *Hobbes e Spinoza. Scienza e Politica*, introduction de E. Giancotti, Naples, Bibliopolis, 1992, XXVI-732 p.

BOURDIEU P., *Sur l'État. Cours au Collège de France* (1989-1992), Paris, Raisons d'agir, Seuil, 2012.

BRANDT R., *Eigentumstheorie von Grotius bis Kant*, Stuttgart, Frommann-Holzboog, 1974.

BRAUN D., *Der sterbliche Gott oder Leviathan gegen Behemoth*, Teil I : *Erwägungen zu Ort, Bedeutung und Funktion der Lehre von der Königsherrschaft Christi in Thomas Hobbes'Leviathan*, Zürich, EVZ-Verlag, 1963, XII-261 p.

BRAUN R., « Politica, religión e iglesia en Hobbes », *Revista latino-americana de filosofia*, 17-1 (1991), p. 43-54.

BRETT A. S., *Liberty, Right and Nature. Individual Rights in Later Scholastic Thought*, Cambridge, Cambridge University Press, 1997, 254 p.

BRIAN B., « Warrender and His Critics », *in* M. Cranston et R. Peters (éd.), *Hobbes and Rousseau, op. cit.*, p. 37-65.

BROWN K. C., « Hobbes's Grounds for Belief in a Deity », *Philosophy*, 37-142 (1962), p. 336-344.

— (éd.), *Hobbes Studies. A Collection of Essays*, Oxford, Blackwell, 1965, 300 p.

BURKE K., « On the First Three Chapters of Genesis », *Daedalus*, 87 (1958), p. 37-64.

BURKI E. P., « Thomas Hobbes et Théodore de Bèze. Deux lecteurs de la Bible », *Cahiers de philosophie politique et juridique*, 3 (1983), p. 73-88.

BURNS N. T., *Christian Mortalism from Tyndale to Milton*, Cambridge, Mass., Harvard University Press, 1968, 1972[2].

CAMPODONICO A., « Il discorso su Dio e i presupposti del pensiero di Hobbes », in *Miscellanea filosofica 1979*, Florence, Le Monnier, 1980, p. 91-112.
— « Secularization in Thomas Hobbes's Anthropology », *in* G. Van der Bend (éd.), *Thomas Hobbes. His View of Man*, Amsterdam, Rodopi, 1982, p. 113-123.
CANZIANI G. et NAPOLI A. (éd.), *Hobbes oggi*, Milan, Franco Angeli, 1990, 622 p.
CARRIVE P., *La pensée politique anglaise. Passions, pouvoirs et libertés de Hooker à Hume*, Paris, PUF, 1994, 402 p.
— « Hobbes et les juristes de la Common Law », *in* M. Bertman et M. Malherbe (éd.), *Thomas Hobbes. De la métaphysique à la politique, op. cit.*, p. 149-171.
— « La conception de la loi chez Hobbes, Bacon, Selden », *in* J. Bernhardt et Y. C. Zarka (éd.), *Thomas Hobbes, op. cit.*, p. 305-325.
CATON H., « St. Augustine's Critique of Politics », *New Scholasticism*, 47 (1973), p. 433-457.
CEPEDA-CALZADA P., « El *Leviathan*, simbolo biblico. El caos frente a la idea de ley en Job », *Crisis. Revista espanola de Filosofia*, 21 (1974), p. 47-68.
CHRISTENSEN R., « The Political Theory of Persecution : Augustine and Hobbes », *Midwestern Journal of Political Science*, 12 (1968), p. 419-438.
CLIVE M., « Hobbes parmi les mouvements religieux de son temps », *Revue des sciences philosophiques et théologiques*, 62 (1978), p. 41-59.
COOKE P. D., *Hobbes and Christianity. Reassessing the Bible in Leviathan*, Lanham, Rowman & Littlefield, 1996, 282 p.
— « An Antidote to the Current Fashion of Regarding Hobbes as a Sincere Theist », *in* D. Kries (éd.), *Piety and Humanity : Essays on Religion and Early Modern Political Philosophy*, Lanham, Rowman & Littlefield, 1997, p. 79-108.
CORSANO A., « Il magalotti e l'ateismo », *Giornale critico della filosofia italiana*, 51 (1972), p. 241-262.
CRANSTON M. et PETERS R. (éd.), *Hobbes and Rousseau. A Collection of Critical Essays*, New York, Doubleday & Co., 1972, IX-505 p.
CRIMMINS J. E. (éd.), *Religion, Secularization and Political Thought : Thomas Hobbes to J. S. Mill*, Londres, Routledge, 1989, 202 p.
CRIPPA R., *Studi sulla conscienza etica e religiosa del seicento*, Brescia, la Scuola Editrize, 1960, 146 p.
CURLEY E., « "I durst not write so boldly" or How to read Hobbes' theological-political treatise », *in* D. Bostrenghi (éd.), *Hobbes e Spinoza. Scienza e Politica, op. cit.*, p. 497-593.
— « Hobbes contre Descartes », *in* J.-M. Beyssade et J.-L. Marion (éd.), *Descartes. Objecter et répondre*, Paris, PUF, 1994, p. 149-162.
— « Calvin and Hobbes, or, Hobbes as an Orthodox Christian », *Journal of the History of Philosophy*, 34-2 (1996), p. 257-271.
— « Reply to Professor Martinich », *Journal of the History of Philosophy*, 34-2 (1996), p. 285-287.

DAMROSCH L., Jr., « Hobbes as Reformation Theologian. Implications of the Free-Will Controversy », *Journal of the History of Ideas*, 40-3 (1979), p. 339-352.
DUPRAT J.-P., « Religion et société civile chez Hobbes », *Revue européenne des sciences sociales*, 18-49 (1980), p. 207-235.
EISENACH E. J., *Two Worlds of Liberalism. Religion and Politics in Hobbes, Locke and Mill*, Chicago-Londres, The University of Chicago Press, 1981, 262 p.
— « Hobbes on Church, State and Religion », *History of Political Thought*, 3 (1982), p. 215-244.
FARR J., « Atomes of Scripture : Hobbes and the Politics of Biblical Interpretation », *in* M. Dietz (éd.), *Thomas Hobbes and Political Theory*, Lawrence, University of Kansas Press, 1990, p. 172-190.
FIGGIS J. N., *The Theory of the Divine Right of Kings*, Cambridge, Cambridge University Press, 1896, XIV-304 p.
FOISNEAU L. (éd.), *Politique, droit et théologie chez Bodin, Grotius et Hobbes*, Paris, Kimé, 1997, 314 p.
— « Le vocabulaire du pouvoir : *potentia/potestas, power* », *in* Y. C. Zarka (éd.), *Hobbes et son vocabulaire*, Paris, Vrin, 1992, p. 83-102.
— « La transcendance de l'État dans la philosophie de Hobbes », in *L'État, philosophie morale et politique*, Les cahiers de Fontenay, ENS Fontenay/Saint-Cloud, 67-68 (1992), p. 141-160.
— « Hobbes et l'herméneutique des théologiens du contrat », *in* G. Canziani et Y. C. Zarka (éd.), *L'interpretazione nei secoli XVI e XVII*, Milan, Franco Angeli, 1993, p. 565-585.
— « Obéissance politique et mortalité humaine selon Hobbes », *in* Id. (éd.), *Politique, droit et théologie chez Bodin, Grotius et Hobbes*, *op. cit.*, p. 283-305.
— « Obéissance politique et salut du chrétien : Hobbes et l'Augustinisme », *in* J. Jehasse et A. McKenna (éd.), *Religion et politique. Les avatars de l'augustinisme*, Saint-Étienne, Publications de l'Université de Saint-Étienne, 1998, p. 83-95.
— « L'autorité de la scolastique : enjeux politiques de la critique du libre arbitre (Hobbes, Bramhall, Suarez) », *in* Y. C. Zarka (éd.), *Aspects de la pensée médiévale dans la philosophie politique moderne*, Paris, PUF, 1999, p. 167-190.
— « De Machiavel à Hobbes : efficacité et souveraineté dans la pensée politique moderne », *in* A. Renaut (éd.), *Histoire de la philosophie politique*, t. 2, *Naissances de la modernité*, Paris, Calmann-Lévy, 1999, p. 203-279.
— « Le Dieu tout-puissant de Hobbes est-il un tyran ? », *in* G. Canziani, M. Granada et Y. C. Zarka (éd.), *Potentia Dei*, Milan, Franco Angeli, 2000, p. 287-307.
FÖRSTER W., « Hobbes und der Puritanismus », *in* R. Koselleck et R. Schnur (éd.), *Hobbes-Forschungen*, *op. cit.*, p. 71-90.
FRAJESE V., « Il patto teatrale nel *Leviathan* e la regalità mistica : per una ricerca storica », *Filosofia politica*, 5-1 (1991), p. 119-138.

FREUND J., « Le Dieu mortel », *in* R. Koselleck et R. Schnur (éd.), *Hobbes-Forschungen, op. cit.*, p. 33-52.
FUNKENSTEIN A., *Théologie et imagination scientifique du Moyen Âge au XVIIe siècle*, trad. fr. J.-P. Rothschild, Paris, PUF, 1995, 478 p.
— « The Body of God in Seventeenth Century Theology and Science », *in* R. H. Popkin (éd.), *Millenarism and Messianism in English Literature and Thought : 1650-1800*, Leyde, Brill, 1988, p. 149-175.
GABRIELI V., « Bacone, la riforma e Roma nella versione hobbesiana di un carteggio di Fulgenzio Micanzio », in *English Miscellany*, A Symposium of History, *Literature and the Arts*, 8 (1957), p. 195-250.
GARIN E., *L'illuminismo inglese. I Moralisti*, Milan, Fratelli Bocca, 1914.
GAUTHIER D. P., *The Logic of Leviathan. The Moral and Political Theory of Thomas Hobbes*, Oxford, Oxford University Press, 1969, 1979^2, 217 p.
— « Why Ought One Obey God ? », *Canadian Journal of Philosophy*, 7 (1977), p. 425-446.
GEACH P. T., « The Religion of Thomas Hobbes », *Religious Studies*, 17-4 (1981), p. 549-558.
GENTILLE G., « Teologia e politica : note sulla fortuna di Hobbes nel Settecento napoletano », *in* G. Borrelli (éd.), *Thomas Hobbes, op. cit.*, p. 441-449.
GIANCOTTI E., « La funzione dell'idea di Dio nel sistema naturale et politico di Hobbes », *in* G. Borrelli (éd.), *Thomas Hobbes, op. cit.*, p. 15-33.
GILDIN H., *Notes on Spinoza's Critique of Religion*, Washington DC, Catholic University of America Press, 1980.
GLOVER W. B., « God and Thomas Hobbes », *Church History*, 29 (1960), p. 275-297.
GOYARD-FABRE S., *Le droit et la loi dans la philosophie de Thomas Hobbes*, Paris, Klincksieck, 1975, 253 p.
GREENLEAF W. H., « A Note on Hobbes and the Book of Job », *Anales de la catedra Francisco Suarez*, 14 (1974), p. 9-34.
HALLIDAY R. J., Kenyon T., Reeve A., « Hobbes's Belief in God », *Political Studies*, 31 (1983), p. 418-433.
HARRISON P., *The Bible, Protestantism and the Rise of Natural Science*, Cambridge, Cambridge University Press, 1998, 313 p.
HENRY N. H., « Milton and Hobbes. Mortalism and the Intermediate State », *Studies on Philology*, 48 (1951), p. 234-249.
HEPBURN R. W., « Hobbes on the Knowledge of God », *in* M. Cranston et R. Peters (éd.), *Hobbes and Rousseau, op. cit.*, p. 85-108.
HERB K., « Le fondement de la philosophie de l'État dans le *De Cive* », *Revue de métaphysique et de morale*, 2 (1996), p. 189-209.
HOLM S., « L'attitude de Hobbes à l'égard de la religion », *Archives de philosophie*, 12 (1936), p. 42-62.
HOOD F. C., *The Divine Politics of Thomas Hobbes. An Interpretation of "Leviathan"*, Oxford, Clarendon Press, 1964, 263 p.
HRUBI F. R., « *Leviathan* und der Tod Gottes. Zu den Anfängen des bürgerlichen Selbstverstandnisses », *Wissenschaft und Weltbild*, 24-3 (1971), p. 222-230.

HUDSON S. D., « Right Reason and Mortal Gods », *Monist*, 66 (1983), p. 134-145.

HUNT J., *Religious Thought in England from the Reformation to the End of the Last Century*, Londres, Strahan & Co., 1870.

IZZO F., « Storia et teologia politica », *in* G. Borrelli (éd.), *Thomas Hobbes, op. cit.*, p. 383-407.

JAUME L., *Hobbes et l'État représentatif moderne*, Paris, PUF, 1986, 236 p.

JOHNSON P. J., « Hobbes's Anglican Doctrine of Salvation », *in* R. Ross, H. W. Schneider, T. Wadman (éd.), *Hobbes in his Time*, Minneapolis, University of Minnesota Press, 1974, p. 102-135.

JOHNSTON D., *The Rhetoric of Leviathan. Thomas Hobbes and the Politics of Cultural Transformation*, Princeton, Princeton University Press, 1986, 234 p.

— « Hobbes's Mortalism », *History of Political Thought*, 10 (1989), p. 647-663.

KERSTING W. (éd.), *Thomas Hobbes. Leviathan oder Stoff, Form und Gewalt eines bürgerlichen und kirchlichen Staates*, Berlin, Akademie Verlag, 1996, 332 p.

KODALLE K.-M., « Covenant : Hobbes's Philosophy of Religion and His Political System *More Geometrico* », *in* C. Walton et P. J. Johnson (éd.), *Hobbes's « Science of Natural Justice »*, Dordrecht, Nijhoff, 1987, p. 223-238.

— « Aspekte der politischen Theologie von Thomas Hobbes », *in* G. Sorgi (éd.), *Politica e diritto in Hobbes*, Milan, Giuffrè, 1995, p. 97-120.

KOSELLECK R. et SCHNUR R. (éd.), *Hobbes-Forschungen*, Berlin, Duncker & Humblot, 1969, 300 p.

KRAMER M. H., « God, Greed and Flesh : Saint Paul, Thomas Hobbes, and the Nature/Nuture Debate », *Southern Journal of Philosophy*, 30 (1992), p. 51-66.

LAMOT W. M., *Godly Rule. Politics and Religion 1603-1660*, Londres, MacMillan, 1969.

LAZZERI C., *Droit, pouvoir et liberté. Spinoza critique de Hobbes*, Paris, PUF, 1998, 402 p.

LEIJENHORST C., *Hobbes and the Aristotelians. The Aristotelian Setting of Thomas Hobbes's Natural Philosophy*, Utrecht, Zeno Institute for Philosophy, 1998, 300 p.

LESSAY F., *Souveraineté et légitimité chez Hobbes*, Paris, PUF, 1988, p. 292 p.

— « Le vocabulaire de la personne », *in* Y. C. Zarka (éd.), *Hobbes et son vocabulaire*, Paris, Vrin, 1990, p. 155-186.

— « Mortalisme chrétien : l'étrange rencontre entre Hobbes et Milton », *Bulletin de la société d'études anglo-américaines des XVIIe et XVIIIe siècles*, 32 (1991), p. 21-33.

— « Christologie de Hobbes : le soupçon de socinianisme », *in* G. Canziani et Y. C. Zarka (éd.), *L'interpretatione nei secoli XVI e XVII*, Milan, Franco Angeli, 1993, p. 549-564.

LETWIN S. R., « Hobbes and Christianity », *Daedalus*, 105 (1976), p. 1-21.

LINDSAY A. D., *Religion, Science, and Society in the Modern World*, New Haven, Yale University Press, 1943.

LINNEL C. L. S., « Daniel Scargill. A Penitent "Hobbist" », *Church Quarterly Review*, 156 (1953), p. 256-265.

LUDWIG B., *Neuzeitliche Staatsphilosophie und das Erbe des christlichen Naturrechts : Thomas Hobbes'* Leviathan, Munich, Universität der Bundeswehr, Institut für Staatswissenschaften, 1997, 41 p.

LUKAC DE STIER M. L., « Qué conocemos de Dios ? Hobbes versus Tomás », *Logos*, 18-52 (1990), p. 59-71.

MACPHERSON C. B., *The Political Theory of Possessive Individualism*, Oxford, Oxford University Press, 1962 ; trad. fr. de M. Fuchs : *La théorie politique de l'individualisme possessif*, Paris, Gallimard, 1971, 347 p.

MALCOLM N., *Thomas Hobbes and Voluntarist Theology*, University of Cambridge, PhD n° 12565, 1983.

— « Biographical register of Hobbes's correspondents », in *The Correspondence of Thomas Hobbes*, Oxford, Clarendon Press, 1994, p. 777-919.

MALHERBE M., *Thomas Hobbes ou l'œuvre de la raison*, Paris, Vrin, 1984, 270 p.

— « Hobbes et la Bible », *in* J.-R. Armogathe (éd.), *Le Grand Siècle et la Bible*, Paris, Beauschesne, 1989, p. 691-699.

— « Le règne de Dieu par la nature chez Thomas Hobbes », *Archives de philosophie*, 53-2 (1990), p. 245-259.

— « La religion matérialiste de Thomas Hobbes », *in* G. Borrelli (éd.), *Thomas Hobbes, op. cit.*, p. 51-69.

MANENSCHIJN G., « Thomas Hobbes, Urheber der politischen Theologie der Moderne », *Evangelische Theologie*, 56 (1996), p. 511-528.

MANENT P., *Naissances de la politique moderne. Machiavel, Hobbes, Rousseau*, Paris, Payot, 1977, 212 p.

MARTINICH A. P., *The Two Gods of Leviathan. Thomas Hobbes on Religion and Politics*, Cambridge, Cambridge University Press, 1992, XV-430 p.

— *A Hobbes Dictionary*, Oxford, Blackwell, 1995, XI-336 p.

— « On the Proper Interpretation of Hobbes's Philosophy », *Journal of the History of Philosophy*, 34-2 (1996), p. 273-283.

MATHERON A., « Le droit du plus fort : Hobbes contre Spinoza », *Revue philosophique de la France et de l'étranger*, 2 (1985), p. 149-176.

— « Obligation morale et obligation juridique selon Hobbes », *Philosophie*, 23 (1989), p. 37-56.

— « Hobbes, la Trinité et les caprices de la représentation », *in* J. Bernhardt et Y. C. Zarka (éd.), *Thomas Hobbes. Philosophie première, théorie de la science et politique, op. cit.*, p. 381-390.

MEENKEN I., *Reformation und Demokratie. Zum politischen Gehalt protestantischer Theologie in England 1570-1660*, Stuttgart-Bad Cannstatt, Frommann-Holzboog, 1996, 380 p.

METZGER H.-D., *Thomas Hobbes und die englishe Revolution 1640-1660*, Stuttgart-Bad Cannstatt, Frommann-Holzboog, 1991, 324 p.

MILNER B., « Hobbes : On Religion », *Political Theory*, 16 (1988), p. 400-425.

MILTON P., « Hobbes, Heresy and Lord Arlington », *History of Political Thought*, 14 (1994), p. 501-546.

MINTZ S. I., *The Hunting of Leviathan. Seventeenth-Century Reactions to the Materialist and Moral Philosophy of Thomas Hobbes*, Cambridge, Cambridge University Press, 1962, x-190 p.
— « Hobbes and the Law of Heresy. A New Manuscript », *Journal of the History of Ideas*, 29-3 (1968), p. 409-414.
MOLONEY P., « Leaving the Garden of Eden : Linguistic and Political Authority in Thomas Hobbes », *History of Political Thought*, 18 (1997), p. 242-266.
MOREAU P.-F., *Hobbes. Philosophie, science, religion*, Paris, PUF, 1989, 118 p.
NARDONE G., « La controversia sul giudice delle controversie : il cardinale Bellarmino e Thomas Hobbes », *in* G. Galeota (éd.), *Roberto Bellarmino Arcivescovo di Capua, teologo e pastore della Riforma cattolica*, Capoue, Archevêché, p. 543-628.
NICASTRO O., *Politica e religione nel Seicento inglese*, Pise, Edizioni ETS, 1996.
OLASO E. de, « Hobbes : Religion and Ideology. Notes on the Political Utilization of Religion », *in* R. Popkin et A. Van der Jagt (éd.), *Scepticism and Irreligion in the Seventeenth and Eighteenth Centuries*, Leyde, E. J. Brill, 1993, p. 59-70.
OVERHOFF J., « The Lutheranism of Thomas Hobbes », *History of Political Thought*, 18-4 (1997), p. 604-623.
PABEL H. M., « Give to Caesar that which is Caesar's : Hobbes Strategy in the second Half of *Leviathan* », *Journal of Church and State*, 35 (1993), p. 335-349.
PACCHI A., *Convenzione e ipotesi nella formazione della filosofia naturale di Thomas Hobbes*, Florence, La Nuova Italia, 1965, 250 p.
— « Una "Biblioteca Ideale" di Thomas Hobbes : il MS E2 dell'Archivio di Chatsworth », *Acme. Annali della Facoltà di Lettere e Filosofia dell'Università degli Studi di Milano*, 21 (1968), p. 3-42.
— *Filosofia e teologia in Hobbes*, dispense del Corso di Storia della Filosofia per l'A. A. 1984-'85, Milan, Unicopli, 1985, 140 p.
— « Hobbes e la potenza di Dio », *in* M. Fumagalli (éd.), *Sopra la volta del mondo. Omnipotenza e potenza assoluta di Dio tra Medioevo e Età Moderna*, Bergame, Pierluigi Lubrina Editore, 1986, p. 79-91 ; trad. fr. « Hobbes et la puissance de Dieu », *Philosophie*, 23 (1989), p. 80-92.
— « Hobbes and the Problem of God », *in* G. A. J. Rogers et A. Ryan (éd.), *Perspectives on Thomas Hobbes*, Oxford, Clarendon Press, 1988, p. 171-187.
— (éd.), *Thomas Hobbes, Scritti teologici*, introduction par A. Pacchi, traduction et notes par G. Invernizzi et A. Lupoli, Milan, Franco Angeli, 1988, 256 p.
— « *Leviathan* and Spinoza's *Tractatus* on Revelation : Some Elements for a Comparison », *History of European Ideas*, 10 (1989), p. 577-593.
— « Hobbes and Biblical Philology in the Service of the State », *Topoi*, 7-3 (1988), p. 231-239 ; « Hobbes e la filologia biblica al servizio dello Stato », *Annali di storia dell'esegesi*, 7-1 (1990), p. 277-292.
— *Scritti hobbesiani (1978-1990)*, Agostino Lupoli (éd.), introduction de François Tricaud, Milan, Franco Angeli, 1998, 205 p.

PALAVER W., *Politik und Religion bei Thomas Hobbes. Eine Kritik aus der Sicht der Theorie René Girards*, Innsbruck-Vienne, Innsbrucker theologische Schriften, 1991, 387 p.
PASQUALUCCI P., « Sul marranismo di Hobbes », *in* G. Borrelli (éd.), *Thomas Hobbes, op. cit.*, p. 371-407.
PÉCHARMAN (M.), « Le vocabulaire de l'être dans la philosophie première : *ens, esse, essentia* », *in* Y. C. Zarka (éd.), *Hobbes et son vocabulaire, op. cit.*, p. 31-59.
— « Philosophie première et théologie selon Hobbes », *in* L. Foisneau (éd.), *Politique, droit et théologie chez Bodin, Grotius et Hobbes, op. cit.*, p. 215-241.
— « La puissance absolue de Dieu selon Hobbes », *in* G. Canziani, M. Granada et Y. C. Zarka (éd.), *Potentia Dei*, Milan, Franco Angeli, 2000, p. 262-286.
PLAMENATZ J., « Mr. Warrender's Hobbes », *Political Studies*, 5 (1957), p. 295-308.
POCOCK J. G. A., *Politics, Language, and Time. Essays on Political Thought and History*, New York, Atheneum, 1971 ; Londres, Methuen, 1972.
POLIN R., *Politique et philosophie chez Hobbes*, Paris, Vrin, 1977^2, XX-269 p.
— *Hobbes, Dieu et les hommes*, Paris, PUF, 1981, 240 p.
PROBST S., « Infinity and Creation : The Origin of the Controversy between Thomas Hobbes and the Savilian Professors Seth Ward and John Wallis », *The British Journal for the History of Science*, 26 (1993), p. 271-279.
REALE M., « Il "regno di Dio per natura" del *Leviatano*. Hobbes tra "Dio dei filosofi" e "Dio dei cristiani" », *in* S. Marcucci (éd.), *Scienza e filosofia. Problemi teorici e di storia del pensiero scientifico. Studi in onore di Francesco Barone*, Pise, Giardini, 1995, p. 199-222.
REIK M. M., *The Golden Lands of Thomas Hobbes*, Detroit, Wayne State University Press, 1977, 240 p.
RIBEIRO R. J., « A religião de Thomas Hobbes », *Revista Latinoamericana de Filosofia*, Buenos Aires, 13-3 (1987), p. 357-364.
ROGERS G. A. J., « La religion et la loi naturelle selon Hobbes. Les lois de la nature et la loi morale », *in* L. Foisneau (éd.), *Politique, droit et théologie chez Bodin, Grotius et Hobbes, op. cit.*, p. 265-282.
ROGOW A. A., *Thomas Hobbes, Radical in the Service of Reaction*, New York, W. W. Norton, 1986 ; trad. fr. de E. Trèves : *Thomas Hobbes. Un Radical au service de la Réaction*, Paris, PUF, 1990, 364 p.
ROSHWALD M., « The Judeo-Christian Elements in Hobbes's *Leviathan* », *Hobbes Studies*, 7 (1994), p. 95-124.
ROUX L., *Thomas Hobbes : penseur entre deux mondes*, Saint-Étienne, Publications de l'Université de Saint-Étienne, 1981, 299 p.
— et TRICAUD F. (éd.), *Le pouvoir et le droit. Hobbes et le fondement de la loi*, Saint-Étienne, Publications de l'Université de Saint-Étienne, 1992, 210 p.
RYAN A., « Hobbes, Toleration, and the Inner Life », *in* D. Miller et L. Siedentop (éd.), *The Nature of Political Theory*, Oxford, Clarendon Press, 1983, p. 197-218.

RYAN J. K., « The Reputation of Saint Thomas Aquinas Among English Protestant Thinkers of the Seventeenth Century », *New Scholasticism*, 22 (1948), p. 126-208.

SAMPSON M., « Will You Hear What a Casuist He Is ? Hobbes as a Director of Conscience », *History of Political Thought*, 11 (1990), p. 721-736.

SCHILLING K., « Naturrecht, Staat und Christentum bei Hobbes », *Zeitschrift für philosophische Forschung*, 11 (1947/8), p. 275-295.

SCHMITT C., *Der Leviathan in der StaatsLehre des Thomas Hobbes. Sinn und Fehlschlag eines politischen Symbols* (1938), Köln-Lövenich, Hohenheim Verlag, 1982, 244 p.

— « Die vollendete Reformation (Zu neuen Leviathan-Interpretationen) », *Der Staat*, 4 (1965), p. 51-70.

SCHNEIDER H. W., « The Piety of Hobbes », *in* R. Ross, H. Schneider et T. Waldman (éd.), *Thomas Hobbes in his Time*, Minneapolis, University of Minnesota Press, 1974, p. 84-101.

SCHROEDER P., « Thomas Hobbes, Christian Thomasius and the Seventeenth Century Debate on the Church and State », *History of European Ideas*, 23-2 (1997), p. 59-79.

SCHUHMANN K., « Die Rationalität politischer Institutionen nach Hobbes », *in* T. Albertini (éd.), *Verum et Factum. Beiträge zur Geistesgeschichte und Philosophie der Renaissance bis zum 60. Geburtstag von S. Otto*, Francfort-sur-le-Main, Lang, 1993, p. 121-137.

— *Hobbes. Une chronique. Cheminement de sa pensée et de sa vie*, Paris, Vrin, 1998, 240 p.

SCRIBANO M. E., *Da Descartes a Spinoza. Percorsi della teologia razionale nel Seicento*, Milan, Franco Angeli, 1988, 300 p.

SHAPIN S. et SHAFFER S., *Leviathan and the Air-Pump : Hobbes, Boyle, and the Experimental Life*, Princeton, Princeton University Press, 1985 ; trad. fr. de T. Piélat : *Leviathan et la pompe à air. Hobbes et Boyle entre science et politique*, Paris, Éd. La Découverte, 1993, 462 p.

SHERLOCK R., « The Theology of *Leviathan*. Hobbes on Religion », *Interpretation*, 10-1 (1982), p. 43-60.

SHULMAN G., « Hobbes, Puritans, and Promethean Politics », *Political Theory*, 16 (1988), p. 426-443.

SIENA R., « Hobbes e il cristianesimo dal *De cive* al *Leviatano* », *Sapienza. Rivista di filosofia e di teologia*, 49-3 (1996), p. 253-269.

SKINNER Q., « The Ideological Context of Hobbes's Political Thought », *Historical Journal*, 9-3 (1966), p. 286-317.

— « The Context of Hobbes's Theory of Political Obligation », *in* M. Cranston et R. Peters (éd.), *Hobbes and Rousseau*, *op. cit.*, p. 109-142.

— « Conquest and Consent : Thomas Hobbes and the Engagement Controversy », *in* G. E. Aylmer (éd.), *The Interregnum : The Quest for Settlement 1646-1660*, Londres, MacMillan, 1972, p. 79-98.

— *The Foundations of Modern Political Thought*, 2 vol., Cambridge, Cambridge University Press, 1978.

— *Reason and Rhetoric in the Philosophy of Hobbes*, Cambridge, Cambridge University Press, 1996, 478 p.

SOMERWELL D., « M. Hobbes the Atheist », *New Statesman*, 21 (1923), p. 45-47.

SOMMERVILLE J. P., *Thomas Hobbes : Political Ideas in Historical Context*, Londres, MacMillan, 1992, 234 p.

SORELL T., *Hobbes*, Londres, Routledge & Kegan Paul, 1986, 164 p.

— « Le Dieu de la philosophie et le Dieu de la religion chez Hobbes », *in* L. Foisneau (éd.), *Politique, droit et théologie chez Bodin, Grotius et Hobbes*, *op. cit.*, p. 243-264.

SPRINGBORG P., « *Leviathan* and the Problem of Ecclesiastical Authority », *Political Theory*, 3 (1975), p. 289-303.

— « *Leviathan*, the Christian Commonwealth Incorporated », *Political Studies*, 24 (1978), p. 171-183.

— « Hobbes, Heresy, and the *Historia Ecclesiastica* », *Journal of the History of ideas*, 55 (1994), p. 553-571.

— « Thomas Hobbes and Cardinal Bellarmine : *Leviathan* and the "Ghost of the Roman Empire" », *History of Political Thought*, 16-4 (1995), p. 503-531.

— « Hobbes's Biblical Beasts : *Leviathan* and *Behemoth* », *Political Theory*, 23 (1995), p. 353-375.

— « Hobbes on Religion », *in* T. Sorell (éd.), *The Cambridge Companion to Hobbes*, Cambridge, Cambridge University Press, 1996, p. 346-380.

STATE S. A., « Text and Context : Skinner, Hobbes, and Theistic Natural Law », *Historical Journal*, 28 (1985), p. 27-50.

— « The Religious and the Secular in the Work of Thomas Hobbes », *in* J. E. Crimmins (éd.), *Religion, Secularization and Political Thought. Thomas Hobbes to J. S. Mill*, *op. cit.*, p. 17-38.

— *Thomas Hobbes and the Debate over Natural Law and Religion*, New York - Londres, Garland Publishing Inc., 1991, 260 p.

STRAUSS L., *The Political Philosophy of Hobbes. Its Basis and its Genesis*, traduit en anglais par E. Sinclair, Oxford, Clarendon Press, 1936 ; trad. fr. de A. Enegrén et M. B. de Launay : *La philosophie politique de Hobbes*, Paris, Belin, 1991, 300 p.

— *Natural Right and History*, Chicago, Chicago University Press, 1953 ; trad. fr. de É. de Dampierre et M. Nathan : *Droit naturel et histoire*, Paris, Plon, 1954, 324 p.

— *Spinoza's Critique of Religion*, New York, Schocken, 1969 ; trad. fr. de G. Almaleh, A Baraquin et M. Depadt-Ejchenbaum : *La critique de la religion chez Spinoza*, Paris, Cerf, 1996, 394 p.

SUTHERLAND S. R., « God and Religion in *Leviathan* », *Journal of Theological Studies*, 25 (1974), p. 373-380.

TAYLOR A. E., « The Ethical Doctrine of Hobbes », *Philosophy*, 13 (1938), p. 406-424 ; repris *in* K. C. Brown (éd.), *Hobbes Studies*, *op. cit.*, p. 35-56.

TERREL J., *Hobbes, matérialisme et politique*, Paris, Vrin, 1994, 400 p.

TRICAUD F., « La doctrine du salut dans le *Léviathan* », *in* G. Borrelli (éd.), *Thomas Hobbes, op. cit.*, p. 3-14.
— « *Homo homini Deus, Homo homini lupus* : recherche des sources de deux formules de Hobbes », *in* R. Koselleck et R. Schnur (éd.), *Hobbes-Forschungen, op. cit.*, p. 61-70.
— « Note sur l'histoire de la révélation mosaïque selon le *Léviathan* », *Archives de Philosophie*, « Bulletin Hobbes IX », 60-2 (1997), p. 3-5.
TUCK R., « The Civil Religion of Thomas Hobbes », *in* N. Philipson et Q. Skinner (éd.), *Political Discourse in Early Modern Britain*, Cambridge, Cambridge University Press, 1993, p. 120-138.
— « The Christian Atheism of Thomas Hobbes », *in* M. Hunter et D. Wooton (éd.), *Atheism from the Reformation to the Enlightenment*, Oxford, Clarendon, 1991.
TULLOCH J., *Rational Theology and Christian Philosophy in England in the Seventeenth Century*, 2 vol., Londres, 1872.
VIOLA F., « Stato secundo ragione e Stato cristiano in Hobbes », *in* G. Borrelli (éd.), *Thomas Hobbes, op. cit.*, p. 363-370.
WARNER D. H. J., « Hobbes Interpretation of the Doctrine of Trinity », *Journal of Religious History*, 5 (1968), p. 299-313.
WARRENDER H., *The Political Philosophy of Hobbes. His Theory of Obligation*, Oxford, Clarendon Press, 1957, IX-346 p.
— « The Place of God in Hobbes's Philosophy. A Reply to Mr. Plamenatz », *Political Studies*, 8 (1960), p. 48-57.
— « A Reply to Mr. Plamenatz », *in* K. C. Brown (éd.), *Hobbes Studies, op. cit.*, p. 89-100.
WHITAKER M., « Hobbes's View of the Reformation », *History of Political Thought*, 9 (1988), p. 45-58.
WRIGHT G., « Hobbes and the Economic Trinity », *The British Journal for the History of Philosophy*, 7-3 (1999), p. 397-428.
ZARKA Y. C., *La décision métaphysique de Hobbes*, Paris, Vrin, 1987, 1999², 408 p.
— « Leibniz lecteur de Hobbes : toute-puissance divine et perfection du monde », *in* A. Heinekamp et A. Robinet (éd.), *Leibniz : le meilleur des mondes*, Stuttgart, Franz Steiner Verlag, 1992, p. 113-128 ; repris *in* Id., *Philosophie et politique à l'âge classique*, Paris, PUF, 1998, p. 85-106.
— *Hobbes et la pensée politique moderne*, Paris, PUF, 1995, 308 p.
ZIMMERMANN G., « Die Auseinandersetzung Thomas Hobbes' mit der reformatorischen Zwei-Reiche-Lehre », *Zeitschrift der Savigny-Stiftung für Rechtsgeschichte. Kanonistische Abteilung*, 113 (1996), p. 326-352.

Index nominum

Table des matières

Biblis

Derniers titres parus

118. Martine Méheut, *L'invention du Bonheur*
119. Bernard Richard, *Les emblèmes de la République*
120. Michel Maffesoli, *Homo eroticus*
121. Dominique Wolton, *La communication, les hommes et la politique*
122. Thierry Lentz, *Napoléon diplomate*
123. Paolo d'Iorio, *Le voyage de Nietzsche à Sorrente*
124. Jürgen Leonhardt, *La grande histoire du latin*
125. Olivier Bobineau, *L'empire des papes*
126. Pierre Maraval, *Les fils de Constantin*
127. Jean-Pierre Esquenazi, *Le film noir*
128. Sophie A. de Beaune, *L'Homme et l'outil*
129. Claudine Le Tourneur d'Ison, *Temples perdus. Et Henri Mouhot découvrit Angkor*
130. Pierre Delval, *Le faux. Un marché mondial*
131. Denis Peschanski, *Les Tsiganes en France 1939-1946*
132. Esther Benbassa (dir.), *Les Sépharades*
133. Albert Thibaudet, *Histoire de la littérature française*
134. Paul Dahan (dir.), *Diplomates. Dans le secret de la négociation*
135. Emmanuel de Waresquiel, *Fins de partie*
136. Bernard Guenée, *La folie de Charles VI*
137. Alexandra Novosseloff (dir.), *Le conseil de Sécurité des Nations Unies*
138. Rémy Lestienne, *Les fils du temps. Causalité, entropie, devenir*
139. Pascal Ory, *La belle illusion. Culture et politique sous le Front populaire*
140. Ingrid Galster, *Beauvoir dans tous ses états*
141. Bernard Bruneteau, *Les collabos de l'Europe nouvelle*
142. Patrice Lajoye, *L'arbre du monde. La cosmologie celte*
143. Jean-Pierre Rioux, *Au bonheur la France*
144. Philippe Martin, *Pèlerins. XVe-XXIe s.*
145. Jean-Benoit Guinot, *Dictionnaire Flaubert*
146. Tal Bruttmann et Laurent Joly, *La France antijuive de 1936. L'agression de Léon Blum à la Chambre des députés*
147. Sylvie Sanchez, *Pizza. Cultures et mondialisation*
148. Jean-Robert Pitte (dir.), *L'amour du vin*
149. Maurice Barrès, *Les diverses familles spirituelles de la France*
150. Cynthia Fleury, *Dialoguer avec l'Orient*
151. Jean-Louis Brunaux, *Les religions gauloises*
152. Denis Davidov, *La guerre de partisans*
153. Philippe Martin, *Histoire de la messe* (nouvelle édition)
154. Jean-Christophe Attias, *Moïse fragile*
155. Cyrille P. Coutansais, *Une histoire des empires maritimes*

156. Alain Vaillant, *Qu'est-ce que le romantisme ?*
157. Benoît Yvert, *La Restauration*
158. Julian Fernandez (dir.), *Justice pénale internationale*
159. Yves-Marie Bercé, *Les monarchies dans l'Europe moderne (XVIe-XVIIIe siècle)*
160. François Dufay, *Maximes et autres pensées remarquables des moralistes français*
161. François Georgeon, *Abdülhamid II*
162. Laurent Theis, *Dagobert*
163. Albert Memmi, *Tunisie, An I*
164. Colette Pétonnet, *Ces gens-là*
165. Jacques Frémeaux, *La Question d'Orient*
166. Marshall McLuhan, *La Galaxie Gutenberg. La genèse de l'homme typographique*
167. Marc Joly, *L'Europe de Jean Monnet*
168. Bruno Fuligni, *L'île à éclipses. Apparitions et disparitions d'une terre française*
169. Bertrand Badie, *L'État importé. L'occidentalisation de l'ordre politique*
170. Hervé Robert, *La monarchie de Juillet*
171. Emmanuel de Waresquiel, *Talleyrand*
172. Louis-Jean Calvet, *Les langues : quel avenir ?*
173. Georges Clemenceau, *Clemenceau parle encore*
174. Georges-Arthur Goldschmidt, *À l'insu de Babel*
175. Bruno Fuligni, *La Chambre ardente. Aventuriers, utopistes, excentriques du Palais Bourbon*
176. Éric Baratay, *Bêtes des tranchées*
177. Sophie Cœuré, *La grande lueur à l'Est*
178. Fabrice Monnier, *Atatürk. Naissance de la Turquie moderne*
179. Thomas Boraud, *Matière à décision*
180. Roseline Letteron, *La liberté de la presse écrite au XXIe siècle*
181. Henri Meschonnic, *Spinoza. Poème de la pensée*
182. Renée Poznanski, *Les Juifs en France pendant la Seconde Guerre mondiale*
183. *Le livre des sentences de l'inquisiteur Bernard Gui*, Extraits choisis, traduits et présentés par Julien Théry
184. Fabrice Argounès, *Théories de la puissance*
185. Pierre Mendès France, *Écrits de résistance*
186. Bernard Andrieu et Gilles Boëtsch (dir.), *Dictionnaire du corps*
187. Michel Leymarie, *Albert Thibaudet*
188. Laurent Theis, *Robert le Pieux*
189. François Gipouloux, *La Méditerranée asiatique*
190. François Rouquet, *Une épuration ordinaire (1944-1949)*
191. Marie Buscatto, *Femmes du jazz*
192. Maurice Godelier (dir.), *La mort et ses au-delà*
193. Raphaël Liogier, *La guerre des civilisations n'aura pas lieu*
194. Daniel Kunth et Philippe Zarka, *L'astrologie est-elle une imposture ?*
195. Malek Chebel, *L'inconscient de l'islam*

196. Frédéric Rouvillois, *Les origines de la Ve République*
197. Jean Delumeau, *L'avenir de Dieu*
198. Gaïdz Minassian, *Zones grises*
199. Colette Pétonnet, *Variations sur la ville. Ethnologie urbaine*
200. Guillaume Devin et Michel Hastings (dir.), *10 concepts anthropologiques en science politique*
201. Léon Aufrère, *Boucher de Perthes*
202. Philippe George, Reliques. *Se connecter à l'au-delà*
203. Jean-Noël Jeanneney, *François de Wendel*
204. Pierre Buhler, *La puissance au XXIe siècle*
205. Albert Memmi, *Journal de guerre 1939-1943*
206. Nicolas Haupais (dir.), *La France et l'arme nucléaire*
207. Pierre Singaravélou, *L'École Française d'Extrême-Orient*
208. Claude Baudoin, *À quoi pensent les animaux ?*
209. Henry Laurens, *Orientales*
210. Pierre Montebello, *Nietzsche. Fidélité à la Terre*
211. Jacques Frémeaux, *La conquête de l'Algérie*
212. Muriel Florin, *Questions de sciences*
213. Norbert Elias, *Le déclin de l'art de cour*
214. Jacques Dalarun, *La vie retrouvée de François d'Assise*
215. Bruno Fuligni, *La police des écrivains*
216. Denis Lefebvre, *Les secrets de l'expédition de Suez 1956*
217. Antoine Letessier Selvon, Kosmos. *L'épopée des particules*
218. Souleymane Bachir Diagne, *Bergson postcolonial*
219. Christian Lequesne, *Ethnographie du Quai d'Orsay*
220. Adam Baczko, Gilles Dorronsoro, Arthur Quesnay, *Syrie. Anatomie d'une guerre civile*
221. Louis-Jean Calvet, *La Méditerranée, mer de nos langues*
222. Muhammad Ali Amir Moezzi, *Le Coran silencieux et le Coran parlant*
223. Loris Chavanette, *Quatre-vingt-quinze. La Terreur en procès*
224. Paul Dahan (dir.), *Prévoir le monde de demain*
225. Fanette Laubenheimer, *Boire en Gaule*
226. Pierre-Marc de Biasi (Textes présentés), *Voyages en Tunisie. Chateaubriand, Dumas, Flaubert, Maupassant*
227. Alain Testart, *Essai d'épistémologie pour les sciences sociales*
228. Roger Heim, *Destruction et protection de la nature*
229. Julian Fernandez (dir.), *Les opérations extérieures de la France*
230. Eric Cline, *Trois pierres, c'est un mur… Une histoire de l'arché*
231. Thomas Labbé, *Catastrophes naturelles au Moyen Âge*
232. Mario Livio, *Fabuleuses erreurs*
233. Colas Duflo, *Diderot. Du matérialisme à la politique*
234. Gilles Fumey, *Manger local, manger global*
235. Mathieu Agelou, Gabriel Chardin, Jean Duprat, Alexandre Delaigue, Roland Lehoucq, *Où sont-ils ? Les extraterrestres et le paradoxe de Fermi*

pca
cmb
édition pré-presse
livres numériques

44400 Rezé

CPi
BUSSIÈRE

Cet ouvrage a été imprimé en France par
CPI Bussière
à Saint-Amand-Montrond (Cher)
en mars 2021.
N° d'impression : 2056570.
Dépôt légal : mars 2021.